조선국왕 이야기 2

조선국왕 이야기 2

임용한 지음

혜안

머리말

　작년 말, 혹은 올 1월에 내겠다고 한 책을 이제야 마치게 되었다. 오랫동안 기다려 주신 분들에게는 정말 죄송한 마음을 금할 길이 없다. 이 지면을 빌어 사과를 드리고 싶다.

　가끔 이 책에 있는 내용이 일반적인 통설과 달라서 당혹스럽다는 질문을 받았다. 출판사에도 이 얘기가 맞는 것이냐고 문의하는 전화가 여러 차례 걸려 왔다고 한다. 이 기회에 이 문제에 대해서 몇 가지 설명을 드리는 것으로 서문을 대신하고자 한다.

　드라마나 이야기에서 친숙한 왕의 개성이나 사건들은 대개가 조선시대에 편찬된 야사나 실록에 수록되어 있는 뒷이야기에서 채록한 것이다. 그 중에는 기록자가 체험한 이야기도 있고, 떠도는 소문을 채록한 것도 있다. 소문은 시간이 갈수록 불려지고, 각색된다. 내용이 극적이고 재미있을수록 사실은 허구가 많다. 반면 사건 현장에 있었던 사람의 증언, 동시대의 소문은 상대적으로 신빙성이 높다고 하겠다.

　그러나 여기에도 함정이 있다. 조선시대에 국정운영에 참석하여 내막을 알 수 있는 사람은 극히 소수였다. 『실록』이나 『승정원일기』는 당시로서는 극비문서에 해당했으므로 웬만한 관원은 볼 수도 없었다. 그러므로 현직 관원들이라도 사건이 터지면 선입견과 정황 증거를 가지고 판단하는 경우가 많았다. 이런 기록들을 곧이곧대로 신뢰한 데서 많은 오류가 발생한 것이다.

1권에서도 그랬고, 이번에도 마찬가지지만 필자는 가능한 한 여러 기록을 전체적으로 비교 검토하여 신빙성 있는 자료를 선택하고 원래의 모습을 복원하려고 노력했다. 이 책의 성격상 일일이 논증을 하거나 각주로 근거를 표시할 수는 없었지만, 어쩌다 한 번 한 일을 일반적인 현상인 것처럼 침소봉대하거나, 상상이나 추측, 근거 없는 억지 논리로 페이지를 메우지는 않았다.

다만 대화나 인용문이 워낙 옛날 말투라 의역을 하거나 간략히 하여 전달한 부분은 있다. 그러나 내용을 추가하지는 않았다. 예를 들면 대화할 때의 표정이나 말투, '웃으면서 말했다'거나 '얼굴을 붉히며 소리쳤다'는 식의 표현도 거의가 기록에 의거하여 쓴 것이다. 좀더 문학적이고 현장감 있게 쓰고 싶은 욕망이 없지 않았으나 그것도 최대한 억제했다. 간혹 문맥을 위해 필자가 집어넣은 표현이 없지는 않으나, 그런 경우도 기록을 몇 번씩 읽으면서 가능한 한 분위기를 정확하게 재현하려고 하였다.

물론 그렇다고 이 책의 내용이 완벽하다고는 할 수 없다. 사료를 통해 과거를 재현하는 데는 엄청난 어려움과 한계가 있다. 필자의 판단이 틀린 경우나 고증 상의 실수도 있을 것이다. 그러나 개인적으로는 학술논문을 쓰는 경우와 조금도 다름이 없이 엄밀하고 정확한 고증을 하려고 노력했다는 점을 밝혀 두고 싶다.

대중을 위한 역사서란 아직도 우리 학계에서는 미개척의 영역이다. 1권을 처음 시작할 때부터 어떤 이야기를 전달해야 하며, 무엇을 어떻게 설명해야 하느냐는 문제로 고민을 했다. 이제 2권까지 마치게 되었지만 그 고민은 조금도 나아지지 않는다. 많은 분들의 아낌없는 질정을 바란다.

끝으로 출판사의 사장님이기 이전에 존경하는 선배님으로서 많은 도움을 주신 오일주 선배님과 혜안의 식구 여러분께 감사드리고, 집사람과 예빈·예린이에게도 고마움을 전한다.

1999년 10월
임용한

차 례

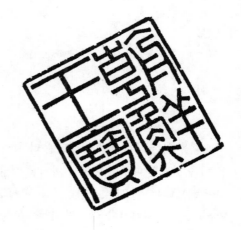

9

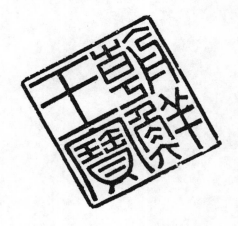

태양을 위하여

　　1457(세조 3)~1494년(성종 25), 재위 1469~1494년. 조선의 제9대 왕. 이름
은 혈(娎). 세조의 큰아들인 의경세자의 둘째 아들. 모친은 한확의 딸 소혜왕후
(인수대비). 첫번째 부인은 한명회의 딸 공혜왕후, 두번째는 폐비 윤씨, 세번째
는 윤호의 딸 정현왕후이다. 잘산군으로 책봉되었으며, 작은아버지 예종이 사
망하자 아들 제안대군이 너무 어렸으므로 성종이 13세에 즉위했다. 7년간 할머
니 정희왕후가 수렴청정을 하였으며, 한명회와 신숙주를 위주로 한 공신집단
이 정치의 실권을 장악하였다.『경국대전』과『국조오례의』를 편찬하여 조선의
기본 법과 의례를 완성하였다. 폐지된 집현전을 복구하여 홍문관을 설치하고,
학술연구 및 언론기관으로 양성했다. 1479년 윤필상을 시켜 압록강 유역의 야
인을 정벌하고, 1491년에는 허종을 도원수로 삼아 두만강 이북의 야인을 소탕
했다. 그의 시대에 국가가 대내·외적으로 안정과 번영을 누렸으며, 성종은 대
단히 모범적이고 훌륭한 국왕으로 평가받았다. 재위 25년 만에 38세의 젊은
나이로 사망하였다. 능은 선릉으로 현재 강남구 삼성동에 있다.

1. 뒤바뀐 운명

그들의 선택

1469년 11월 27일 오전까지만 해도 멀쩡하게 정사를 보던 예종이 저녁이 되자 갑자기 병석에 누웠다. 원인불명의 증세는 급속히 악화되었다. 이 때 예종의 나이는 겨우 스물. 대신들은 고사하고 모친이던 정희왕후조차 예상하지 못했던 급작스런 사태였다. 급보를 접한 원로대신들과 삼정승이 궁으로 달려왔다. 그러나 밤이 되자 예종은 이미 삶의 저지선을 넘어서고 있었다.

이 날 경복궁 사정전(편전) 문 앞에서 예종의 죽음을 기다리던 사람들은 고령군 신숙주와 상당군 한명회, 능성군 구치관, 영성군 최항, 창녕군 조석문, 그리고 삼정승인 영의정 홍윤성, 좌의정 윤자운, 우의정 김국광으로 모두 세조의 오른팔과 같은 공신이거나 왕가의 친인척들이었다.

몹시 추운 날씨였지만 대신들은 한시도 자리를 비울 수가 없었다. 이미 예종의 사망은 기정사실이었다. 우울했을 이 밤 사정전 앞에서 있었던 대화에 대하여 실록은 철저히 침묵하고 있다.

그러나 이 자리를 지키던 대신들은 하나같이 세조의 혁명동지였고 공신으로서, 훈구대신으로서 세조 치세 동안 특별한 인간관계를 형성하며 살아 왔던 사람들이다. 그러니 서로 간에 나누지 못할 이야기는 없었을 것이다. 대단히 노련하고 현실적인 인물들이었던 이들은 이미 후사를 의논하고 있었는지도 모른다. 아니 이 문제에 대해 일언반구도 언급이 없었다면 오히려 무책임한 인물들이었다고 이들을 비난해야 할 것이다.

나중에 알게 된 일이지만 예종은 이미 지병이 있었다. 죽음에 임박해서는 식사도 하지 않고 술만 마셨다고 한다. 그러나 그는 자신의 건강을 철저히 비밀에 붙였으며, 자신도 그렇게 급사할 줄은 몰랐던지 세자 책봉도 해 두지 않았다. 덕분에 후계 자리가 당장 문제가 되었다.

예종은 아들 제안대군을 두었지만 이 때 겨우 네 살이었다. 세자 책봉은 보통 일곱 살 정도에 하므로 예종이 2, 3년만 더 살았다면 왕위는 무난히 제안에게로 계승되었을지도 모른다. 그러나 이 때는 너무 어렸다. 게다가 예종은 세조의 둘째 아들이었다. 세조의 맏아들이었던 의경세자는 세조 2년 예종과 똑같이 스무 살의 나이에 요절하였다. 그러나 그가 남긴 아들은 이제 작은아버지에게로 넘어간 왕위를 돌려받기에 충분한 나이로 성장해 있었다. 이 때 큰아들 월산군은 열여덟 살, 둘째 잘산군은 열세 살이었다.

28일 아침 진시(7~9시)에 예종의 영혼은 육체를 떠났다. 대신들은 예종의 붕어를 공표하고 궁궐 경비를 강화하는 한편, 새 왕을 뽑기 위한 절차를 밟았다. 국왕이 후사를 지정해 놓지 않은 상태에서 사망해 버린 이상 최종 결정은 세조의 미망인이며 왕실의 최고 어른이었던 정희왕후가 행사해야 했다. 그런데 여기서 조금 이상한 일이 벌어진다. 정희왕후가 주최하는 공식적인 대신회의가 열리기 전에 사정전의 대신들과 대비전 간에 수차례의 밀담이 오고간다.

대비전과의 연락은 보통 환관이 담당한다. 그러나 이 날은 사안이 중대하다 하여 특별히 정현조를 그 날의 메신저로 뽑았다. 정현조는 노대신 정인지의 아들이며 정희왕후의 사위였다. 한 마디로 왕실과 대신 양쪽에 모두 연을 가진 인물이었다.

사정전과 대비전과의 거리는 얼마 되지 않는다. 경복궁의 주요 건물은 광화문 뒤로 한 줄로 나란히 배치되어 있다. 광화문 뒤에 근정전, 그 뒤에 편전인 사정전, 그 뒤에 왕의 침소인 강녕전이 있고, 강녕전 뒤편으로 십장생 굴뚝으로 유명한 대비전이 있다. 경복궁 복원사업의 일환으로 최근에 강녕전도 완전히 복구되어 경복궁을 방문하면 이 중심축상의 건물들을 온전하게 감상할 수 있다.

얼마 되지 않는 거리지만 그것도 여러 번 왕복하면 꽤 힘든 거리다. 정현조는 숨이 차도록 몇 번을 오고갔다. 물론 사관은 철저히 배제하였으므

경복궁 강녕전 옛모습.

로 꽤 깊은 밀담이 오고간 것 같지만 그 내용은 끝내 알 수 없게 되었다. 마침내 무언가 조율이 된 듯 왕대비가 강녕전 건물 동쪽에 마련된 거실로 행차하였다.

하나 남은 젊은 아들을 또다시 잃어버린 대비는 대신들을 접하자 감정이 복받쳐 올라 한참을 흐느꼈다. 그러나 그녀는 일찍이 세조조차도 여걸이라고 경의를 표한 적이 있는 인물이다. 아무리 슬픔이 크다고 해도 사태의 긴박함과 그 시점에서 자신이 해야 할 일을 망각할 그런 인물은 아니었다. 후사는 신중하고도 정확하게 정해져야 했다. 그러나 그에 못지않게 신속함도 중요하였다. 이 이유에 대해서는 당시의 정국이라든가 국가구조 운운하는 어려운 설명을 할 필요는 없을 것 같다. 제자백가 이래 고도로 정제된 동양의 정치학은 이런 사태에 대비하여 분명하고 확실한 명제를 남겨 주었다.

"하늘의 태양은 하루라도 없어서는 안 된다!"

저 하늘의 태양을 위하여 정치가로 돌아온 대비는 어떠한 사전 조율이나 논의는 없었다는 듯이 원상들을 돌아보며 말문을 열었다.

"누가 초상을 주관할 만한 사람인가?"

초상을 주관한다는 것은 곧 후사가 된다는 것을 의미한다. 원상들은 기다렸다는 듯이 입을 맞추어 응답하였다.

"이 일은 신들이 감히 말할 바가 아닙니다. 대비마마의 명령을 듣기를 원합니다."

이어지는 대비의 답변은 경황중에 내린 결정이었다고는 도저히 믿어지지 않을 정도로 정제된 것이었다.

"원자는 지금 포대기 속의 아기이고, 월산군은 본디부터 질병이 있다. 잘산군은 비록 나이는 어리지마는 세조께서 매양 그의 기상과 도량을 일컬으면서 태조에 견주기까지 하였으니, 그에게 상을 주관케 하는 것이 어떻겠는가?"

대비의 이 한 마디는 왕통을 바꿀 뿐만 아니라 성년에 가까운 18세 아들 대신 13세의 어린아이를 왕으로 세우겠다는 것이었다. 그럼에도 대신들은 "진실로 합당합니다"라고 합창하였을 뿐 아무 이의도 제기하지 않았다. 정말로 대신들이 신하된 도리를 지켜 대비에게 결정권을 위임했기 때문일까?

그럴 리는 없다. 누가 왕이 되는가는 그들의 정치생명과 특권에도 영향을 주는 중대한 문제였다.

게다가 명분으로 보건 논리로 보건 가만히 있는 것이 신하된 도리는 아니었다. 조선 건국 이래 왕위계승에 문제가 생길 때마다 대신들은 이런 결정에 참여하여 왔다. 태조가 세자를 책봉할 때도, 태종이 양녕대군을 폐위하고 충녕을 새로 선출할 때도 공식적으로 대신회의가 개최되었다. 강녕전의 회합이 쉽게 끝난 것은 사전에 충분한 조율이 되었기 때문이라고 생각할 수밖에 없다.

대사를 마무리하자 다시 인간으로 돌아온 대비는 눈물을 흘리며 통곡하기 시작했다. 신숙주가 나서서 잠깐 위로의 말을 전했고, 대신들은 재빨리 이 안쓰러운 장소를 빠져나왔다.

대신들은 다시 사정전 뒤뜰로 모였다. 새 왕의 등극을 선포하는 교서를 작성하고 무사와 시종을 각각 잘산군과 부인 한씨의 집으로 보내 새 왕과 왕비를 호송해 오게 했다(잘산군은 아홉 살에 혼인했으나 부부 모두 나이가 어려 이 때까지 살림을 차리지 않고 각자 자기 집에서 살고 있었다). 그러나 누가 통보를 했는지 사람을 보내기도 전에 잘산군은 벌써 입궐하였다. 13세 소년 국왕의 탄생이었다. 이 소년이 바로 성종이다.

태조의 기상

월산이 왕위계승에서 탈락한 공식적인 이유는 병이 있다는 것이었다. 이 불운한 병이 무엇이었는지 실록에는 전혀 언급되어 있지 않다. 심지어 지병이 있었는지 아니면 그저 몸이 약해서 병에 자주 걸렸다는 것인지조차 애매하게 처리해 놓았다. 그는 성종 19년에 35세의 나이로 사망하였다. 젊은 나이에 사망했으니 건강체질이라고 할 수야 없지만 의학이 발달하지 않은 시대라 젊은 나이에 사망하는 사람도 많았으므로 꼭 몸이 약한 증거라고 볼 수는 없다.

사망 기사를 보더라도 지병이나 특별한 병명은 없고 모친 인수왕후가 위중하자 병간호를 무리하게 하고 걱정을 너무해서 병을 얻었다고 하였다. 물론 이것이 월산에게 지병이 없었다고 단정할 수 있는 증거가 되지는 않는다. 이런 식의 설명은 고인의 인품을 높여 주려는 상투적인 내용이기 때문이다. 혹 그에게 남에게 공개하기 곤란한 병이 있어서 사망 기사를 이렇게 포장했다고 할 수도 있다.

한편 실록에서는 월산의 건강 문제 외에 잘산이 즉위하게 된 배경을 다음과 같이 설명한다.

성종이 형 월산군과 함께 세조를 모시고 궁중의 어느 마루에서 글을 읽고 있었다. 마침 그 곳에 벼락이 떨어졌다. 요란한 천둥소리와 함께 곁에 있던 어린 내시가 벼락에 맞아 죽었다. 주변에 있던 사람들이 놀라서 넘어지고 겁에 질리지 않은 사람이 없었는데, 성종만은 조금도 두려워하는 기색이 없고 침착하여 언어와 행동이 평상시와 다름이 없었다. (『성종실록』 총서)

『오산설림초고』에서는 이 때 벼락에 맞아 죽은 내시의 이름을 백충신이라고 쓰고 있는데, 실록에 백충신이 세조 14년(1468)에 벼락을 맞아 죽었다는 기록이 있다. 그렇다면 이 때 성종의 나이는 열 살이었다.

세조는 벼락 따위에 놀랄 인물이 아니었다. 오히려 그는 주변에서 널부러지거나 벌벌 기는 신하들을 보면서 기다렸다는 듯이 폼을 잡았을 것이다. 세조는 그런 자신과 마찬가지로 당차게 앉아 있는 손자가 끔찍할 정도로 신통했을 것이다. 이 얼마나 호쾌한 장면인가! 자신과 자신의 혈통에는 무언가 남다른 기질과 품성이 내재하고 있다는 사실을 제대로 보여주는 순간이 아닌가 말이다.

자신의 형편없는 단점까지도 모두 탁월한 장점이라고 여겨 왔고 평생 동안 자신이 문무를 겸비한 영웅임을 증명하는 데 꽤 많은 노력을 할애해 왔던 세조였다. 자신의 차별성을 증명하는 이 명확한 순간에 그는 감동하고 감동하지 않을 수 없었을 것이다.

그런데 불행하게도 또 하나의 명확한 증거물이 되어야 했던 월산군은 열다섯 소년이었음에도 불구하고 입에 거품을 물고 쓰러졌거나 내시들과 섞여 마루를 기었던 모양이다. 세조는 이 자랑스럽고도 난감한 순간에 자신을 형제 중에서도 남다른 인물로 만들었던 그 무엇인가는 자신의 혈통 중에서도 선택받은 사람들에게만 주어지는 것이라고 해석했음에 틀림없다. 그는 그 무엇인가를 '태조의 기상'이라고 이름짓고 성종의 가슴에 자랑스럽게 달아 주었다. 이건 정말 세조다운 과장이었다. 사실 이성계에겐 수많은 일화가 따라다니지만 천둥소리를 듣고 놀라지 않았다는 식의, 벼락과 관련된 얘기는 하나도 없기 때문이다.

물론 이 한 번의 사건이 두 사람의 운명을 바꿔 놓았다고 볼 수는 없다. 세조가 성종을 여러 번 칭찬하고 '태조의 기상' 운운했다고 하지만 아이의 사소한 행동에 지나치게 감동하곤 하는 것은 세상 모든 부모의 속성이다. 더욱이 세조는 으스대기를 워낙 좋아해서 자신을 한나라 고조 유방에 비유하기를 좋아했고, 신하들에게도 한 번씩은 그런 식으로 칭찬을 해주었다. 양성지에겐 나의 제갈량이라고 했고, 한명회는 장자방, 신숙주는 위징, 구치관에겐 나의 만리장성이라고 했다. 꼭 이렇게 중국 역사상의 인물에다 비유한 것도 고전을 사랑해서라기보다는 재상이 위징이면 당연히 자신은 당태종이 되기 때문이었다.

그러니 월산에 대해서도 한 번 이상은 한고조 이하 누군가를 갖다 붙여보았을 것이다. 확신하건대 만약 월산이 왕이 되었다면 월산이 어릴 때부터 총명하고 글읽기를 좋아해서 세종의 풍모가 있다고 칭찬받았다는 식의 이야기가 틀림없이 실렸을 것이다.

그러나 그렇다고 해도 이 이야기에는 무시 못할 암시가 있다. 『조선국왕이야기』 1권에서도 보았듯이 세조의 성품으로 미루어 볼 때, 그는 월산과 같은 문관형, 선비형, 혹은 햄릿형 성격을 군주의 자질로서는 적합하지 않다고 생각했을 게 틀림없다. 남편의 생각이 그러하다면 정희왕후도 그렇게 따라갔을 것이다. 월산은 차분하고 조심스러운 성품의 소유자였다. 그런 월산이 그들의 눈에는 불안하게 보인 것은 아닐까? 어쩌면 이 '태조의 기상' 이야기는 당시 왕실가족 내에서 이미 공인된 월산과 잘산에 대한 평가를 상징하는 일화였을 가능성도 있다.

월산과 잘산의 역전에 대해 생각해 볼 수 있는 또 하나의 가능성은 잘산의 장인이 바로 한명회였다는 사실이다. 사실 한명회의 야심은 집요해서 첫딸을 예종의 비로 넣었다. 잘 하면 외손자가 왕이 될 참이었으나 불행히도 그녀는 자식도 보지 못하고 일찍 사망했다. 그러나 다시 예상치 못한 기회가 왔다. 그의 둘째 딸이 잘산군과 혼인한 지 1년 만에 예종이 사망했던 것이다.

한명회로서는 당연히 잘산군의 즉위를 원했을 것이다. 그래서 이 역전극을 전적으로 한명회의 공작이었다고 해석하는 분도 있다. 그러나 필자의 생각은 좀 다르다. 아무리 세조대에 날고 기는 권세를 누렸던 한명회라고 할지라도 혼자서 국왕의 등극을 좌지우지할 만한 권력은 없었다. 한명회가 겁없이 그런 수준의 권력을 추구했더라면 세조가 예전에 그를 제거했을 것이다. 잘산군을 즉위시키기 위해서는 정희왕후를 중점으로 하는 왕가와 외척세력, 대신들 좁게는 원상들의 협조가 필요하였다. 다시 말하면 그들의 이해관계, 혹은 최대공약수가 잘산군을 중심으로 형성되어야 했다.

이 점에서도 잘산군은 확실히 유리하였다. 월산대군의 처가는 순천 박씨가였다. 이 집안도 전통의 명문가였지만 한명회에 비해서는 몇 가지 문제가 있었다. 우선 월산의 장인인 평양군 박중선은 문관이 아닌 무과 출신이었다. 그는 세조의 특별한 신임을 받은 충직한 무장으로 세조와 예종의 치세 내내 병조를 담당했다. 이시애의 난 때 세조는 한명회와 신숙주를 궁에 감금하면서 박중선을 보내 그들을 지키게 하였다. 그러나 아무래도 그는 원상 그룹과는 거리가 있었다.

게다가 10년 이상 무관의 인사를 장악해 온 사람이 국왕의 장인이 된다는 것은 영 꺼림칙한 일이었다. 가뜩이나 세조의 오른팔이었던 원상들조차도 세조 말년과 예종의 치세를 겪으면서 국왕의 권력이 너무 강해졌다며 그간의 체제에 대해 회의감이 드는 때였다.

정희왕후로서도 굳이 박씨가를 지지할 필요는 없었다. 정치적 감각이 탁월하고, 세조의 쿠데타에 처음부터 끝까지 함께 참여했던 그녀는 단종이 패망한 원인을 누구보다도 잘 알고 있었다. 단종은 모친도 아내도 없었으므로 공신가문 속에 자신과 이해를 같이하는 집단을 하나도 만들어 놓지 못했던 것이다.

힘으로 권력을 장악한 사람은 그만큼 힘의 무서움을 알고 힘을 두려워하는 법이다. 더욱이 정치란 관념적인 의리와 충성이 아니라 이해관계에 기초하여 움직이는 것이며, 이 이해관계를 잘 구성하고 유지하는 것이 정치적 능력인 세상이다. 그러므로 박씨가와 새로운 동맹을 맺어 기존의 이해관계를 흔들어 놓기보다는 잘 짜여진 권력구도를 유지하고 원상들의 전적인 지지를 끌어내는 것이 왕가로서는 훨씬 안정적이었다. 게다가 그것은 그녀 자신의 이해관계와도 맞아 떨어졌다. 그녀 역시 기존의 훈구세력의 핵심이라고 할 수 있는 파평 윤씨가의 여인이었기 때문이다.

어느 것이 결정적 요인이었는지는 아무도 모른다. 그러나 이런 일에는 결정적 요인이란 없을 수도 있다. 여러 가지 가능성과 이해타산을 따져보고 최선의 선택을 하는 경우가 많기 때문이다. 분명한 사실은 대비와 원상들은 잘산군을 최선의 선택으로 결정했다는 것이다. 다만 한 가지 께름칙한 것은 잘산군이 아직 한창 성장중인 소년이었다는 점이다. 태조의 기상 어쩌고 해도 그는 아직 미완의 인격체였고, 그가 어떤 인물로 성장할지는 아무도 장담할 수 없는 일이었다. 이런 점에서 대비와 원상들의 선택은 약간의 모험이라고도 할 수 있었다. 그러나 특별하고 독점적인 권력이 저절로 굴러 들어오기를 바래서야 되겠는가? 이런 일에는 투자와 배팅이 필요한 법이다. 그들은 이번에는 잘산군에게 패를 던지기로 하였다.

이무기의 삶

성종에 대한 이야기를 시작하기 전에 불운의 두 탈락자 월산대군과 제안대군의 삶을 잠깐 살펴보고자 한다.

아까운 탈락자 월산대군은 불분명한 건강 문제를 빼면 장점이 많은 인물이었다. 온유하고 사려깊고, 자신에 대한 절제력이 강했다. 머리도 좋고 학문과 독서를 좋아하여 고금의 경서와 사서, 문집으로 읽지 않은 책이 없었다. 어려서 부친이 사망하자 동생 잘산군과 함께 궁에서 자랐는데 만일곱 살 때(세조 7) 세조가 편찬한 『병정(兵政)』까지 뗴었다.

건강 때문이었는지 아니면 사람이 원래 선비형이었기 때문인지 사냥이

나 격구, 활쏘기 같은 동적인 운동이나 오락은 좋아하지 않았다. 왕위에서
탈락한 이후로는 사람도 잘 만나지 않고 단지 시와 음악과 술만을 벗삼아
살았다고 한다. 그의 시는 수준이 높아서 우리 나라 역대의 명문을 모아
편찬한『동문선』속편에도 수록되었다. 그야말로 지적이고 고상한 풍류객
이었던 셈이다. 그가 저택 안에 정자를 세웠을 때는 성종이 직접 '풍류정'
이라고 이름을 지어 주기도 하였다.

그래도 제 명을 보존하기가 힘들었던 중기 이후의 왕족에 비하면 월산
은 대단히 행복한 편이었다. 성종은 진심으로 그를 잘 대우했고, 공식석상
이 아닌 사석이나 왕가친족들 간의 모임에서는 왕과 신하로서가 아니라
형과 아우로서 예의를 차렸다.

월산은 정치에는 전혀 관여하지 않았지만, 그는 왕실의 최고 어른으로
서 종친에 관한 사무나 소송을 관할하는 종친부의 장관으로 활약했다. 궁
중에서 벌어지는 각종 행사와 연회를 주관하고, 왕가의 스캔들이나 종친
과 관련된 문제를 다스렸다. 중국이나 일본 사신을 접견하는 외교행사나
각종 궁중연회, 활쏘기 시합, 강무 등에도 꼬박꼬박 참여할 정도로 사회적
대우도 높았다.

그러나 그렇다고 해서 운명이 만들어 놓은 멍에가 없어지는 것은 아니
었다. 그는 자신을 극도로 자제하고 처신에 조심했다. 성종 때에는 유달리
연회가 많았다. 우리는 과음과 과식을 좋아하던 민족이라 잔치를 벌이면
곧잘 질펀해졌고, 대신들도 술에 취하면 자주 실수를 했다. 심한 사람은
왕 앞에까지 가서 주정을 늘어놓기도 했다. 그러나 월산대군은 한 번도
몸가짐이 흐트러지거나 실수한 적이 없었다.

시와 문학을 좋아했지만, 문사들과의 접촉도 피했다. 괜한 오해와 소문
을 피하기 위해서였다. 성종이 늘 그를 가까이했지만 절대로 국정에는 간
여하는 법이 없었다. 그러나 종친 문제를 다스리다 보면 어떻든 정치나
인사 문제와 연관이 되는 수가 있었다. 이럴 때 그는 온건하고 조심스러운
입장을 취했으며, 원칙과 명분에 충실했고, 때로는 신하들의 편을 들어주

기도 했다.

사냥이나 유람을 하지 않은 것도 정말 그것에 재미를 느끼지 못한 것인지 스스로 자제한 것인지 판정하기 어렵다. 활쏘기나 사냥은 사대부라도 누구나 하는 일반 교양에 해당하는 것이었다. 월산도 어릴 때는 세조를 따라 남산으로 여우사냥을 가기도 했으며, 당연히 활쏘기도 배웠다. 성종 6년 가을 월산대군은 성종이 즉위한 후 처음으로 도성을 나서서 사냥을 한 번 나갔다. 어느 왕 때나 마찬가지지만 국왕이나 왕족이 사냥이나 유람, 온천 등을 가면 대간에서 으레 반대상소를 올린다. 이 때도 예외는 아니어서 대간은 나라의 헌법을 범하고 도에서 벗어난 행동이라는 등 심한 말을 했다. 성종은 화를 냈고, 말도 안 되는 소리라고 반박을 하며 월산을 비호했다. 하지만 이후로 월산은 국왕의 공식행차에 따라간 것 외에는 일체 도성 밖을 나서지 않았다.

그뿐 아니라 사망할 때까지 그는 거의 구설수에 오르지 않았다. 하다못해 부인이나 친척, 종들의 잘못도 그의 생존시에는 거의 거론되지 않았다. 세종 때만 해도 양녕대군은 말할 것도 없고 효령대군도 끊임없이 구설수에 올랐었다. 대개는 온천에 간다, 불사에 간여한다, 뭘 받았다, 고리대를 한다, 종이 무슨 짓을 했다 등등이었다.

그런데 뒤에 다시 이야기하겠지만 성종 때는 세종 때와 분위기가 많이 달라서 사소한 일에도 꼬투리를 잡고, 시비 거는 풍조가 더욱 심하였다. 그러므로 이런 분위기 속에서도 월산이 무사하였다는 것은 그가 책잡힐 일을 전혀 하지 않았다기보다는 대신이나 대간들이 월산대군을 물고 늘어질 필요를 느끼지 못했기 때문이라고 보아야 할 것이다. 그만큼 그는 모든 사람에게 신뢰감을 주었다.

그런 수준의 신뢰감은 상당한 자기 희생의 결과였다. 그의 삶은 고독했으며, 불행하게 자식도 없었다. 별다른 오락도 즐기지 않았으며 오직 시와 술을 벗삼아 술과 독백으로 자신의 한을 삭히며 살았다.

어쨌든 간에 자기 며느리를 범할 정도로 상식에 벗어난 주색잡기로 일생을 보내고 세조의 비위를 맞추며 말년의 권세를 보장받았던 양녕대군에 비하면 자신을 그렇게 다스릴 수 있었다는 자체가 월산의 차분하고 지성적인 성품을 잘 반영해 준다고 하겠다.

하지만 사람은 스트레스를 적당히 풀 줄도 알아야 한다. 자학적일 정도로 조심하고 자신을 억제하며 살던 월산은 원래 좋지 않았던 건강 때문인지, 과도한 술과 스트레스 때문이었는지 난봉꾼 양녕대군이 누린 수의 반도 못 채우고 성종 19년에 사망하였다. 그 때 나이 겨우 35세였다.

또 한 사람의 탈락자 제안대군 이현의 처지는 월산대군보다 더욱 곤란했다. 그는 1466년(세조 12) 예종이 세자이던 때에 태어났다. 예종이 2, 3년만 더 살았더라도, 아니 예종의 병세가 조금만 더 천천히 진행됐더라도 왕이 되었을 사람이다. 그렇기 때문에 성종에게로 넘어간 왕통에 조그만 문제라도 생긴다면 그는 빼앗긴 왕권을 돌려달라고 요구할 수 있는 자격이 있었다.

그리고 언제나 그랬듯이 이런 것은 역모를 꾸미는 사람들에게 좋은 구실이 될 수 있다. 조선시대에 역모로 몰린 왕족의 상당수는 얼굴도 본 적이 없는 사람들의 쿠데타 음모에 거론된 죄로 유배되거나 처형당했다. 언제 어디서 무슨 짓을 할지 모르는 불특정 다수에게 자신과 가족의 목숨이 매어 있는 셈이었다.

이 남자가 살 수 있는 법은 하나밖에 없었다. 누가 보아도 국왕이 될 수 없는 인물이 되는 것이었다.

제안대군 현은 예종대왕의 아들인데 성품이 어리석었다. 일찍이 문턱에 걸터앉아 있다가 동냥아치를 보고 그 종에게 말하기를 "쌀이 없으면 꿀떡 찌꺼기를 먹으면 될 텐데"라고 하였다. …… 또 여자의 음문은 더럽다 하여 죽을 때까지 남녀관계를 몰랐다.

성종이 예종의 후사가 없음을 마음 아프게 여겨 일찍이 "제안에게 남녀 관계를 알게 할 수 있는 자에게는 상을 주겠다" 하였더니 한 궁녀가 자원하여 나섰다. 궁녀는 밤에 그 집에 가서 그가 깊이 잠든 사이에 그의 음경을 더듬어 보았더니 제대로 일어서고 빳빳하였다. 곧 몸을 굴리어 서로 맞추었더니 제안이 깜짝 놀라 큰 소리를 지르면서 물을 가져오라 하여 자꾸 그것을 씻으면서 계속 "더럽다"고 부르짖었다.

중종 때에 상의원에서 무소가죽으로 만든 띠를 바쳤는데 그 품질이 아주 좋았다. 제안이 대궐에서 (띠를 운반하던 관원을) 만나 (빼앗아) 허리에 차고 차비문 밖에 가서 청하기를 "이 띠를 신에게 하사하소서" 하니 중종이 웃으며 그것을 주었다. (이상 『패관잡기』)

그러나 제안대군은 어쩔 때는 아주 멀쩡하고 행동도 사리에 맞았다. 그래서 그가 일부러 어리석은 체한다는 소문이 끝없이 나돌았다. 그러나 『패관잡기』를 쓴 어숙권은 다른 건 몰라도 남녀관계란 인정으로 막을 수 없는 것인데, 여자를 끝내 가까이하지 않았으니 이건 위장일 수가 없다고 추론하기도 했다.

제안은 단순하고 고집스러웠다. 떼를 쓰면 설득하기가 어려웠다고 한다. 그것은 꼭 지능이 모자란다기보다는 사리판단이 부족한 사람의 특징이기도 하고, 제멋대로 자란 귀공자의 특징이기도 하다. 젊은 시절의 제안대군 일화를 보면 그는 두 가지 특징을 모두 다 갖추고 있었던 것 같다.

그는 언문만 알았을 뿐 한문은 몰랐던 것 같고, 세상물정도 모르고 소위 말하는 일반 사대부의 교양과도 담을 쌓고 살았다.

그러나 남녀관계를 몰랐다는 이야기는 진상을 파악하기 힘들다. 제안대군의 결혼생활은 불행하였다. 처음에 그는 김수말의 딸과 결혼했다. 김씨는 다리를 저는 불구였을 뿐만 아니라 이상한 병을 앓고 나서는 사람이 흐리멍덩해졌다. 증세가 심해지면 의식을 잃고, 입에 거품을 물기까지 했다. 1년 이상 치료를 했으나 낫지를 않았다. 그는 김씨를 구박했고, 누가 상처했다는 소리를 들으면 "내겐 왜 저런 행운이 따르지 않는가?"라고 공공연히 떠들고 다녔다. 마침내 모친에게 가서 떼를 써서 김씨와 이혼하고 말았다.

새로 얻은 신부는 사촌인 월산대군의 부인 박씨의 동생이었다. 박씨는 육체적으로나 정신적으로 지극히 정상이었기 때문에, 이번에는 제안대군의 결함이 문제가 되었다. 불쌍한 박씨는 제안과 틀어졌고, 부부 사이는 원만하지 않았다. 대비가 불러 타일러 보았으나 박씨는 행실을 고치지 않았다. 10대들의 변덕과 고집이었을까? 제안도 박씨가 싫어졌고, 차라리 이전 부인이 낫다고 김씨 집에 가서 자고 오는 일까지 생겼다.

고독한 박씨에게 유혹이 들어왔다. 시녀들이 박씨에게 동성애를 요구한 것이다. 이것이 단순한 성적 유혹이었는지 오늘날의 꽃뱀족처럼 주인을 협박하여 마음대로 다룰 구실을 잡으려는 음모였는지는 분명하지 않다. 박씨가 접촉을 거부하자 시녀들은 자기들끼리 상황을 조작해서 목격자까지 만들어 놓았다.

　　내관 안중경과 서경생을 제안대군의 아내 박씨에게 보내 사정을 묻게 하였다.

　　박씨가 말하기를,

　　"어느 날 밤, 잠들기를 기다리고 있는데 둔가미가 함께 동침하기를 여러 번 청하므로, 내가 대답하기를 '내 비록 귀신 같고 도깨비 같다고 하더라도 명색이 주인인데 네가 어찌 동침하자고 하느냐?'고 하니, 둔가미가 물러나서 금음덕과 더불어 같이 잤습니다.

　　또 어느 날 밤에 내은금도 나와 같이 자고자 하므로, 내가 꾸짖어 물리쳤더니 물러나서 평상 밑에 앉았다가 내가 잠들기를 기다려 가만히 내가 누운 자리로 들어왔는데, 금음물이 녹덕을 데리고 등을 밝히고 들어왔습니다. 내가 즉시 깨었더니 금음물이 이르기를, '양반이 저 모양인가? 더럽다, 더럽다'라고 하였습니다. 그 때 나는 새벽이 되었는데도 일어나지 않는다고 책망하는 줄로만 알고 한 마디도 대답하지 아니하였습니다.

　　또 하루는 금음덕이 내 베개에 기대면서 내 입을 맞추려고 하기에 내가 말하기를, '종과 주인 사이에 감히 이와 같이 하느냐?'고 꾸짖었지만 오히려 그치지 않고 억지로 입을 맞추었습니다. 또 말하기를, '부인의 가슴이 매우 좋습니다' 하면서 문지르고 만지기를 청하기에 내가 손으로 뿌리치고 말았습니다."(『성종실록』13년 6월 11일)

박씨의 말에도 조리가 맞지 않는 면이 있다. 하여간 박씨는 이런 일을 당하면서 종들을 처벌도 못하고 휘둘리며 살았다. 그러다가 일이 드러나자 종들은 반대로 박씨가 강제로 시녀들을 침실로 불러들였다고 떠들었다.

이런 소문이 안순왕후(예종의 비, 제안대군의 생모)의 귀에 들어가고 국문이 열리는 소동이 일어난 후 박씨는 무죄이고 시녀들의 조작극이었다는 판결이 났다. 그러나 안순왕후는 이혼을 명했다. 일단 동성애 사건은 무죄로 판명이 났으므로, 이혼의 명분은 부모에게 불순종했다는 칠거지악의 첫번째 규정에서 찾았다. 박씨는 대가 세서 시어머니인 안순왕후의 권고도 준행하지 않는데, 좀 모자라는 남편의 말은 오죽 잘 듣겠느냐는 것이 안순왕후의 변이었다. 결국 박씨는 유배되었고 제안은 두번째 이혼에 성공했다.

왕과 왕비가 되었을지도 모를 인물이 시녀들에게 이런 농락이나 당하는 처지로 곤두박질했으니 안순왕후와 제안대군은 예종과 자신들의 운명이 무척이나 원망스러웠을 것이다.

기구하기는 박씨도 마찬가지였다. 유배된 그녀는 자살을 했는지, 좌절감에 건강을 해쳤는지 3년을 더 살지 못하고 성종 16년 이전에 사망했다. 최고 명문가의 딸치고는 허무한 삶이었다. 대비는 제안대군에게 세번째 부인을 얻어 주려고 했으나 이번에는 제안대군이 거절했다. 김씨와 다시 살겠으며 그리 못할 바에는 홀아비로 살겠다는 것이었다.

이번에는 성종이 기가 막힐 차례였다. 그는 제안을 불러다 놓고 김씨라면 그렇게 싫어하던 사람이 이젠 또 왜 그러느냐, 재결합을 한다면 이전에 이혼을 명령한 세 대비와 자신의 체면은 뭐가 되느냐고 설득했으나 제안은 막무가내였다. 서로 결함이 있는 사람끼리 위로하게 되었고, 그로서는 정상적인 여인과는 살 용기를 잃어버린 것인지도 모른다. 인정에 약한 것이 매력이었던 성종은 본인의 소원이라면 어쩔 수 없다고 재결합을 허락하고 말았다.

제안대군은 연산의 치세를 거쳐 중종대까지 살았다. 그 동안 중종반정도 일어나고, 왕족이 연관된 쿠데타 모의사건도 여러 차례 있었지만 그는 한 번도 음모가들에게 추대되거나 정치적인 견제를 받지 않았다. 오히려 왕들은 그를 믿음직한 친척으로 간주하여 매우 후대했고, 대비나 세자가 아프면 꼭 제안대군의 집으로 옮겨가 치료하곤 했다. 그의 집은 창덕궁 함춘원 바로 옆에 있었다고 하는데, 연산군이 그의 집을 빼앗아 기생들이 거주하는 곳으로 만들기도 했다. 연산의 반대파들은 이 사건을 엄청난 폭정으로 보도했지만, 실제로는 제안에게 제일 잘해 준 사람이 연산군이었다. 그 때만 해도 미관말직에 있던 제안의 장인 김수말을 승진시켜 주었고, 집을 빼앗을 때도 상당한 금액을 보상금으로 지불하고 친히 명령해서 새 집을 지어 주었다.

덕분에 제안대군은 물질적으로는 대단히 풍요로웠다. 그는 매일 잔치를 열고 손님을 맞아 음식 대접하는 것을 낙으로 삼았다. 그러나 참석자들은 그가 어리석고 모자란 사람이라고 속으로 비웃으며 술잔을 비웠다.

미욱하고 고집 센 것은 여전해서, 중종 때는 구속당한 종을 풀어 달라고 대궐에 와서 상소하고는 대답이 날 때까지 하루 종일 궁에서 버티기도 했다. 실록에서는 이 난처한 날의 이야기를 다음과 같이 기록해 놓았다.

> 승정원에서 아뢰었다. "제안대군 이현이 와서 종이 법을 범해서 사헌부에 갇혔는데 놓아 달라고 합니다. 그러나 대군 등이 사사로운 일로 승정원에 와서 청하면 왕에게 전달하지 말라는 왕명이 있어서 신들이 지금까지 아뢰지 못했습니다. 그런데 이제 문을 닫아야 할 시간인데, 대군이 빈청에 버티고 앉아 나가지 않으니 어찌 해야 합니까?"

중종이 대답했다. "제안대군에게는 민망한 일이지만 상언하는 것은 법의 규정에 따라야지 사사로운 일을 가지고 와서는 안 된다. 이런 규정이 『후속록』에 있으니 가서 말해 주라. 그리고 대군이 지혜롭지 못한 것은 조정 사람이 다 알고 있다. 지금 이처럼 와서 아뢰는 것은 틀림없이 하인의 꾐을 받았기 때문일 것이다. 궁 안에서 버티게 만든 일도 그들의 짓일 테니 형조를 시켜 대군의 집안 일을 관장하는 서제와 노복을 추고하라." (『중종실록』 19년 12월 13일)

20대에 청상과부가 되고, 왕위에서 밀려난 미련한 자식을 둔데다 후손도 보지 못해 대까지 끊어진 안순왕후는 30대 나이에 이미 먹은 것을 모조리 게울 정도로 심한 위장병이 들렸다. 그러나 그 속을 아는지 모르는지 제안은 첩도 두지 않고 자식도 보지 않고 불구의 아내와 부유하게 살다가 1525년(중종 20) 60세를 일기로 세상을 떠났다. 그가 위독하자 중종은 전례를 깨고 친히 그의 집까지 가서 문병하였다. 그의 삶은 과연 행복이었을까, 불행이었을까?

2. 모범 국왕

잘산군은 열세 살에 임금이 되었다. 불행한 최후를 마친 당숙인 단종보다는 한 살 많은 나이였다. 하지만 그를 둘러싼 환경은 단종과 비교할 수 없을 정도로 좋았다. 문종의 변덕스런 결혼 덕분에 단종은 수렴청정을 해 줄 대비도 없었고 미혼이라 외척도 없는 정치적 고아로 즉위했다.

하지만 단종을 내몰고 즉위한 세조는 단종의 실수—사실은 세종과 문종의 실수였지만—를 반복하지 않았다. 그는 쿠데타를 통해 같은 피를 묻힌 공신층을 양생해 냈고, 외척을 억제한다는 건국 이래의 정책기조와는 반대로 한명회 집안과 같은 몇몇 가문과 집중적으로 혼인하고 외척의 힘을 키워 왕가의 후원자로 만들었다.

정의로운 입장에서 보면 이것은 소수세력의 권력독점이고, 권세가 간의 야합이고 그렇지만 왕실과 공신들로서는 대단히 단단하고 우호적이며 이득이 많은 동맹이었다. 그들은 세조 일가와 거의 공동운명체라고 해도 좋을 정도로 굳게 결합되어 있었다. 그리고 이 때까지는 공신그룹 내에서도 적절한 세력분배가 이루어져 있었기 때문에 아직은 한두 가문이 전횡을 한다거나 왕실을 압박할 수 있는 상황이 아니었다. 소년 성종은 이렇게 뒤로는 대비를 정점으로 하는 왕실세력, 옆으로는 장인 한명회를 필두로 하는 원상그룹을 두고 왕좌에 올랐다.

그러나 아직 잘산군의 나이가 어렸기 때문에 일단 정희왕후가 대비로서 수렴청정을 하였다. 정희왕후는 두 자식이 모두 요절하는 바람에 조선 최초이자, 두 번 연속 수렴청정이라는, 본인으로서는 전혀 달갑지 않은 기록의 소유자가 되었다.

수렴청정은 당나라의 측천무후가 창안한 방법이다. 무후는 당태종의 후궁이었는데, 태종이 사망한 후 그의 아들 고종과 다시 결혼하여 황후까지 되었다. 고종이 사망하자 무후의 아들이 황제로 즉위했다. 무후는 어린 황제의 뒤에 발을 쳐 놓고 앉아서 정사를 대리하였다. 그러니 황제는 그야말로 꼭두각시였다. 측천무후는 나중에 그 아들도 폐위시켜 버리고 자신이 황제로 즉위하여 중국 역사상 유일한 여자황제가 된다.

그러나 정희왕후는 왕의 권위를 깎아 버리는 이런 의례를 좋아하지 않았다. 드센 중국여인과 현숙한 조선여인의 차이라고 말했으면 좋겠지만, 사실은 정희왕후와 측천무후의 정치적 환경이 전혀 달랐다. 무후는 평민 출신으로 외척 및 공신세력과 대립하며 그들을 잔혹하게 숙청하고 황제가 된다. 하지만 파평 윤씨가 출신인 정희왕후는 반대로 외척과 정통 훈구세력의 중심인물이었다.

원상들이 정희왕후의 수렴청정을 직접 부탁한 것도 왕을 보호하기 위해서만은 아니었다. 아직 철없는 어린 국왕이 자신들 중 일부하고만 결탁하여 세력균형을 무너뜨리거나 젊은 신진세력 일부와 친밀해져서 정치판의 구도를 재조정하는 것을 막아야 했다. 그러기 위해서는 가문 배경도 같고, 그들과 오랜 유대관계를 맺어 온 정희왕후의 수렴청정이 제격이었다.

그렇기 때문에 정희왕후는 손자를 허수아비로 만들어 그의 권위를 깎아내릴 필요가 없었다. 현재의 구도를 잘 이해하고 운영해 나갈 수 있도록 그를 성장시키는 것이 그녀의 할 일이었다. 실제로 정희왕후는 이 점을 잘 인식하고 있었던 것 같다.

그러므로 말로는 수렴청정이라고 하지만 정말로 대비가 뒤에 앉아 발을 쳐 놓고 정사를 본 것은 아니다. 구성군 준을 숙청할 때와 같은 잠깐의 예외는 있었지만 정희왕후는 성종이 정사를 보는 자리에 직접 행차하지 않았다.

성종은 3일에 한 번씩 선정전(창덕궁의 편전. 예종이 경복궁에서 사망했다는 이유로 성종은 창덕궁을 주궁으로 삼았다)에 나가 공식적인 정사를 보았다. 결재할 사무는 승지가 보고했는데, 첫날부터 왕이 직접 결재한 것도 있었다. 이런 저런 도움은 받았겠지만 왕의 업무에는 일상적인 것도 많았기 때문이다. 좀 어려운 일이 있으면 원상에게 의논하고, 더 곤란한 것은 내전에 있는 대비에게 사람을 보내 물었다. 단, 이걸로 끝은 아니고 정사가 끝나면 승지가 그 날 왕이 처리한 사무를 다시 대비에게 종합 보고하여 최종결재를 받았다. 대비는 한문을 몰랐기 때문에 이 때 문서나 상소를 직접 검토할 수는 없었고, 주로 승지의 구두보고에 의존했다.

물론 그렇다고 해서 대비가 정치일선에서 완전히 물러나 후원자 역할만 한 것은 아니다. 지금도 밀실정치가 늘 논란이 되지만 조선시대의 중요한 정책은 백관이 도열한 조회 장소나 선정전 같은 공개석상이 아니라 왕과 대신 간의 작은 회합에서 의논되고 결정되는 경우가 많다. 그러므로 실제로 중요한 안건은 대비가 당직하는 원상과 의논하거나 원상들을 소집하여 결정했다.

원상이란 의정부 대신과 승정원의 승지를 겸한 대신이란 뜻이다. 쉽게

창덕궁 선정전.

말하면 의정부 대신들에게 승정원에 출근하게 함으로써 의정부와 청와대 비서실 격인 승정원을 합해 버리는 제도이다.

조선시대에는 지금처럼 국회나 사법부가 없고 국왕을 정점으로 한 행정부가 입법·사법 기능까지 겸하고 있었다. 그런데 이 중에서도 정책을 입안·결정하거나 인사를 관장하는 최고의 권력은 대체로 의정부와 육조, 그리고 승정원이 행사했다. 원상들은 이 가운데 의정부와 승정원을 겸하고 있었다.

겨우 육조나마 대신들의 그늘에서 벗어나 있는 것 같지만 그게 또 그렇지는 않았다. 겸판서 제도라고 해서 대신들이 육조를 하나씩 나누어 맡아 감독을 했다. 겸판서를 두어도 육조 판서의 권한을 어느 정도 인정해 주었지만, 성종 초반의 원상제 시기에는 겸판서의 권력이 아주 강해서 육조 판서들은 할 일이 없어서 아예 논다고 할 정도였다.

세조가 육성한 대신들의 권력을 누르려고 했던 예종은 원상제를 폐지하고 겸판서 제도도 폐지했다. 그러나 대비는 수렴청정을 시작한 당일로 이

두 제도를 모두 부활시켰다. 이렇게 되자 국왕의 자문, 비서, 국정결재에 이르기까지 모든 명령과 보고가 원상들의 손을 거치게 되었다. 뿐만 아니라 원상들은 경연을 담당함으로써 어린 국왕의 교육까지도 관장하였다.

이런 공식적인 기능이 아니더라도 원상들은 이미 재상을 역임했고 공신호도 몇 개씩 가지고 있었다. 관직의 상당수는 그들의 친인척이나 그들이 직접, 간접으로 힘을 발휘하여 뽑아 놓은 사람들이 차지하고 있었다.

이런 제도적인 힘 외에 원상들 개개인의 역량과 구성도 조선시대 정치사에서 두드러지게 탁월했다. 당시 원상으로 활약한 사람은 한명회, 신숙주, 최항, 구치관, 홍윤성, 조석문, 김질, 김국광, 윤자운 등이었다. 개중에는 식견보다는 정치적, 인척 관계로 임명된 사람도 있지만 어떻든 이들은 모두 세조의 공신에다 군(君) 칭호를 얻은 인물들이고, 국정 능력에서 보더라도 이 중 일부는 이미 의정부 대신에 영의정까지 역임한 경력이 있었다.

드라마로 유명해진 한명회는 세조의 모사로 세조 쿠데타의 주역이었다. 보통 모사라고 하면 모략과 술수에 능한, 그러나 대개는 속 좁고 염소 수염을 한 사람을 연상하기가 쉽다. 하지만 역사 속의 한명회는 그런 인물이 아니다. 확실히 두뇌회전도 빠르고 정치적 감각이 뛰어났지만, 그의 진짜 장점은 계략이나 모략이 아니라 국정운영 능력에 있었다. 그는 재상이 되기에 충분한 견식과 도량이 있었다. 세조가 보긴 잘 본 것이다.

한명회의 이런 장점들은 하나같이 수준급이었지만 최대의 장점은 역시 그의 도량과 자제력이었다. 무소부지의 권력을 누리면서도 그는 비판자들에게 관대했다. 겸판서의 지위를 이용해서 이조의 인사에 많이 개입하고, 자기 사람도 많이 심었지만 판서가 반대하면 인정하고 자제할 줄도 알았으며 그런 일로 판서에게 보복하지도 않았다.

권력가가 잘 빠지는 함정이 예스맨들에게 둘러싸이는 것인데, 그는 자신에게 비판적이더라도 양심적이고 재능있는 젊은이의 가치를 알았고, 그들을 배척하기보다는 적극적으로 자기 사람으로 만들려고 노력했다.

세조가 사망한 후에는 앞장서서 세조가 독단적으로 시행한 정책에 브레이크를 걸고, 전체 관료층의 이해에 맞추어 개혁법령을 수정했다. 한 마디로 줄 건 주고 할 일은 하면서 자신의 이익과 권력도 챙기는 형이었다. 욕도 많이 먹었지만 이 정도면 보스 자격은 충분하다고 생각된다.

원상 그룹의 또 한 명의 리더는 신숙주였다. 집현전 동료였던 사육신과 결별하고, 단종을 배신했다는 전력 때문에 신숙주는 조선시대 내내 제대로 된 평가를 받지 못했고, 그의 배신과 고뇌를 그린 『신숙주전』이란 소설까지 만들어졌다.

그러나 탁월한 학문 실력과 다방면에 걸친 재능, 재상으로서의 자질과 식견은 누구보다도 뛰어났다. 부친 신장은 세종대에 출세하여 공조참판까지 지냈다. 문장과 글씨에 뛰어나서 세종이 상당히 기대를 했다고 하는데, 술을 너무 좋아하다가 요절하였다. 그는 아들 다섯을 두었으나 그 중 셋째 아들인 신숙주가 군계일학의 재능을 발휘했다.

전통의 명문가 출신은 아니었던 신숙주는 성공하기 위해서는 남다른 실력과 노력이 필요하다는 사실을 인지하고 있었다. 집현전에서도 제일 열심히 공부해서 동료들을 대신하여 숙직까지 서 가며 철야로 책을 읽었다. 세종이 밤에 집현전에 행차했다가 책을 읽다 잠든 그를 보고 어의를 덮어 주었다는 일화는 유명하다.

성공을 위해서 그는 힘들고 어려운 사명을 마다하지 않았다. 훈민정음 창제 과정에서 제일 어려웠던 일이 음운학을 통해 이론적 기초를 다지는 일이었다. 음운학은 지금도 국문과 학생들이 꺼려하는 어려운 학문이다. 게다가 제일 똑똑한 그룹이라는 집현전에서는 리더격인 박팽년부터 시작하여 의외로 훈민정음 창제에 대해 비판적이었다. 이 때 젊은 학사였던 신숙주가 나서서 이 일을 맡아 주었다.

마침 중국의 음운학자였던 황찬이 요동에 귀양을 와 있었다. 신숙주는 무려 열세 번이나 요동을 왕래하면서 황찬에게서 음운학을 배우고 의논했다. 신숙주는 중국어를 몰랐지만 역시 원리를 이해하는 능력이 뛰어나서 음운학을 터득했고, 훈민정음 창제에 제일의 공로자가 되었다.

군사에도 재능이 있어 세조 5년에 함길도 체찰사로 나가 여진족 간의 분쟁을 해결하고 돌아왔다. 세종조의 많은 학자들이 따지기 좋아하고 정통과 법과 관습에 얽매이는 경향이 있었으나 신숙주는 스케일이 컸다. 그를 평한 글을 보면 도량이 커서 작은 예절과 절차에 구애받지 않았다고 하였다. 그냥 성격이 활달하고 소탈했다는 뜻처럼 들리지만 실제로는 그 정도가 아니었다.

세상을 보고 사회를 구상할 때도 그는 동시대인들과는 참 다르게 열린 시각을 지녔다. 중국과 일본에 사신으로 여러 번 간 경력 때문인지 사회를 보는 눈이 달랐다. 일례로 그는 당시인으로서는 정말 드물게 민간상업의 진흥을 지지한 인물이다. 별것 아닌 이야기 같지만 민간상업의 발달을 지지했다는 것은 사회구조에 대한 인식 자체가 달랐다는 뜻이 된다.

민간상업이 발달하면 조선의 국가체제와 법, 제도 전반이 바뀌어야 한다. 조세·세금·군제가 바뀌고, 인간을 평가하는 기준이 바뀐다. 전통사회에서 농사꾼은 좀 우직하고, 전통과 풍습을 존중하고, 이해관계에 약삭빠르지 않고, 자신이 태어난 곳과 직업을 천직으로 아는 사람을 최고로 친다.

그러나 상인은 그렇지 않다. 이해득실을 존중하고, 빠르고 센스가 있어야 하며, 이득이 나는 곳이라면 장소든 직업이든 빠르게 움직이고 변신해야 한다.

상업이 발달하여 돈의 이동이 증가하고 빨라지면 성장하고 몰락하는 사람도 많아질 것이다. 직업이 다양해지고, 인간관계와 가치가 다양해지면, 사회의 움직임도 다원화된다. 사회가 이런 모습이 되면 변화와 발전, 다양성을 인정하지 않을 수 없게 될 것이다. 그렇게 되면 그 동안 유교를 전해 준 중국사람까지 놀래킬 정도로 집요하고 엄격하게 집착했던 신분제와 명분론도 변하지 않을 수 없다.

이런 저런 성향을 고려할 때 사실 그는 집현전 동료들과는 출발부터 성향을 달리하고 있었다. 그가 사육신과 갈라선 것은 배신이 아니라 필연이었는지도 모른다.

그러나 그는 머리가 비상한 만큼이나 출세욕이 강하고, 현실을 너무도 잘 알았다. 그래서 그는 조선을 자신이 생각하는 이상사회로 만들려고 굳이 노력하지는 않았다. 이상이라는 것도 현실과 어느 정도 줄이 닿을 때 마음이 안타까워지고 흥분하게 되는 것이다. 그는 너무나 멀리 있는 사회를 위하여 몸부림치다가 순교자나 시대의 이단자가 되니, 현실에서 확실히 얻을 수 있는 것을 추구하기로 하였다. 그래서 그는 개혁을 운운하거나 이루지 못한 구상을 저술로라도 남기는 따위의 일은 전혀 하지 않았다.

남아 있는 시간 동안 그는 철저하게 현실에서 얻을 수 있는 것을 추구했고, 그것에 성공했다. 수양대군의 눈에 든 그는 세조의 쿠데타에 참여하여 한명회·권람과 함께 세조가 가장 총애하는 신하가 되었다.

출세한 그는 이 시대의 많은 권력자들처럼 정경유착과 권력형 비리에도 참여하여 상당한 재산을 모았다. 다만 욕심을 자제하고 권력을 절제할 줄도 알아서 챙길 것을 챙기되 지나치게 무리하거나 크게 물의를 일으킬 짓을 하지는 않았다. 뛰어난 식견과 능력, 그리고 이런 태도 때문에 의외로 젊은 층에서도 상당한 신뢰와 지지를 얻었다.

최항은 신숙주와는 또 스타일이 다른 천재형 인물이었다. 젊은 시절에는 천재답게 입시공부가 귀찮았던지 시험을 보지 않고 기부금 입학으로 성균관에 들어갔다. 얼마 후 과거가 있었는데, 편입생은 응시할 수 없다는 공고가 나붙었다. 최항은 분노하여 세종에게 항의문을 보냈고 기어이 시험응시 자격을 얻어냈다.

최항이 시험장에 들어서자 시험을 관장하던 노재상이 최항을 노려보며, "어디서 굴러온 피랑자(皮狼子 : 가죽불알)가 이렇게 소란스럽게 하느냐?"고 핀잔을 주었다. 최항은 그 재상을 똑바로 올려보며 쏘아붙였다.

"네 불알은 쇠로 만들었냐?"

그 날 시험에서 이 당돌한 가죽이 장원을 한다.

유식하고 문장을 잘 지었기 때문에 교서와 『실록』, 『경국대전』 등의 편찬에 빠짐없이 참여하여 중책을 맡았다. 『경국대전』을 편찬할 때, 그가 상을 당하여 편찬위원직을 사임하자 대전 편찬이 올스톱되어 버렸다는 일화도 있다. 특히 중국에 보내는 표문(表文)과 전문(箋文)은 한자 사용법도 다르고 형식이 까다로웠는데, 한 세대 동안 최항이 이를 도맡았고 글을 잘 지어 중국에까지 이름이 났다.

그러나 젊은 날의 일화가 무색하게 나이가 들어서는 사람이 조심스럽고 개혁적인 기상이 없다는 평을 들었다. 새로운 정책을 건의하거나 정책을 밀고 나가는 박력이 부족하고, 재상이 되어서는 예스맨으로 살았다는 비난도 받았다.

가정에서도 기를 못 펴서 부인에게 휘둘려 살았다. 딸이 많았는데, 부인이 사위를 고를 때는 오직 재산만을 보았다고 한다. 때문에 최항이 "우리 집은 활인원(活人院)이다"라고 탄식했다는 얘기도 있다. 불구자만 모였다는 뜻이다.

구치관은 좀 특이한 인물이다. 세조대의 권력가치고는 비리에 깨끗하고 신념과 고집이 강해서 청탁이나 이해관계에 흔들리지 않았다. 그가 죽자 사관은 사람이 고집이 세고, 좋아하고 미워하는 것이 편벽했지만 지키는 것이 있었다고 평하였다. 국정에서는 전제나 관습에 얽매이거나 주변의 눈치를 보지 않고 나름의 원칙 아래서 상당히 현실적인 대안을 내놓곤 하였다. 이런 그의 행동에 대해 명성을 위하여 겉과 속이 다르게 행동한다는 비난도 받았지만 아무튼 외형적으로는 원상 중에서 법과 규정에 가장 충실하게 행동했다.

이시애의 난이 발생했을 때 향리와 노비에게서 지원자를 뽑고 종군자는 면역·면천시켜 주자는 안을 제기하였고, 권세가들의 횡포를 견제하는 규정을 자주 건의하였다. 왕에게도 법이란 가까운 사람부터 더 철저하게 적용해야 한다고 간하기도 하였다. 그러나 성종이 즉위한 지 1년도 못 된 다음 해 9월에 사망했기 때문에 성종에게 얼마나 큰 영향을 미쳤는지는 미지수이다.

지금까지의 원상이 재상형 인물이었다면 조석문은 좀 다르다. 그는 안목과 식견, 지도력을 자랑하기보다는 왕의 명령에 충실하고 맡은 일을 꼼꼼하게 잘 처리하는 스타일이었다. 자타가 공인하는 행정의 달인인데다가 말솜씨가 좋아서 윗사람의 기분을 맞추는 능력이 탁월했다고 한다. 재능에 맞게 그는 세조 즉위 후 5년 동안 승정원에서 쭉 근무하면서 도승지로까지 승진했다.

그 다음은 호조판서로 7, 8년간을 재직했다. 워낙 꼼꼼한데다가 긴축을 요구하는 세조의 뜻을 철저하게 받들어서 세조로부터 재무관리 능력은 소하(한나라 고조의 재상으로 재무관리 능력이 특히 뛰어났다)보다도 낫다는 칭찬을 들었다. 세조가 호조에서 올라오는 상소에 조석문의 서명이 있으면 읽지도 않고 결재했다는 일화도 있다. 이시애의 난 때도 구성군 준 바로 밑의 도총부사로 따라가 모든 사무처리를 도맡아 했다.

윤자운은 고려말 개혁파 사류의 이론가로 조준의 동료였던 윤소종의 증손자이다. 윤소종은 불행하게도 일찍 죽어서 뜻을 펴지 못했는데, 후손인 윤자운이 세종 말년부터 관계에서 두각을 나타냈다. 하지만 실질적으로 그의 출세를 도와준 사람은 명성만 높은 증조할아버지가 아니라 실세인 신숙주였다. 그가 윤자운의 매부였기 때문이다. 그는 매부와 함께 세조·성종대에 크게 출세해서 성종대에는 부원군에 봉해지고 우의정까지 지냈다. 그 역시 맡은 일을 잘 감당해 내는 스타일이었다.

그는 협상과 교섭에 탁월한 능력이 있었다. 이시애의 난 초기에는 체찰사로 함흥에 파견되었다가 반군의 피습을 받았다. 함께 간 관찰사 신면(신숙주의 아들)은 살해되었지만 그는 반군을 잘 어루만져 정부군이 진입할 때까지 7일을 무사히 넘겼다. 어떤 사람은 반군 무리를 대인이라고 부르는 등 비굴하게 굴어서 살아 남았다고 비난했지만, 그러지 않았다면 목이 달아났을 것이다. 정부군이 진입한 후에는 온건책을 써서 주민을 잘 회유하였다. 예조에 오래 근무하면서 중국에 사신으로도 파견되어 어려운 일을 잘 해결했다.

홍윤성은 지금까지 살펴본 원상들과는 전혀 다른 인물이다. 세조는 그를 최고의 장수라고 극찬했는데, 사실은 무반이 아니라 문과 출신이었다. 하지만 체구가 크고 무예도 뛰어났다. 힘도 얼마나 센지 활을 잡아당겨 부러뜨릴 정도였다. 세조가 쿠데타를 준비할 때는 일부러 김종서의 측근으로 들어가서 프락치 노릇을 완벽하게 해냈다. 그 공으로 2등공신이 되고 이후로 세조의 신임을 한몸에 받았다.

그러나 『조선국왕 이야기』 1권의 세조편에서도 그의 일화를 소개했듯이 인간성에는 정말로 문제가 많았다. 거칠고 탐욕스럽고 못되기가 한량 없어서, 다반사로 남의 것을 빼앗고 사람도 많이 죽였다. 조선 후기의 실학자이며 역사에 박학다식했던 성호 이익은 홍윤성을 두고 우리 역사에서 그만큼 엄청난 권력을 휘두른 사람은 없다고 하였다.

그에게는 아부하기도 쉽지 않았다. 도무지 남 생각이라고는 안 하는 인물이었기 때문이다. 아랫사람에게는 꼭 쓰러질 때까지 술을 먹여서 남들이 기절하는 걸 보고 즐겼다. 심지어 그의 술을 받아먹다가 견디지 못하고 죽은 사람까지 있다.

하지만 국왕에 대한 충성 하나는 확실했다. 세조는 그를 최고의 장수라고 평하면서도 신숙주의 부장으로 여진족 정벌에 한 번 보낸 것을 제외하고는 이시애의 난 때도 그를 내보내지 않고 늘 자신 가까이에 두었다. 그것은 그의 진짜 장점이 장수의 자질이 아니라 절대적인 충성심이었기 때문이다.

그는 세조의 측근으로 세조의 정권을 안정시키는 데 큰 역할을 했다. 살인을 불사하는 그의 수많은 악행도 국왕에 대한 충성을 매개하는 상호 보험의 역할을 했다. 그는 절대로 왕을 배신할 수 없었다. 평상시의 소행으로 보건대 국왕이란 보호막이 걷히는 순간 목숨이 없어질 게 뻔했기 때문이다.

이처럼 원상들은 다방면에서 최고의 능력가들과 국왕과의 관계가 긴밀

한 인물들로 구성되어 있었다. 어린 국왕은 이런 원상들의 보호와 지도를 받으며 안정적으로 성장할 수 있었다. 세조의 탁월한 정치력이 손자대에까지 영향을 발휘한 셈이었다. 교육환경은 최고였다. 남은 것은 학생의 몫이었다.

3. 영광의 두 얼굴

멋과 여유를 가지고

정사는 3일에 한 번이지만 성종의 일과는 바빴다. 성종의 하루는 대비전에 드리는 문안으로 시작했다. 당시 궁중에는 대비가 무려 세 명이나 있었다. 어머니인 인수왕후, 작은어머니인 예종비 안순왕후, 할머니인 정희왕후였다. 그 중 인수왕후와 안순왕후는 20대의 청상과부였다.

문안이 무슨 큰일이냐 싶겠지만 궁중행사라는 게 간단한 것은 하나도 없다. 길게 늘어선 수행원을 데리고 가야 하고, 문안도 그냥 "밤새 안녕하셨습니까?" 하는 식으로 끝나는 게 아니라 까다로운 의식과 절차가 뒤따랐다. 문안을 마치면 으레 다과를 베푸는데, 여차하면 이것이 쓸쓸한 과부를 위한 연회가 되었다. 나중에 성종은 창덕궁에, 대비들은 경복궁에서 거주하게 되면서 문안을 직접 드리는 횟수가 줄었지만 초기에는 이런 문안을 한 번에 세 번씩 하루 세 번을 드렸다.

문안이 끝나면 경연이 열렸다. 경연도 문안과 마찬가지로 아침·점심·저녁의 하루 세 번에다 야대라고 해서 밤에까지 수업을 했다. 경연은 그저 유학의 경전만을 배우는 자리가 아니다. 유학의 정치이론은 물론이고 국왕의 행동거지, 사람을 보는 방법 같은 것에서부터 구체적인 제도 운영법까지 다방면의 학습과 토론이 이루어졌다.

성종은 우수한 학생이었다. 경학에 관한 것이든 국정에 관한 것이든 그는 적극적으로 묻고 매사에 열심이었다. 그는 훌륭한 국왕이 되겠다는 강한 목표의식이 있었다. 경연관에게 던지는 질문은 꼼꼼했고, 대충 넘어가는 법이 없었다.

하루는 경연에서 고려시대의 폭군들에 관한 이야기가 나왔다. 열심히 듣던 성종이 갑자기 앞으로 나오면서, "나의 허물을 이야기 해 보라"고 말하였다. 별것 아닌 것 같지만 의외로 힘든 것이 이런 행동이다. 결론은 "완벽하셔서 지적할 것이 없다"로 끝나긴 했지만, 다른 왕들의 일화에는 좀처럼 등장하지 않는 장면이다.

아침문안에서 야대까지 결코 쉽지 않은 과정이지만 성종은 경연을 빼먹지 않았다. 남은 시간에는 역법, 음악, 글씨, 그림, 활쏘기 등을 열심히 습득했다.

즉위 3개월째 되던 어느 날, 한명회와 최항이 제사가 있는 날이니 경연을 쉬자고 건의했다. 한명회로서는 특별히 건강하지도 않은 사위의 몸이 걱정되었던 모양이고, 최항은 원래 머리 싸매고 공부하는 노력형이 아니라 두뇌를 믿고 사는 천재형이었던 만큼 그렇게 무리할 필요가 없다고 생각했던 것 같다.

그러나 어린 성종은 "내가 하루라도 배우지 못하는 것을 애석하게 생각한다"는 말로 거절했다. 어린 소년 왕에게는 확실히 강한 책임감과 자의식이 있었던 것이다. 대가 약한 월산에게는 어쩌면 이런 면이 부족했던 것인지도 모른다.

그러나 무엇보다도 인상적인 것은 그의 알찬 당돌함이다. 성종이 즉위한 지 9개월째 되던 날, 14세 소년에게 유모 백씨가 찾아와 관직을 청탁하였다. 전통예법에서 보면 유모란 파출부처럼 고용되어 젖이나 주는 사람이 아니다. 유모는 칠모(七母)의 하나로 유모가 사망하면 3개월간 상복도 입었다. 이것은 증조부모나 장인의 상기와 맞먹는 수준이다. 그래서 유모는 궁중에서는 후궁, 사가에서는 첩 가운데 한 명이 맡는 경우가 많았으며, 왕의 유모에게는 봉보부인이라 하여 종2품의 작위를 주었다.

게다가 성종은 왕이 되기 전부터 유모 백씨를 매우 좋아했던 모양으로 나중에까지도 대우가 특별하였다. 그러나 이 날은 백씨가 단단히 망신을 당해야 했다.

임금이 편전에 나아가니, 봉보부인(奉保夫人) 백씨가 어떤 사람에게 관직을 주기를 청하였다. 임금이 말하기를, "너는 무슨 뇌물을 받고 이런 청을 하는가? 관직은 공적인 것이다. 내 나이 어리다고 하여 사적인 청탁을 받아 작위를 준다면, 앞으로 국정이 어떻게 되겠는가? 또다시 이런 말을 한다면 내가 반드시 용서하지 않을 것이다" 하니, 백씨가 부끄럽고 두려워하면서 물러갔다. (『성종실록』 1년 7월 24일)

노력과 자질, 훌륭한 현장 학습 프로그램, 청렴하지는 않아도 국정에는 달통한 조언자들의 도움을 받으며, 성종의 지식과 국정장악 능력은 빠르게 성장했다. 즉위 4년이 지나면 성종은 국정운영에서 벌써 젊은 관료나 승지들이 미처 생각하지 못하는 부분까지 배려하기도 하고, 대신들에게 자문을 구하기는 해도 인사에서 상당한 자율권을 행사하기 시작하였다.

또한 그는 사려깊은 사람이었다. 사물을 단면적이고 부정적으로 보기 쉬운 십대에 왕이 되었지만, 그는 체제의 한계와 모순을 이해하고 만사를 거시적으로 볼 줄 알았다.

조선시대에 왕은 윤대라고 해서 하루에 다섯 명 정도씩 관료들과 직접 면담하는 자리가 있었다. 한 관료가 성종에게, '다섯 명이 집단으로 면담을 하다 보면 속에 품은 생각을 맘대로 말할 수 없으니 이제부터 밀실에서 한 명씩 면담하자'는 건의를 했다. 언뜻 들으면 효과적인 방법 같지만, 이런 방법은 속좁고 근시안적인 방법이다. 자고로 밀실정치란 득보다는 폐단이 더 큰 법이다.

지금으로 치면 고교 1, 2학년쯤이나 될 만한 열여섯 살의 소년 왕은,

남이 아는 것을 두려워해서 마땅히 왕에게 해야 할 이야기를 하지 못하

는 신하를 어디다 쓰겠느냐! (『성종실록』6년 1월 2일)

라고 단박에 무안을 주었다. 이 일화만 보아도 그는 분명히 통치의 방법과 원리를 아는 사람이었다고 말하고 싶다.

성종은 경서, 사서, 성리학, 기타 여러 책과 역법, 음악 등에도 수준높은 지식을 지녔다. 물론 학문의 깊이가 학자적인 영역이나 창조적인 영역까지 이른 것 같지는 않고, 한문 중에서도 제일 어려운 시나 부는 해석하지 못하는 경우도 있었지만, 최고경영자가 되기에는 부족함이 없는 교양이었다.

일반 교양에 속하는 활쏘기, 글씨, 그림 등도 수준급이었다고 한다. 활쏘기를 무척 좋아했는데, 실록 기록이 객관적인 묘사에는 부족한 점이 있어서 왕의 실력을 보여주는 적절한 통계자료가 없다. 딱 한 번 어느 날 직접 활쏘기에 참여해서 네 발에 한 발 꼴로 명중시켰다는 기사가 있다. 그런데 이것이 잘 쏘았다는 말인지 특별히 못 쏜 날의 기록이라는 건지, 이 기사에 칭찬도 비평도 없어서 알 수가 없다.

다른 사람과 비교하자면, 태조의 솜씨는 반은 신화화되어서 늘 백발백중이었다고만 하니 비교할 대상이 못 된다. 양녕대군은 궁중 무사들도 못 당한다고 할 정도로 잘 쐈다고 하는데, 어느 날 활쏘기에서 세 발에 한 발 꼴로 맞추었다는 기사가 딱 한 번 나온다. 이 역시 잘했다는 것인지 못했다는 것인지 알 수가 없는데, 아무튼 성종이 양녕보다 조금 떨어지거나 비슷한 실력이었다고 보면 될 것이다. 참고로 무과에서 원거리 표적인 250보 사격에서 합격 기준선이 세 발에 한 발 명중이었고, 왕의 경호대인 내금위에도 이 수준에 미달하는 사람들이 꽤 있었다고 한다.

이와 함께 자신은 국왕이며 특별한 사람이라는 자부심과 자신감도 있었다. 『실록』이 한문으로 되어 있어 실제 말투를 알 수 없는 것이 큰 유감이지만, 아무튼 즉위 2, 3년만 지나면 글로 읽어서는 이 왕이 성인인지 중고생 나이의 소년인지 구분이 안 갈 정도이다.

지도자로서 품위와 카리스마를 유지하기 위해서는 목소리와 몸가짐, 제스처도 중요하다. 이런 점에서도 성종은 흠잡을 데가 없었다. 성종 19년에 사신으로 온 동월(董越)은 명나라 과거에서 2등으로 급제한 인물로 당시의 황제를 황태자 시절에 가르치기도 했던 명망가였다. 관직도 당상관이었는데, 당상관으로서 조선에 사신으로 온 사람은 그가 처음이었다.

이런 그가 성종에게 감명을 받아서 중국에 돌아가 황제에게 성종을 크게 칭찬한 덕분에 성종이 어질고 훌륭한 임금이란 명성이 중국조정에까지 널리 알려졌다. 동월은 허종과 아주 친하게 사귀었는데, 야사에는 그가 귀국할 때 허종에게 "당신 나라에는 임금은 있어도 신하는 없다"고 말했다는 이야기가 전한다. 임금이 워낙 뛰어나서 신하들이 임금의 수준을 따라주지 못한다는 뜻이다.

국왕으로서 업무를 처리하는 데 있어서도 성종은 수준이 높았다. 그는 관료들의 생리를 잘 알았으며, 각 부서의 업무에 대해서도 기껏해야 1, 2년씩 근무하는 관료들보다 훨씬 잘 알았다.

그는 괜히 위세를 부리거나 약점을 잡아 처벌하지도 않았고, 비겁한 방법을 쓰지 않으면서도 관료들을 잘 다루고, 견제하고, 굴복하게 만들었다.

한 마디로 말하면 성종은 갖출 것을 다 갖춘 국왕이었다. 뿐만 아니라 그의 치세는 늘 조선의 최전성기라고 일컬어질 만큼 안정되고 풍족한 시대였다.

세조는 무척이나 각박하게 긴축정책을 폈지만 성종은 평생 그렇게 살지 않았다. 그의 궁성은 풍족했고, 물자는 넘쳐났으며, 연회와 행사가 끊이지 않았다. 건축공사도 많이 해서 창경궁을 새로 지었고, 경복궁도 보다 화려하게 개축했다. 경회루도 새로 단장하고, 기둥에는 용을 조각하여 둘렀다. 이것은 외국 사신들이 보고 감탄하는 명품이었다고 한다. 임진왜란으로 경복궁이 잿더미로 화했을 때도 이 기둥만은 살아남아 빈터를 지켰다고 하는데, 이상하게도 한말 대원군이 경회루를 재건할 때 사라져 버렸다.

풍요와 안정은 사람들의 문제의식을 이완시키고, 사치와 향락으로 인도

하기가 쉽다. 그러나 성종은 그런 위험성도 충분히 인식하고 있었다. 그는 역사를 공부할 때마다 국왕의 종류를 명군, 처음에는 잘하다가 나중에 잘못된 국왕, 폭군이나 멍청했던 국왕으로 나누고 자신은 절대로 중도에 타락하지 않고 끝까지 명군의 길을 가겠노라고 몇 번씩 다짐하곤 하였다.

물론 정의의 잣대를 가지고 들여다보면 문제가 없지 않았다. 재정은 점차 부실해져 당장의 필요는 충당했지만, 전쟁이나 기근과 같은 응급상황에 대처할 비축분이 남아나지 않기 시작했다. 국가금융이 말라 감에 따라 백성들은 부자들의 고리대에 의존하는 비중이 높아 갔고, 결과적으로 부자들의 땅과 노비가 크게 늘었다.

하지만 이 시대를 살아가는 사람들의 입장에서 보면 그것은 아직 지하에서 벌어지고 있는 일이었다. 관료들의 입장에서 보아도 세종 때는 문제의식이 너무 많아서 지나치게 빡빡했다. 세조 때는 그들의 특권이 많이 늘어서 좋기는 했지만, 거칠고 늘 일말의 긴장감이 감도는 분위기였다.

그에 비하면 성종에게는 관용과 여유가 있었다. 그는 총명하고 아는 것이 많았지만 세종처럼 빡빡하지 않았고, 관료들의 생태를 잘 알면서도 태종이나 세조처럼 상대의 약점을 파고들거나 몰아세우지 않았다. 그는 기존의 체제가 가지고 있는 모순과 한계를 인정하면서, 법제든 정치운영이든 기존의 룰과 관례를 받아들였고, 정말로 감탄하지 않을 수 없을 정도로 매사에 그 룰을 지키려고 노력했다.

성종은 열심히 일했다. 커다란 개혁은 하지 않았다고 해도 과거에 등장했다가 사라진 좋은 제도들을 복구했다. 세조가 폐지한 집현전을 대신해서 홍문관을 설치하고, 별 실효는 없지만 하여간 상징적인 의미는 훌륭한 신문고를 부활시켰다. 혁명기·건설기에는 아무래도 사람들이 실효에만 집착하는 경향이 있지만, 그것도 너무 따지면 각박해진다. 나라를 다스리려면 상징적인 제도도 필요한 것이다. 이 역시 안정된 시기에 등장하는 여유의 하나이다.

법도 여유를 찾았다. 아니 이 경우는 정상궤도에 올랐다고 하는 것이 올바른 표현일 것이다. 범죄자들은 더 늘어가고 있었지만, 소도둑은 공범·종범까지 사형에 처한다는 따위의 세조가 만든 비상식적인 법들도 원래의 수준으로 환원시켰다.

사실 재판과 법의 운영은 성종이 특별한 관심과 노력을 쏟았던 분야이다. 인간의 생사여탈권을 쥔 최고 재판관으로서 성종은 그 책임을 깊이 자각하고, 정말로 열심히 이 일에 임하였다. 왕은 사형수에 관한 재판기록을 직접 심사하게 되어 있었다. 그런데 이 때가 되면 관리와 서리들도 노련해져 있었다. 남들이 읽고 이상하다고 생각할 수 있을 정도로 허술한 판결문서는 작성하지 않았다. 다시 말하면 괜히 흠잡히는 일이 없도록 이상한 부분은 빼고, 없는 이야기도 적어가면서 아귀를 다 맞추어 작성했다는 것이다. 왕이 가능한 한 억울한 희생자가 없도록 하라는 명령을 내리면, 담당 관료가 찾아와 수령들이 어찌나 완벽하게 문서를 작성하는지 2심, 3심을 해도 소용이 없다고 말하는 시대였다.

다시 말하면 억울한 희생자가 생길 소지가 그만큼 늘어난 것이었다. 성종은 관용과 용서라는 방법으로 이 문제에 대응했다. 열심히 문서를 검토하여 조금이라도 이상한 징조가 있으면 용서하고, 그런 꼬투리를 찾지 못했어도 가능한 한 형량을 낮추고 감형을 했다. 덕분에 그의 치세중에 수많은 사형수들이 목숨을 건졌다.

한편 관료들의 편의주의에 따라 법과 제도마다 이상한 관례들이 새로 생겨 법의 진의를 왜곡하기 시작했다. 예를 들어 취조 도중에 죽거나 감옥에서 사망한 사람이 생기면 반드시 왕에게 보고하게 되어 있었지만, 어느새 그건 사족의 경우일 뿐 일반 평민이면 보고하지 않는다는 흉악한 관례가 생겼다.

기득권 세력이 더욱 강해지고 고착화됨에 따라 그들의 특권과 집단이기주의와 뻔뻔함도 점차 늘었다. 그러다 보니 사회 각 부분에서 작은 일이라도 자꾸 등급을 나누고 구별하고 차별하는 풍조가 확산되었다. 윗사람은 자신의 권위를 신성한 것으로 만들기 위하여, 아랫사람은 저보다 못난 사람을 만들고 구박함으로써 위에서 받은 스트레스를 해결하기 위하여 사회의 구석구석에 종횡으로 칸막이를 쳤다.

그러니 당연히 성종시대에 의원, 역관, 잡과, 서리, 서얼들에 대한 차별이 심해졌다. 수군과 같이 다른 역에 비해 고되고 힘든 직업은 세습직이 되고 그들이 다른 사람들에게 천대받기 시작한 것도 이 때이다. 상식과 인간성이 뒤로 밀림에 따라 여성에 대한 차별도 심해져서 재혼금지법이 논의되기도 한다.

그 외에도 자질구레하고 괜히 권위적이고 지저분한 구별이 늘어갔다. 일례로 70세가 넘은 당상관들을 매년 불러서 잔치를 열어주는 풍습이 있었는데, 여기도 권위주의가 들어와서 참석대상자가 2품 이상관으로 바뀌고, 의정부 대신을 역임한 자는 나이에 관계없이 참석하는 것으로 바뀌었다. 당상관들을 위한 잔치가 정승들의 특권으로 바뀐 것이다.

물이 고이면 썩는 것처럼 사회에 칸막이가 늘어난다는 것은 그만큼 사회가 경직되고 부조리가 늘어난다는 것을 의미한다. 성종은 이처럼 자꾸만 휘고 새기 시작하는 체제를 붙들고 유지하기 위하여 열심히 노력했다. 재판에서는 최고의 전문가가 되었으며, 이런 저런 결함이 있고, 재정이 부족하고, 문제가 생겨도 가능한 한 『경국대전』에 수록한 모든 제도들을 제대로 사용하고 운영하기 위하여 노력했다. 이런 노력은 뭔가를 처음으로 만들거나 세우는 경우와는 달리 전혀 표가 나지 않는 일이지만, 수성기의 국왕으로서 대단히 훌륭한 업적이었다.

이러한 그의 노력은 적어도 야사에서는 충분한 보상을 받았다. 관료들의 기억과 회고담 속에 등장하는 성종은 멋과 유머가 있고, 자신의 권력과 카리스마를 적절히 활용할 줄 아는 멋진 임금님이었다.

성종이 밤에 근신에게 잔치를 베풀어주고 취하지 않으면 술상을 치우지 않겠다고 하였다. 승지들이 모두 취하여 쓰러지자 임금이 내시를 시켜 가만히 승지들의 은띠를 끌러 금띠로 바꿔 준 다음 부축하여 나가게 하였다

선조조 기영회도.

(금띠는 2품관 이상이 두르는 띠다. 승지는 정3품이므로 은띠를 한다).

다음 날 새벽에 승지들에게 급히 입시할 것을 명하니 승지들이 미처 술이 깨지도 않은 채 서둘러 출근하여 자신들이 두른 것이 금띠인지도 살피지 못하였다. 날이 훤히 밝아올 무렵 사람들이 서로 금띠를 보고는 놀라며 이상하게 여겼다. 간관들이 이를 탄핵하자 임금이 웃으며 말하기를 "이미 황금띠를 둘렀으니 그대로 승진하는 것이 옳겠다" 하고 특별히 정2품인 가선대부로 임명했다. (『오산설림초고』)

삼월 삼짇날 성종께서 내시 몇 명을 데리고 후원에서 놀다가 어떤 별감에게 명하여 성균관에 가서 유생이 몇 명이나 있는지 보고 오라고 하였다. 얼마 후 별감이 돌아와 아뢰기를 "단 한 명만이 성균관에서 글을 읽고 있었습니다" 하였다. 임금이 후원의 작은 문을 열라고 명하고 급히 그 사람을 불러 물었다. "여러 학생들은 다 놀러 갔는데, 너만 혼자 남아 있는 까닭이 무엇인고?" 하자 그 생원이 대답하기를 "오늘은 명절이라 생원들이 집이나 친구집에 가거나 혹은 친한 사람들끼리 모여 노는데, 신은 먼 곳에서 온

가난한 선비라 친척도 없고 짝도 없사와 가고 싶어도 갈 데가 없습니다"라
고 하였다.

임금이 또 "여러 학생들이 지금 어디서 놀고 있는가?" 하고 물으니 "서
쪽 건물 뒤 반수(성균관을 감고 도는 개울) 가에서 음식을 먹고 있습니다"
하였다. 그러자 임금이 그에게 "지금 너도 그 곳으로 가라"고 명령하였다.
그 사람이 그 곳으로 갔더니 얼마 안 되어 왕명을 전하는 환관과 대전의
별감이 오고, 이어 왕실 주방에서 만든 음식과 술을 8, 9명이 지고 와서
선비 앞에 내놓았다. 사람을 시켜 여러 생원들을 불러 같이 먹게 하니 생원
들이 크게 놀랐다. 다음 날 어전에서 강독시험을 보아 그 사람을 급제시켰
다. (『오산설림초고』)

재상 이영은과 이곤 두 사람이 기생 하나를 함께 관계하고 서로 빼앗으
려 하였다. 이에 간관들이 죄를 논하여 여러 날 동안 파직하기를 청원했으
나 임금이 끝내 허락하지 않았다.

두 사람이 함께 대궐에 나오더니 어전에서 자신을 변명하고 서로 허물을
상대방에게 돌렸다. 임금이 말하기를 "옛날부터 사대부들이 아내와 첩을
서로 빼앗는 것은 망해 가는 세상에서나 발생하는 일이었다. 내가 차마 지
금을 망해 가는 세상이라고 볼 수 없었기 때문에 대간들이 파직하라는 말
을 허락하지 않은 것이지 그대들에게 죄가 없어서가 아니니 물러가서 반성
해야 할 일이다"라고 하였다. (『송와잡기』)

임금께서 한 수령이 고을을 아주 잘 다스렸다는 말을 듣고 대뜸 뽑아
올려 사헌부 집의로 임명했다. 삼사(간쟁을 담당한 세 관사로 사헌부·사
간원·홍문관)에서 번갈아 상소하여 지나친 승진이라고 반대하였다. 그러
자 왕은 그 사람을 승진시켜 이조참의로 삼았다. 삼사에서 다시 논란하자
또 이조참판으로 승진시켰다. 마침내 언관들이 "만약 상언을 그치지 않는
다면 정승에까지 이르게 될 것이니 그만 중지함만 못하다" 하고 다시 논란
하지 않기로 하였다.

그 사람은 후에 정승이 되었으며, 과연 그 재능이 직무에 알맞았으니
이로써 나라 사람들이 임금이 사람을 잘 알아보는 데 감복하였다. (『오산설

림초고』. 이 이야기는 성종 8년에 있었던 현석규의 일화가 와전된 것이 아닌가 싶다. 이 때 현석규는 승지에서 대사헌으로, 다시 형조판서로 승진하였다 : 인용자 주)

임금이 충주의 교수로 있던 선비를 발탁하여 홍문관 관원으로 삼자 사헌부에서 여러 날 동안 논란하였다. 하루는 임금이 장령을 불러 "어찌 이리 반대가 심한가" 하고 물었다. 장령이 "자고로 홍문관 관원은 공론을 모아서 임명했고, 왕명으로 직접 임명한 적이 없었습니다"라고 대답하였다. 임금이 말하기를 "권세가와 요로에 달려가서 얻은 것이 공(公)인가? 이름이 임금에게 알려져 등용되는 것이 공인가?" 하였다. 그래도 그가 계속 반대하자 임금이 말소리와 얼굴빛을 매우 엄히 하며 나가라고 소리쳤다. 그가 덜덜 떨며 물러가다가 길을 잘못들어 왕이 다니는 길로 갔다. 임금이 이를 보고 "제가 마땅히 갈 길도 가지 못하면서 남의 앞길을 막으려 하는가"라고 하였다.

다음 날 간관의 탄핵으로 그 장령은 벼슬에서 떨어졌고, 그 선비는 홍문관에 들어오게 되었는데 참으로 탁월한 기재(奇才)였다. (『오산설림초고』)

임금은 당대의 인물을 이리저리 다루었는데, 그 수단이 매우 능란하였다. 어느 날 임금이 후원에서 산보하고 있는데, 까치가 종이 한 장을 물고 가다가 임금 앞에 떨어뜨렸다. 그 종이를 살펴보니 해변 고을의 수령이 좌승지에게 선물한 물건의 명세서였다.

임금이 그 종이를 소매 속에 넣고 경연에 나가서 육승지를 불러 조용히 이르기를 "지방의 수령들이 음식물을 그대들에게 선사한다면 예의를 돌보지 않고 받겠는가?" 하니 승지들이 모두 "어찌 감히 받겠습니까?" 하고 대답하였다(실제로 이 때 중앙의 관원치고 이런 것을 받지 않는 사람이 없었고, 이런 것은 죄로 생각하지도 않았다. 따라서 워낙 구조적인 문제라 한두 명을 처벌하는 것으로 개혁을 할 수도 없었다. 이 이야기에는 성종이 이를 익히 알고 있다는 전제가 숨어 있다 : 인용자 주). 다만 좌승지만은 자리를 피하여 아뢰기를 "신은 그렇지 못합니다. 신은 90세나 되는 늙은 어미가 있사온데, 평소부터 교분이 두터운 수령이 어제 해산물을 신에게 선사했으므로 그것을 받았습니다" 하였다. 왕은 웃으면서 소매 속에서 그 종이를 꺼내 보이고 "그대는 옛날 정직한 사람의 유풍을 지녔다고 이를 만하다"고 하였다. (『연려실기술』)

동양이고 서양이고 간에 오늘날까지도 대중들에게 가장 인기 있는 지도 자상이 이런 스타일이 아닌가 싶다. 일반적으로 대중들은 지도자가 교양 과 능력이 있고, 청렴하고 법과 규칙을 준수하는 사람이기를 원한다. 그러 나 한편으로 대중들은 지도자가 멋과 유머가 있고, 비록 법을 무시하더라 도 힘있고 잘난 체하는 자들을 누르고, 막히고 답답한 곳을 시원스레 뚫어 주는 모습을 보기 원하는 경향이 있다. 성종에 관한 일화들을 보면 이런 염원은 예나 지금이나 변함이 없는 것 같다.

그런데 이 일화들은 인간이란 자기가 기억하고 싶은 이야기만 기억하 며, 때로는 자신의 바램을 과거의 이야기 속에 집어넣는다는 진리도 함께 보여준다.

아무리 평탄하고 부유한 시대를 살았다고 하여도 권력의 정상은 힘들고 어려운 자리이다. 그뿐 아니라 화려하고 영광스러웠던 동·서양의 수많은 황제와 왕들의 삶이란 것이 그 내실을 들여다보면 온갖 갈등과 좌절, 분노 와 두려움, 진한 고독감으로 가득 차 있다. 다른 모든 직업에서와 마찬가지 로 황제와 왕들도 그의 직업이 주는 고통과 어떻게 싸워 나가느냐에 따라 자신의 삶의 질이 결정된다. 하늘이 내려준 권좌라고 해도 이 부분에는 예외가 없다.

가슴 속의 피

성종은 보위에 오른 지 7년 만에 친정을 시작했다. 7년의 수습기간 내내 성종은 모범학생이었고, 경연에서의 가르침을 온전히 받아들였다. 그러나 모범생이라고 그 마음 속에 불만과 비판의식이 없는 것은 아니다.

현명하고 문제의식이 있었던 소년은 수습기간 동안 그들의 논리 속에 탐욕과 위선, 그리고 세조에 대한 배신이 숨어 있다는 사실도 함께 배워 나갔다.

성종 3년 4월 경연에서 『서경』을 공부하다가 천인감응설에 관한 이야기가 나왔다. 경연관들은 옳다구나 하고 천재지변은 하늘이 왕에게 내리는 경고이니 왕은 하늘을 두려워하고, 반성해야 하고 어쩌고 하며 한참 떠들었다. 좋은 말이고 심오한 의미가 있는 말이지만, 왕의 입장에서 보면 짜증나기도 하는 말이다. 서리가 조금 일찍 내리거나, 꽃샘추위가 오거나, 소나기만 심하게 내려도 왕은 내가 정치를 잘못했노라 하며 반찬 가짓수를 줄이고 파티를 취소하고 반성문을 쓰는 학생처럼 방에 틀어박히라고들 하니 말이다.

그 때 경연관으로 함께 참석했던 임사홍이 갑자기 동료들의 논리에 반기를 들고 나섰다. "천재지변이 생기면 왜 왕만 반성하고 근신해야 하는가? 재상도 나라를 다스리는 사람이고 법전에도 음양을 다스린다는 구절이 있으니 함께 책임을 져야 한다."

이어서 그는 구체적으로 하늘이 노할 만한 재상들의 잘못을 지적했다. 지금 금주령이 내려져 있는데, 재상들은 아무렇지도 않게 술을 마시며 잔치를 베풀고 있다. 그러니 지금부터 재상일지라도 금령을 어긴 자는 적발해서 처벌해야 한다.

태종과 세조 때도 비슷한 논쟁이 있었지만, 이 날은 확실히 관료들의 기세가 등등했다. 경연이 끝나자 관료들은 흥분했다. 왕 앞에서는 왕이란 만인의 모범이 되어야 하고 왕도 법을 지켜야 하며 친인척이라도 봐주면 안 된다고 그렇게 떠들던 그들이 법을 어긴 재상을 처벌하자는 주장에 대해서는, 이것은 공자와 맹자가 가르친 정치가 아니라 옛날 진시황의 전제정치와 같은 이론이라고 몰아세웠다.

그들은 당장 임사홍을 탄핵할 준비를 하고, 사관을 임사홍에게 보내 자술서를 받아오게 하였다. 임사홍은 당당하게 자술서를 거부했다. "재앙을 만난 것에 대해 모두 임금에게만 책임을 돌리고 대신들은 반성하지 않기 때문에 내가 이렇게 비유하여 말했을 뿐이다."

승지들까지 임사홍 탄핵에 가세했지만, 이 소동을 알게 된 성종은 임사홍이 무슨 잘못을 했느냐며 노골적으로 그를 비호하였다. 자신도 그의 말에 동의한다는 뜻이었다.

성종 5년 왕이 형조 관리에게 상을 내렸다. 형조에서 감옥에 미결수가 하나도 없다고 보고했기 때문이다. 이 역시 전통적인 관례였다. 과학적 수사방법이 발달하지 않았던 시대고 백성을 우습게 보는 관료들이 많은 시대라 미결사건으로 인한 피해자가 많았다. 십대 때 절도혐의로 옥에 들어갔으나 판결이 나지 않아 10년 이상을 미결수로 복역한 사례도 있는 시대였다.

그러므로 옥이 비었다는 것은 왕이 정치를 잘하고 관원이 부지런하고 현명하다는 증거였고, 담당관원에게도 큰 영예였다. 어린 성종은 이 보고를 받고 아주 흐뭇해하고 있었다. 그 때 임사홍이 또 분위기를 깬다.

옛적에 권진이 형조판서가 되었을 때 옥을 비웠다는 명성을 얻으려는 마음을 먹었더니 모든 낭관들이 그 뜻에 아첨하여 실정을 캐는 데 힘쓰지 않고 죄수들을 모두 일제히 판결하여 내보냈습니다. 다만 좌랑이었던 김종서만이 그러지 않아서 미결수 3명이 있었습니다.

권진이 김종서를 집으로 불러 말하기를, "고의로 잡아들이는 것과 고의로 내보내는 것 중에서 어느 쪽 죄가 더 무거운가?" 하니, 김종서가 말하기를, "고의로 내보내고 잡아들이는 것도 죄가 크지만 진실로 중요한 것은 공평하게 하는 것입니다" 하였습니다.

(할 수 없이) 권진이 직설적으로 자신의 뜻을 전하자 김종서가 깨닫고는 즉시 결정하여 미결수를 석방했더니 권진이 즉시 옥이 비었다고 아뢴 것이 지금까지 웃음거리로 전해집니다. 지금 옥이 빈 사건이 권진을 본받은 것이 아니라고 어찌 확신하겠습니까? 청컨대 상을 내리지 마소서. (『성종실록』 5년 윤6월 27일)

충격적인 이야기를 들은 성종은 역시 아직 어릴 때라 그랬는지 임사홍에게 노골적으로 되물었다. "그대가 지금 김종서의 일을 인용하여 말했는데, 지금 옥이 빈 것이 그 때처럼 했다는 뜻인가?"

곤란한 질문이었지만 임사홍은 정치가답게 '예'도 '아니오'도 아닌 암시적인 대답을 했다. "신은 다만 권진이 옥이 비었다고 거짓으로 아뢰어서 후세의 웃음거리가 되었다는 이야기를 들은 적이 있어서 아뢰었을 뿐입니다." 이 말을 들은 성종은 한동안 아무 말도 하지 않고 가만히 앉아 있었다고 한다.

이 일화를 보면 임사홍이 관료들에게 그토록 미움을 샀던 이유도 이해가 간다. 그러나 성종은 바보가 아니었기 때문에 임사홍이 아니더라도 언젠가는 알았을 것이고, 스스로도 생각했을 이야기이다.

성종은 어린 자신이 왕위에 있는 동안 할아버지가 만들어 놓은 세상이 그의 대신들에 의해 바뀌어 가고 있다는 사실도 감지하고 있었다.

태종과 세종의 치세를 거치면서 국가권력은 중앙의 소수 가문이 장악하게 되었다. 세조는 그들을 더욱 키워 주면서도 훈구세력 내부에 또 다른 특권그룹을 만들어 서로를 분열시키고, 그 틈을 이용하여 국왕의 자의적인 권력을 확대하려고 했다. 여기에 정치참여가 금지되어 있던 종친을 등용하여 정부의 요직에 앉혔다.

세조의 이런 구상에 따라 특권그룹으로 성장한 사람이 바로 원상들이었다. 덕분에 그들은 대단한 권력과 특혜를 누렸다. 그러나 이 체제는 근본적으로 지배층의 갈등과 분열이란 요소를 양분으로 삼아 운영되는 긴장된 체제였다. 게다가 특권 중의 특권이란 것이 국왕과의 개인적인 연관, 총애, 편애라는 언제 끊어질지 모르는 끈으로 연결되어 있으며, 왕의 권력이 비정상적으로 커질 수 있다는 것도 문제였다.

이시애의 난 때 보여준 세조의 태도나, 원로이고 대신이고 걸리기만 하면 없다는 식으로 덤벼들던 예종의 태도는 이들을 긴장시키기에 충분했다. 원상들은 현명하게도 내일이 불안정한 국왕의 총신이 아니라 전체 관료층의 대표자가 되기로 결심했다. 그들은 앞장서서 세조의 『경국대전』을 조금씩 교묘하게 수정했다.

세조가 필생의 사업으로 추진하던 호패법을 폐지하고, 조금 융통성을 주었던 신분제도도 다시 강화하였다. 국왕이 자의적으로 자기 세력을 육성하거나 직접적으로 관료를 견제하고 감독하는 기능은 약화되고, 기득권 세력의 특권은 확대되었다.

법전의 문구만 보면 변화의 양상은 크지 않았다. 그러나 실제 세계는 달랐다. 같은 법이라도 누가 운영하느냐에 따라 크게 달라지게 마련이다. 관료의 등용문인 성균관은 고위층 자제로 가득 채워졌다. 과거는 후세 사람들이 생각하듯 엄정하지도 않았고 어렵지도 않았다. 또 기득권층의 자제들에게는 과거가 아니라도 각자의 소질과 능력에 따라 적절한 관직을 얻을 수 있는 경로들이 세심하게 만들어졌다.

이 코스에 따라 고위관료에서 하급관료, 서리, 무장, 심지어 궁궐 안의 각종 잡무를 관장하는 별감에서 궁궐을 지키는 하급장교와 무사에 이르기까지, 환관과 천인들의 사역을 제외한 모든 분야로 특권층 자제들이 차례로 침투해 들어갔다. 아무리 왕이라고 해도 이들 모르게 무슨 일을 꾸미기는 불가능했고, 왕의 모든 명령은 그들에 의해 집행되어야 했으며, 모든 일에서 그들과 이익을 나누고 협조를 얻어야 했다.

세조의 꿈이었던 종친세력의 양성도 좌절되었다. 구성군 준은 성종이 즉위하자마자 애매한 역모사건에 걸려 경상도 영해로 유배되어 버렸다. 그는 끝내 서울로 돌아오지 못하고 그 곳에서 생을 마쳤다.

성종은 온순한 학생이었지만 그들이 만들어 놓은 이러한 체제에 안주할 마음은 전혀 없었다. 아니 속으로는 공신들의 지나친 권력과 위세에 대해 상당한 불만이 있었던 것 같다.

그의 숨은 분노가 드러난 것이 성종 13년에 있었던 신정의 위조사건이었다. 신정은 신숙주의 아들로 도승지를 거쳐 당시 평양감사가 되어 있었다. 평양감사로 임명할 때 탐욕이 심하다고 대간들의 반대가 심했으나 신정은 왕 앞에서 훌륭한 관원이 되겠다고 다짐까지 했다. 실제로 평양에 부임해서는 열심히 일해서 현지에서는 평판이 상당히 좋았다.

이 때 신정이 남의 노비를 뺏기 위하여 왕의 도장을 위조한 문서가 적발되는 사건이 벌어졌다. 신정은 자신이 무죄라는 옥중상소까지 올렸으나 성종은 필적감정을 명령했고, 신정의 친필이라고 판정이 났다.

신정은 원훈의 아들이었고 그 자신도 공신이었다. 공신에게는 반역죄가 아닌 한 사면권이 있고, 마침 대사령도 내렸었다. 한명회 이하 대신들이 거의 전부 이를 참작해 줄 것을 요청했으나 성종은 단호하게 처형을 명령하였다. 표면상으로는 왕에게 세 번씩이나 거짓말을 했다는 것이 이유였다. 그러나 진짜 이유는 그가 신숙주의 아들이고 공신이라는 배경을 믿고 적발되어도 당연히 처벌받지 않을 것이라고 생각하여 이런 한심한 죄를 저지르고 거짓말까지 했다는 것이었다.

이 사건은 성종이 자제력을 잃은 몇 안 되는 사건 중의 하나이다. 성종의 평소 행위를 보건대, 차라리 신정이 하급 공신가의 아들이었다면 판결이 사형에까지 이르지는 않았을 것이다. 안됐지만 신정은 성종의 자존심, 그것도 자신의 존재 자체에 대한 억압된 자존심을 건드렸던 것이다.

성종은 친정을 시작하자 독자적으로 자기 세력을 만들려는 시도를 한다. 수렴청정이 끝난 성종 7년, 이 때 성종의 나이는 스무 살, 나이로 보더라도 성년이 되어 있었다. 거기에 성종 5년에 공혜왕후가 죽어 한명회의 권세가 한풀 꺾였고, 6년에는 거인 신숙주와 홍윤성이 사망하여 원상 중에서도 리더형 인물은 거의 사망한 때였다.

모범생답게 성종은 권력은 어디로부터 오며 어떻게 만들어 내야 하는가를 잘 알고 있었다. 그는 성급하게 새로운 정치세력을 끌어들인다거나 환관 같은 저급한 측근세력을 키우려는 시도는 하지 않았다. 그는 훈구세력들과 똑같은 방법으로 자신의 친위세력을 만들기 시작했다.

성종은 오늘날의 청와대 비서실 격인 승지들의 대우를 강화하고, 이들을 다시 내각으로 배출하면서 천천히 조정에 자신의 친위세력을 심기 시작했다. 대표적인 인물이 임사홍, 현석규, 손순효, 김종직 등이었다.

나중에 사림파의 종주로 추앙받게 되는 김종직은 영남의 사족가문 출신이고, 현석규도 오랜 명문가 출신은 아니었다. 그러나 자세히 들여다 보면, 현석규는 서원군의 사위였고, 임사홍은 효령대군의 아들인 보성군의 사위였다. 성종은 기존의 관료군과 크게 이질적이지 않으면서도 왕가나 자신과 특별한 관계에 있는 인물들을 좋아했다.

하지만 이들은 그 수가 많지 않았으며, 지역적·출신적 통일성도 없었다. 또한 그들은 하나의 세력을 이룬 것도 아니고 각기 개별적으로 왕과 결합하고 있을 뿐이었으며, 왕의 총애를 두고 서로 싸우기까지 했다. 그런데 사실 이런 정도의 시도는 어느 왕이나 했다. 진짜 문제는 이 시대가 되면 관료들이 이 정도도 용납하지 못하게 되었다는 것이다

관료들은 작은 조짐이라도 용납하지 않았다. 그들은 임사홍, 유자광, 현석규 등을 악착같이 물고 늘어졌다. 게다가 같은 편이 되어 주었어야 할 임사홍은 유자광과 합세하여 현석규와 대립하였다.

결국 성종은 임사홍을 소인이라고까지 욕하며 쫓아냈다. 현석규도 한동안 귀양을 보냈으며, 유자광은 한직으로 내몰 수밖에 없었다. 이 정도의 시도도 용납되지 않자 성종은 아주 새로운 방법을 고안해 냈다. 무신들을 동반 즉, 문관의 요직에 앉히는 작전이었다. 이 시대에는 명문가 소생이라고 해도 공부하기 싫어하는 이들이 대개 무신이 되었다. 글도 잘 모르고 무식하고 거칠었던 이들은 관직에 올라도 요직은 차지하지 못했다. 무반직에는 정2품 이상이 없었으므로 장관급 이상의 자리는 차지할 수 없었기 때문이다. 명목상 고위직이 있었으나 그것들은 문관들이 다 차지했고, 혹 무관이 차지해도 실권이 없었다.

성종은 초기에는 아주 의욕적으로 이조·병조 판서에 문무관을 교대로 임명하자는 안까지도 냈다. 그것이 이루어졌다면 정가의 권력구도에 상당한 변화가 왔을 것이다. 물론 당연히 실패했다.

이도 저도 안 되자 성종은 최후의 타협안을 냈다. 엉뚱하게 무신을 승지

로 임명하기 시작했다. 성종 5년 무장인 변수를 승지로 임명한 것을 시작으로 6명의 승지 가운데 1명 정도를 무신으로 임명하였고, 그들을 고관으로 승진시켰다. 개중에는 글도 모르는 사람이 있었다. 설마 그 정도야 되겠냐고 성종이 직접 공개 테스트를 했다가 성종 자신이 도저히 안 되겠다고 포기하는 해프닝까지 있었다.

성종의 이 정책은 정계를 개편하고, 훈구세력에 대항하는 새로운 세력을 육성하는 수준은 아니었다. 말 그대로 왕의 측근이고, 왕의 사적인 인맥이나 만드는 수준이었다.

원칙을 좋아하는 젊은 관료들은 이해할 수 없는 일이라고 화를 냈지만, 대신들의 입장에서는 임사홍이나 김종직같이 한 세력의 대표자가 될 수 있는 위험인물이 올라오는 것보다는 이런 인물들이 왕의 측근에 박히는 게 차라리 낫다고 생각했을 것이다. 또한 자신들도 아들, 사위, 조카를 정계에 포진시키면서 왕에게는 그것마저 못하게 할 수는 없었을 것이다. 사실 왕이 완벽하게 깨끗하다면 그것은 자신들에게 더 부담이 되었다. 정치가들이 단합하려면 서로 적당히 때도 묻고 약점이 있어야 하는 것이다.

이렇게 그럭저럭 자기 세력을 만들기는 했지만 처음의 시도보다는 상당히 허약해졌다. 성에 차지는 않았겠지만 성종은 이 정도에 만족을 했다. 그리고 앞서 말한 대로 성실하고 무난하게 체제를 꾸려갔다. 그러나 이 세계에도 위기가 왔다.

성종은 스스로 생각해도 신통할 정도로 욕망을 억제하고 가슴 속의 불만을 참아내며 살고 있었지만, 그에 대한 관료들의 잔소리와 과민반응은 점점 심해져만 갔다. 성종의 시대는 특별히 개혁이나 정치적 이슈가 없었다. 그러다 보니 관료를 평가하는 기준도 새로운 비전이나 개혁론이 아니라 누가 기존의 룰을 더 잘 지키는가로 변했다.

그것은 일종의 율법주의를 낳는다. 법과 도리는 맹목적이 되고, 누가 더 철저한가를 따지다 보면 자꾸 어려운 기준이 생긴다. 누가 더 예민하게, 보이지 않는 곳에서도, 마음 속 깊은 곳에서까지……

성종 중반을 넘어가면서 이런 증세는 두드러진다. 성종 말년에 다리 셋 달린 기형 닭이 한 마리 태어났다. 별것 아닌 일이고 별다른 정치적 이슈도 없을 때이건만 신하들은 왕을 향해 당신이 무언가를 잘못했으니 반성하라고 다그쳤다. 그리고 왕이 부인의 베갯밑 공사에 넘어갔을 때 이런 징조가 나타난다고 원인 해석까지 했다. 성종이 기가 막혀 "내가 여자의 말을 들어준 일이 없다"고 말해도 "징조가 드러나지 않았느냐"는 식으로 공격해 왔다. 그 날의 대화를 보면 성종은 정말 화가 났던 모양이다. 그럼에도 성종은 가슴 속의 분노를 꼭꼭 누르고 "그래, 모든 재이(災異)는 다 내가 불러일으킨 것이다"라고 말하고 만다.

성종이 좋은 사냥매를 한 마리 얻었다. 한 번 날려 보았더니 대간들이 벌떼처럼 달려들었다. 어느 날은 창덕궁 후원까지도 나가지 않고 겨우 대청마루에서 매를 한 번 날려 보았으나 이 일을 가지고도 대간들이 몰려들어 아우성을 쳤다.

성종은 "내가 지금껏 모범적으로 살아오지 않았느냐?" "내가 자주 사냥을 하는 것도 아니고 이런 것에 빠져 정사를 게을리하고 있는 것도 아니지 않느냐?"는 식으로 반론을 폈다. 한 마디로 자신의 경력과 자제력과 인격을 인정해 달라는 이야기였으나 신하들은 뭐든지 단서를 열어서는 안 된다고 중지를 요구했다. 이런 사례는 꽤 되는데, 그 중에는 정말 심하다 싶은 일도 적지 않다.

성종 16년 통명전 앞에 샘물이 넘쳐서 이 물을 연못으로 끌어들이는 배수로 공사를 했다. 이 샘과 연못은 지금까지 남아 있는데, 샘과 연못 사이의 길이는 얼마 되지 않는다. 그 수통을 청동으로 제조하자 신하들이 사치라고 반발을 했다. 처음 발의자는 정성근이었는데, 그는 경전의 가르침에 충실한 신념의 사나이였다.

성종은 동파이프가 비싸긴 하지만, 나무는 금새 썩고 돌은 공력이 많이 들어서 동을 쓰는 것이라고 해명했다. 하지만 관료들은 이것을 역사책에 기록하면 사치를 좋아했던 왕으로 기억될 것이라는 협박성 발언까지 했

통명전 서쪽에 있는
샘과 연못.

다. 보름 정도가 지난 후 성종은 또 져서 마침내 동파이프를 철거했다. 수통은 검소하게 돌로 대체되었다. 그러나 돌을 운반하느라 담장과 난간을 두 곳이나 허물어야 했다.

이런 한심한 꼴을 보니 성종은 다시 화가 솟구쳤다. 그는 동관을 승정원으로 가져와서 승지들에게 열람시키고는 그들이 보는 앞에서 동관을 부러뜨리고 잘게 깨뜨려 버렸다. "자, 이게 정성근이 말한 사치한 물건이란 것이다. 승지들은 확실하게 보아두라. (그리고) 내가 이것을 그대로 두면 사람들은 또 내가 나중에 다시 사용하려고 한다고 할 것이니 지금 그대들이 보는 앞에서 깨뜨려 버리겠노라."

성종 14년에 왕이 한 번 멋을 부려 친필로 「대루원기(待漏院記)」라는 글을 써서 승정원에 내려주었다. 「대루원기」는 당나라의 왕원지(王元之)가 쓴 글로, 대신과 재상이 직무에 충실할 것을 권고한 글이다. 이 글을 재상들이 있는 의정부에 내리지 않고 승정원에 내린 것은 승지들은 언젠가는 재상이 될 사람들이니 이 글을 걸어두고 분발하라는 의미였다.

속으로는 그게 맘에 들지 않았는지도 모르지만 경연관이었던 정성근 등이 왕이란 시쓰기나 서예 같은 잡기에 재미를 붙여서는 안 된다고 걸고 나왔다. 승지들이 정성근의 말은 심하고 인간이 꽉 막혀서 뭘 모르는 소리를 한 것이라고 왕을 달랬으나 화가 난 성종은 환관을 보내 국보 중의 국보가 되었을 어필 「대루원기」를 떼어 버렸다. 성종은 그래도 분이 풀리지 않았다. 하지만 불쌍하게도 달리 신경질을 부릴 데가 없었다. 성종은 그 종이를 물에 녹여 재활용용 덩어리로 만들더니 승지들에게 나누어 가지라고 보내주었다. 승지들은 어이가 없어서 서로 돌아보며 멍하니 있었다고 한다.

대간의 기능이라는 게 원래는 오락이든 여흥이든 왕이 정도를 유지하도록 컨트롤하는 데 있는 것이다. 그런데 이상하게 이 시대가 되면 잘못될 우려가 있는 것은 처음부터 잘라 버려야 한다는 분위기가 팽배해진다. 그래서 왕은 시를 지어서도 안 되고, 서예전을 해도 안 되고, 매 사냥을 한 번 해도 안 된다는 식으로 몰아세웠다. 이뿐 아니라 대간이 탄핵한 일에 대하여 왕이 거부라도 하면 대간들은 바로 파업과 농성에 돌입하였다. 한 번 이런 일이 벌어지자 금새 관례가 되어 다음부터 이런 행동을 하지 않는 자는 반동이거나 지조나 용기가 없는 자로 몰리게 된다.

성종은 화를 내는 횟수가 점점 잦아졌다. 사실 친정을 시작한 이래 성종이 야사에서 말하듯이 항상 모범적이었던 것은 아니다. 간원의 말을 늘 웃는 얼굴로 받아들이지만도 않았다. 성종 11년 불교배척에 대한 상소가 올라오자 유생 400명을 동시에 구속시킨 적도 있었다. 도승지가 이 사건이 역사에 기록되면 어떻게 되겠느냐고 하자 성종은 사관이 있는 그대로 쓸 뿐이다, 난 모른다는 식으로 대답하기도 했다.

그러나 성종은 정말 희한하게도 정해진 선을 넘지는 않았다. 위의 일화에서 보듯이 그는 화를 내기는 했지만 끝내 거부하지는 못했다. 겨우 가장 가까운 사람들에게 신경질에 가까운 반응을 보이는 것이 고작이었다.

그러다 보니 마음 속에 쌓여가는 불만을 어쩔 수는 없었다. 성종은 신중하고 생각이 깊은 성격이었다. 대신 쉽게 잊거나 좀 단순하고 뻔뻔해지기를 못했다. 그건 훌륭한 장점이지만 스트레스가 계속 누적된다는 단점이 있다.

그러나 이런 상황을 타파할 만한 전환점이 발견되지 않았다. 하루하루는 지겹고 변화가 없었다. 속셈이 뻔하고, 말도 안 되는 소리를 하고, 말도 안 되는 행위를 하는 관료들을 그는 참고 지켜봐 주며, 때로 그들의 장단에 맞추어 주어야 했다. 좀 기분전환이라도 할라치면 끝까지 따라다니며 화를 더 돋구었다.

그는 열심히 살았지만, 지나고 나서 생각해 보면 그런다고 달라질 일도 없었다. 나이가 들면서 성종은 자신의 삶과 세계에 대해 회의를 가지기 시작했다. 그러나 그의 탁월한 지성과 자제력, 그리고 아무래도 소심한 성격이 끈질기게 그를 붙잡았다. 그는 불만은 많았지만, 기존 체제의 힘과 장점도 잘 알고 있었다. 그것이 그의 장점인 동시에 내적 억압의 원인이었다고도 할 수 있다. 기존의 세상에 대해 뭔가 불만은 있지만 그것을 대체할 방법과 논리는 생각나지 않는 것이다.

일반인들이 생각하기에는 배부른 고민처럼 보일 수도 있다. 하지만 성종의 입장에서는 근 20년을 그것도 한창 때인 20~30대를 그렇게 보냈다. 남들은 절대권력자이고 지존이라고들 부러워하지만, 정해진 규격 이외에는 할 수가 없고, 다람쥐 쳇바퀴 돌 듯한 삶이요 늘 누구에겐가 놀아나고 있는 듯한 삶이었다. 누구를 위해서 사는지 알 수 없는, 그러나 포기하거나 고치기에는 너무나 화려하고 부유한 삶이었다.

돌파구를 찾지 못했던 성종은 스트레스를 가까운 사람과 사생활에 쏟아 부었다. 일가친척이나 가까운 사람의 증언이 있다면 그들의 눈에 비친 성종은 분명 이기적이고 신경질 잘 내며 제멋대로인 사람이었을 것이다.

그러나 그의 신경질을 가장 힘들게 받아내야 했던 사람은 그 자신이었다. 그는 점차 자학적이 되었다. 젊어서는 술을 잘 못하던 그였지만 점차 술이 늘었다. 양이 늘 뿐 아니라 독한 것을 좋아했다. 언젠가는 지위가 높은 늙은 내시가 왕의 건강을 걱정하여 술을 조금 희석시켜 바치게 했다. 그 사실을 안 성종은 칭찬하기는커녕 당장 해고시켜 버렸다. 급기야는 이런 이야기까지 전해져 내려온다.

성종은 술을 좋아하였다. 흔히 가까운 궁인들이 모셨다. 내수사에 명하여 날마다 흰 병풍을 들이라고 했는데, 하룻밤이 지나면 전부 새빨개져서 나왔으니 피를 내뱉기 때문이었다. (『오산설림초고』)

4. 폐비 윤씨 – 부러진 날개

성종은 공식석상에서는 상식이 풍부하고 매너 넘치는 왕이었다. 하지만 개인적인 성격을 보면 그에게도 어쩔 수 없는 질곡이 있었다. 성종의 성격 중에서 보통 사람의 눈에 제일 이상하게 보이는 부분이 다음과 같은 면이다.

성종 때에 조지서(종이 만드는 관청)의 별좌 아무개가 관청의 종이 한 장을 그의 정부에게 주었다가 장물죄로 옥에 갇혔다. 수년 후에 왕이 문득 생각하기를, 종이 한 장을 훔친 죄는 가벼운데 종신토록 등용하지 않는 처벌은 너무 무겁다 하여 놓아주려고 "송 아무개가 이제는 그 계집을 버렸느냐?"고 물었더니 좌우가 버리지 않았다고 대답하였다. 임금이 말하기를 "한 계집으로 말미암아 누명을 썼으니 사람다운 마음을 가진 자라면 마땅히 뉘우쳐 빨리 고쳐야 할 것인데, 아직도 그렇지 못하다 하니 이는 허물을 고치는 데 용감하지 못한 자로다. 어찌 기용할 수 있겠는가" 하고 마침내

용서하지 않았다. (『병진정사록』)

　『죽창한화』에는 이 사건의 진상이 좀더 자세히 설명되어 있다. 송 아무
개는 송평이란 인물이었다. 그는 의녀 하나를 첩으로 두었는데, 그녀에게
자문지(중국에 보내는 사대문서에 사용하던 질 좋은 종이) 한 장으로 종이
삿갓을 만들어 주었다고 한다. 그런데 전에 그 여인을 데리고 살던 대간
한 명이 둘 사이를 질투해서 이 일을 꼬투리 잡아서 탄핵하였다.

　이 사건으로 송평만이 아니라 그의 손자까지도 벼슬에 나가지 못했고,
증손 복견 때에 가서야 겨우 관리가 나왔으나 좋은 자리에는 진출하지
못했다고 한다.

　『죽창한화』의 이야기는 저자가 같은 동네에 살던 송평의 후손에게서
들은 것이라고 하는데, 좀 착오가 있다. 송복견은 송평의 증손이 아니라
아들이며, 송평은 성종대가 아니라 중종대에 활약했다. 여러 정황으로 미
루어 볼 때 이 이야기의 주인공은 송평이 아니라 그의 부친 송윤종이다.

　송윤종 사건은 실록에도 나오는데, 횡령한 물품은 자문지 한 장이 아니
라 여섯 장이었으며, 관직도 사온서령이었다. 종이 외에 사모 세 개, 승립
하나, 각궁 하나를 뇌물로 받은 죄가 더 있었다. 그리고 그가 파면된 이유
는 장물도 장물이지만 체포령이 내리자 놀라 도망쳐 숨은 것이 결정적이
었다. 그래도 성종이 나중에라도 그를 다시 생각한 것은 그가 왕실과 먼
친척이 되었기 때문일 것이다.

　야사의 내용이 좀 부정확하지만 그렇다고 해도 집안에서 전승되는 얘기
가 있고, 다른 책에도 기록된 것을 보면 사건의 배경에 여인이 있기는 했던
모양이다. 그리고 여기서 중요한 것은 송윤종이 애꿎은 여인을 버리지 않
았다는 사실을 문제삼은 성종의 태도이다. 왜 그녀를 버려야만 사람다운
마음을 가진 사람이 되는 걸까?

　이 희한한 사고구조는 아쉽고 부족한 것 없고, 작은 것 하나를 얻기 위
해서 애쓰고 노력해 본 경험이 없는 삶의 소산이 아닌가 생각된다.

하다못해 충성과 사랑이라는 것도 늘 기성품처럼 그의 손닿는 곳에 있었다. 성종은 책봉한 후궁만 해도 7, 8명이 넘고, 그 밖에도 수많은 여인을 건드렸던 것 같은데, 한 번이라도 한 여인의 사랑을 얻기 위하여 애타 본 적이 있었을까?

어쩌면 이런 성격은 성종만이 아니라 궁에서 태어나 자란 대부분의 왕들에게 덧씌워지는 굴레인지도 모른다. 그러나 성종은 운이 없게도 이런 성격의 소유자에게 가장 나쁜 경우를 만나고 말았다.

성종이 열한 살 되던 해에 결혼한 공혜왕후 한씨는 성종 5년 열아홉 나이로 사망했다. 이 때 성종의 나이는 열여덟이었다. 공혜왕후와의 사이에서는 자식도 없었고 국왕이 홀아비로 살 수는 없으니 새 왕후를 얻어야 했는데, 새로 왕비를 간택하지 않고 후궁 중에서 간택하기로 했다.

이 때 궁에는 시할머니인 정희왕후와 시어머니 격인 안순·인수왕후 등 대비만 세 명이 있었다. 그 중 두 명은 스물을 전후해서 청상과부가 된 여인이었다. 새 왕비는 이들의 심사를 통과해야 했으니 대단한 과정이었음에 틀림없다. 2년의 키재기 끝에 성종 7년 7월, 정희왕후는 대신들을 불러놓고 기쁜 마음으로 낙점자를 발표했다.

> 숙의 윤씨는 주상께서 중히 여기는 바이며 내 생각에도 또한 그가 적당하다고 여겨진다. 윤씨는 평소에 허름한 옷을 입고 검소한 것을 숭상하며 일마다 정성과 조심성으로 대하였으니, 대사를 위촉할 만하다. 윤씨가 나의 이러한 의사를 알고서 사양하기를, "저는 본디 덕이 없으며 과부의 집에서 자라나 보고 들은 것이 없으므로 네 분(세 명의 대비와 왕)께서 선택하신 뜻을 저버리고 주상의 거룩하고 영명한 덕에 누를 끼칠까 몹시 두렵습니다"라고 하니, 내가 이러한 말을 듣고 더욱 더 그를 현숙하게 여긴다. (『성종실록』 7년 7월 11일)

발표를 끝낸 후 대비는 매우 기분이 좋아서 즉석에서 술자리를 만들어 대신들과 한 잔 하기까지 하였다.

사실 이 때 윤숙의는 임신 8개월의 몸이었다. 그 때도 아들딸을 감별하는 비법이 있었는지는 모르겠지만, 임신도 윤씨의 간택에 어느 정도 작용했을 것이다. 이 때 결혼을 서두른 것도 태어날 아이가 아들이라면 후궁이 아닌 정식으로 중궁의 몸에서 태어나도록 하고 싶다는 소망도 있었던 것 같다. 일이 잘되느라고 윤씨는 11월에 떡두꺼비 같은 원자를 낳았다.

 숙의 윤씨는 판봉상시사 윤기견(윤기무라고도 한다)의 딸이었다. 윤기견의 본관은 함안이다. 그의 선조는 조선조에서 제학, 전서(典書) 등을 역임했다고 하나 실록에는 전혀 등장하지 않는 것으로 보아 산직이거나 증직이 아닌가 한다. 확실하게 관료생활을 한 사람은 그의 부친인 윤응이다. 윤응은 실록에 딱 한 번 나오는데, 태종의 총신이던 장윤화의 처남으로 세종 초에 지평현감을 지냈다고 한다.

 여기에서 장윤화의 처남이었다는 사실이 단서를 준다. 고려말 조선초에 성장한 많은 지방사족들은 처음에는 무관직, 산관직을 얻어가며 지방 사족가문 중에서 성장하다가 중앙의 세력가와 혼인관계를 맺으면서 중앙관료로 진출하는 경우가 많다. 이 집안도 그런 경우가 아닌가 싶다.

 여기서 한 단계 더 도약하여 확실한 중앙의 사족으로 자리잡으려면 탁월한 실력이 있어야 한다. 다행히 윤응은 똑똑한 아들을 두었다. 윤기견은 아주 열심히 공부했다. 생원시에 급제하여 성균관에 들어간 그는 세종 14년에 문과에 급제했고, 문관 중에서도 수재들만 들어간다는 집현전 관료로 발탁되었다. 집현전에 근무하면서 그는 『세종실록』과 『고려사절요』의 편찬에 참여했다. 단종 때는 드디어 엘리트 코스로 진입하여 사헌부 지평이 되었고, 세조가 반정을 했을 때는 원종 2등공신으로 책봉되었다.

 원종 2등공신이란 게 격은 상당히 떨어지지만 반쪽 공신이라도 공신은 공신이다. 이로써 윤기견은 확실한 출세가도에 들어선 셈이었다. 그러나 비약을 시작하려는 그 순간, 윤기견이 사망해 버렸다. 정확한 사망연도는 알 수 없으나 세조 즉위 이후로 전혀 실록에 등장하지 않는 것으로 보아, 공신책봉 직후에 사망한 것 같다. 나이도 30대 후반에서 많아야 40대 초반이었을 것이다.

윤기견의 미망인 신씨는 못다 이룬 꿈을 위하여 어린 자녀들을 데리고 서울생활을 계속했다. 그래도 공신가인 만큼 아들이 성장하면 하급관직이나 무관직, 최소한 서리직이라도 얻을 수는 있을 것이다. 가문의 위상이 올라간 덕에 아들들이 과거에만 붙는다면 관료로 선발될 확률도 높았다.

그러나 기다림의 시간은 또한 인고의 세월이기도 했다. 윤기견의 생전에도 이 집은 부유하지 않았다. 그들의 집은 남부학당 근처였다고 하니 지금의 남학동, 즉 충무로 3가에서 남산쪽 부근에 있었는데, 중문이나 바깥채가 없고 대문을 열면 바로 안채가 나오는 작은 집이었다. 그나마 수리를 못해 낡고 허름했다. 그가 사망하자 가계는 더 어려워졌다. 그렇다고 평민 수준으로 가난한 것은 아니었겠지만 당시 주변의 사족들이 보기에는 빈한하고 고달픈 집이었다. 윤씨도 어린 시절에 직접 포를 짜서 팔기까지 했다.

부러진 날개를 안고 살아가던 가정에 소망이 싹트기 시작했다. 어린 딸은 성장하여 아름다운 소녀가 되었다. 그녀는 비상을 꿈꾸기 시작했다. 신데렐라는 모든 소녀들의 꿈이지만, 그녀는 마음 속으로 가정형편만 빼면 자신보다 훨씬 못해 보이는 일가와 이웃의 소녀들에게 심한 경쟁심을 품었을지도 모른다. 나중 일이지만 그녀는 성종과 한 10여 년을 함께 살면서 자신이 궁에 들어오기 전에 가난하고 힘들게 살았다는 이야기는 한마디도 하지 않았다고 한다. 그것은 이 소녀의 가슴 속에 강한 자존심과 옹골찬 야심이 숨어 있었다는 증거가 아닐까?

마침내 그녀의 꿈이 현실로 된다. 후궁으로 간택되었던 것이다. 윤씨는 파평 윤씨였던 또 한 명의 윤씨녀와 함께 대궐로 들어갔다. 두 사람 다 숙의로 책봉되었으나 책봉 순서로 보면 그녀가 먼저였다. 성종 4년 3월의 일이었다.

어린 시절의 고생을 보상받는 듯 궁으로 들어온 그녀의 삶은 거짓말처럼 잘 풀렸다. 입궁 1년 만에 공혜왕후가 사망하여 중궁 자리가 공석이 되었다. 객관적으로 후궁 중에서는 윤숙의들의 서열이 제일 높았다. 두 숙의가 경쟁을 했지만, 윤씨가 앞서 나갔다.

그녀는 까다로운 대비들에게 점수를 땄다. 전화위복이라고 곤궁했던 시절의 경험이 이 때는 되려 도움이 되었다. 어려운 생활을 해 본 덕에 그녀는 검소한 생활을 할 줄 알았고, 집안일이나 이런 저런 일들도 바지런하게 잘했던 것 같다. 이건 필자의 추측이지만 어려서부터 홀어머니를 모시고 산 경험이 과부들의 비위를 맞추는 데도 크게 도움이 되지 않았나 싶다.

사실 인간은 누구나 개성이 있고, 그에 따른 장단점이 있으며, 좋아하고 싫어하는 것이 각기 다르다. 그러므로 정상적으로 솔직하게 접근해서는 시어머니 둘과 시할머니를 다 만족시키기는 어렵다. 사람이 제 꾀에 빠진다는 것이 이런 경우로, 심사기준이 너무 엄하고 복잡하면 순진한 사람은 다 그물에 걸리고 수단과 술수를 쓸 줄 알고 자신을 컨트롤할 줄 아는 사람만이 통과할 수 있는 것이다. 이런 점에서 귀한 집 안방에서 마음대로 자라난 소녀들은 그녀의 상대가 될 수 없었다.

그래도 대비들은 무려 2년간 저울질을 했는데, 일이 잘되느라고 그녀는 남들보다 먼저 임신까지 한다.

신데렐라의 꿈은 완벽하게 이루어졌다. 두 사람의 결혼식은 성종 7년 8월 9일에 거행되었다. 이 때 내린 대사령을 반포하는 글에서는 아름답고 현숙한 새 왕비에 대한 기대감이 숨김없이 표현되어 있다.

돌아보건대 숙의 윤씨는 성품이 부드럽고 아름다우며, 마음가짐도 깊고 고와서, 일찍이 후궁으로 뽑혀 오랫동안 궁중에 거처하였다. 효성은 세 대비를 움직이고, 공손하고 검소한 몸가짐이 현저하여 왕의 좌우에서 보필하는 자리에 진실로 으뜸으로서 마땅하다고 여겼다. 이에 성화 12년 8월 초9일에 옥책과 금보를 내려 중궁으로 정하고 대례를 행하게 되었다.

결혼 석 달 만인 11월 초에 그녀는 다음 왕이 될 아들까지 낳았다. 그녀는 절정의 기쁨에 사로잡혔다. 그러나 너무 오랜 고통과 억압 때문이었을까? 갑작스럽게 움켜쥔 권력과 풍요로움에 그녀는 자제력을 잃었다.

대비와 성종의 기대가 무색하게 그녀는 왕이 조회에 나갔다 올 때까지 혼자 자고 있을 정도로 게을러졌고, 왕과 대비들에게 더 이상 공손하지도 않았다. 깊고 고와 보였던 마음씨도 자취를 감추더니 후궁들에 대한 심한 투기증세를 보이기 시작했다. 소위 처첩갈등, 고부갈등이 심해지면서 성종의 사생활은 고통 속으로 빠져 들어갔다.

대비와 성종은 당황했다. 나중에 정희왕후는 대신들에게 "우리가 사람을 잘못 보았다"고 공개적으로 잘못을 시인했다. 다시 말하면 "속았다"는 뜻이었다.

파국은 너무 빨랐다. 겨우 원자의 백일이나 지났을 성종 8년 3월 29일, 결혼 7개월 만에 대왕대비가 대신과 원로들을 총 소집하더니 중궁을 폐하겠다는 안건을 내놓았다. 이 말을 들은 대신들은 놀라 얼굴빛이 변하고, 말을 제대로들 하지 못했다고 한다. 자고로 이해타산을 따지는 데는 정치가들처럼 빠른 사람이 없다. 대신들의 머리 속에는 수십 가지 생각이 번개처럼 스쳐갔다. 문종의 이혼, 모친도 외척도 없이 즉위해야 했던 단종과 그의 파멸, 새 왕비가 아들을 낳는다면 원자는 폐해야 할 것인가? 원자가 나중에 즉위한다면? 가만, 새 왕비는 또 누가 될까?

어떤 경우든 그들로서는 이로울 게 하나도 없었다. 혹 득이 된다고 해도 과정이 너무나 복잡하고 불확실했다. 대신들은 그들이 아는 전례를 모조리 들어가며 반대를 했다. 그러나 벌써 대비와 성종의 마음은 굳어져 있었다.

폐비를 결심하게 된 결정적인 계기는 3월 20일에 있었던 투서사건이었다. 20일 밤 성종의 부친 덕종의 후궁이던 권숙의의 집에 보자기 하나가 던져졌다. 당시 궁중에서 후궁사회는 또 그들 나름대로 계통과 법도가 있었던 모양으로 권숙의는 후궁 중의 최선임으로 선왕의 후궁과 성종의 후궁을 총괄해서 다스리고 있었다고 한다.

보자기를 열어 보니 작은 상자가 있고, 상자 안에는 성종의 후궁인 엄숙의가 정소용과 더불어 중궁과 원자를 상해하려 한다는 글 두 통과 비상, 사람을 살해하거나 불구로 만드는 비방을 적은 책의 일부분이 나왔다.

성종과 정희왕후는 흑색선전에 쉽게 당할 사람은 아니었다. 그래서 그들은 처음에는 중궁보다도 정소용을 범인으로 의심했다. 그런데 성종의 유모 백씨가 왕의 침전 쥐구멍 속에서 똑같은 책을 찾아냈다. 당시에 그런 단행본이 있었던 것은 아니므로 여러 가지 비방을 수집해서 숙배 단자의 뒷면에 적은 후 제본한 책이었다. 권숙의의 집에 던져진 책과 맞춰보니 종이도 같고, 가위질한 부분도 같았다.

왕은 중궁을 의심하기 시작했다. 그러고 보니 중궁이 작은 상자 하나를 가지고 있는데 왕에게도 보여주지 않고 숨기는 것이 생각났다. 중궁이 세수하는 틈을 타 몰래 그것을 열어 보았더니 아니나다를까 비상과 비상을 바른 곶감 두 개가 들어 있었다.

대비와 성종은 이 사건을 폐비의 빌미로 내놓았다. 그러나 보자기 사건은 전말이 분명하지 않아, 중궁은 모르는 일이고 삼월이가 단독으로 행한 것으로 결론이 났다. 방술서와 비상도 가지고 있었을 뿐 해를 끼치려는 시도가 없었다는 이유로 대신들은 폐비에 반대했다.

아마도 대신들은 신혼 초에 한 번쯤 일어나는 부부싸움이나 고부갈등으로 생각했던 것 같다. 왕비의 투기에 대해서도 여자가 투기를 하는 것은 정상이라는 말로 성종을 달랬다. 하긴 성종의 바람기가 심하긴 했다. 공식적인 후궁만 8명이었고, 그 외에도 왕비나 후궁의 몸종, 궁녀들까지 합하면 몇이나 되는지도 알 수 없었다. 아무리 왕비라고 해도 이제 겨우 스무 살도 안 되었을 여인에게는 참기 힘든 일이다.

대신들의 반대로 성종은 차츰 양보를 했고, 마지막에는 왕비에서 후궁 격인 빈으로 강등하기로 했다가 그것도 유야무야되었다. 부부는 재결합을 했고, 중궁은 왕자를 또 하나 낳았다. 그러나 이미 서로 마음이 떠난 것을 확인한 두 사람은 내적으로는 전혀 화합하지 못했다.

2년 후인 성종 10년 6월 2일, 성종이 다시 정승과 승지를 소집했다. 역사의 증거를 위해서인지 사관들까지 다 선정전으로 불러 모았다. 이 때는 성종의 결심이 확고했다. 그러나 성종은 끝내 속시원한 이유를 대지는 않았다. 겨우 하나 끌어낸 것이 며칠 전 성종이 어떤 몸종의 방으로 들어갔더니 중궁이 화를 내고 그 방으로 쳐들어왔다는 것이었다. 그러더니 칠거지악 중에서 말이 많다, 순종하지 않는다, 질투한다는 죄목을 들었다. 이어 성종은 자신이 깊이 생각한 것이다, 결코 후궁의 모함이나 그런 사건 하나 때문이 아니다, 중궁의 소행은 이루 말로 다할 수 없을 만큼 많다, 그러니 나의 결정을 믿어달라는 식으로 추상적인 이유만 댔다.

그러나 조선의 관료들이 어떤 사람들인가? 말로야 충성과 절대복종을 외치지만 절대로 그냥 복종하는 집단이 아니다. 그들은 폐비론에 끝까지 반대했다. 대신들은 폐비를 하더라도 궁 안에 별궁을 만들어 기거하게 하자는 타협안을 냈고, 승지들은 대비와 다시 상의하자고 우겼다. 마침내 성종은 극도로 화를 내더니 자리를 박차고 안으로 들어가 버렸고, 승지들을 모조리 육조참의로 경질시켜 버리라는 명령까지 내렸다.

그래도 대신들은 물러나지 않고 거의 농성 수준으로 버텼으나 결국은 왕에게 밀렸다. 그들이 물러가자마자 중궁이 작은 가마를 타고 궁을 나갔다. 이미 중궁을 내쫓을 준비는 다 되어 있었던 것이다. 공석이 된 중궁 자리는 폐비의 입궁 동기인 윤호의 딸 윤숙의가 계승했다.

폐비 윤씨는 이렇게 돌아올 수 없는 길을 떠났지만, 관료들은 승복하지 않았다. 그들은 계속 왕에게 찾아와 이번 조치는 잘못되었다고 논박했다. 마침내 6월 5일 성종은 그들에게 글 하나를 내어 놓았다. 중궁을 폐해야 하는 이유에 관하여 정희왕후가 대신들에게 상세히 기술하여 보낸 언문편지였다. 여기에는 중궁의 잘못이 여러 가지로 적혀 있었는데, 그 중에는 특히 충격적인 내용이 하나 있었다.

중궁은 전날에 거의 주상을 따르고 받들지 아니하였고, 내가 수렴청정하는 것을 보고는 자기도 어린 임금을 끼고 조정을 다스릴 뜻으로 옛날에 권력을 휘두른 후비들의 고사를 좋아하고 자주 이야기하였다. 주상이 혹 때로 편치 않아도 전혀 개의치 않고 꽃 핀 뜰에서 놀고 새를 잡아 희롱하였고, 만약 제 몸이 편치 않으면 갑자기 기도하여 이르기를, "내가 살아서 꼭 보고 싶은 일이 있으니 지금 죽을 수는 없다"고 하였다.

평소의 말이 늘 이와 같으니 우리들은 항상 두려워하였다. 혹시 주상이 편치 않을 때면 독을 수라에 넣을까 두려워하여 여러 가지 방법으로 방비하면서 중궁이 지나가는 곳에는 왕에게 올릴 반찬을 두지 않도록 금하였다. 우리들은 비록 이름을 국모라고 하나 본래는 평인인 것이요, 한 나라에서 높임을 받을 분은 주상뿐이다. 그런데도 늘 주상을 경멸하여 주상으로 하여금 안심하고 음식을 들 때가 없게 하였다. (『성종실록』 10년 6월 5일)

성종의 말에 따르면, 또한 윤씨는 성종을 향해 "나중에 발자취를 완전히 없애 버리겠다"라고도 했고, 초상 때 친 휘장을 가리키며 "저것이 네 집이다"라는 말까지 했다고 한다. 하긴 역사를 보면 남편을 독살하고 어린 아들을 즉위시킨 후 권력을 휘두른 여인들도 없지 않다. 윤씨의 진심이 무엇이든 적어도 성종은 그런 생각이 들었던 모양이다. 윤씨를 내쫓은 뒤에도 성종은 꿈에서 윤씨를 만나는 가위에 눌리곤 하였다.

궁에서 쫓겨난 윤씨는 모친의 집으로 돌아갔다. 왕은 형제들도 그 집에 방문할 수 없다는 명령을 내렸다가 신하들의 청원으로 형제들의 방문만은 겨우 허용하였다. 음식이나 의복도 국가에서 전혀 공급하지 않고, 친정에서 조달하게 했다. 말 그대로 완전한 일반인으로 돌려보낸 것이다. 그러나 명령이 그렇다는 것이고 파수나 감시원을 둔 것은 아니므로 어느 정도 융통성은 있었다.

인간적으로 윤씨의 심정은 처참했을 것이다. 엎친 데 덮친 격으로 그녀가 쫓겨난 지 열흘 만에 궁에 있던 젖먹이 둘째 아들이 사망했다. 그런데 폐비 사건은 신하들에게도 정말 골칫거리였다. 원자가 왕이 되면 모친을 복귀시킬 것은 뻔하다. 혹은 복수를 한다거나 책임을 물을지도 모른다.

그러나 성종은 폐비에 대해 조금이라도 동정론을 펴면 펄펄 뛰었고, 앞으로 폐비 문제를 다시 언급하면 무조건 처벌하겠다는 명령까지 내렸다. 그러니 도대체 처신을 어떻게 해야 하는가 말이다.

이 해 10월에 윤씨의 집에 도둑이 들어 윤씨의 물건까지 훔쳐갔다. 신하들은 이웃사람들을 수사하고 담을 높이 쌓자고 하였으나 성종의 대답은 냉소적이기까지 했다. "자기가 방비하지 않아 도둑을 맞았는데 어찌 이웃사람을 괴롭히겠는가?" "도둑을 맞았다고 담을 쌓아 주자면 서울에서 도둑맞은 집은 다 국가에서 담을 쌓아 주어야 한단 말인가?"

3년이 지난 성종 13년 8월 11일 대사헌 채수와 권경우가 다시 폐비 이야기를 꺼냈다. 그래도 한때의 국모이고 다음 국왕의 모친인데, 경비를 강화해야 하지 않겠는가? 윤씨 집이 가난하니 최소한 국가에서 거처를 마련하고 의식을 제공해야 하지 않겠느냐는 등의 건의였다. 한명회를 위시하여 대신들도 이 기회에 동정론을 폈다.

이 말을 들은 성종은 격노하더니 당장 채수를 국문장으로 끌어냈다. 며칠 후 분노한 왕은 대신들에게 의미심장한 질문을 하나 던진다. "원자가 이제 겨우 세 살인데, 벌써 이 모양이니 나중에는 어떻게 될 것인가?" 원자가 왕이 될 때를 대비해서 신하들이 벌써부터 폐비에게 잘 보이려고만 드니 나중에는 폐단이 얼마나 심하겠느냐는 말이었다. 눈치로 살아온 정치가들은 순식간에 감을 잡았다. 어제까지도 폐비에게 동정론을 펴던 대신들은 하루 만에 말을 바꾼다.

정창손 : 나중에 (폐비가) 분명히 권력을 남용할 우려가 있으니 미리 예방하지 않으면 안 됩니다.
한명회 : 신이 이미 정창손과 사석에서 이런 이야기를 여러 번 했습니다.
심회·윤필상 : 대의로써 결단을 내려야 합니다.
이파 : 옛날 구익 부인이 죄가 없는데도 한무제가 그녀를 죽인 것은 만세를 위한 큰 계책이었습니다. (『성종실록』 13년 8월 16일)

분위기가 조성되자 왕이 좌우를 둘러보며 물었다. "이 의견에 대해 어떻게 생각하는가?"

대신과 승지, '아니오'라는 말을 위해 존재한다는 대간들까지 목소리를 합하여 대답했다.

"지당하십니다."

어차피 그들의 목적은 폐비의 구원이 아니라 골치 아픈 폐비 문제의 해결이었다. 강경책은 후유증을 남기겠지만, 성종이 워낙 강경하니 더 이상은 동정론을 펼 여지가 없었다. 그러던 참에 지금 왕이 총대를 메겠다고 나선 것이다.

왕은 좌승지 이세좌에게 이 일을 맡겼다. 하필 그가 뽑힌 것은 좌승지가 형조담당 승지였기 때문이다. 이세좌는 폐비의 얼굴을 몰랐으므로 얼굴을 아는 내관을 한 명 딸려보내기로 했다.

사명을 맡은 이세좌는 바로 어전에서 물러나왔다. 사형을 집행하려면 같이 갈 호송군도 뽑고, 명령서도 만들어야 했다. 무엇보다도 사약을 제조하는 일이 중요했다. 그는 어의 송흠을 불러 물었다. "사람을 죽일 수 있는 약에 어떤 것이 있는가?" "비상만한 것이 없습니다."

TV 드라마에서는 사형 하면 당연히 사약이 등장한다. 그 때문에 연기자들이 거품 뺀 콜라를 마시느라 고생을 한다. 하지만 이세좌가 사약을 만들 약품을 몰라 어의를 불러 자문을 구하는 것을 보면, 의외로 이 시대에는 사약이 그렇게 보편적인 방법은 아니었던 모양이다. 적어도 사약으로 쓰기 위해 미리 조제해 둔 독약은 없었다. 실록에는, 마시면 바로 사망하는 약물은 우리 나라에 없으며 알지도 못한다는 기록도 있다.

그것은 독극물이 별로 발달하지 않았던 탓도 있다. 현대를 사는 우리는 독약 하면 입에만 대도 즉사하는 약으로들 알고 있지만, 그런 것들은 대개 공업적 합성물이거나 정제하거나 농축한 것들이다. 자연산 독에도 극독이 있겠지만, 그런 것들은 연구도 별로 되어 있지 않았고 구하거나 보관하기도 어려웠다.

그래서 사약을 만들 때는 기존의 의약품 중에서 독성이 강한 것을 사용할 수밖에 없었다. 주로 사용한 약품은 비상과 바곳[草烏]이라는 야생식물이었다. 둘 다 약으로도 많이 사용했으므로 늘 풍부하게 비축되어 있었다.

비상은 비소산화물과 화합물을 총칭하는 말이다. 비소산화물은 종류가 많은데, 우리 나라에서는 비소 성분을 지닌 비석(砒石)을 녹여서 얻은 액체를 정제해 만든 백색의 비소산을 많이 사용하였다.

비소는 서양에서도 널리 사용된 약품으로 인기 있는 독약이었고, 오늘날까지도 치료제와 독가스 재료로 동시에 이용된다. 비소가 최고의 독살 재료가 된 이유는 우선 무색무취라 맛으로는 검출이 불가능하기 때문일 것이다.

그런데 비소는 만지기만 해도 즉사하는 엄청난 맹독성 물질이 아니다. 비소의 인기가 높았던 이유는 오히려 그 반대 기능 때문이었다. 즉 비소는 급성중독도 가능하지만 조금씩 오랫동안 복용하면 만성중독 현상을 일으키며 서서히 생명을 앗아 가게 된다. 증세도 아주 교묘해서 힘이 빠지고 설사, 변비, 마비, 빈혈, 착란 등을 일으킨다. 말 그대로 이름 모를 병으로 시름시름 앓다 죽게 되므로 자연사와 구분하기 힘들다.

나폴레옹도 이 방법에 당했다는 소문이 끊이지 않았다. 결국 이 소문을 해명하기 위하여 한 20여 년 전에 나폴레옹의 머리카락을 수거해서 비소 성분을 측정하는 해프닝까지 있었다. 측정 결과 비소성분이 확인되었고 비소의 투입이 점차 늘어갔다는 것까지는 발견했으나, 당시 비소가 약으로도 광범위하게 사용되었기 때문에 약품과용인지 독살인지는 명쾌하게 판별되지 않았다.

그런데다가 이 비소는 사람마다 감수성도 크게 달랐다. 그래서 어떤 사람은 치사량을 먹어도 끄떡없다. 바람난 부인이 늙은 남편에게 비소를 조금씩 투여했다가 있던 병까지 낫게 해 버릴 수도 있는 게 비소였다.

우리 나라에서 쓰인 사약은 특별히 왕족이나 사대부를 위해 고안해 낸 사형법이지만, 그렇다고 고통이 덜한 것으로 보면 안 된다. 비소이건 바곳이건 순식간에 즉사시키는 맹독도 아니고, 사람을 마비시키거나 잠들게 하는 것도 아니었다. 비소는 구토와 복통, 내장의 화상을 일으키고 적혈구를 파괴하여 내출혈을 일으키므로 사약을 먹은 사람들은 피를 토하며 고통스럽게 죽어 간다. 바곳도 증세는 비슷했다. 게다가 변화무쌍한 비소감수성 때문에 고통의 정도와 사망 시간도 일정하지 않았다. 어떤 이는 사약을 몇 사발씩이나 먹어도 죽지 않아서 결국은 목을 조르는 방법을 병행하기도 했다.

하여간 이 날 이세좌는 어의의 자문대로 비상을 선택했다. 승정원 주서 권주가 황급히 전의감으로 달려가 비상을 가져왔다. 잠시 후 30대 후반의 크고 뚱뚱한 사나이가 인솔하는 대열 하나가 창덕궁을 나섰다. 조선은 늑장행정으로 유명한 나라였지만 신기하게도 윤씨의 처형은 발의─토론─결정─집행 과정이 하루 만에 다 이루어졌다. 그래도 비원 입구에서 남학동까지면 도보로 한 시간은 족히 걸렸을 것이므로 죽음의 사자들이 윤씨의 집에 도착한 것은 오후쯤이 아니었나 싶다.

윤씨는 갑작스레 자신을 찾아온 방문자들에 대해 사전에 어떤 정보나 낌새도 감지하지 못했을 것이다. 오히려 며칠 전 대사헌이 그녀의 환궁을 건의했다는 소문에 마음이 들떠 있었을지도 모른다. 따라서 윤씨에게 이세좌 일행의 도착은 충격이었다. 윤씨의 성격에 대한 대비와 성종의 설명이 정직하다면 그녀는 분명 흥분해서 울부짖으며 고통스럽게 죽어 갔을 것이다.

윤씨의 비소감수성이 어느 정도였는지는 알 수 없지만, 그녀의 비명소리는 여러 사람의 가슴을 무겁게 짓눌렀고, 오래도록 그들의 마음에 상처를 남겼다. 아무리 좋게 생각하려 해도 이것은 불길한 사건이었다. 그러나 그 날 현장에 있던 사람들 중 그 누구도 이 날의 죽음이 얼마나 엄청난 파장을 불러올 것이며, 그녀의 비명이 그들의 삶에 얼마나 엄청난 상처와 질곡을 남기게 될지 전혀 예상하지 못했을 것이다.

윤씨에 대한 성종의 미움은 독했다. 윤씨를 살해한 다음 날, 모친 신씨와 윤씨 형제들도 다 유배되었다. 유배지 선정도 혹독해서 신씨와 윤구는 장흥, 윤우는 거제, 윤후는 진도였다. 유배지 선정은 의금부에서 했는데, 성종은 기안을 검토하더니 윤후의 유배지를 제주도로 바꾸었다.

유배를 가면 의식주는 본인이 해결해야 한다. 그래서 본인의 농장이 있는 곳으로 가면 다행이지만 그렇지 않으면 본가에서 노비를 시켜 계속 의식을 대주어야 했다. 교통도 불편한 시대였으므로 웬만큼 부유한 집이 아니면 보통 부담이 아닐 수 없다.

그런데 원래 넉넉하지도 않은 집안의 온 가족을 모조리 유배시키면서, 아무런 연고도 없고 왕래하기도 힘든 섬으로 내쳤다는 것은 죽도록 고생해 보라는 의미였다. 1년 후에 성희안이 이들까지 유배한 것은 가혹하다고 건의해 보았으나 성종은 "그대들은 모르지만 그럴 만한 죄가 있다"라고 일축할 뿐이었다.

설상가상으로 집안이 이렇게 패망하니 그나마 있던 노비들조차 기회란 듯이 도망쳐 버렸다.

온 일가를 다 쫓아내면서 성종은 장례라도 국가에서 치러 주자는 건의조차 거부했다. 노비들이 다 도망쳐서 관을 나를 사람도 없다는 말을 듣고서야 겨우 사역군 10명을 내준 게 전부였다.

성종이 그토록 윤씨를 미워한 이유는 지금까지도 미스터리로 남아 있다. 야사에서는 윤씨가 성종의 얼굴에 손톱자국을 내서 인수대비가 진노했기 때문이라고도 하고, 윤씨가 후궁들의 참소와 모함에 희생되었다거나 인수대비가 왕과 윤비 사이를 이간질하기 위하여 내시를 시켜 왕에게 윤씨에 대한 허위보고를 시켰다는 등의 이야기도 끊임없이 돌았다.

먼저 손톱자국 이야기는 사실성이 거의 없다. 또한 대비나 후궁들과 사이가 좋지 않았던 것은 확실하지만, 윤씨가 이들의 모함으로 폐비가 되고 사약까지 받았다는 것은 후세 사람의 상상이다. 성종 스스로도 한두 가지 일 때문에 윤씨를 폐한 것이 아니고 자신이 후궁의 참소에 걸릴 만큼 어리석지도 않다고 누누이 강조했다. 나도 생각이 없는 사람이 아닌데 오죽하면 원자까지 낳은 국모를 폐하겠느냐는 것이 그의 변이었다.

물론 대비와 성종의 증언도 철저하게 일방적인 진술이다. 성종은 윤씨의 투기를 비난하면서 자신의 엄청난 바람기는 전혀 반성하지 않았다. 윤씨는 모친에게 왕이 자신의 뺨을 때렸으므로 곧 두 아들을 데리고 친정으로 가겠다고 연락하기도 했는데, 성종은 윤씨가 지어낸 말이라고 변명하였다.

'누가 죄인인가'라는 질문은 아마도 영원한 미스터리로 남을 것이다. 그러나 폐비 사건을 논할 때 사람들이 흔히 간과하는 사실이 하나 있다. 폐비 사건의 진짜 포인트는 윤씨가 폐비된 이유가 아니라 그녀가 쫓겨나 결국 죽어야만 했던 이유에 있다.

보기 싫으면 이혼하고 안 보면 된다. 신하들도 폐비를 해도 궁이 넓으니 한 곳에 방을 만들어 살게 해주자고 했으나 성종은 끝내 거부했고 마침내는 죽이기까지 했다. 사랑이 식어 미움과 증오로 바뀌었다고 해도 그럴 필요까지는 없었다. 게다가 자신은 얼마든지 새 부인을 얻을 수 있고, 후궁도 잔뜩 있는 국왕이 아닌가?

사실 윤숙의의 간택은 특별한 사건이었다. 말이야 바른 말이지 국왕의 결혼은 반은 정략결혼이다. 대부분의 왕비는 국왕의 동맹세력인 명문 공신가의 딸이었다. 새로 간택을 할 수도 있었고, 파평 윤씨가의 윤숙의가 있었음에도 그녀를 제치고 겨우 원종 2등공신 가문이고 왕가와 별다른 인연도 없던 과붓집 딸을 왕비로 맞은 것은 정말 파격이었다. 순수하게 왕과 대비가 다 윤숙의에게 반했기 때문일 수도 있고, 그 반대로 이미 훈구세력이 강대해지고 포화상태가 된 상황에서 또 다른 거대세력이 등장하거나 한 쪽의 힘이 너무 강해져서 힘의 균형이 깨지는 것을 대비들이 서로 견제했기 때문일 수도 있다. 후자의 경우라면 과붓집 딸이라는 환경이 오히려 장점이었다.

그런데 뽑고 보니 윤숙의는 야심이 대단한 여인이었다. 측천무후를 꿈꾸었다는 것은 대비 측의 과장이었다고 해도, 그녀에게는 강한 욕망이 있었다. 한말에 대원군이 민비에게 당한 것과 비슷하다고나 할까? 성종이 윤비의 죄를 논하면서 칠거지악 가운데 "말이 많다"라는 죄목을 지적했던 사실에 유의해야 한다. 성종의 증언에 의하면, 그녀는 중궁이 되자 사적으로 수집한 정보를 동원해서 사대부가에 대하여 이러쿵저러쿵 말을 하기 시작했다고 한다.

대비와 성종은 그녀의 숨김없는 야심을 보고 당황했다. 늑대들의 세력 균형을 유지하려다가 호랑이를 끌어들였다는 생각이 들었을 것이다. 윤씨는 윤씨대로 자신의 폐비가 거론되자 더 흥분해 버렸던 것 같다. 가난하게 살던 사람이 갑자기 부유해지면 되려 가난 공포증에 걸리는 경우가 있다. 풍족해진 현실이 여유와 만족을 주는 것이 아니라 지난 시절의 가난이 더욱 끔찍하고 비참하게 느껴지기 때문이다. 윤씨가 바로 그런 경우가 아니었나 싶다. 그녀는 흥분했고, 그만큼 불안해졌다. 성종에게까지 '내 아들이 왕이 되면 두고보자'는 식의 이야기를 마구 해댄 것도 그러한 불안감의 반영일 수 있다.

성종은 그녀가 야심덩어리일 뿐 아니라, 야망으로 자신을 주체할 수 없는 여인이란 사실까지도 발견해 버렸다. 독살을 꾀하지 않더라도 자신이 먼저 죽고 원자가 왕이 되면 그녀는 분명 기존의 정치질서를 바꾸고 나라를 위태롭게 할 여인이었다. 원자까지 폐하여 버리는 방법도 있으나 성종은 그렇게까지 냉혹한 사람은 못 되었다. 남은 방법은 원자와 왕비를 완전히 격리시키는 것이었다. 처음에는 출궁을 시켰으나 좀 지나고 보니 출궁을 시키나 궁 안에 두나 별 차이가 없었다. 원자가 왕이 된다면 당연히 제 어미를 복권시키려고 하지 않겠는가? 성종 자신도 세자 시절에 사망한 자신의 부친을 끝내 왕으로 추존하고 위패를 종묘에까지 안치하지 않았던가.

대비와 성종이 그녀를 죽음으로까지 몰고 간 진정한 이유는 이것이었다. 그들은 자신들이 만들어 놓은 세계가 낯선 이단자의 침입으로 어지럽혀지는 것을 원치 않았던 것이다.

그러나 이런 모든 이유에도 불구하고, 성종이 폐비와 그녀의 가족들에게 필요 이상으로 과민하고 가혹하게 반응했다는 비난을 피할 수는 없다. 여기에 또 하나의 슬픈 진실이 있다. 만약 폐비 윤씨가 원로 대신가의 딸이었다면 성종은 다시 한 번 그 놀라운 자제력을 발휘했을 것이다. 그러나 그 반대였기 때문에 성종의 감정을 억제할 아무런 이유가 없었다. 사생활에서는 종이 몇 장 때문에도 사랑하는 여인을 버릴 수 있었던 성종은 아낌없이 화를 냈다. 그의 심정에 남아 있는 조그만 응어리도 그는 참아낼 수가 없었던 것이다.

5. 전설의 여인

세조 3년 정귀덕이라는 명문가의 여인이 의금부에 구속되었다. 죄목은 집에서 부리던 노비를 때려 죽인 혐의였다. 이 사건은 순식간에 상류사회의 화젯거리가 되었다. 사대부가의 마님이 구금되는 일도 드문 사건이지만 사건과 관련된 이야기들이 입방아를 타기에 딱 좋은 소재들로 채워져 있었다. 결국 이 사건은 장안의 화제가 되었고, 마침내 실록에까지 수록되는 영광(?)을 누렸다.

(정)귀덕은 본디부터 성질이 사납고 모질기가 비할 데 없어 박윤창을 위협하고 억눌러서 종처럼 부리었다. 박윤창은 한 쪽 눈이 애꾸가 되었는데, 새로 집을 지으면서 기와를 덮고 겨우 일을 마치자 박윤창이 아내와 더불어 창문 둘 곳을 의논하다가 뜻이 맞지 않았다. 이에 귀덕이 박윤창을 욕하기를, "애꾸눈 놈아, 애꾸눈 놈아, 네가 일을 아는가?" 하고는, 손에 장대를 잡고 처마 기와를 때려 부수면서 말하기를, "네가 이미 나의 뜻을 거슬렀으니, 이런 집은 지어서 무엇하랴!" 하고는, 당실과 창벽을 모조리 때려 부수었다. 그 성질 사납고 모질음이 이와 같았다.

무릇 노복이 조그만 실수만 해도 문득 고문을 가하니, 이로 인하여 죽은 자가 한둘이 아니었다. 노비를 원수처럼 미워했는데, 집에 사내종 하나가 있어 조금 장대하고 아름다워 귀덕이 사랑하여 부리었다. 여종이 하나 있어, "귀덕이 사내종과 더불어 사통했다"고 발설하니, 귀덕이 즉시 그 모자를 때려 죽였고 이 일이 발각되어 갇히게 되었다. (『세조실록』 3년 5월 19일)

다행히 마침 대사령이 내리고 증거도 불충분하여 정귀덕은 석방되었다. 부인에게 그렇게 억눌려 살던 박윤창은 당시 의금부에 나와 눈물을 줄줄 흘리며 애절하게 부인의 무죄를 탄원하였고, 박윤창의 이 순애보는 다시 한 번 화제가 되었다.

성종 4년 『세조실록』을 편찬하던 관원들은 한때 자신들의 입과 귀를 즐겁게 해주었던 이 이야기를 실록에 수록하기로 결정했다. 원래 실록이란 국정기록이므로 이런 이야기를 잘 싣지 않는다. 간혹 기재하는 경우도 있지만, 대개는 권세가의 흠을 잡으려고 하거나 정치적인 파장이 큰 사건일 경우이다.

그러나 이 사건은 그 중 어느 것도 아니었다. 박윤창은 정치적 비중이 높지 않은 평범한 관료였다. 『사마방목』에 보면 박윤창은 세종 11년의 과거급제자 명단에 올라 있다. 그는 상주 박씨로 그의 집안은 조선 초의 신흥 가문에 속하고, 그의 작은아버지였던 박안신은 태종의 근신으로 승지를 지냈다.

그런데 상주 박씨 족보에 기록된 박윤창은 관력이 실록과 다르고 부인도 정씨가 아닌 상산군 김득제의 딸 김씨로 되어 있어 양자가 다른 사람일 가능성도 있다. 하지만 김씨가 첫 부인이거나 나중 부인일 수도 있고, 정귀덕과 그의 자식은 족보에서 빼버렸을 가능성도 있다. 실록에 의하면 정귀덕은 박성근이란 아들을 낳았는데, 족보에는 박성근은 없고 성지라는 아들이 기록되어 있다. 확신할 수는 없지만 이 박윤창이 정귀덕의 남편 박윤창일 가능성이 높다고 추정된다.

어쨌든 실록에 따르면, 박윤창이 일생 동안 맡아본 일 가운데 가장 중요한 것은 세종 25년에 서운관 주부로 있으면서 새로운 토지측량 및 수확량 계산법이던 전분6등법과 연분9등법의 실험, 실측사업에 참여한 것이었다. 이 사업은 세종이 토지제도와 조세제도 개혁을 위해 벌인 필생의 야심작으로, 그 공을 인정받아 대간직인 사간원 우헌납으로 발탁되었다.

보통의 경우라면 요직으로 진출하는 길에 들어선 것이지만, 그의 경우는 일종의 포상이었던 것으로 보인다. 7개월 후 억불상소 사건으로 사직한 그는 이후 비중있는 직책을 맡지 못했다. 세조반정 때도 별로 한 일이 없었으나 세조의 선심성 정책에 따라 가장 격이 낮은 원종 3등공신이 되었고, 이어 정4품 호군(護軍)으로 승진했다. 호군은 무관직이지만 특별한 장점이 없는 문관에게 주는 대우직으로도 많이 이용되었다. 마지막에는 승문원지사가 되었다는 기록도 나오는데, 이건 실직이 아니고 추증한 관직이 아닌가 한다.

관직은 중간 정도이고, 가문은 신흥가문이지만 집안의 재산은 넉넉했다. 악명 높은 부인도 여기에 한 몫을 했다. 그녀는 상당한 부잣집 딸이었다고 하는데, 그녀의 거칠고 안하무인격인 성격은 이런 집안환경과도 무관하지 않았을 것이다. 그러나 어쨌든 이 사건은 일과성 해프닝이었고, 실록에까지 수록된 것은 그야말로 우연이었을 뿐이다.

그런데 정확히 19년 후 이 가정은 다시 한 번 매스컴을 탄다. 그것도 전편과는 비교도 안 될 만큼 커다란 회오리를 몰고서.

박윤창 부부에게는 아들과 딸이 하나씩 있었다(족보상으로는 아들 둘과 딸 둘이 더 있었다). 딸은 성장하여 아름답고 매력적인 여인이 되었다. 총명하고 글공부도 해서 시를 지을 줄 알았다. 앞에서 정희왕후도 언문밖에 몰랐다고 했지만, 이 시대의 대갓집 마나님 중에는 한문은 고사하고 이 언문조차 모르는 사람이 많았던 점을 고려하면, 시를 짓고 감상할 줄 안다는 것은 대단한 수준이었다. 춤과 악기, 노래도 수준급이었다. 성격은 어땠는지 알 수 없는데, 아무래도 모친을 닮아 굳세고 당찬 형이었던 것 같다.

어미가 드세다는 소문이 파다했지만, 미인인데다가 공신가문에 부호집 딸이었으므로 그녀는 종친인 태강수(泰江守) 이동(李仝)과 결혼했다. 이동은 효령대군의 다섯째 아들인 영천군의 서자로 모친은 여종이었다.

태강수나 황진이의 시에 등장하는 벽계수를 이름이나 호(號)인 줄 아는 분이 많은데, '태강'과 '벽계'는 '양녕대군' '효령대군'에서의 양녕이나 효령과 같은 명칭이고 '수(守)'는 '대군(大君)', '군(君)'에 해당하는 관직의 호칭이다. 종친은 능력을 불문하고 친족관계에 따라 관직을 받았다. 왕비의 소생은 대군, 후궁의 소생은 군이고, 그 아래로 정(正), 수(守), 영(令) 등의 관직이 있었다. 정의 정식 아들은 부정이 되고, 첩자는 한 단계 아래인 수가 되고 그의 아들은 부수가 되고, 그 첩자는 영이 되는 식이었다. 이 가운데 '수'는 정4품이었다.

이동 부부는 딸 하나를 두었으나 결혼생활은 행복하지 못했다. 성종 7년 이동은 훗날 뭇 남성을 사로잡는 이 대단한 여인을 딸과 함께 소박하여 친정으로 내쫓았다. 이것이 유명한 어우동(於于同) 사건의 시작이다.

보통 어우동으로 많이 알려져 있지만 실록에는 어우동보다 어을우동(於乙于同)으로 더 많이 표기되어 있다. 어을우동은 원래 한자 이름이 아니고 우리 말 음을 한자로 옮긴 것으로, 이두에서 을(乙)자는 보통 'ㄹ' 받침 대용으로 많이 사용했으므로 원 이름은 '얼동' 정도가 아니었나 싶다.

이동과의 파국에 대해서는 두 가지 설이 있다. 이동이 연경비(燕輕飛)라는 기생을 사랑해서 억지로 어우동의 허물을 잡아 쫓아냈다는 설과, 이동이 은그릇을 만들려고 집에 데려온 은장이와 어우동이 간통해서 쫓아냈다는 설이다.

어우동 사건이 터진 후에 실록의 편찬자들은 어우동이 처음부터 행실이 좋지 않았고 은장이와의 간통사건으로 이동에게 버림받았다고 기록했다. 그러나 성종 7년 9월의 판결에 따르면, 적어도 어우동의 간통사는 무죄였고 잘못한 자는 이동으로 되어 있다. 이동은 첩에 빠져 함부로 아내를 버린 죄로 관직을 삭탈당했고 부인과 재결합하라는 명령을 받았다.

판결은 그렇게 났지만 이동은 어우동을 거두지 않았다. 관직을 삭탈당하는 따위는 별 무서운 게 아니었다. 조선시대에는 이런 저런 일로 사면령이 빈번했고, 팔은 안으로 굽는 법이다. 예상대로 3개월 후 대사면령이 내렸고, 이동은 고신(사령장)을 돌려받았다.

쫓겨난 어우동은 모친의 집으로 돌아갔다. 당시 부친 박윤창은 이미 사망했거나 이혼했던 것 같다. 세조 3년의 사건에서도 그랬지만 어우동의 어머니 귀덕은 늘 주변 사람들로부터 누군가와 바람을 피운다는 의심을 받았고, 그 때문에 끝내 남편과 헤어졌다는 소문이 있다.

친정으로 쫓겨온 어우동은 무척 낙담하여 탄식과 눈물로 날을 새우며 살았다고 한다. 이 시대의 사대부가 여인이라고 재혼이 불가능한 것은 아니었다. 이혼녀가 재혼할 경우 자식이 관직에 오르기 힘들다는 문제는 있었지만, 재혼 그 자체가 처벌 대상이 된 것은 아니기 때문이다. 그러나 고맙게도(!) 정부에서 이동이 잘못했다고 판결하는 바람에 그녀는 법적으로는 엄연히 이동의 부인으로 남아 버렸다.

더욱 곤란한 것은 그녀가 행실이 문란한 여인으로 소문이 나 버렸다는 사실이다. 이런 경우 사람들은 법원의 판결보다도 소문을 더 믿게 된다. 게다가 그녀의 모친에 대한 악평 역시 그녀에게 질곡으로 작용했다.

과학의 법칙으로서 유전의 원리는 20세기에 들어서나 발견되었지만, 사람들은 훨씬 오래 전부터 유전의 원리를 확신하고 광범위하게 적용해 왔다. 많은 사회적 통념 중에서도 모친이 바람기가 세다는 소문은 딸에게는 치명적이다. 어우동도 어릴 때부터 주변에서 그런 소문을 듣고 자랐을 것이다. 이런 경우 많은 사람들이 보란 듯이 잘 살아 자신과 모친의 불명예를 극복하겠다는 결심을 하게 되고, 때로 그런 것이 강박관념이 되기도 한다.

어우동도 그런 강박관념에 사로잡혀 살았을지도 모른다. 그러나 이동에게 버림받으면서 그런 노력은 물거품이 되고 말았다. 게다가 친정집도 결코 편안하지 않았다. 모친과 오빠 사이가 극도로 나빴고, 오빠 부부도 영 사이가 좋지 않았다.

기구한 운명에 의기소침해 있던 이 여인에게 한 계집종이 다가와 그녀에게 새로운 삶의 방향을 제시했다.

사람이 살아야 얼마나 살기에 그렇게 상심하고 탄식하십니까? 오종년(吳從年)이란 사람이 있는데, 일찍이 사헌부의 도리(都吏)가 되었고, 용모도 태강수보다 훨씬 잘생겼습니다. 가문도 천하지 않으니, 배필을 삼을 만합니다. 주인께서 만약 생각이 있으시면, 제가 마땅히 주인을 위해서 불러 오겠습니다. (『성종실록』 11년 10월 18일)

여기서 배필로 맞으라는 말은 재혼하라는 뜻이 아니라 동거할 파트너로 삼으라는 뜻이다. 어우동은 종의 말을 받아들였다. 묘하게도 그녀의 성격과 나이에 대해서는 실록에서 한 마디도 언급하지 않았다. 그러나 만약 모친을 닮았다면 그녀도 꽤나 씩씩하고 주체성 강한 여인이었을 것이다. 아니면 이 때 그녀는 자신은 어쩔 수 없는 여인이며, 이런 운명을 살 수밖에 없다고 자포자기했을지도 모른다. 주변 사람들이 다 입을 모아 한 아이에게 "너는 바보"라고 몰아세우면 그 아이 스스로 그렇게 생각하게 되는 것과 같은 이치다.

야사에서는 그 종도 주인 못지않는 미녀였고, 대단히 남자를 밝히는 여자였다고 하였다. 동병상련이라고 그 여종도 주인과 같은 강박관념에 고통받는 여자였는지까지는 알 수 없으나 하여간 둘은 의기투합하였다.

이 때부터 어우동의 화려한 외출이 시작된다. 그녀는 대개 자신을 기녀로 위장해서 남자들이 손쉽게 접근하도록 하는 수법을 썼다. 조선시대가 여인의 정조를 중히 여기는 시대였다고들 알고 있지만 그것은 사대부 집안 사람들에게만 해당하는 말이다. 천인 여인들은 전혀 정조를 보호받지 못했다. 사람들은 관기를 흔히 길가에 핀 꽃이라고 불렀다. 아무나 꺾을 수 있다는 뜻이다.

아무래도 과장과 추측에 약간의 부러움까지 좀 들어간 듯하지만 어우동과 동시대를 살았으며, 어우동의 재판에 승지로 참여하기도 했던 성현은 『용재총화』에서 이 시기 그녀의 삶을 이렇게 전한다.

> 태강수에게 쫓겨난 후 어우동은 방자한 행동을 거리낌 없이 하였다. 계집종 역시 예뻐서 매양 저녁이면 옷을 단장하고 거리에 나가서 잘생긴 소년을 끌어들여 여주인의 방에 들여주고, 저는 또 다른 소년을 끌어들여 함께 자기를 매일처럼 하였다.
>
> 꽃피고 달밝은 저녁엔 정욕을 참지 못해 둘이서 도시로 돌아다니다가 사람에게 끌리게 되면, 제 집에서는 어디로 갔는지도 몰랐으며, 새벽이 되어서야 돌아왔다. 길가에 집을 얻어서 오가는 사람을 점찍었는데, 계집종이 말하기를 "누구는 나이가 젊고 누구는 코가 커서 주인에게 바칠 만합니다" 하면 어우동은 "모는 내가 맡고 모는 네게 주리라"라고 말하면서 웃고 즐겼다.

오종년 이후로 그녀의 연인들 중에서도 이름이 있던 사람들은 태강수와 마찬가지로 종친이었던 방산수 이란(李蘭), 수산수 이기(李驥), 요즘 식으로 말하면 의학도였던 전의감(典醫監) 생도 박강창(朴强昌), 일반 평민이었다는 이근지, 내금위 구전(具詮), 성균관 생원이었던 이승언, 학록(學錄 : 성균관의 정9품관직) 홍찬(洪璨), 서리 감의향(甘義享), 노비 지거비(知巨非) 등이었다.

방산수는 왕실족보와 기타 족보 관련 문헌을 아무리 뒤져보아도 이름이 나오질 않는다. 이 사건 때문에 족보에서 삭제되어 버린 것은 아닌지 모르겠다. 어우동 사건 전에는 태강수와도 친분이 두터웠다고 한다. 수산수 이기는 정종의 서자인 석보정 이복생의 손자였다.

이승언은 고려시대 이래 명문가의 소생이었다. 결혼도 잘해서 그의 장인은 효령대군의 친손자이면서 세조의 총애를 받아 이조참판까지 역임했던 춘양군 이래였다. 많은 종친 중에서도 실세에 속하는 인물이었다. 또 이승언은 사림파의 종주로 추앙받는 김종직에게도 배웠다.

당시 그는 장안의 사교계에서 제일 잘나가는 귀공자로서 그냥 이 생원이라고만 해도 아는 사람은 다 알았다고 한다. 그럴 만도 한 것이 그는 성균관 수석입학자였으며, 무반이 되어도 부족함이 없을 정도로 활쏘기에도 뛰어났다. 집안 내력으로 보건대, 체격도 크고 힘도 센 호걸형이었던 것 같다. 놀기도 잘해서 악기, 노래 솜씨 또한 대단했다. 그야말로 배경 좋고, 잘생기고, 실력 좋고, 부족한 것 없고, 못하는 것 없는 만능의 유망주였다.

홍찬도 장원급제 출신으로, 집안도 좋고 활도 잘 쏘아 이승언과 비슷하게 문무를 겸비했다는 평판을 듣는 인재였다.

구전은 무예도 뛰어나고 글도 알아 내금위 시절에 미래의 장수감으로 뽑히기까지 한 유망주였다. 성격이 거칠고 행정능력이 떨어지는 약점은 있었지만 전투는 아주 잘했다. 후에 여진정벌에도 참전하고, 변방의 수령을 역임했으며, 각지의 도적을 소탕하는 포도순검사로 활약하기도 한다.

이 밖에 고관, 대신으로서 어유소, 노공필, 김세적, 김칭, 김휘, 정숙지들도 어우동의 연인 리스트에 올랐다.

사실 어우동이 유명해진 진짜 이유는 이 두번째 리스트 때문이었다고 할 수 있다. 일설에는 방산수 이란이 어우동의 죄를 가볍게 하려고 일부러 고관들을 끌어들였다고 한다. 아무튼 뭔가 석연치는 않지만 이들 고관들은 전부 증거불충분으로 처벌을 면하고 석방되었다.

어우동이 이들을 만나고 사귄 사연도 다양했다. 바람둥이 이란과 이승언, 감의향은 길에서 스쳐 지나가는 어우동의 미모를 보고 따라갔다가 연인이 되었고, 수산수 이기는 춘향전의 이도령처럼 단옷날 어우동의 그네 뛰는 모습에 반하여 넘어갔다. 박강창은 노비를 사러 어우동의 집에 들렀다가 방으로 끌려 들어갔다. 홍찬은 장원급제하여 유가할 때 어우동이 창틈으로 보고 점찍었다고 하며 그 후 어우동이 일부러 홍찬과 길에서 부딪혀 자기 사람을 만들었다.

점차 어우동의 행적이 소문나자 그녀를 찾아오는 바람둥이들도 생겼다. 이근지는 어우동의 소문을 듣고 일부러 찾아와 사통한 케이스다. 구전은 어우동의 옆집에 살았는데, 어느 날 어우동이 혼자 정원에 있는 것을 보고 내금위의 용사답게 담을 뛰어넘어 돌진하여 그녀를 안았다.

사노 지거비는 밀성군 이침(세종의 후궁 김씨의 아들)의 종이었는데, 밤길을 나서는 어우동을 가로막고 그녀의 행적을 공개하겠다고 협박하여 반강제로 동침하였다.

이들 중에서도 어우동이 사랑했던 남자는 박강창과 방산수, 감의향이었다고 한다. 어우동은 박강창과 방산수는 팔에, 감의향은 등에다가 자기 이름을 새겼다.

어우동은 모친을 닮았다면 도도하고 지배욕이 강한 여인이었을 것이다. 그런 그녀의 자존심이 태강수에게 버림받고 크게 상처를 입었다. 게다가 그녀에게는 가정사의 추문이 콤플렉스가 될 정도로 따라다녔다. 그녀의 공격적인 남성편력과 이름을 새기는 등의 행동은 남성에게 버림받는 것에 대한 심한 불안감과 왜곡된 지배욕의 결과인지도 모른다.

아니면 세상과 자신을 향해, 결국은 잊혀지고 망각될 인간의 삶을 힘들고 어렵게 살 필요가 어디 있느냐고 외치면서 자기가 선택한 삶에 몰입한 것일 수도 있으리라. 증거는 없고 그저 소문에 어우동의 작품이라고 전해지는 「부여회고시(夫餘懷古詩)」라는 시가 한 수 있는데, 여기에 이런 생각이 은근히 표현되어 있다.

> 백마대 빈 지 몇 해를 지났는고
> 낙화암 서서 많은 세월 지났네
> 청산이 일찍이 침묵하지 않았다면
> 천고의 흥망을 물어서 알 수 있으리 (『송계만록』)

언뜻 보면 사라진 제국의 유적 위에서 지나간 역사를 그리워하는 고상한 시로 보인다. 그러나 마지막 구절의 의미는 자세히 되새겨볼 필요가 있다. "청산이 일찍이 침묵하지 않았다면 / 천고의 흥망을 물어서 알 수 있으리"라는 구절은 청산이 말만 해준다면 천고의 흥망을 알 수 있을 터인데 하는 안타까움을 표현한 말일까? 필자의 생각에는 이 구절의 이면에는 예전부터 그래 왔듯이 청산이란 침묵할 수밖에 없는 존재이며, 그렇기 때문에 천고의 흥망은 침묵 속에 사라지는 것이라는 의미가 함축되어 있는 것이 아닌가 한다. 작자는 혹 아무리 고고하고 영화로운 삶이라 하더라도 세월이 지나면 다 망각 속에 사라지는 것이라고 말하고 싶었던 것은 아닐까? 어우동이든 아니든 이 시의 작자는 대단한 현실주의자였음에 틀림없다.

어우동의 새로운 삶은 약 4년간 계속되었다. 그러나 결국은 일이 벌어지고 말았다. 16세기의 서울은 적어도 인구 10만이 훨씬 넘고 유동인구도 상당한, 국제적으로 보아도 큰 편에 속하는 도시였다. 그러나 인맥으로 얽힌 상류사회의 사교계는 좁고 소문도 빨랐다.

성종 11년 6월 방산수 이란이 의금부에 체포되었다. 누가 고발을 했고 어떤 사정으로 행적이 들통났는지는 알려지지 않았다. 죄목은 유부녀와의 간통죄였다. 어우동은 기생이 아닌 사족의 딸이고, 소박을 맞기는 했지만 법적으로는 태강수 이동의 부인이었기 때문이다.

놀란 어우동은 도망쳤으나 곧 체포되었다. 처음에는 종친사회에서 일어난 간통사건 정도였으나, 방산수의 입에서 이시애 난의 영웅 어유소에 노사신의 아들 노공필을 비롯하여 수산수, 이승언, 홍찬 등 당대의 걸물 이름이 줄줄이 나오면서 사건은 희대의 스캔들로 번졌다.

성종은 어유소 등은 무고라고 하며 별 조사도 않고 금방 석방했다. 그러나 방산수 등은 모두 관직을 삭탈하고 유배 보냈다. 3년 후에 어우동의 연인들은 모두 풀려났지만 방산수 이란은 근 10년간 관직을 빼앗겨 녹봉을 타지 못했다. 성종 23년에야 왕이 반대를 무릅쓰고 그의 관직을 돌려주었다.

전도양양하던 이승언은 문관직에 진출하지 못한 채 무반인 선전관직을 겨우 얻는 것으로 삶을 마감했다. 본인은 어우동이 사족가의 유부녀인 줄 몰랐다고 항변했지만 소용 없었다. 그가 무척이나 안되었던지 『추강냉화』에서는 그가 의금부에서 나의 무죄는 하늘이 아실 거라고 말하자 갑자기 하늘이 검어지며 폭우와 우박이 쏟아졌다는 이야기를 수록해 놓았다.

홍찬은 나중에 성종이 사헌부 감찰로 임명했다. 감찰이 된다는 것은 관계의 엘리트 코스로 진입한 것을 의미한다. 다음에 사헌부나 사간원의 언관직을 거치고, 육조의 낭관을 거치면서 능력을 인정받으면 승지가 되고 판서가 되고, 정승까지도 갈 수 있다. 그러나 대간들이 어우동의 연인이었다는 약점을 물고 늘어지며 끝까지 반대했다.

성종이 홍찬을 아까워하고 문무를 겸비한 그의 재능이 감안되어 정6품인 평안도의 병마평사로 겨우 임명되었으나, 그가 평사로 재직하던 성종 18년에 여진족의 기습을 받아 만포진과 벽동이 약탈당한 사건이 발생했다. 이 책임을 지고 그는 관직에서 쫓겨났다. 이것으로 그의 관운도 끝난다.

용감했던 구전은 무장이었기 때문인지 그래도 어우동의 후유증을 덜 겪었다. 여진정벌에 참전하여 선두부대를 이끌며 공을 세웠으나 제멋대로인 성격 때문에 명령불복종으로 고발되어 1등의 공을 세웠음에도 2등급으로 포상받았다. 그래도 성종의 신임을 단단히 받아 일약 회령부사와 온성부사를 역임했다. 중종 때도 왕의 총애를 얻어 역모사건에 한 번 연루되었으나 무사했고, 형조참의를 거쳐 의주목사로까지 승진했는데 이 때야 어우동 사건이 문제가 되어 한참 논박을 받았다.

남자들 문제는 이렇게 처리되었으나, 어우동의 처리를 두고는 조정에서 국왕과 대신들 간에 3개월 동안이나 격론이 벌어졌다. 법적으로 어우동의 죄목은 간통죄였다. 사노가 주인의 아내나 딸과 간통한 경우가 아닌 이상 간통죄의 처벌에는 사형이 없었다. 의금부에서 최대로 뽑아낸 형량은 장

100대에 2천리 밖 유배였다.

그러나 강경론자들은 어우동은 특별한 경우이니 극형을 내려 뭇 사람들의 경계로 삼아야 한다고 주장했다. 이에 대해 반대론자들은 어떤 경우든, 그리고 아무리 특별한 목적이 있다고 할지라도 법전에 없는 형량을 부과해서는 안 된다고 반대했다.

법철학사적 입장에서 보면 이 때의 논쟁은 상당히 감동적이다. 서구학자들 중에는 동양사회의 법은 지키려고 만드는 것이 아니라 겉치레가 강하다고 비난하는 분들이 많다.

또 오랜 독재의 영향 때문인지 우리 사회에서는 지금도 공인에게는 특별한 처벌을 해야 하느니, 저런 범죄는 일벌백계로 특별히 다스려야 한다는 말들이 대중매체에 너무나 쉽게 등장한다. 그런 분들에게는 이 때의 논쟁이 귀한 교훈이 될 것이다.

선조들의 법철학은 우리가 생각하는 것보다 훨씬 엄격하고 성숙하다. 사회적 병폐가 심해진다고 할 정도로 명분론과 강상윤리가 엄격해지고 경직되기 시작하던 시대였음에도 불구하고, 그들은 법은 준수할 때만 의미를 갖는다는 원칙을 견지했다.

논쟁은 팽팽했지만 전체적으로 보면 무게는 반대론 쪽으로 더 기울었다. 영의정 정창손을 비롯하여 김국광, 강희맹, 이극배, 한계희, 홍응 같은 명망 있는 중신들이 대개 반대론에 섰다. 승지 중에서는 채수와 성현이 반대했다. 여타 관료들의 중론도 반대론이 강했던 것 같다. 찬성론자는 윤필상, 심회, 현석규와 도승지 김계창 정도였다.

그런데 여기서 이상한 일이 벌어진다. 폐비 사건을 특별한 예외로 친다면, 여간해서는 대신들의 판단을 무시하지 않고 그 누구보다 법의 원칙을 중시했으며 습관적이라고 할 정도로 형을 한 단계씩 내려 결재하곤 하던 성종이 극형을 주장하고 나선 것이다. 아마도 이런 경우는 신정 사건과 어우동 사건이 전부일 것이다.

성종은 심지어 노비 주제에 사족의 부녀를 협박하여 간통한 지거비까지 사형에서 두 등급이나 낮추어 유배형도 아닌 강제사역형인 도형으로 판결하고, 그나마 보석금만 내고 석방시키는 관용을 보여 주면서도(대신들의 반대로 지거비는 유배형이 되었다), 어우동에 대해서만은 초강경 자세를 유지했다.

찬성론자들이 대개 외척이거나 측근 중에서도 성종에게 특별대우를 받던 인물들인 점도 주목할 만한 일이다. 이들은 이미 성종의 확고부동한 결심을 읽었던 것이다.

성종은 왜 그토록 그녀를 죽이려고 들었을까? 흔히 이야기되기는 조선시대의 경색되고, 남성중심적이며, 비인간적인 윤리관 때문이라고 한다.

그러나 그렇다면 다른 간통사건의 주인공들에게도 다 사형이 언도되었어야 할 것이다. 사실 그녀가 죽어야 했던 배경에는 정치적 이유가 개재되어 있다. 어우동 사건에 연루된 어유소, 김칭, 김세적, 김휘, 정숙지 등은 대부분 성종의 개인적인 총애를 바탕으로 성장한 인물들이고, 개인적으로 약점이 있거나 가문 배경, 성향 때문에 관료군의 견제와 비난을 많이 받는 존재였다. 어유소는 관료들의 집단적인 견제를 무릅쓰고 성종이 특별히 우대하고 보호하는 사령관이었다. 김칭은 바람둥이에 사고뭉치로 낙인찍혀 있는 인물이었다. 김세적은 성종의 특별한 배려로 무인 출신으로서 승지까지 된 인물 가운데 하나이며, 정숙지는 역적으로 낙인찍혀 있던 정도전의 현손이었다.

또한 젊은 유망주 홍찬과 이승언은 문무를 겸비한 재주 등으로 볼 때 성종의 취향에 딱 맞는 인물들이었다. 게다가 이승언은 종친의 사위였다. 구전도 그 후의 삶에서 알 수 있듯이 관료들에게는 미움을 받고 국왕에게는 총애받는 그런 인물이었다. 성종은 그들에게 기대를 했고, 그들을 활용할 계획을 세웠을 것이다.

어유소 등이 진짜 어우동의 남자들이었건 무고였건 간에 방산수와 어우동이 형벌을 모면하기 위해 국왕의 측근과 총신들을 많이 분 것은 완전한 오산이었다. 성종은 정말 아찔할 정도로 놀랐을 것이다. 왕의 입장에서 보면, 어디선가 나타난 한 창녀 같은 여인이 오랫동안 섬세하게 조정에 양생해 놓은 자신의 세력을 하루아침에 뒤흔들어 놓은 셈이었다. 그녀가 살아 있는 한 어유소 등은 이 혐의에서 자유롭지 못할 것이며, 어느 날 그것이 사실로 밝혀진다면 더 큰 문제였다.

게다가 성종은 종실의 여인이 숱한 사람들(어쩌면 고관, 대신들에게까지)의 하룻밤 상대가 되었다는 사실에 무척 자존심이 상했을 것이다. 그들이 그녀가 왕실의 여인인 줄 알면서도 창기처럼 대하였다는 것은 더욱 분노할 일이었다. 왕실로서는 그야말로 창피하기 짝이 없는 일이었다. 성종은 겉으로는 점잖았지만 그 내면에는 자신의 자존심에 상처를 내는 대신과 관료층에 대해 강한 불만을 품고 있었다. 그렇다고 어유소 등을 추국하여 죄를 밝혀낼 수도 없는 일이었다. 그건 자신에게 더욱 큰 손실을 가져다줄 것이 뻔하기 때문이었다.

이러지도 저러지도 못하는 상황에서 성종이 분노를 발산할 수 있는 대상은 이 모든 일을 초래한 한 여인뿐이었다. 그 결과 후세의 귀감이 되기에 부족함이 없던 이 논쟁은 아쉽게도 지극히 비교훈적인 결과로 끝나고 만다.

성종 11년 10월 18일 장안의 사람들이 한 여인을 보기 위하여 의금부(지금의 종로구 공평동 154번지 제일은행 본점 서쪽)에서 종로통까지 길을 메웠다. 문제의 여종은 어우동을 실은 수레가 의금부 문을 나서자마자 수레로 뛰어 올라가 어우동의 허리를 껴안았다. 무언가 격려는 해야겠는데, 감정은 앞서고 말은 궁했다. 급한 김에 그녀의 입에서 튀어나온 말은 "주인께서는 넋을 잃지 마소서, 이런 역경을 겪지 않으면 어찌 다시 이보다 더 큰일을 할 수 있겠습니까?"였다. 주변에서 웃음이 터졌다.

그녀가 죽음의 길을 가는 동안 누구는 욕을 했고, 누구는 비웃었으며, 어떤 사람들은 아쉬워했다. 어떤 정의파는 이 판결이 잘못된 것이라고 흥분했고, 정의감 때문인지 아쉬움 때문인지 거리에서 우는 친구까지 있었다.

형을 집행한 장소는 전례로 보아 지금의 서울시청 부근인 군기시 앞이었을 것이다. 덜컹거리는 수레는 종로에서 아래쪽으로 꺾어 천천히 예정된 장소로 진입했다.

사형방법은 교형이었다. 형장에 모인 사람들은 숨을 죽이며, 조금 후면 전설이 될 여인의 목에 밧줄이 감기는 것을 보았다. 잠시 후 양쪽으로 나뉘어 선 두 집행인이 밧줄을 잡아 당겼다. 뭇 남성을 유혹했던 그녀의 몸은 조여드는 고통에 잠시 요동하다가 축 늘어졌다.

어우동의 이야기는 일단 여기에서 끝난다. 왕실에서는 족보에서 그녀의 이름을 삭제했다. 현존하는 『선원록』을 보면 이동은 덕산 신씨인 신숙의 딸과 결혼했다고 기록되어 있다. 그녀의 모계가 꽤 궁금한데, 아마도 그것은 영원히 알 수 없을 것이다. 모친 정씨도 족보에서 삭제된 것이 분명하다.

그러나 이 가족의 이야기는 아직 끝나지 않았다. 가족사의 입장에서 보면 그들 앞에는 어우동 사건보다 더 참혹한 비극이 기다리고 있었다.

어우동이 처형된 후 모친 정씨는 어우동이 남긴 딸 번좌와 아들 박성근 일가를 데리고 음죽현의 농장으로 이주했다. 사람들의 눈 때문에라도 더 이상 서울에서는 살 수가 없었을 것이다.

8년의 세월이 지난 성종 19년, 음죽에 살던 정씨가 강도에게 습격을 받아 살해되었다는 보고가 조정에 올라왔다. 이것도 당시로서는 대단히 쇼킹한 사건이었다. 강력사건이 많지 않던 시대였고, 더구나 양반가의 인물이 살해되는 경우는 여간해서는 없었기 때문이다. 강도가 사족을 살해했다면 그것은 단순한 강도살인이 아닌 국가기강을 흔드는 범죄였다.

놀란 정부는 특별히 양근군수 이의형을 파견하여 범인을 색출하게 했다. 6월에 이의형으로부터 범인을 잡았다는 전갈이 왔는데, 놀랍게도 범인은 아들 박성근이었다. 장물이 끝내 나오지 않고 공범이라는 종들이 완전히 자백하지 않아 확실하지는 않은 사건이었지만, 어우동의 오빠라는 게 작용했는지 왕과 재판관들은 박성근이 틀림없는 범인이라고 확신했다.

가장 결정적인 진술은 어우동이 남긴 딸 번좌에게서 나왔다. 번좌는 외할머니의 겉옷을 강도가 벗겨 갔는데, 장례가 끝난 후 박성근의 아들이 외할머니가 평소 적삼에 매달고 다니던 도장을 갖고 노는 것을 보았다고 증언하였다. 번좌가 출처를 추궁하자 박성근은 도장을 빼앗으면서 정씨의 빈소에서 주웠다고 변명하고, 수사관이 온다고 하자 이를 태워 버렸다. 거기에 모친이 살해된 후 자신이 가져간 노비문서를 번좌에게 주면서 처음부터 번좌가 가지고 있었다고 말하라고 시켰다고 하였다.

살해의 직접적인 동기는 모친의 재산이었다. 아들을 좋아하지 않았던 정씨는 박성근에게 토지와 노비를 조금밖에 떼어 주지 않았다고 한다. 그렇다고 해서 박성근이 가난했던 것도 아니다. 부친의 재산을 상속받은 것은 분명하고, 조선의 상속제도는 유언보다도 법정비율에 따라 분할하게 되어 있었으므로 정씨가 아무리 그를 미워했다 해도 정씨가 사망하면 일정 비율은 자신에게 돌아올 것이었다.

알고 보니 이 가정의 모자 갈등은 해묵은 것이었다. 정귀덕은 남편뿐 아니라 친자식에게도 가혹했다.

> 박성근이 어렸을 때 사람들에게 말하기를 "어미가 잠잘 때에 보니 발이 넷 있었다" 하였더니, 정씨가 이를 연유로 미워하여 밤이 되면 반드시 박성근을 궤 속에 집어넣었으며, 의복이나 음식은 종의 소생과 다름이 없게 하였다. (『성종실록』 19년 8월 22일)

그러나 어우동을 학대했다는 기록이 없고 그녀가 끝까지 어우동을 변호했으며 음죽으로 낙향한 후에도 아들보다도 어우동의 혈육인 손녀 번좌에게 잘 해준 것을 보면, 그녀는 남편과 아들에게는 가혹하고 딸은 편애했던 것 같다. 이런 가정에서 자라난 박성근이 정상적인 성격이었을 리는 없다. 결국 모자 사이에 오랫동안 누적된 불만과 박성근의 삐뚤어진 성격이 모친 살해라는 극단적인 결과를 낳았던 것이다.

박성근을 취조하는 과정에서 심문관들은 또 하나의 새로운 사실을 알아내고 눈살을 찌푸렸다. 박성근의 부부 사이도 금이 갈 대로 가 있었던 것이다. 의금부에서 박성근이 매를 맞으며 죽어 가고 있을 때 그의 아내는 남편을 향하여 욕을 하며, "너는 마땅히 빨리 죽어야 한다", "네가 평소에 나를 버리고 싶어했지만 내가 사족인 까닭에 감히 버리지 못한 것이다"라고 소리쳤다. 자신은 공모자가 아님을 증명하기 위한 노력이었으나 의금부 당상들은 여인의 냉정하고 모진 태도에 충격을 받았다.

의금부 당상들은 왕에게 가서 박성근과는 별도로 이처럼 잔인한 여자는 처벌해야 한다고 건의했다. 이 역시 극히 드문 경우이다. 박성근은 끝내 범행 사실을 자복하지 않고 고문을 당하다가 의금부 옥중에서 죽었다. 그의 아내와 자녀는 노비 신분으로 떨어져 토지와 재산을 모두 빼앗기고 북쪽 변방으로 강제이주되었다.

어우동의 유족들이 북쪽으로 떠난 후 이들 일가의 행적은 역사에서 사라진다. 중종 18년에 황해도 연안군에 살던 이금(李金)이란 사람이 번좌라는 여인을 구타하여 죽였다는 기록이 있는데, 번좌도 조금 흔한 이름이라 이 여자가 어우동의 딸 번좌라고는 확신할 수 없다. 그러나 왠지 그녀도 불행한 삶을 살았을 것 같은 느낌이 든다.

여러 차례 세상을 떠들썩하게 만든 박씨 일가는 이렇게 해서 완전한 패망을 맛보았다. 조선이 건국되고 100년간 이 집안처럼 가정문제로 실록에 자주 등장하고, 2대에 걸쳐 지속적으로 세상을 놀라게 한 일가도 없었다.

오늘날 어우동의 생각과 행동에 대해서는 여러 가지 추측이 있다. 소설과 영화에서는 그녀를 잘못된 관습과 시대의 질곡에 저항한 여인으로 묘사하기도 한다. 창작과 예술의 영역은 자유이므로 그것을 비판할 마음은 없다. 그러나 역사의 영역에서 보면 그녀가 뚜렷한 목적의식과 목표를 가지고 반항의 삶을 살았던 것은 아니었다. 어찌 보면 그녀의 동기는 평범하다. 비정상적인 가정에서 성장한 자녀들이 사회적 관습과 도덕에서 일탈

한 삶을 사는 것은 당연한 결과가 아닐까?

6. 변화와 죽음

성종의 시대는 안정되고 번영된 시대였다고 누차 말했다. 그러나 그것은 지배층의 삶이 그렇다는 것이다. 후반기로 갈수록 성종의 짜증과 회의가 심해져 간 것과 마찬가지로, 성장과 번영의 그늘 밑에서 체제와 사회는 조금씩 변화의 양상을 보였다.

권력가와 부자가 늘어가면서 그들의 땅과 노비, 빈민이 늘어났다. 이들의 농장은 세금도 제대로 내지 않았고, 노비가 되면 군역을 지지 않았다. 15세기에 국가가 열정적으로 확보해 놓았던 땅과 백성이 줄어들기 시작한 것이다. 당연히 국가의 조세수입도 줄어들었다. 재정은 위태로울 정도는 아니었지만 전처럼 풍부한 비축을 자랑하지는 못했다. 그러다 보니 흉년이 들어도 전처럼 백성들에게 다량으로 구제사업을 베풀기가 힘들어졌다.

굶주린 백성들은 고리대를 빌려 쓸 수밖에 없었고, 완전히 몰락하거나 빈농이 된 사람은 권세가의 농장에 들어가거나 노비가 되었다. 이 틈을 타서 지방의 사족들도 자신의 땅과 노비를 늘려 나갔다.

1491년(성종 22)의 여진정벌에서는 벌써 이런 변화의 효과가 나타나기 시작했다. 재정이나 군사동원 체제가 예전 같지 않았기 때문에 준비과정부터 꾸물거렸다. 나중에 연산군 때도 원정을 계획하는데, 그 땐 준비하는 데만 꼬박 일년 이상이 걸리는 바람에 시기를 놓쳐 중단하고 만다.

군비가 부족하니 보급도 원활치 않아 추위와 굶주림으로 인한 희생자도 생겼다. 군사 중에서도 가난하고 신분이 낮은 자들이 더 고생하고 피해도 컸다. 군 내부의 이런 문제를 제대로 해결하지 못한 채 원정을 진행했으니 군사들의 전투력도 확연히 떨어졌다.

확실히 이 때의 원정에서는 조선이 앞으로 이런 원정을 감행하기 쉽지 않을 것이라는 징조가 여러 군데서 나타났다. 실제로 이 원정은 대규모 군사행동으로서는 조선이 행한 마지막 원정이 되었다.

한편 빈농과 유민이 늘어가고 국가가 거기에 대해 신속하고 능동적으로 대처하지 못하게 되자 당연히 도둑이 늘고 치안이 불안해졌다. 그리하여 성종 때는 소위 말하는 산적집단이 등장한다.

처음으로 매스컴을 탄 산적은 장영기라는 인물이었다. 장영기는 전라도 무안 사람으로 세조 말엽부터 활약했다. 지리산 안에 20여 채의 산채까지 마련했으며 패거리가 100여 명이 넘는다는 소문이 나돌았다. 지방의 관군으로는 감당을 못해 마침내 중앙에서 토벌군까지 파견하였다. 산적떼는 만만치 않아서 지리산에서 관군과 한바탕 전투를 벌였다. 관군 측에서도 사상자가 꽤 생겼고, 장영기는 도주하였다. 그러나 관군의 지속적인 추적을 피할 수는 없었다. 마침내 장영기는 성종 1년에 장흥에서 체포되어 처형되었다. 홍길동과 임꺽정의 원조였던 셈이다.

이 정도면 '의적'으로 둔갑해서 한 번쯤 야담이나 소설의 주인공이 되었을 법도 한데 장영기는 거기까지는 가지 못했다. 그것은 그가 활약했던 성종시대가 후세 사람들에게 좋은 이미지로 남아서 그를 '의적'으로 포장하기는 아무래도 곤란했기 때문이다.

강도와 범죄조직이 늘어가자 성종 5년에 도적체포를 전문으로 하는 포도장이란 관직이 생겼다. 처음 포도장으로 맹활약한 사람이 신 만드는 장인 출신으로 세조대에 출세하여 군(君) 칭호까지 받은 이양생이었다. 그는 전국을 돌아다니며 범죄조직과 싸우고 도적을 체포했다. 과학적 수사방법이 결여되었던 시대이니만큼 그는 직감으로 냄새를 맡고 범인을 추적·체포했는데, 실수가 없었던 것은 아니지만 어쨌든 능력이 탁월했다고 한다.

간간이 나오는 기록으로 봐서는 그는 범죄조직 내에 정보원을 두어 이용하기도 하고, 각지에서 무사를 포섭하여 체포작전에 사용하기도 했던 것 같다. 그가 사망하자 그의 부하가 범죄조직에 의해 보복 살해당한 사건도 있었다.

한 15년 후에는 황해도에서 다시 도적떼가 일어났다. 김일동·김막동 등이 이끄는 이 무리는 갑옷까지 착용하고, 백주에 민가에 불을 지르고 약탈하며 돌아다녔는데, 무려 7년이나 활동하였다. 성종 20년에 겨우 패거리 가운데 일부를 신계현에서 붙잡았으나 남은 무리가 쳐들어와 감옥문을 부수고 탈주시켰다.

얼마 후 중앙에서 파견한 체찰사가 재령에서 김일동의 아내와 일당 일부를 체포했다. 그러자 김일동은 5, 6명의 부하를 거느리고 대담하게 재령에서 숙박중이던 관찰사의 숙소로 쳐들어왔다. 갑옷을 입고 활과 칼로 무장한 그들은 소수의 경비병력을 제압하고 당장이라도 관찰사를 살해할 듯이 설쳐댔다.

공포에 떨던 관찰사는 부엌 아궁이 속으로 기어 들어갔고, 향리들이 나가 전에 빼앗은 장물을 돌려주며 애걸하여 겨우 그들을 돌려보냈다.

그러나 크게 생각하면 이런 일들은 다 아직은 조짐일 뿐 큰일은 아니었다. 오히려 이 사건은 반대로 생각할 필요가 있다. 한 도를 다스리는 관찰사가 몇 십 명의 도적떼를 소탕할 상비병력도 가지고 있지 않고, 호위군관도 변변치 않아 5, 6명의 무법자에게 살해당할 뻔했다.

그렇다면 지방수령의 군사력이란 것은 더 열악했을 것이다. 지방관의 반란을 방지하기 위해서 그들의 군사력을 최대한 억제한 것이기는 하지만 그렇다고 해도 그런 상비병력이 필요 없을 만큼 사회가 안정되어 있었다는 얘기도 된다. 그나마 이런 일이 건국 백 년 만에 처음 생긴 것이니 그 전에는 떼강도조차 거의 구경할 수 없었다는 이야기다.

그야말로 범죄 없는 나라였다. 이 자랑스러운 현상을 그저 옛날이었으니까라고 생각해서는 안 된다. 불과 백 년 전의 고려시대 때만 해도 전쟁과 반란, 도적과 유민으로 사회는 극도의 혼란에 가득 차 있었다. 그 시절을 생각해 보면 조선 건국 후의 개혁정책과 위정자들의 노력을 우리는 높게 평가해 줄 필요가 있다. 비록 위정자들의 비리도 많고, 개혁정책은 있는 자 쪽으로 굽고, 구조적인 부패를 양성하고, 공사마다 뇌물과 커미션도 적지않게 오갔지만, 그래도 그들은 백여 년 간 거의 무방비 상태의 지방관들이 공격 한 번 받지 않고, 백성들의 시위나 소요 사태도 없고, 떼강도가 등장하지 않는 그런 사회를 이룩했던 것이다.

그러나 성종의 치세 중에 조금씩 변화가 발생하고 있었다. 성종이 이런 징조를 어떻게 해석했는지는 알 수 없다. 그러나 그 자신도 별다른 위기의식을 느낀 것 같지는 않다. "폐단이 있지만 그것을 고치면 새로운 폐단이 생길 것이다"가 그의 일관된 신조였다.

그러나 성격과 태도는 조금씩 변하기 시작했다. 조심스러운 그는 거의 내색은 하지 않았지만, 점차 고집이 세고 강경해져 갔다. 조선시대에는 재상이 위독하면 관원(보통은 승지)을 보내 위문하고 마지막 충언을 듣는 게 관례였는데, 이 시기에 사망한 허종 이하 성종을 잘 알던 노대신들은 하나같이 처음의 마음으로 돌아가 달라는 부탁을 남긴다.

필자의 느낌에는 성종이 10년 이상 더 집권했더라면 체제개혁까지는 가지 않았어도 전보다는 자기 논리가 강하고, 냉혹한 국왕으로 변모했을 가능성이 충분히 있다고 생각된다. 실제로 성종 25년에 그는 두 번이나 사소한 정쟁을 심하게 다루어 백여 명이 넘는 인물을 옥에 가두고 죽이는 사건을 일으켰다. 놀란 사관은 떨리는 손으로 왕이 즉위한 이래 이런 일은 처음이었다고 기술했다.

그러나 불행인지 다행인지 성종은 더 이상 살지 못했다. 사관을 놀라게 한 그 옥사가 있었던 성종 25년이 그의 마지막 해였다. 재위기간은 25년이나 되었지만 어려서 즉위했기 때문에 나이는 겨우 38세였다. 무언가를 본격적으로 해볼 만한 시기에 사망하고 만 것이다. 월산대군보다 건강하다는 게 장점이 되어 즉위했지만 월산보다도 겨우 3년을 더 살았다. 하긴 월산대군도 왕이 되었더라면 더욱 빨리 사망했을지 모른다.

옛날 의학이란 게 증세밖에 설명하지 않기 때문에 성종의 사인 역시 분명하지 않다. 그러나 술과 복잡한 여성관계가 건강을 해치는 데 일조했음은 틀림없다. 성종 16년에 그는 벌써 임질에 걸렸고 그 밖에 여러 가지 복합적인 증세로 고생을 했다. 하지만 세조나 예종과 마찬가지로 성종도 자기의 건강 상태를 감추었으며, 몸을 제대로 의원에게 보이지 않고 대신들에게도 알리지 않았다.

성종 25년 건강이 조금씩 나빠지더니 식사도 제대로 못하게 되었다. 12월에 증세가 두드러지게 악화되고 오른손은 마비되어 글씨를 쓰지 못할 정도가 되었다. 병석에 누운 성종은 23일 침전에서 대신들을 불렀다. 호출을 받은 사람은 윤필상과 영의정 이극배, 좌의정 노사신, 우의정이자 세자의 장인이었던 신승선, 성종의 장인인 윤호였다. 대신들도 사태를 짐작하고 후일의 증거를 위하여 사관을 대동하기를 청했으나 왕은 허락하지 않고 도승지만 추가하게 하였다. 무언가 사관에게는 감추고 싶었던 이야기가 있었던 것 같다.

신시(오후 3~5시) 무렵 대신들이 들어가 보니 성종은 고통을 참으며 곤룡포를 입고 앉아 있었고, 옆에는 세자가 시중을 들고 있었다. 내전에서 곤룡포까지 입고 그들을 접견한 것은 정식으로 최후의 대면을 하자는 의미였다고 생각된다.

접견자들은 하나같이 봄이 되면 병세가 호전될 것이라는 말로 인사를 대신하였다. 그러나 양쪽 다 이것이 최후의 만남임을 알고 있었을 것이다. 의례적인 인사와 위로의 말이 끝난 후 성종은 자신의 소감과 최후의 당부를 했을 것이나 그 이야기는 참석자들이 전해 주지 않았다. 한참 시간이 지나자 세자는 신하들이 병든 부친을 지나치게 괴롭힌다는 생각이 들었던지 손을 휘둘러 그만 나가라는 신호를 보냈다. 이것이 그들과 성종의 마지막 만남이 되었다. 다음 날 정오 무렵 성종은 세상을 떠났다.

나는 왕이로소이다

1476(성종 7)~1506년(중종 1). 재위 1494~1506년. 조선의 제10대 왕. 이름은 융(㦤). 성종의 큰아들. 모친은 폐비 윤씨. 부인은 신승선의 딸 신씨이다. 1483년에 세자로 책봉되었다. 1498년 무오사화를 일으키고, 1504년 갑자사화를 일으켜 많은 공신과 관료들을 살해했다. 강력한 국왕을 꿈꾸어 기존의 제도와 법제를 많이 고치고 형벌을 남용하였다. 성균관을 동물원과 사냥터로 만들고, 3년상 제도를 25일상으로 바꾸었다. 전국에서 미녀와 말을 징발하고, 서울과 경기도의 땅들을 빼앗아 왕실 직할지와 사냥터로 만들었다. 왕을 비방하는 한글문서가 발견되었다고 한글사용을 금하기도 했다. 1506년 중종반정으로 폐위되어 교동으로 유배되어 죽었다. 조선의 대표적인 폭군으로 알려져 있다. 왕위를 빼앗겨 묘호는 없고 왕호를 강등하여 연산군이라고 하였다. 묘는 서울특별시 도봉구 방학동에 있다.

1. 폭군에 대한 회상

연산을 찾아서

강화도는 고대로부터 군사적 요충이었다. 한반도의 심장부로 흐르는 한강, 임진강, 예성강의 입구를 막고 서 있기 때문이다. 이렇게 중요한 강화도의 우익으로 강화도를 보호하는 전진기지 역할을 하는 섬이 교동이다. 강화도 서쪽 약 5km 지점에 위치한 교동은 강화도 못지 않은 군사기지로서 때론 격전장이 되기도 했다. 고려 공민왕 6년부터 15년 사이에 이 섬에서 고려군이 수도 개경을 노리고 밀려오는 왜구와 6차례나 전투를 치렀으며, 한때 고려는 천도까지도 고려하였고 공민왕 15년에 교동을 점령한 왜구는 공민왕 33년까지 이곳에 머물렀다. 이렇게 왜구와 일진일퇴의 공방전을 치르면서 교동의 군사적 가치는 높아졌다. 만약 이때 교동이 완전히 함락되어 왜구의 기지가 되었더라면, 고려의 수도 개경도 온전하기가 어려웠을 것이다.

조선에서도 교동의 군사적 가치는 높았다. 교동에 수군기지를 설치하여 함대를 상주시켰고, 그것도 모자라 일급 용사를 선발하여 아예 땅을 주고 교동에서 살게 하기도 했다.

15세기 이후로 왜구의 세력은 많이 약해져서 남부지방에나 출몰하였다. 이에 따라 교동의 군사적 중요성도 함께 감소되었으나 교동의 지정학적 가치는 여전히 중요했다. 교동은 고려시대부터 최적의 유배지였기 때문이다.

보통 유배라고 하면 정쟁에서 패한 정치가들을 정치일선에서 배제시키기 위하여 낙향시키는 경우가 많다. 이럴 때 미운 놈일수록 서울에서 먼 곳으로 보냈다. 그러나 정말로 제거해야 할 인물, 늘 동정을 파악할 필요가 있는 위험인물들은 견고하면서도 수도로부터 가깝고 안전하고 주민들과도 격리된 곳에 두는 것이 좋았다.

교동은 이러한 요구에 딱 들어맞는 곳이었다. 수도에서 이틀 정도의 거리이고, 바다로 둘러싸여 있다. 막상 해안과의 거리는 얼마 되지 않지만 조류가 빠르다. 지금도 강화도에서 교동으로 가는 배편은 정해진 시간이 없다. 엔진으로 움직이는 바지선임에도 불구하고 조류가 빨라서 물때가 맞지 않으면 배가 가지를 못한다. 게다가 섬에는 최정예 부대와 해군함대가 상주하고 있다.

그리하여 교동에는 왕위쟁탈전에서 패배한 왕족이나 역모와 관련된 인물 등 요주의 인물들이 주로 유배되었다. 고려의 희종, 세종의 아들 안평대군, 이 글의 주인공 연산군을 위시하여 광해군에게 쫓겨난 임해군과 영창대군, 능창대군, 인조의 아들 숭선군, 사도세자의 손자이며 철종의 아버지인 은언군, 고종의 조카인 이준용 등이 모두 이 곳으로 유배되었으며, 그 중 상당수가 이 곳에서 한 많은 삶을 마감하였다.

이런 저런 이유 때문에 교동은 답사를 좋아하는 필자로서는 오래 전부터 무척 가보고 싶었던 곳이었다. 그러나 교동과 그 주변 바다는 과거와는 또 다른 이유로 오늘날에도 군사적 긴장지역으로 남아 있다. 민족의 아픔을 담은 분단의 선은 땅만이 아니라 바다까지도 길게 찢어 놓았다. 장산곶을 향하여 길게 돌출해 있는 길쭉한 황해도 해안을 제압하기 위하여 백령도에서 교동으로 미끄러지는 라인은 해군과 해병대가 촘촘히 박혀 있는 최일선 지역이 되어 있다. 그러니 현재 민통선 지역으로 분류되어 있는 이 교동을 답사처럼 사치스러운 목적으로 들어가기란 쉽지 않다.

그런데 우연히 교동을 답사할 수 있는 기회가 왔다. 필자가 몇 번 출연했던 EBS의 역사프로에서 '연산군'을 주제로 선택했다. 교동에는 연산군의 유배처였다고 하는 집터가 아직 남아 있어 그것을 찍기 위해서 교동출입 허가를 받을 수 있었다. 하지만 방송카메라를 앞세워도 들어가기는 역시 쉽지 않았다. 덕분에 스탭진들이 무척이나 고생을 했다. 막상 포구에 도착해서도 서류 미비니 어쩌니 해서 한참 실랑이를 벌인 끝에야 겨우 배에 올라탈 수 있었다. 웬만한 나라 입국허가 받는 것보다 더 힘들었다.

교동으로 들어가는 배 위에선 수평선도 못 미쳐서 붉은 황톳빛의 황해도 해안이 빤히 보였다. 감시의 편의를 위해서 해안가의 산과 언덕을 풀 한 포기 남기지 않고 싹 밀어버려서 흙먼지가 날아올라 대기까지도 뿌옇게 보였다. 마치 푸른 바다 위에 떠 있는 신기루를 보는 듯한 느낌이 들었다.

교동 포구에서 멀지 않은 곳, 포구와 해안이 빤히 내려다보이는 작은 구릉이 옛날 교동 읍성이 있던 자리다. 지금은 인조 때 쌓았다는 석축의 성벽과 아치형 성문이 일부 남아 있다. 가다가 사라지는 성벽의 자취를 따라 약간 올라가면 성벽 아래쪽 약간 비탈진 곳에 연산이 살았다는 집터가 있다. 집터가 읍성에서 멀리 떨어진 곳에 있었다면 틀림없이 가짜라고 의심했을 것이다. 연산 정도의 인물이 유배를 온다면 감시의 편의를 위해서 최대한 관가와 가까운 곳에 두었을 것이기 때문이다. 하지만 이 곳은 성벽 바로 아래이니 일단 그런 의심은 안 해도 된다. 그 이상은 사실을 확인할 증거도, 부정할 증거도 없다. 구전을 믿을 수밖에. 구전이란 의외로 정확한 경우도 많은 것이다.

많은 왕족과 유명인사들이 이 곳에 유배되어 어떤 이는 연산군보다 훨씬 더 오래 머물기도 했지만 교동에서 죽어간 수많은 인물 중에서 이런 흔적이나마 남긴 건 그래도 연산뿐이다. 역시 국왕이란 특별한 관심을 끄는 존재임에 틀림없다.

그런데 이 책을 쓰면서 좀더 자료를 뒤지다 보니 사실은 교동 안에서는 여기저기서 이들의 유배처라고 전해져 오는 곳들이 있었다고 한다. 그러나 그런 것들이 고장의 위신을 추락시킨다고 해서 굳이 보존하려고 하지도 않고, 그런 기억과 전승들조차 애써 잊어버렸다는 것이다.

주민들의 심정이 이해가 가지 않는 것은 아니지만, 교동 주민들을 위해서도 그것은 너무나 안타까운 일이다. 영월은 온 지역이 단종에 대한 흔적과 전설로 가득 차 있다. 보길도는 그 곳에 유배되어 어부가를 부른 윤선도 한 명과 그의 집을 보존해 놓은 주민들 덕분에 전국적인 명승지가 되었다.

그런데 연산군을 위시하여 영창대군, 강화도령 철종 등은 하나같이 방송드라마와 영화에서 가장 극적이고 비극적으로 다루었던 이야기의 주인공들이다. 만약 교동에 연산군이 살던 초가가 남아 있고, 영창대군이 불에 타 죽었다는 집터나 강화도령 철종이 태어났던 집, 그의 아버지가 왕족에서 빈농의 신분으로 추락하여 경작하던 밭이 어딘지 알 수 있었다면 그것은 지난날 교동 주민에게 끼친 피해를 보상하기에 충분할 정도로 귀한 역사의 명소요 관광자원이 되지 않았을까?

다행히 아직 민간에서 돌아다니는 전설이나 유전이 있다면 더 이상 감추고 폐기하지 말고 빨리 찾아서 팻말이라도 꽂아 놓았으면 하는 심정이다.

이런 사정 때문에 기적적으로 살아남은 연산의 흔적도 말은 집터이지만 별다른 흔적은 없다. 이 곳이 사적지임을 알리는 조그만 팻말과 말라 버린 우물 하나가 있을 뿐이다. 우물을 내려다보니 꽤 굵은 나무 한 그루가 우물 아래쪽에서 밖을 향해 쭉 뻗어 자라 있다. 선입감 때문일까? 그 모습은 용이 우물에서 빠져나와 승천하려 한다기보다 우물 속에 붙잡혀 몸부림치고 있는 듯한 인상을 준다. 예로부터 왕은 용으로 비유되었는데, 세상을 향하여 무슨 호소라도 하고 있는 걸까? 이 모습이 촬영감독의 눈에 들어 잠깐 방영되었으나, 그나마 그것이 이 곳이 특별한 사연이 있는 곳이라는 느낌을 주는 전부였다.

조선시대에 폭군이란 낙인이 찍혀 왕좌에서 쫓겨난 임금으로는 연산군과 광해군이 있다. 그래도 광해군은 꾸준히 새롭게 조명을 받으면서 그의 탁월한 능력과 개혁의지, 실리적인 외교정책이 높게 평가되고 있다. 그러나 연산에 대해서는 아직도 일고의 가치가 없다. 폭정과 두 번의 사화, 방탕하고 음란한 행동, 그는 여전히 최악의 국왕이고 무능하고 잔혹했던 폭군으로 남아 있다.

연산에 대한 동정론이 없는 것도 아니다. 모친의 불행이 그를 폭군으로 만들었다는 인간적인 동정론은 조선시대부터 회자되어 왔다. 최근에는 그도 그렇게 나쁜 임금은 아니었으며, 연산군의 악명은 사대부 세력에 의해 왜곡·과장된 것이란 분석도 나오고 있다.

교동 바닷가를 내려다보면서 나는 많은 생각을 던져 보았다. 연산에 대한 극단적인 미움과 동정은 어디서부터 유래했을까? 그에 관한 이야기는 어디서부터 어디까지가 진실일까? 도대체 그는 어떤 일들을 저질렀으며, 왜 그런 악명을 얻었을까? 왜 그는 왕위에서 쫓겨나야 했으며, 그의 신하들은 무엇 때문에 그를 몰아냈던 것일까? 그를 둘러싼 어떤 특별한 비밀은 없을까?

그런데 불행하게도 연산의 진실에 접근하기에는 몇 가지 제약이 있다. 우선 연산군의 실록인『연산군일기』(연산은 쫓겨나서 묘호를 받지 못했으므로 실록도 실록이라고 하지 않고 일기라고 한다)는 연산군을 쫓아낸 사람들이 남긴 기록이다. 자연히 실록 편찬자들은 연산군의 부덕과 실정을 강조하지 않을 수 없었다. 이에 대한 가장 분명한 증거는『연산군일기』의 편찬자들이 실록에 자신의 명단을 기록해 두지 않았다는 사실이다.

다행히 오늘날 우리는 다른 문서를 통해『연산군일기』의 편찬자 명단을 확보할 수 있게 되었다. 조선시대에는 실록을 편찬하면 그 원사료가 되었던 사초는 함께 보관하지 않고 물에 녹여서 재생지로 만들어 버린다. 이게 실록의 아이러니인데, 실록 편찬은 세계적인 역사책의 편찬과정인 동시에 기록 말살의 과정이 되어 버리는 것이다.

아무튼 간에 이런 사유로 세초식(洗草式)이라는 게 생겨났다. 말 그대로 이 행사는 실록을 완성한 후 사초를 물에 빨아 버리는 행사지만, 실제로는 왕이 직접 참여하여 편찬자들에게 포상하고 잔치를 열어 그들의 노고를 치하하는 실록편찬 기념식 같은 것이 되었다. 세초식은 창의문 밖 차일암(遮日巖)에서 거행했다. 이 곳을 택한 이유는 지금의 청와대 쪽인 인왕산 기슭이라 경치도 좋았지만, 근처에 종이 제조를 담당한 관청인 조지서가 있었기 때문이다.

『연산군일기』의 세초식은 중종 4년 9월 12일에 열렸다. 사진기가 없던 시절이었으므로 잔치에 참여했던 사람들은 이 날 광경을 그리고 그 아래 실록 편찬에 참여한 인물의 명단을 쭉 써놓은 그림을 한 장씩 나누어 갖고 이 날을 기념하였다. 승정원 주서 및 춘추관 기사관으로 이 사업에 참여했던 권발도 그 가운데 하나였는데, 그가 받았던 그림이 500년의 세월을 뛰어넘어 봉화군에 있는 권씨 종가에서 발견되었다.

이 명단에 의하면 최고 책임자는 중종반정을 주도한 세 주역 중 하나였던 성희안이다. 그 아래로 성세명, 신용개, 정광필 등이 책임자로 들어가 있다. 예전에는 실록 편찬을 하면 그 시절에 고위직을 지냈던 사람들이 많이 들어갔다. 그것은 그들에게 불리한 진술을 하지 않게 하는 폐단도 낳았으나 대신 웬만한 사건이라면 진상을 잘 알 수 있다는 장점도 있었다. 그러나 『연산군일기』에는 그런 인물들이 빠지고 하나같이 반정 참여자나 아니면 그 시대에 핍박과 고난을 겪은 사람, 아직 젊어서 침체되어 있던 인물들이 책임자 자리에 들어갔다.

그들은 연산에 대한 반감이 큰 반면 정치의 중심에서 멀리 떨어져 있던 인물들이다. 때문에 사건의 진상을 잘 알지 못하고, 미확인 보도나 뜬소문 등을 진실처럼 수록하기도 하였다.

한편 연산은 시를 좋아해서 많은 자작시를 남겼다. 관료들에게 하고 싶은 이야기를 시로 써서 내리는 경우도 종종 있었다. 그러니 그의 작품 중에는 자신의 포부를 밝히거나 자신의 행동을 변명하는 글도 꽤 있었을 것이다. 하지만 반정 주체들은 반정에 성공하자마자 춘추관으로 달려가 연산의 작품들을 바로 불태워 버렸다. 그나마 남아 있는 것들은 편찬자들이 실록에 수록한 것들뿐인데, 연산에게 유리한 시들을 수록했을 리가 없다.

사료 중에는 개인의 일기나 문집, 회고담 따위도 있다. 이런 것들은 딱딱한 정사에는 없는 주요 사건의 뒷이야기, 풍속, 개인의 일화 등이 풍부하다. 그런데 연산의 이야기에서는 이것도 큰 도움이 못 된다. 연산의 시대에 흥미롭고 자극적인 사건이 많았기 때문인지 야사에도 소문과 상상, 와전된 이야기가 유달리 많다. 유명하면서도 과장이 심한 이야기 몇 가지를 소개해 본다.

　　연산군이 새로 왕위에 오르니 조정과 민간에서 모두 영명한 임금이라고 일컬었으나 김종직은 늙었다는 이유로 벼슬을 그만두고 고향으로 돌아갔다. 동향 사람이 그에게 묻기를 "지금 임금이 영명한데 선생은 어찌하여 벼슬을 그만두고 왔습니까?" 하였다. 종직이 "새 임금의 눈동자를 보니 나처럼 늙은 신하는 목숨을 보존하면 다행이지" 하였다. 얼마 안 가서 무오·갑자년의 화가 일어나니 사람들은 모두 그의 예지에 탄복하였다. (『축수록』)

　　일찍이 성종이 사향사슴 한 마리를 길렀는데 길이 잘 들어서 항상 곁을 떠나지 않았다. 어느 날 폐주[연산]가 곁에서 성종을 모시고 서 있었는데, 그 사슴이 와서 폐주를 핥았다. 폐주가 발로 그 사슴을 차니 성종이 불쾌해하면서 "짐승이 사람을 따르는데 어찌 그리 잔인스러우냐" 하였다. 성종이 세상을 떠나고 폐주가 왕위에 오르자 그 날로 손수 그 사슴을 쏘아 죽였다. (『오산설림초고』)

　　갑자년 이후로 창기로서 얼굴이 예쁜 자를 대궐 안으로 뽑아들이니 처음에는 백 명 정도였던 것이 나중에는 만 명이나 되었다. …… 흥청과 운평들이 쓰는 화장도구의 비용을 모두 백성에게서 거두어들이니 백성들의 재산이 거의 남아나지 않게 되었다.

　　연산군이 대신을 여러 도에 보내어 사족 처녀를 모두 거두어 오게 하고 그들을 채청사라고 불렀는데, 그들이 미처 돌아오기도 전에 중종이 왕위에 올라 연산의 더러움을 제거했다.

　　총애받는 기생이 하나 있었는데, 그 동료에게 "지난밤 꿈에 예전 남편을 보았으니 매우 괴상한 일이구나" 하였다. 폐주가 즉시 작은 쪽지에 무엇을 써서 밖으로 내보내었다. 조금 뒤에 궁인이 은쟁반 하나를 갖다 바치었는데, 그 기생에게 열어 보게 하니 그것은 곧 남편의 머리였다. 그 기생까지 아울러 죽였다. (『장빈호찬』)

이보다 앞서 왕에게 간하는 자가 성종을 본받으라는 말을 많이 했는데 왕이 듣기 싫어하였다. 왕의 소행은 무도하여 항상 성종과 반대되었고 성종을 매우 미워하고 원망하였다. 하루는 내관 박성림이 세자의 처소에서 나왔다. 왕이 "세자가 얼마나 잘하고 있더냐?" 하매, 성림이 대답하기를 "세자의 기상이 꼭 성종을 닮았습니다" 하였다. 이 말을 들은 왕이 노하여 칼을 잡고 쳐서 박성림은 거의 죽었다가 다시 살아났다. 또한 사람들이 말하기를, "왕이 궁중에서 성종의 반신(半身) 영정(影幀)을 가져다가 표적으로 삼아 활을 쏘기도 하고, 혹 만취하여 미쳐서 부르짖으며 좌우에 명하여 선릉(宣陵)을 파가지고 오라 했다"고 하였다. (『연산군일기』 11년 12월 23일)

굳이 반론을 펴자면 김종직은 연산이 즉위하기도 전에 죽은 사람이다. 사슴 이야기는 매우 유명한 이야기지만 가만히 생각해 보면 아이들은 가끔 난폭해질 때가 있고, 겁이 나서 그랬을 수도 있다. 성종은 후원에 동물원을 차렸었고, 연산은 후원을 확장해서 사냥터로 바꾸었다. 이 때 성종이 기르던 사슴, 순록류를 풀어놓고 잡기도 한 것 같은데, 효를 강조하던 사회라 실록에서는 부친이 기르던 동물에게 활을 쏘았다고 비난했다. 그 이야기가 이런 식으로 변한 것이다.

흥청, 운평의 수는 만 명이 아니라 2,300명 정도였으며, 채청사는 사족의 처녀를 몰아오기 위해서가 아니라 기녀나 후궁감을 간택하러 다닌 것이다. 은쟁반에 담긴 머리 이야기는 선조대의 기록이다. 실록이나 가까운 시대의 야사에서는 전혀 등장하지 않는 것으로 보아, 후대의 창작임에 틀림없다. 당대에 이런 소문이 있었더라면 연산이라면 이를 갈던 사람들이 이렇게 좋은 소재를 빠뜨렸을 리가 없다.

마지막 이야기는 실록에 있는 이야기라 무시하기가 쉽지 않다. 하지만 실록의 권위가 무색하게 『연산군일기』에는 밖에서 돌던 소문을 그냥 적어 놓은 경우도 많다. 만약 이 이야기가 어느 정도 사실이라면 아마도 그것은 연산이 술에 취하고, 극도로 정신상태가 불안했던 만년의 행동이 과장된 결과일 것이다. 이 사정은 나중에 다시 살펴보겠다.

연산과 관련된 이야기는 상당수가 이런 식이다. 시간이 갈수록 연산은 비정상적 인간이 되고, 일화는 자극적으로 변한다. 그러므로 연산의 시대를 이해하기 위해서는 분노와 과장과 소문을 벗겨내고, 부실한 공간을 추리와 상상으로 메워 가야 한다. 아마도 완전한 진상을 밝혀내기는 불가능할 것이다. 그러나 진실에 보다 가깝게 접근할 수는 있을 것이다.

폭군의 초상

연산은 1476년(성종 7) 11월 6일 밤 12시경에 태어났다. 현석규와 임사홍은 성종에게 "우리 조정이 개국한 이후로 문종과 예종은 모두 잠저에서 탄생하시어서 오늘과 같은 경사가 없었습니다"라고 하례하였다. 문종이 태어날 때 세종은 세자가 아니라 충녕대군으로서 궁 밖에서 살고 있었다. 예종도 세조가 아닌 수양대군의 집에서 태어났다. 이 점은 성종도 마찬가지였다. 그런 의미에서 이제야 비로소 제대로 된 계통, 정상적인 자리에서 세자가 태어난 것이다.

연산은 이렇게 모든 사람의 부러움을 받으며 구중궁궐 안에서 양육되었다. 민간의 풍습을 알게 한다고 왕자를 궁 밖에서 살게 하는 관습에 따라 잠깐 강희맹의 집에서 살기는 했지만, 조선 건국 이래 요람에서부터 왕위에 오르기까지 궁에서 태어나 궁에서 자란 임금은 단종과 연산뿐이었다.

풍요롭고 안정된 삶이었다. 사회는 안정되고 국가와 왕실의 재정은 풍요로웠다. 누가 왕위를 계승할 것이냐는 불안감 따위도 없었다. 연산의 동생인 진성대군(중종)은 연산이 열세 살이던 1488년(성종 19)에야 태어났다. 성종이 사망할 때 진성대군은 겨우 일곱 살이었다.

지난 15세기를 관통했던 안정된 나라를 만들어야 한다는 강박관념에 가까운 문제의식도 없었다. 문제의식이란 후세의 역사가들에게는 높은 점수를 받지만, 그 시대를 살아야 했던 사람에겐 피곤하고 척박한 것이다.

성종의 일대를 통하여 궁궐은 더 크고 화려해졌으며, 삶은 풍족해졌다. 이상하게 왕실에 젊은 과부들이 늘고 심심찮게 간통사건이 터지기도 했지만, 왕실가족은 번성했고 부와 명예를 거머쥔 이들은 만능의 풍류객으로 이름을 날렸다.

여유와 안정감 때문인지 성종은 자녀의 교육문제에서도 선조들처럼 서두르지 않았다. 성종 17년에 한명회가 관례에 따라 왕세자로 하여금 10세부터 공부를 시작하게 하고 11세에 세자빈을 얻도록 하자고 건의했다. 더 빠른 경우는 8세에 시작하기도 했으므로 무리한 것은 아니었다. 그러나 성종은 반대하고 공부를 시작하는 연령을 13, 14세로 미루었다.

초학을 그렇게 시작한 세자는 15세가 되자 관례대로 성균관에 입학하는 의식을 거행했다.

그러나 왕자는 성균관에 입학하는 의식만 치를 뿐 성균관에서 공부하지는 않는다. 대신 서연관이라 하여 대신과 문신을 지정해서 세자를 가르치게 하였다. 그래서 이 해에 서연관을 두었다. 처음에는 3일에 한 번씩 서연관이 왕세자를 가르치게 하다가 금방 5일에 한 번으로 늦추었다.

성종의 이러한 느슨한 태도는 너무 빡빡하고 고지식하게 살았던 자신의 지난 시절에 대한 불만이 반영된 것 같다. 하여간 성종은 세종처럼 자식에게 무리한 교육을 강요하지는 않았다.

5일에 한 번씩 열리는 서연, 그것도 적당히 해석과 강독이나 하는 느슨한 교육이었다. 2년 후에 성종은 세자의 교육에 대해 걱정스러운 듯한 말을 비친다. 일반 학생들은 동료들과 경쟁하고 서로 토론도 하면서 경전을 공부하는 데 비해, 세자는 그냥 독해나 하다 보니 열일곱이나 되었지만 아직 문리를 깨우치지 못해 글 속에 숨겨진 의미나 심오한 뜻을 이해하지 못한다는 것이었다. 그래서 서연을 3일에 한 번으로 하고, 학습방식도 독해에서 문의를 이해하고 토론하는 방식으로 바꾸게 했다.

언뜻 보면 연산의 교육에 심각한 문제가 발생한 것 같기도 하다. 그러나 옛사람들의 표현법은 늘 과장이 좀 있다. 당시 성종이 내린 명령은 오늘날 초등과정을 마치면 중등·고등과정으로 옮겨가듯이 세자가 나이를 먹음에 따라 다음 단계의 교육을 실시하라는 자연스러운 명령으로 이해하면 될 것 같다. 성종은 즉위 직후부터 할머니 정희왕후가 몸소 닦달을 한 덕에 이런 수준의 교육을 받았었는데, 자기 아들에게는 입학과 마찬가지로 이 과정 역시 3, 4년 정도 늦춰준 것이었다.

혹시 성종의 이런 교육방식이 폭군을 낳은 원인이라고 성급히 생각하는 분이 있을지도 모르겠다. 그러나 연산에 대한 악의적인 기록과는 달리 연산은 지적 수준이 그렇게 낮은 사람이 아니었다. 신하들과 나누는 대화를 보면 그는 사서오경에 대한 기본지식을 가지고 있었으며, 사서오경 중에서 제일 어렵다는 시경이나 서경의 문구도 자유롭게 인용하고 있다. 동궁시절에 연산을 가르친 경험이 있는 송일은 나중에 중종에게 연산이 동궁시절에 뛰어나게 총명했다고 회상하기도 했다. 연산이 시를 좋아했다는 이야기는 이미 했는데, 그의 작품은 당나라 시풍을 띠고 있으며, 당시의 규격과 풍을 잘 따르고 있다는 평을 듣는다. 이 정도면 학자 수준까지는 아니라고 해도 관료들의 평균 수준보다 떨어지지도 않는다.

연산은 이렇게 풍요롭고 안정된 환경에서 부친의 따스한 배려까지 받으며 존귀하고 자유로운 존재로 자라났다. 어쩌면 성종조차도 자신이 누리지 못했던 행복을 누리는 세자가 부러웠을지도 모른다. 사실 연산은 용모에서부터 15세기의 국왕들과는 사뭇 달랐다.

조선시대 국왕의 초상은 오늘날 거의 남아 있지 않다. 왕가에서 보존해오던 것이 있기는 했지만, 영정이라면서 사진도 찍지 않고 귀하게 모시다가 6·25전쟁 때 화재를 만나 극히 일부만 남고 소실되어 버렸다. 실록도 국왕의 용모에 대해서는 거의 언급하지 않았다. 그래도 그나마 남아 있는 것만으로 조선시대 국왕의 용모를 추적해 보면 흥미로운 변화를 발견할 수 있다.

이성계 초상.

　이성계의 선조는 유서 깊은 무장가문이었다. 그래서인지 15세기의 국왕
들은 용모와 체구가 하나같이 위풍당당하다. 이성계야 평생을 용장으로
이름을 날린 사람이니 말할 것도 없다. 남아 있는 그의 초상은 곤룡포에
가려져 있기는 하지만 딱 벌어진 어깨, 듬직한 체구를 느끼게 한다. 얼굴도
크고 선이 굵은 사각형으로 무게와 위엄이 있었다.

　정종은 얼굴형이 부친과 달리 긴 편이고, 수염이 많았다. 왼쪽 뺨에는 사마귀가 있었다고 한다.

태종의 체구나 용모에 대해서는 아쉽게도 전혀 기록이 없다. 그러나 그의 세 아들 중 둘째인 효령대군의 초상이 남아 있다. 살집이 풍부한 사각형 얼굴, 커다란 체격, 더 짙고 야성적인 수염. 누가 보아도 효령의 모습은 할아버지로부터 받은 유전을 충실히 보여준다.

효령의 초상을 통해 양녕과 세종의 모습도 짐작할 수 있다. 태종은 모두 네 아들을 두었는데, 어려서 죽은 성녕대군만 제외하고 양녕·효령·충녕(세종) 대군 모두 외모가 비슷했다는 기록이 있기 때문이다. 그래서 양녕이 궁 밖에 나가서 금지된 장난을 할 때는 늘 자신을 효령대군으로 사칭하고 돌아다녔다고 한다. 네 아들 중 세 아들의 용모가 이러했다면 태종도 이런 형이었다고 추정해도 무관할 것이다.

세종과 그의 맏아들 문종은 선조의 체형과 외모는 그대로 물려받았지만 장사형이라기보다는 비만형이 된 것이 변화라면 변화였다. 두 사람 다 사냥이나 말타기를 좋아하지 않고 공부에 전념했던 게 원인이었던 것 같다. 그러나 용모는 여전했다. 이 집안은 체구 못지않게 짙은 수염도 위엄을 더하는 데 한 몫 했는데, 세종의 아들들도 짙고 아름다운 수염을 자랑했다. 특히 문종은 얼굴이 잘생기고 위엄이 있었으며 수염은 관운장 같았다고 한다.

세종의 둘째 아들 세조는 간략하게 상반신만 그린 초상이 남아 있다. 그의 외모 역시 예상과 다르지 않다. 짙은 수염, 큰 사각형 얼굴, 벌어진 어깨와 듬직한 체구, 만년의 모습이라 중년살이 많이 붙었다. 이 그림만으로는 확인할 수 없지만 초상에서 풍기는 분위기로 보아 키도 크고 장대한 체격의 소유자였을 것으로 보인다.

기록에서 보더라도 젊은 날의 그는 겨울에도 말 위에서 웃통을 벗고 체격을 자랑할 정도로 건장했고, 동생 금성대군과 함께 하루에 100마리의 사슴을 잡고, 달리는 말 위에서 뛰어내려 착지를 했다고 할 정도로 무용이 뛰어났다.

좀 특이하다면 세조는 정종의 유전을 받았는지 사각형의 얼굴이면서도 턱이 길어서 전체적으로 얼굴이 길어졌다는 것이다. 문헌에도 얼굴이 길어 용모가 특이했다는 기록이 있다. 지금도 프로레슬링이나 농구계에 종사하는 거인형 사람들 중에는 턱이 길고 얼굴이 길쭉한 인물을 많이 보는데, 세조도 그런 유형이 아니었던가 싶다.

세조의 아들들에 대해서는 한 마디의 기록도 남아 있지 않다. 한 세대를 건너뛰어 세조의 손자인 성종에 대해서는 키가 아주 컸다는 사실만 알려져 있다. 그의 선조들도 다 키가 크고 건장했지만, 성종의 키는 아주 유별났다. 연산의 생모 윤비가 성종과 이야기하던 중에 "전하는 어찌 이렇게 키가 크시오"라고 말했다는 일화가 있다. 그 말을 듣고 성종은 "나보다 큰 사람도 있소"라고 대답하고는 허종을 불러 비교해 보였다고 한다.

이 정도면 허종보다는 작았다고 해도 궁에 있는 많은 사람들 중에서도 제일 큰 수준이었다고 생각된다. 단 성종의 체구에 대해서는 전혀 기록이 없다.

성종 다음이 연산군이다. 연산군 하면 폭군적인 이미지 때문인지 영화나 드라마에서는 주로 선이 굵고 뚝심이나 저력이 있어 보이는 이미지의 배우들이 역을 맡는다. 그렇다면 실제 그의 모습은 어떠했을까?

연산군의 용모에 대해서는 아주 귀중한 기록이 하나 있다. 임진왜란이 일어난 1593년 이덕형이 충청도 진안에 피난갔다가 우연히 100세가 다 된 노인이 건강하게 살고 있다는 소문을 들었다. 장수의 비결에 관심이 끌렸던지 이덕형은 노인을 찾아갔다. 노인은 여러 가지 이야기를 하다가 소년 시절에 본 연산군의 모습을 이야기해 주었다. 이덕형은 이 귀중한 이야기를 그의 수필집인 『죽창한화』에 실어 놓았다.

노인은 열세 살 때 군역에 차출되어 서울에 갔다가 연산을 한 번 보았다고 한다. 노인의 회고에 의하면 연산은 키가 크고 얼굴이 희었으며, 수염은 적고 눈은 충혈되어 붉은 기가 돌았다고 하였다. 눈이 충혈된 이유는 모르겠으나 과음이나 신경과민으로 건강이 안 좋았거나 농부에 비해 피부가 희었기 때문에 붉은 기가 더 뚜렷이 보였던 것이 아닌가 싶다.

큰 키에 하얗고 수염이 적은 얼굴. 당연히 체구도 길고 가늘었을 것이란 느낌이 든다. 실록을 뒤져 보니 정말로 그런 기록이 있다. 연산군 10년에 전라도 부안에 살던 김수명이란 사람이 국왕 모독죄로 구속되었다. 그는 시위군으로 뽑혀 서울에 왔다가 연산을 본 적이 있는데, 옆집에 놀러가서 지금 국왕은 허리와 몸이 몹시 가늘어 위엄이 없다고 수다를 떨었다가 그만 고발을 당했던 것이다.

이런 진술들을 종합하면 초기 국왕들의 특징이었던 레슬링 선수와 같은 체구, 강건한 인상, 위엄과 뚝심을 느끼게 해주는 짙은 수염이 연산군에게서는 완전히 사라져 버렸음을 알 수 있다. 좋게 보면 우락부락한 무인상에서 깔끔하고 세련된 귀공자 타입으로 변한 것이라고 할 수 있다. 그러나 한편으로 연산의 용모는 인물들을 가늘고 길쭉하게 그려 나약한 인상을 주는 모딜리아니의 그림과 같은 느낌을 준다.

실제로 연산은 감성이 예민하고 섬세한 사람이었다. 시를 무척 좋아했는데, 시 중에서도 색채감 있고 감성이 풍부한 당시(唐詩)를 좋아했다. 악기도 가야금 소리는 좋아하지 않고 당비파와 현금, 풀피리, 특히 호가(胡笳)를 좋아했다. 호가는 중앙아시아에서 들어온 작은 목관악기. 현재 전하지를 않아 정확한 모양과 음색은 알 수 없지만, 소리가 피리와 유사했다고 하니 연산은 대체로 가늘고 높으며 감상적인 음색을 좋아했던 것으로 보인다.

또한 연산은 후궁들을 모아놓고 몸소 처용무를 추거나 연극을 해 보이기도 했는데, 비극적이고 감상적인 장면을 좋아해서 종종 온통 울음바다로 만들곤 했다고 한다.

왕이 처용무를 잘 췄으므로, 매양 궁중에서 스스로 가면을 쓰고 희롱하고 춤추면서 좋아하였다. 총애하는 여인 중에도 사내 무당놀이를 잘하는 자가 있었으므로 총애하는 여인과 흥청[기녀]을 거느리고 밤에 공연을 하기도 했다. 스스로 죽은 자의 말을 하면서 그 모습을 흉내내면 모든 여인들이 손을 모은 채 그의 모습을 바라보고 그의 말에 귀를 기울였다. 왕이 죽은 자의 우는 형상을 하면 모든 흥청들도 또한 울어, 드디어 비감하여 통곡하고서 파하였다. (『연산군일기』12년 1월 2일)

그렇다고 연산이 아주 샌님은 아니었다. 사냥을 좋아했고 승마술은 대단히 뛰어나서 말을 거꾸로 탄 채 달리기도 하고, 말 위에서 처용무를 추는 묘기까지 부렸다. 그러나 체질적으로 연약해서 찬바람을 쐬면 잔병에 잘 걸리고, 환경에 대한 적응력이 떨어졌다. 스스로 자신은 약골이라고 말하기도 했다.

관상만으로 사람을 평가할 수는 없지만 그의 행동과 성격을 보면 확실히 모딜리아니의 그림처럼 길쭉한 풍모가 있다. 그렇다면 이러한 변화의 원인은 무엇일까?

조선시대에 세자나 국왕을 교육할 때에 늘 하는 이야기가 있다. 소위 창업의 군주와 수성의 군주가 그것이다. 중국이나 한국이나 왕조를 개창하는 인물은 대개 자수성가형이다. 명나라를 세운 주원장 같은 이는 빈농의 아들로 태어나서 떠돌이 중노릇을 하다가 도둑떼의 두목을 거쳐 마침내 황제가 되었다.

다음의 국왕들도 상당한 능력을 요구한다. 나라를 안정시키는 일도 나라를 얻는 일 못지않게 힘들기 때문이다. 이 일을 감당해 내기 위해서는 상당한 문제의식과 능력이 필요하다. 한무제, 당태종, 명의 영락제, 청의 강희제 등 어느 왕조나 그 왕조에서 가장 능력있고 칭송받는 국왕이 3, 4대쯤에 등장하는 것은 이 때문이다.

여기까지가 창업의 군주다. 그러나 그 다음 시기 소위 수성기로 들어서면 금새 제멋대로고, 무능하고, 유흥을 좋아하며, 이기적이고, 타성적인 임금이 등장한다. 신하들이 역사책을 뒤적이며 아무리 경고를 하고 교육을 시키고 해도 이런 현상은 왕조마다 빠짐없이 반복된다.

많은 사람들은 이 시기의 왕자들이 편안하고 안락한 환경에서 태어나 어려움을 모르고 자란 데 원인이 있다고 하였다. 물론 이것은 지나치게 단순한 설명이다. 국가제도가 안정되면 자연히 군주의 개인적인 역량이나 판단력은 중요성이 떨어진다. 국가는 왕 개인이 다스리는 조직이 아니고, 법과 제도와 관행에 의해 움직인다. 발전이 느리고 변화가 빠르지 않은 시대이기 때문에 왕이 좀 모자라고 유흥에 빠진다고 해도 기존의 법제를 잘 준수하면 나라는 그럭저럭 유지된다. 이 단계가 되면 문제의식, 실험정신 따위보다는 기존의 제도와 관행을 잘 유지하는 게 군주의 미덕이 된다. 그러니 수성기의 국왕들이 매너리즘에 빠지고 권태가 심해지는 건 당연하다.

그렇지만 안락한 환경론도 상당한 근거는 있다. 국왕 개인에 초점을 맞추어 보면, 결국 인간의 성격과 세계관에는 그가 자라난 환경이 결정적인 영향을 미친다는 것을 알 수 있다. 어려서부터 먹는 것, 입는 것, 행동하는 것부터 남들과 다르고, 다음에 왕이 되실 몸이라고 떠받들려 자란다. 오늘날 재벌 2세의 경우에서 볼 수 있듯이 이런 환경은 곧잘 제멋대로고 자기 중심적이며, 끈기와 참을성 부족한 인간을 만들어 낸다. 연산도 이런 시간의 덫에 걸린 왕자였다. 그리고 이렇게 자란 소년이 18년 1개월, 대학 1학년의 나이에 국왕으로 즉위하였다.

2. 바람과 구름

첫날부터

즉위 첫날부터 귀공자 연산은 사람을 놀래켰다. 이 날 재상들이 모여 선왕의 시신을 염습하고, 빈전의 상을 차리고 있었다. 지루했는지 탁한 공기에 숨쉬기가 답답했는지 갑자기 연산이 일어나더니 나가 버렸다. 우의정이며 왕의 장인이기도 했던 신승선이 황급히 세자를 따라 나갔다. 신승선이 세자에게 안으로 도로 들어가셔서 일이 완전히 끝나거든 나오셔야 한다고 말했으나 세자는 고개를 저었다. 곧이어 좌의정 노사신도 뒤따라 나왔다. "임금의 일은 일반 사람과 다르오니 안으로 들어가소서." 임금은 만인의 모범이니 행동거지나 예의를 더욱 완벽하게 해야 한다는 뜻이었다. 연산은 할 수 없이 다시 방으로 돌아갔다.

사소하고 우발적인 일이었을까? 아니면 이 젊은 왕의 인격에 문제가 있는 것일까? 재상들의 궁금증은 오래 가지 않았다. 바로 다음 날 새 왕에게 첫번째 시련이 닥쳤다.

조선 초기에 유학자들이 어떡해서든 개혁하려고 했던 과제가 불교식 장례풍속이었다. 그러나 쉽게 바뀌지 않았다. 특히 왕가는 만인의 사표가 되어야 하건만 유달리 왕실 여인들이 불교를 좋아했다. 그러다 보니 국상이 날 때마다 절에서 선왕을 위하여 재를 올리는 것이 관례가 되었다. 성종도 본인은 불교를 믿지 않았다고 하지만, 스물에 과부가 되어 평생을 홀로 살다가 아들마저 먼저 보낸 인수대비나 남편을 잃은 자순왕비(왕비는 이때 34세였다) 이하 최소한 8명 이상이었던 후궁들의 심정은 그렇지 않았을 것이다.

그들은 관례대로 사원에서 재를 올렸다. 즉시로 사헌부, 사간원, 홍문관에서 반대상소가 올라왔다. 이것이 연산군이 왕으로 즉위해서 처음 맞닥뜨린 업무였다. 어느 왕이나 즉위 초에 비슷한 경험을 하지만, 연산군의 경우는 좀 특별했다. 세월의 탓이라고나 할까? 왕과 신하 양쪽이 다 이전의 사람들과는 상당히 달라져 있었기 때문이다.

대간은 아주 끈질겨서 전원이 대궐에 몰려와 반대상소를 올렸다. 일종의 시위였다. 28일에는 홍문관 수찬 손주가 성종의 명복을 비는 칠칠재에 사용할 의식문 짓기를 거부했다. 대간과 홍문관 전원이 불교 문제에 매달려 집단시위 상태가 되었는데, 대간들은 장례의식의 하나인 성종의 행장을 짓는 일까지 사보타지했다. 29일에는 성균관 유생까지 반대시위에 가담했다.

　신년을 맞아서도 이런 양상은 변하지 않고 반복되었다. 분위기는 점점 험악해졌다. 그래도 국왕편이던 대신들은 하늘 같은 국왕이 돌아가셨는데 대간들이 빈소에 와서 통곡하기는커녕 대궐에 모여 집단시위나 하고 있으니 너무하지 않느냐고 젊은 관료들을 나무랐다. 게다가 이 문제가 당장 국가의 안위와 직결된 사안도 아니지 않는가?

　그러나 대간과 유생들은 입장이 달랐다. 국정을 처음 시작하는 이 때, 유학의 가르침과 원칙을 무시하고 이단의 제사를 행하니 이보다 더 큰 일이 어디 있느냐고 맞섰다.

　예나 지금이나 힘 겨루기를 하다 보면 먼저 흥분하는 쪽은 젊은 쪽이다. 1월 2일 성균관 유생들이 상소를 올렸는데, 전반적으로 극단적인데다 과격한 논조의 상소였다. 예컨대 중국의 양무제가 불교를 숭상하다가 천하의 웃음거리가 되었으며, 세조는 친히 불제자가 되는 등 불교를 극진히 섬겼지만 오래 살지도 못해 재위가 겨우 10년밖에 되지 않았고 임기중에 이시애의 난이 발생해서 백성이 피해를 입었다고 적었다. 불제자 세조도 양무제와 마찬가지로 세상의 비웃음거리가 되지 않았느냐는 뜻이었다.

　이 상소에는 또 지금 승려들이 성종이 불교를 좋아하지 않아서 일찍 사망했다고 한다, 연산군이 어리므로 양 대비가 실권을 행사할 테니 불교에 유리하게 되었다며 좋아하고 있다는 등등의 얘기가 더 있었다.

　상소를 읽은 왕은 성균관 유생 전원을 모조리 체포, 구금하라는 명령으로 응답했다. 충격을 받은 어느 대간의 표현을 빌면 왕의 명령이 떨어지자 옥졸들이 일거에 성균관으로 돌입했는데, 유생들을 양떼 몰듯 몰아 묶었다고 하였다. 1970~80년대 대학시위를 떠오르게 하는 장면이지만, 이 시대 사람들로서는 전대미문의 사태였다. 아마도 이것이 우리 역사에서 경찰이 대학에 강제 진입한 최초의 사례일 것이다.

　관료들은 큰 충격을 받았다. 게다가 성균관 생원은 반수 이상이 그들의 아들이거나 조카였다. 정승 이하 모든 관원이 이구동성으로 왕에게 선처를 부탁했다. 왕은 유생을 풀어 주었지만 주동자와 문제가 된 내용을 발설한 사람을 처벌하겠다는 결심은 양보하지 않았다. 원래 대간의 상소에 대해서는 취재원을 묻지 않는 게 관례였지만, 연산은 인정하지 않았다.

이 때 주동자로 몰린 사람은 정희량, 이목, 조유형, 유희저, 이자화, 이윤탁, 심정, 이성동, 유임, 성운, 윤원, 박광영, 임희재, 유중익, 김천령, 이광, 이윤식, 한효원, 김수경, 성몽정, 안만복, 이광좌, 안석복, 김협 등이었다.

정희량은 세조의 이야기를 발설한 자라고 하여 해주로 귀양가고, 이목은 공주, 이자화는 금산으로 유배되었다. 조유형 이하 21명은 과거응시가 정지되었다.

이들의 약력을 일일이 소개할 수는 없지만, 이들의 명단을 소개하는 이유는 이들이 이대로 역사의 무대에서 퇴장하지 않기 때문이다. 이들 중 상당수는 명문가 소생으로서, 아직 관계에 입문하지는 않았지만 관직에의 입문과 출세는 시간 문제일 정도로 미래가 분명한 인물들이었다. 실제로 이들 중 몇 명은 연산조에 관직에 입문하여 다시 한 번 연산군과 대결을 벌이고, 일부는 중종대의 주역이 된다.

그런데 이 사건에서 관료들에게 더욱 충격적이었던 것은 사건을 처리하는 과정에서 드러난 연산군의 성격이었다. 그런 의미에서 이 때 오간 말들을 몇 가지 소개하고자 한다. 연산군의 성격과 말투가 이 논쟁에서 이미 다 드러나기 때문이다.

우의정 신승선 : 유생의 말이 지나치오나 이제 처음 정치를 시작하시는 때에 이들을 가두면 앞으로 언로가 좁아질 것입니다. 또 유생들이 광망한 것은 따질 만한 것이 못 되오니 너그러이 용서하소서.
연산 : 임금을 두고 하는 말인데 어찌 국문하지 않을 수 있느냐?

지평 안윤덕 : 백성들이 선왕[성종]의 은혜에 감격하여 성균관과 사학의 학생들이 모두 흰 옷과 흰 두건을 착용하고 대궐 문 밖에 모여 통곡했습니다. 이런 일은 전에 없던 일입니다. 그런데 전하께서 이렇게 흰 옷 입은

유생을 가두시니 사람들이 해괴하게 여깁니다. 국문을 중지하소서.

　연산 : 국상이 났는데 백성으로서 흰 옷을 입는 거야 당연하지 않느냐? 큰 죄를 범했어도 흰 옷만 입으면 죄를 물어서는 안 된다는 것이냐? 또 유생이라 하여 너그러이 용서하면 유생이 반드시 그 재주를 믿고 무도한 발언을 하고 글로 써 댈 것이다.

　신하들 : 유생을 풀어주소서.

　연산 : 어제 구속시켰다가 오늘 풀어 주면 바깥 사람들이 반드시 내가 기강이 없다고 할 것이다. 유생은 너그럽게 용서해야 한다는 법이라도 있느냐?

　홍문관원 : 임금이 자기 생각대로만 하고 직언을 듣기 싫어하여, 신하가 위엄을 두려워하여 말을 꺼리게 되면, 위는 귀 먹고 아래는 입이 막혀 국사가 날로 그릇되고 기강도 따라서 무너질 것입니다.

　연산 : 내가 직언을 듣기 싫어하는 것이 아니다. 착한 말이 있으면 어찌 듣지 않으랴. 그러나 위를 능멸하는 풍습을 기를 수 없다.

　대간 : 전하의 즉위를 맞아 사방에서 풍화(風化)를 바라고 있는데, 선비의 언론을 먼저 꺾으시니 사람들이 놀랍니다. 이것은 전하의 덕에 누가 됩니다.

　연산 : 첫 정사의 때에 죄 줄 자를 죄 주고, 죄 주지 않을 만한 자는 주지 않는 것이 풍화에 관계된다.

　승지 : 유생을 추국하지 마시어, 간언을 따르는 아름다움을 보이소서.

　연산 : 유생들의 잘못이 매우 큰데 너희들이 굳이 용서를 청하는 의도가 무엇인가? 그대들의 자제도 성균관에 있음이 분명하다. 그대들이 지금 사적인 감정으로 청원하는 게 분명하다.

　연산의 시종일관된 주장은 유생이 임금을 모욕했으며, 이 죄는 반드시 처벌해야 한다는 것이었다. 여기서 벌써 나타나지만 연산은 국왕의 권위,

국왕의 자존심이란 부분에 대해서는 이상할 정도로 과민했다. 특히 홍문 관원과의 대화에서 나온 '위를 능멸한다'라는 말은 이후 10여 년 간 그야말로 연산이 휘두르는 전가의 보도가 된다.

앞에서 수성기의 국왕들에게서 문제의식이 약화된다는 말을 했지만, 연산에 대해서는 이 말을 약간 수정해야 할 것 같다. 사실 그에게는 아주 뚜렷한 너무 뚜렷해서 거의 강박관념에 가까운, 그리고 차라리 없었으면 더 좋았을 지독한 문제의식이 하나 있었다. 그것이 바로 국왕의 권위가 위협받고 있다는 것, 이를 되살려야 한다는 것이었다.

즉위한 지 한 달도 못 되어 이런 행동을 한 것을 보면 연산은 동궁 시절부터 국왕의 권위에 대한 문제의식을 키워온 것이 분명하다. 그렇다면 연산은 언제부터 무엇 때문에 이런 문제의식을 지니게 되었던 것일까? 이에 대해서 연산은 스스로 중요한 단서를 하나 남겨 주었다. 1월 말경 끈질기게 유생의 석방을 요구하는 부제학 성세명에게 연산은 이렇게 말한다. "선왕께서 유생들을 죄주지 않아서 이들에게 위를 능멸하는 풍습이 생겼다."

연산도 어릴 때부터 세자로 책봉되어 자랐으니 자신이 다스리게 될 나라와 국왕의 행동에 대해 관심을 가지고 살았을 것이다. 그런데 그가 철이 든 후 본 세계는 성종 후반부의 세계였다. 그 때 소년의 눈에 비친 부친의 모습은 너무나 답답했다. 대간들은 매일매일 사소한 꼬투리를 잡아 물고 늘어졌고, 국왕의 사생활까지 지나치게 간섭했다. 말로는 국왕은 생사여탈권을 쥐고 하늘로부터 통치권을 위임받은 존재라고 하지만, 막상 국왕이 해도 되는 것은 아무것도 없었다.

신하들은 모든 실제적인 권한과 권력이 관료를 통해서 행사되어야 한다고 주장하였다. 그들의 논리에 따르면 국왕은 사유재산을 가질 수도 없다. 자기들은 넓은 땅을 점유하고 고리대를 하면서 왕은 아무것도 가져서는 안 되고, 수익사업에 투자해도 안 된다고 말한다. 이 땅의 풀 한 포기까지 이미 왕의 것인데, 뭐하러 굳이 별도로 소유하려고 하느냐고 한다. 결국은 왕은 풀 한 포기조차 제대로 소유할 수 없다는 뜻이 아닌가?

왕은 유희 한 번 제대로 할 수 없고 스포츠도 제대로 즐길 수 없고 넓은 세상에 나가서 말 달리기도 쉽지 않다. 자신들도 그렇게 살지 않으면서 왕이나 종친이 사냥이라도 떠난다거나 대비가 병으로 온천에 요양만 떠나도 금새 나라가 망할 듯이 몰려와서 아우성을 쳤다. 불쌍한 그의 아버지는 멀리 나가지도 못하고 궁의 후원에서, 나중에는 그저 마루에 서서 사냥매를 날리기까지 했다. 이게 무슨 궁색인가?

유신들은 또 국왕이란 모름지기 시나 그림, 글씨 같은 것들에 빠져서는 안 된다고 말렸다. 왕은 이런 취미도 감추고 조심조심 해야 하고 자기 작품을 신하에게 하사하거나 작품전시회 같은 것도 할 수 없었다. 국왕의 업무에 정진하려면 작은 일에 재미를 느끼고 취미생활에 빠져서는 안 된다는 것이었다.

성종도 그런 논리에 화를 내기는 했지만 결과적으로 부왕은 그런 싸움에서 번번이 패했다. 성종이 그런 논리와 행동을 극복하고 사는 모습을 보여 주었더라면 연산의 의식이 좀 달라졌을지도 모른다. 그러나 성종은 자신도 못내 불만스러워 하면서도 이를 행동으로 표현하지 못하고 자신만 학대하며 살았다. 밤마다 자학적으로 피를 토하며 술을 마시고(정말인지는 확실치 않지만), 끝내 40대의 문턱에서 세상을 떠난 불쌍한 부왕의 모습을 보면서 십대의 소년은 어떤 생각을 했을까? '나도 훌륭했던 아버지의 길을 그대로 따라가겠다'였을까, 아니면 '나라면 절대로 저렇게 살지 않겠다'였을까?

사춘기의 소년은 홀로 관료들의 논리를 하나하나 되짚으며 자신의 반박 논리를 가슴 속에 새겨 가기 시작했다. 문제의식을 가지고 보기 시작하니 위선적이고 말도 안 되며, 허구적인 논리가 너무나 많았다. 위에서 소개한 논쟁을 읽다 보면 대간들의 어떤 주장에 대해서도 연산이 꼬박꼬박 반론을 펴고 있음을 알게 된다. 그건 말솜씨로 버티는 수준이 아니다. 연산의 마음 속에는 그들의 논리에 대하여 이미 나름대로 준비해 둔 대답이 확고히 자리잡고 있었다. 18세의 국왕은 이미 준비가 되어 있었던 것이다.

한편, 마지막에 소개한 대화에서 연산이 유생의 석방을 건의하는 승지들에게 '이건 그대들이 사사로운 정을 끼고 말하는 것이다'라고 단정을 짓고 나오는 모습에 주목할 필요가 있다. 제멋대로의 판단, 관료들에 대한 지독한 불신. 이 역시 연산의 통치를 특징짓는 중요한 특징이었다.

그는 유가의 이념처럼 관료들을 왕과 함께 나라를 다스리는 존재로 보기보다는 언제든지 국왕을 속이고 사적으로 결탁하고, 틈만 주면 자신을 이용해 먹으려는 존재로 보는 경향이 있었다. 물론 이 두 개념은 동전의 양면과 같은 것이라 연산의 말도 충분히 맞는 말이다. 하지만 그는 늘 그늘진 쪽에서만 세상을 보는 게 문제였다.

이 그늘도 이미 그의 동궁 시절부터 체험적으로 다져 온 진리였다. 세조와 성종대를 거치면서 탄탄해진 훈구세력은 대를 이어 권력을 누리면서 혼인과 혼인으로 얽혀 있었다. 연산군 주변의 대신들도 대개가 2, 3대째 권력을 누리는 명문 출신들이었다. 대간이고 유생이고 간에 김종직과 같은 시골 출신 인물은 극히 소수였다. 청탁이 만연하고 어떤 규정이든 적당히 희석되고 그들에게 유리하게 운영되었다.

게다가 앞의 성종편에서도 말했듯이 유지와 관리의 시대가 되다 보니 관료사회에서도 새로운 제도나 개혁정책을 제시함으로써 자신의 역량을 드러내기보다는 명분과 원칙에 철저하거나, 특이한 행동을 통해 자신을 과시하고 능력을 인정받으려는 풍토가 생겨났다. 젊은이들의 말은 과격해지고, 저희들끼리 군자와 소인을 나누며 살았다. 원론과 원칙으로 따지고 들다 보니 융통성과 현실감이 부족해졌다.

연산의 눈에 이런 행동들은 이기적이고 위선적으로만 비쳤을 것이다. 그가 보기에 관료들은 자신의 출세와 명성을 위하여 국가와 왕도 얼마든지 이용해 먹기만 하는 존재였다.

이런 감정이 지나치다 보니 관료들을 늘 자신과는 대립되는 존재로만 이해하게 되었다. 그리고 자신은 괜한 고독감과 자기 비애에 빠지기도 했다. 연산군 3년에 이세좌의 아들인 이수공이 홍문관 전한(典翰)으로 있으면서 대간을 처벌해서는 안 된다고 건의한 적이 있다. 연산은 듣지 않고 "너희들이 (동료라고) 다투어 구원하는구나"라고 말하더니 곧바로 "만약 내게 이런 일이 있다면 너희들이 이처럼 다투어 구원하겠느냐?"고 엉뚱한 소리를 하였다.

이런 말을 할 때마다 연산은 자신이 비정한 정글의 법칙을 제대로 알고 있다고 생각했을지 모른다. 그러나 옆에서 이 이야기를 들어야 했던 대신이나 사관들은 기가 막혔을 것이다. 지도자란 아랫사람의 잘못을 못 본 척해야 할 때도 있고, 잘못된 관행도 포용해서 자기 것으로 만들어야 하는 법이다. 여기저기 쑤시고 다니면서 "너는 이런 속셈이 있는 것이지?" "너는 나를 배신할 놈이다"라고 말하는 것은 배신하라고 부추기는 것이나 다름이 없다.

그러나 연산은 자신의 잘못을 알지 못했고 다른 사람의 말을 들으려고도 하지 않았다. 철철 넘치는 자신감과 자기 논리에 대한 무조건적인 확신, 이것도 귀공자의 특징이 아닐까?

대결

새 왕의 실체와 성격을 안 이상 대간들은 대간들대로 초전에 명분과 기 싸움에서 밀리지 않으려고 전의를 다졌다. 연산군 3년 6월 예문관 봉교 강덕유 등이 올린 상소는 대간들의 눈으로 본 연산군에 대한 평가를 잘 보여주고 있다. 그 상소에 의하면, 연산은 "경연을 게을리하고, 신하들과 만나기를 싫어하고, 편파적으로 자기 생각만을 고집해서 남의 말은 절대 듣지 않고, 간관을 가두고 모욕을 주어 정직한 의기를 좌절시켜, '성종이 26년간 쌓아올린 업적을 한순간에 손상시키고 있는" 군주였다.

그러니 관료들이 긴장하지 않을 수 없었다. 그런데 문제는 이들도 상당수가 대단한 귀공자들이거나 좀 막힌 원칙론자들이었다는 점이다. 그들도 연산의 행동에 노련하게 대응한다기보다는 계속 꼬투리를 잡거나 법전과 경전의 원칙을 내세우며 밀어붙였다.

실록을 읽다 보면 대간들이 누굴 탄핵하거나 문제를 제기할 때는 작은 꼬투리를 잡는 경우를 자주 본다. 제일 흔한 소재가 법이나 원칙으로 따지면 분명히 잘못된 것이지만, 현장에서는 법대로 하기 어렵거나 관행처럼 되어서 누구나 다 하고 있는 그런 것들이었다.

이런 것 때문에 언론의 자유를 주장하는 현대인들 중에서도 이 시대의 대간들에 대해 불쾌한 인상을 가지는 분들이 많다. 심한 양반들은 저런 꽉 막힌 사고, 공리공론 때문에 조선이 발전하지 못했다고 혹평하기도 한다.

그러나 그것은 이 시대의 정치원리와 대간의 기능에 대해 정확하게 알지 못하기 때문이다. 좀 짜증스럽고 위선적이기도 하지만 이 방식은 중세 정치에서는 상당히 깊은 의미와 장점을 갖고 있었다. 대간이 그런 주장을 하는 이면에는 특정 세력에 대한 정치적 흔들기도 있고, 외척의 비율이 너무 높으니 내각 구성을 바꿔야 한다거나, 부정과 모리가 너무 심한 관료를 쫓아내려는 의도가 있기도 했다. 그렇다면 왜 정면공격을 하지 않고 그런 방법을 사용했을까? 비유적으로 말한다면 대간의 기능은 부정을 적발하고 간흉을 적발해 내어 폐단을 발본색원하는 데 있기보다는, 끊임없이 관료사회에 경종을 울림으로써 그 구조와 청정도를 일정 수준으로 유지하는 데 있었기 때문이라고 할 수 있다.

그래도 의문은 그치지 않을 것이다. "그래도 그렇게 비겁하게 할 필요가 있는가?" "왜 대간의 기능이 그렇게 설정되었는가?" 이 단계까지 들어오면 좀 장황한 설명이 필요해진다.

전문적인 지식이나 관심이 없는 분에게는 꽤나 지루하고 납득하기 힘든 설명이 될 것이다. 때로 이런 이야기를 하다 보면 어렵고 복잡하게 생각하는 필자가 아주 딱하다는 듯이 말씀하시는 분도 계신다. "그거야 다 저들이 출세하고자 하는 짓이지요. 자고로 자기가 출세하려면 다른 사람을 깎아내려야 하는 겁니다."

연산의 사고방식이 꼭 이런 식이었다. 그는 답이 몇 개씩 나오는 사고나, 숨겨진 깊은 의미를 이해하는 따위를 아주 싫어했다. 더욱이 그것이 관료들에 의해 행해지는 것이라면 일단 의심과 반발을 가지고 대했다. 그러므로 대간의 이런 행동은 불행하게도 연산의 알레르기를 자극하는 것일 뿐이었다. 저들이 진심을 감추고 작은 꼬투리를 잡는 것은 위를 능멸하고, 왕을 속이고, 저들의 욕심을 숨기는 행동일 뿐이었다.

좀 후의 일이지만, 접점 없는 양쪽의 이런 평행선 달리기를 잘 보여주는 예화가 하나 있다.

연산군 8년 6월, 대간에서 막 함경도 감사로 발령받아 간 정미수를 탄핵했다. 임지로 부임할 때 노비를 50여 명이나 거느리고 갔다는 것이 이유였는데, 『경국대전』에서 규정한 숫자는 2명이었다. 신임관원이 임지까지 가는 동안은 관이나 역에서 숙식하고, 말들의 사료나 기타 필요한 물자를 관에서 제공해야 하기 때문에 수종하는 인원이 너무 많으면 관에 큰 부담이 되었다.

대간은 심각한 범죄이니 정미수를 서울로 소환하여 국문해야 한다고 주장했다. 연산은 국문을 하려면 잡아 가두고 때리면서 신문해야 하는데, 작은 일 때문에 대신을 처벌할 수 없다는 말로 맞섰다.

여기까지는 어느 왕에게나 있었던 일이다. 한참 대간들과 티격태격하다가 갑자기 연산이 승지들에게 물었다. "지금까지 양계에 감사로 간 사람들이 다 법에 적힌 숫자대로 노비를 데려갔느냐?"

난처한 질문이었다. 다 법대로 했다고 하면 거짓말이 된다. 아니라고 하면 모든 대신들이 불법을 자행하고 살았다는 이야기가 된다. 그렇게 되면 불똥이 어디로 튈지 몰랐다. 그러나 너무 걱정하지는 말자. 왕의 비서관쯤 되려면 상당히 총명해야 한다. 승지들은 경우의 수를 빨리 굴려 보고 절묘한 답변을 내놓았다. "법대로 한 사람도 있습니다. 그러나 2, 3명을 더 거느리고 간 사람도 더러 있습니다."

이 대답은 왕과 대간 양쪽에 다 유용한 답변이었다. 왕이 바라던 대로 제대로 지키기 힘든 규정임을 인정한 동시에 지킨 사람도 있다고 함으로써 대간의 입장도 살려 주었다. 2, 3명을 더 초과하곤 했다는 말도 교묘하다. 실제로는 더 많은 경우가 보통이었다. 이 역시 정직하게 얘기하면 평소에 높은 사람들이 법을 너무 지키지 않는다며 왕마저 화를 낼 우려가 있다. 하지만 2, 3명 정도라면 법을 지키지 않은 것은 사실이지만, 그래도 처벌하기에는 미안한 숫자다. 반대로 대간들을 위해서는 남들도 다 법을 어겼지만 정미수는 너무 많이 초과했다는 구실을 살려 주었다.

왕이 작전을 바꾸어서 대간에게 다시 공세를 폈다. "너희들이 외관에 임명된다면 노비 숫자를 꼭 『경국대전』의 규정대로 하겠느냐?"

한 대간은 변호사 비슷한 대답을 했다. "부임할 때는 마땅히 법대로 할 것입니다. 다만 재임중에 왕래할 때는 혹 법대로 하기가 힘들 것입니다." 참고로 말하면 『경국대전』에는 부임할 때의 규정만 있고, 재임중에 왕래할 때의 인원에 대해서는 따로 언급한 것이 없다.

다른 대간이 무모하게 말했다. "신은 당연히 법대로 할 것입니다." 연산은 그 대간의 의기에 전혀 감동받지 않았다. 정미수를 포함하여 문관으로 양계감사쯤 된 인물이면 이전에 대간을 거친 사람이 상당히 많았다. 연산은 대간의 올곧음에 감동 받기보다는 끝까지 잘난 척을 한다고 생각했을 것이다.

이제 승기를 잡았다고 생각한 연산은 다음 날 성준, 이극균, 이극돈, 박건, 박안성, 성현 등 양계감사를 역임한 고관들을 대거 소집했다. "경들은 양계감사로 부임할 때 노비를 『경국대전』 규정대로 데리고 갔는가? 규정보다 더 많이 데리고 갔는가?" 성준 이하 대신들은 자신들도 13, 14명 정도씩 초과했다고 실토하고, 그러나 중간에 관이나 역에서 공급받는 물자는 법정 인원수만큼만 받았다고 하였다. 초과된 노비의 경비는 사재로 충당했으니 실질적으로는 초과하지 않은 것과 마찬가지라는 뜻이다.

연산은 이제 확신을 가지고 대간을 꼬집었다. "양계감사를 지낸 재상들은 모두 다 노비를 규정보다 더 많이 데리고 갔다고 했다. 어떻게 유독 정미수만 잘못했으며, 그 사람만 처벌할 수 있는가? 그런데도 너희들이 이 일로 정미수를 탄핵하는 이유는 내가 정미수를 특별히 자헌대부로 자급을 올려 주었기 때문이 아니냐?"

연산은 드디어 대간들의 버릇을 고쳐놓을 확실한 증거를 잡았다고 생각했을 것이다. 그러나 의외로 대간의 반응은 당당했다. "바로 그렇습니다. 신들이 여러 날 동안 상소한 이유는 정미수가 상을 받을 만한 공로도 없고 또 직무에 근신하지 않았기 때문입니다. 바라건대 빨리 자헌대부를 회수하시고, 그를 국문하소서."

연산을 쫓아 낸 후 관료들은 연산이 지혜가 부족하고 우매한 군주였다고 비난했다. 기존의 관행을 이해하지 못하고 도무지 말을 알아듣지 못한다는 말이다. 반면 연산은 이들의 이중적이고 위선적이며, 왕을 기만하고 무시하려 드는 모습이 가증스러울 뿐이었다.

이렇게 서로에 대한 불신감만 키워가는 가운데 왕과 대간의 답이 없는 대결은 달을 넘기고 해가 지나도록 계속되었다. 대간은 꼬투리를 잡고, 왕은 전혀 들어주지 않으니 하루도 티격태격하지 않는 날이 없었다. 주제는 달라도 오고가는 말투나 논리도 늘 똑같았다. 말투나 행동이 점점 투박해지는 게 변화라면 변화였다. 왕은 노골적으로 대간에게 무안을 주기도 했다.

> 장령 안당과 헌납 송천희가 아뢰었다.
> "이조의 인사에 사정이 개입한 것은 국문을 해야만 합니다."
> "그건 급한 일이 아니다. 오늘은 술이나 마시라." (『연산군일기』 3년 11월 7일)

> 대사헌 김심 등이 거듭 성준을 논란하기를 그치지 않았다. 왕이 (술을 내려주면서) 말하였다.
> "경들은 술이나 마시고 가라." (『연산군일기』 5년 12월 2일)

왕은 대간들이 제시하는 어떤 원리, 원칙에도 동조하지 않았다. 대간들은 천재지변이 있을 때마다 정치가 잘못되어 하늘이 경고를 내렸다든가, 원통하고 억울한 사람의 원망이 쌓여 천지간의 기(氣)가 손상되었기 때문이라고 말해 보기도 하고, 국왕의 행동은 역사책에 낱낱이 기록되어 후세에 비난을 받을 것이라고도 해 보았으나 연산은 꿈쩍도 하지 않았다.

때로는 연산이 반격을 가하기도 했다. 천재지변을 거론하면 자신의 탓이 아니라 신하들이 위를 능멸하는 풍습 때문에 재변이 생긴 것이라고 우겼다. 역사를 두려워하라고 말하면 "후세 사람이 뭐라 하든 나와 무슨 상관이냐?"고 버텼다. 어찌 보면 연산은 아주 솔직하고 직설적이었다. 사실 이렇게 생각하는 왕이나 권력자가 연산만은 아니었을 것이다. 그러나 이렇게 대놓고 자신을 드러내는 순진한 독재자는 연산이 처음이었다.

진솔하고 터프한 것도 좋지만, 연산은 오랫동안 사용되어 온 정치적 관행이나 제스처를 완전히 무시했다. 만약 그를 인터뷰할 수 있어서 그 이유를 묻는다면 그는 분명히 지존한 국왕이 신하들 앞에서 힘든 연기를 할 필요가 어디 있느냐, 간단하고 쉬운 일을 왜 괜히 복잡하고 어렵게 해야 하느냐고 답할 것이다. 그는 부친과는 정반대로 기존의 체제에서 그늘진 부분만을 보고 있었고, 그 이면의 논리와 장점에 대해서는 알고 싶어하지도 않았다.

연산의 이런 행동은 기존 체제에 대한 비판의식뿐만 아니라 그의 성격에서도 기인한다. 연산의 성격에는 정말 어린애 같은 면이 있었다. 힘들고 복잡한 일을 싫어하고, 잔소리와 같이 자기가 듣기 싫은 것, 하기 싫은 것은 담아두거나 참아내지를 못했다. 마찬가지로 작은 것이라도 자기 잘못을 인정하거나 양보하기를 대단히 싫어하고, 자기가 하고 싶은 것에 대해서는 엄청난 집착력을 보였다.

그러니 그에게 그의 논리 밖의 세계, 새로운 차원의 세계를 이해시킨다는 것은 무척 어려운 일이었다. 연산은 자기 논리를 수정하는 것조차도 자신의 자존심을 꺾는 일로 생각하는 스타일이었다.

그러니 대간과의 말다툼에서도 정치가의 필수품인 '주고받기', '정치적 양보', '반보 후퇴 일보 전진' 따위는 전혀 없었다. 보다 고차원적이고 음흉한 '져주기', '암시', '간접대화' 이런 것은 더더욱이 없었다. 아이들의 싸움처럼 집요하게 자존심과 자기 영역을 지키려고만 들었다.

즉위 초에 성균관 유생을 대거 체포했을 때의 일이다. 재상들의 건의로 왕의 방에 『서경』의 「무일편(無逸篇)」과 「칠월편(七月篇)」을 써서 붙여놓기로 했다.

「무일편」은 주나라 주공이 조카 성왕에게 통치자로서 백성을 다스리는 자세를 가르치기 위하여 써주었다는 글이다. 즉 임금의 역할과 도리를 설명하는 고전적인 원론이다. 이 「무일편」을 그림으로 그리거나 병풍으로 만들어 황제의 방에 두기 시작한 것은 중국 송나라 때부터다. 우리 나라에도 일찍부터 도입되어 고려 태조의 십훈요에 벌써 "무일도의 내용을 그려 붙여 왕이 출입할 때마다 보고 생각하도록 하라"는 명령이 있다.

「칠월편」은 농사짓고 세금을 내며 살아가는 백성의 모습을 노래한 것으로, 역시 백성의 애환을 이해한다는 의미가 있다.

의례적인 행사였지만 아무래도 불안해 보이는 국왕이라 그랬던지 정승들이 올린 일종의 국정지침과 같은 상소도 복사해서 붙이기로 했다. 그러자 이 기회를 놓치지 않고 대간들이 홍문관과 경연을 담당한 시강원에서 올린 상소도 함께 붙여놓자고 청했다. 썩 내키지는 않았지만 그것까지 싸우기는 명분이 딸렸던지 연산이 마지못해 등사를 허락했다. 그러고는 재빨리 단서를 붙였다.

"단 유생을 구원해야 한다는 구절은 쓰지 말고 빼라!"

파업

시간이 가면서 왕과 대간 사이에 새로운 다툼거리가 발생했다. 연산이 경연에 도통 참석하지 않았기 때문이다. 얼마나 빼먹었던지 1년이면 뗄

『통감강목』을 동궁 때부터 10년을 했지만 반도 떼지 못했다.

경연은 국왕에게 학문을 가르치는 자리로 되어 있다. 하지만 실제로는 오늘날의 국무회의 못지않은 정책토론장이었고, 왕과 대신, 엘리트 신하들 간에 특별한 유대를 쌓는 곳이기도 했다.

그런데 경연관에는 대신들과 함께 대간, 홍문관의 젊은 문신들도 임명하였다. 이들은 정책토론 못지않게 어제 끝나지 않은 간쟁거리를 자주 들고 나왔다. 그것도 그냥 하는 것이 아니고 유가의 경전이나 역사서를 펴놓고 그것을 근거로 하는 말이므로 대간들은 경연에 상당한 의미를 부여했다. 신하들의 말은 듣지 않고 제멋대로의 원칙만 내세우는 왕을 바로잡으려면 교육을 통해 원칙을 깨우치게 하는 방법밖에 달리 뭐가 있겠는가?

그러나 그 속셈을 모를 리 없는 연산은 어떻게 해서든 경연을 피했다. 그런 걸 떠나서도 하루 세 번씩 야대라고 해서 밤에까지 잔소리를 들어야 한다는 것은 연산으로서는 참기 힘든 고역이었다. 연산은 매일 핑계를 댔다. 제일 자주 써먹는 방법은—공부하기 싫은 학생들의 고전적인 핑계인—'아프다'였다. 연산은 건강한 체질이 아니었다. 그렇지만 그가 핑계로 내세우는 병명을 보면 절반 이상이 엄살이었다.

종기, 피부염증, 발, 감기, 안질, 치통, 허리 아래의 병(무슨 병인지는 모르겠다!), 구창(口瘡), 입술헐음, 피로, 불면증, 설사, 일사병, 추위 ……

한 번은 혓바늘도 핑계로 내세웠다. 경연이란 원칙적으로 강연을 듣는 자리이므로 왕은 꼭 말을 하지 않아도 된다. 그러나 연산은 "대저 혀란 언어를 담당하는 곳으로 대단히 중요한 부위이니 조리를 잘해야 한다"고 우겨서 이틀 휴강을 얻어냈다. 물론 이틀 후에는 또 다른 핑계를 대고 빠져나갔다.

언젠가는 핑곗거리가 떨어지겠지라고 순진하게 생각한 대간이 있었다면 끝내 두 손을 들고 말았을 것이다. 연산은 같은 핑계를 연속으로 사용하지도 않으면서, 현란하고 다양하게 새로운 핑계를 만들어냈다.

한 번은 더 이상 둘러댈 핑계가 없었던지 병 아닌 병을 호소했다.

내가 몸이 불편하여 오래도록 경연을 정지했다. 궁중에 있는 날은 많고 선비를 접하는 때는 드물어, 정치에 손해가 될 뿐만 아니라 후세의 비난거리가 될 것이니 내가 부끄러워 얼굴이 붉어진다. 그러나 한 가지 병이 좀 나으면 한 가지 병이 또 생긴다. 내가 지금 누워서 앓는 정도는 아니지만 기운이 흐리고 곤하다. 식사는 평소대로 하지만 잠을 편안히 자지 못한다. 의원이 진맥하고 약을 먹어도 도무지 효험이 없어서 약도 먹지 않고 조리중이다. 승정원과 홍문관은 나의 이러한 증세를 알고 있으라. (『연산군일기』 2년 10월 26일)

본인은 병으로 조리중이라고 하지만 뒤집어 읽어 보면 약도 먹지 않고, 식사도 잘하고, 행동에도 전혀 지장이 없다는 말이 된다. 아마도 이 글을 읽은 대간들 중에는 머리를 흔들며 웃어 버린 사람도 있었으리라. 그러면서 사냥이니 활쏘기니 하는 데는 빠지지 않고 찾아다녔다.

병세로 들 수 있는 핑곗거리가 더 궁색해지면 연산은 "무리하다가 내가 큰 병에 걸리면 종묘사직이 위태롭게 된다"고 억지를 썼다. 아주 이런 심정을 시로 읊어서 회람시킨 적도 있다.

기침 번열이 잦고 피곤한 기분이 계속되어
이리저리 뒤척이며 밤새껏 잠 못 이루네
간관들 종묘 사직 중함은 생각하지 않고
소장을 올릴 때마다 경연에만 나오라네 (『연산군일기』 2년 11월 23일)

오직 경연에 빠지겠다는 일념 하나만으로 이렇게까지 핑계를 대고 얕은 수단을 쓸 필요가 있었을까 싶기도 하다. 차라리 경연에 나가고 말지, 평소에 국왕의 권위를 그토록 찾는 사람이 한편에서는 이런 식으로 자신의 품위를 스스로 훼손시키고 있었다. 이런 면도 참 어린애 같은 부분이다.

연산은 왜 이토록 경연을 싫어했을까? 실록의 대답은 간단명료하다. 천성적으로 공부를 싫어한데다가 머리마저 나빴기 때문이란다.

어릴 때부터 학문을 좋아하지 않아서 동궁을 보좌하는 사람들 중에 공부하기를 권하고 충고하는 자가 있으면 매우 싫어했다. ……

성종은 연산이 어머니를 여읜 것을 불쌍히 여기고 또 맏아들이었기 때문에 왕세자로 세웠다. 그런데 시기심과 모진 성격이 그 어미와 같고 또한 지혜롭지 못하였다. 성종은 당시 단정한 선비들을 특별히 골라 뽑아 동궁의 스승으로 삼아 가르치고 보좌하게 하였다. 그러나 이러한 스승들이 오랫동안 옆에서 보좌했음에도 동궁은 글의 뜻을 제대로 알지 못했다. 하루는 성종이 시험삼아 사무를 결재하게 해 보았으나 어리석어서 분간하지 못했다. (『연산군 일기』 12년 9월 2일)

이 기록에는 상당한 악의가 들어가 있다. 연산은 그렇게 우매하지 않았다. 앞에서도 말했듯이 그는 사서오경에 대한 기본적인 소양이 있었다. 국정을 처리하고 복잡한 법조문을 해석할 때 보면 두뇌도 명석하고 재기도 있었다.

연산이 경연을 빼먹기 위해 유치한 행동을 한 것과 경연의 가치를 전혀 느끼지 못했다는 것은 구분해서 생각해야 한다. 세자를 교육하는 서연에서는 글자와 문구도 외워야 하고, 오늘 배운 것을 숙제로 내주고 검사도 한 모양이지만 경연에서는 그런 부담도 없다. 말하기 싫으면 고개를 끄떡이며 듣기만 해도 된다.

연산이 경연을 그토록 싫어했던 이유는 힘들고 답답한 것을 싫어하는 성격 탓도 있지만 본질적으로는 경연의 필요성을 느끼지 못했기 때문이라고 봐야 할 것이다. 완전히 허수아비 왕이 아닌 다음에야 국왕이란 누구에게나 긴장감을 주는 자리이다. 이러한 국왕 자리를 유지하기 위해, 왕노릇을 제대로 하기 위해 꼭 필요한 자리라고 인식했다면 이렇게까지 무시할 수는 없는 것이다.

이미 그는 동궁 시절부터 관료들의 행태와 논리에 대하여 상당한 거부감을 가지고 있었다. 게다가 그는 하기 싫은 일을 하고 참아내는 데는 정말 소질이 없었다.

연산이 글 뜻을 깨우치지 못했다는 말도 글자를 모르고 문장을 해석하지 못했다는 뜻이 아닐 것이다. 사서오경 공부는 해석을 외우는 공부가 아니다. 학습과정을 통해 사물을 보고 이해하는 사고방식 자체를 정립하는 것이다. 연산은 그것이 맘에 들지 않았던 것이다. 그러다 보니 교사들과도 알력이 생겼다. 연산을 변화시키기 위해서 혹은 어떻게든 자신들의 이론을 주입시키려는 교사들에 대해 그는 적대감을 느꼈고 스스로 마음 속에 한이 되었다고까지 말할 정도였다.

전에 간신들이 경연에 나가지 않는 것을 들어 그르다면서 번갈아 가며 서로 논계하는 것이 다투어 싸우는 듯하였으니, 이는 비록 내가 덕이 없는 탓이나 마음속에 박힌 한을 이루 말할 수 있으랴! 한이 되는 마음을 풀려고 하면 음악이 아니면 안 되겠기에, 내가 일부러 이원(梨園 : 후궁?)을 설치하여 이전에 응어리진 한을 푸는 것이다. (『연산군일기』 11년 2월 18일)

젊은 국왕의 실체를 알게 된 신하들은 당황하지 않을 수 없었다. 그들의 대응은 두 가지 형태로 나타났다. 대신들의 경우는 왕을 닦달하지 않고 적당히 현상유지를 해 나가려고 하였다. 그러나 대간을 중심으로 한 젊은 관료들은 당연히 반발했다. 그들은 왕과 승부를 지으려고 덤볐다. 사헌부, 사간원에 홍문관까지 합세하여 매일 상소를 올리고 관청을 비우고 궁궐마당에 몰려가 엎드렸다. 이런 걸 '복합'이라고 하는데 상소에 응답할 때까지 버티는 것이었다.

이 바람에 노장파와 소장파 간의 대립도 날카로워졌다. 대신들은 대간들이 지나치고 성급하다고 나무랐다. 이들의 생각에도 일리는 있었다. 연산군은 돌출행동도 많이 했지만, 일상적인 국사를 처리하는 데 있어서는 다 대신에게 맡기고 그들의 의견과 그들의 인사권을 존중했다. 덕분에 일반 행정은 원활하게 돌아가고 있었다.

소장파는 대신들이 제 한 몸의 부귀와 특권만 생각하여 왕을 잘못 인도

하고 있다고 비난했다. 여기에는 정치적·경제적으로 지나치게 많은 특권을 누리고 있던 공신들의 권력과 그들만의 세계에 대한 불만도 들어 있었다. 말도 격해져서 조순(趙舜)이란 인물은 노사신의 살을 씹어 먹고 싶다는 말까지 했다. 대간들이 어떤 수령의 인사가 잘못되었다고 공격하자 노사신이 "대간들은 고자질하는 것으로 자신들의 곧음을 과시하려고 하니 이런 풍속은 고쳐야 한다"고 말했기 때문이다.

소장파들은 도대체 기존의 룰은 도통 지키려 하지 않는 국왕과 탐욕스런 대신들의 결합을 두려워했다. 새 왕은 독재자 기질이 다분했다. 시간을 끌면 끌수록 왕과 대신과 외척 간의 결합은 강화될 것이며, 그들의 세력은 아래쪽까지 파고들 것이다. 나라를 바로 유지하기 위해서나 자신들의 권리를 지키기 위해서나 이러한 왕의 시도는 막아야 했다. 그들은 온몸으로 여기에 부딪혔다. 궁궐마당은 매일 이들의 시위장소가 되었다. 최후의 방법은 집단사직이었다. 사직원을 내고 복합하는 것으로 업무를 전폐하고, 그래도 상소가 받아들여지지 않으면 사직하겠다는 것인데, 이것도 나중에 가면 일상사처럼 되었다.

대간과 홍문관이 매일 사직원을 쓰고 궁궐마당에 가서 엎드리는 게 다반사가 되다 보니 대간의 업무는 거의 총파업 상태가 되었다. 흔히 대간이라고 하면 상소하고 간쟁하는 언론기관인 줄로만 알고 있지만, 사실 대간의 업무는 대단히 광범위하다. 대간이란 정부조직 내의 양심특공대 같은 것이어서 곳곳의 업무, 특히 인사와 재정, 재판 분야 같이 비리가 발생하기 쉬운 곳은 반드시 개입하도록 되어 있었다. 예를 들어 중앙창고에 세금으로 걷은 곡물을 입고할 때나 관리가 창고를 인수인계할 때도 대간이 참여하게 되어 있었다.

이러한 대간이 총파업으로 날을 지새니 무수한 업무가 마비되었다. 소송중에 있던 일은 몇 년이 지나도록 판결이 나지 않고 애꿎은 미결수는 장기복역을 해야 했다. 이 미증유의 사태를 두고 양측은 서로 네 탓이라고 화를 냈다. 믿어지지 않지만 이런 사태가 즉위 직후부터 발생하여 무려

4년간이나 지속된다.

3. 폭풍 속으로

드디어 부는 바람

연산군 4년 7월 1일(을미) 갑자기 궁에서 왕과 대신 간에 비밀회의가 개최되었다. 사관들이 참관을 요청했으나 일언지하에 거부되었다. 영문은 알 수 없었으나 뭔가 심상찮은 분위기를 감지했던 한 사관은 이 날의 일기에 이렇게 적어 놓았다.

파평 부원군 윤필상, 선성 부원군 노사신, 우의정 한치형, 무령군 유자광이 차비문에 나아가 왕에게 비밀히 아뢸 일이 있다고 하였다. 도승지 신수근을 불러내어 왕에게 얘기를 전달하게 했는데, 사관도 참여하지 못했다. 검열 이사공이 사관의 참관을 요청했으나 신수근이 "참예하여 들을 필요가 없다"고 거절하였다. 얼마 후 의금부 경력 홍사호와 도사 신극성이 왕의 명령을 받고 경상도로 달려갔는데, 무슨 일인지 알 수 없었다.

(8일 후) 밤 삼경(11~1시)에 대궐 안에서 근무중인 군사들을 일시에 소집하니 호령과 떠들썩한 소리가 밖에까지 크게 들렸다. 그러나 그 이유는 알 수가 없었다.

그러나 몇몇 관원들, 특히 실록청의 젊은 관원들은 마음에 집히는 데가 있었을 것이다. 이미 오래 전부터 우려하던 일이 있었기 때문이다. 의금부 관원들이 하필 경상도로 급파되었다는 사실도 이들의 걱정과 맞아 떨어졌다. 모친상을 당해 낙향했던 김일손이 상이 끝난 후에도 풍이 발생했다고 하여 상경하지 않고 그대로 경상도 청도에 머물러 있었기 때문이다.

12일 후 당시 35세였던 김일손(1464~1498)이 나졸에게 압송되어 의금부에 나타났다. 유명한 무오사화의 시작이었다. 의금부에는 이미 연산군이 직접 나와서 기다리고 있었다. 김일손이 들어오자 젊은 국왕은 사납게 질문공세를 퍼붓기 시작했다. 원래 조선에서는 국왕이 직접 신문하는 것을 허용하지 않았다. 다만 반역사건일 경우 국왕의 친국이 인정되었다. 이 날 연산군의 친국에 대해서는 대간조차도 한 마디 하지 못했다. 사건의 수준이 거의 역모급이라는 이야기였다.

사건의 발단은 시간을 조금 거슬러 올라간다. 새 왕이 즉위하면 당장 착수해야 하는 중대사업이 선왕의 실록 편찬이었다. 건국 후 벌써 백년, 이제는 이런 일들은 다 관록이 붙어서 연산군이 즉위하자마자 바로 실록청이 설립되고 『성종실록』 편찬이 시작되었다. 조직과 인원 배당은 척척 돌아갔건만 실록 편찬은 의외로 시간이 많이 걸렸다. 실록의 양이 많기도 했지만, 4년이 지나서야 겨우 최종 작업단계가 시작되었다.

그런데 실록청 사람들에게서 조금씩 이상한 소문이 흘러나오기 시작했다. 『성종실록』의 편찬이 늦어지는 이유는 분량 때문이 아니라는 것이다. 누군가의 사초에 어떤 폭로성 기사가 실렸고, 그 일 때문에 실록청 대신들이 전전긍긍하고 있다는 이야기였다. 사초란 누구도 폐기하거나 수정할 수 없는 것인데, 그 사초를 봉인해 버렸다는 소문도 흘러나왔다.

이 정도 되면 사건의 진상보다도 그 기사가 도대체 무슨 이야기일까에 관심이 쏠리기 마련이다. 소문은 소리없이 번지기 시작했다. 잘 나가는 모 대신의 비리라고도 하고, 궁중에서 벌어진 충격적인 스캔들이라고도 했다.

소문은 돌고 돌아 우의정 한치형의 귀에까지 들어갔다. 한치형은 당시 삼정승 중에서는 유일하게 실록 편찬에서 빠져 있었다. 그는 과거 출신도 아니고 정통 엘리트 코스를 밟은 관료도 아니었기 때문일 것이다. 한치형은 인수대비의 사촌형제였다.

외척이 정권에 깊이 참여하기 시작한 것은 세조 때부터인데, 그 대표적인 가문이 파평 윤씨와 청주 한씨였다. 청주 한씨의 대표자는 한명회와 한확인데, 한명회야 출세한 덕분에 외척이 된 케이스지만 한확의 집안은 반대로 그야말로 혼인을 통해 출세한 전형이다.

한확 집안의 여인들은 대단한 미인이어서 그의 누이가 유명한 명나라 영락제의 후궁이 되었다. 후궁이 된 정도가 아니라 황후 이하 수많은 후궁을 제치고 황제의 특별한 총애를 받아 고려인 왕후라는 뜻으로 '여비(麗妃)'라는 칭호까지 받았다. 그러나 불행하게도 그녀는 1424년 영락제가 죽자 황제를 따라 죽어야 한다 하여 자살을 강요받아 죽고 말았다.

그러나 다음 황제인 선종(宣宗)이 즉위하자 그녀의 여동생이 또 후궁으로 들어갔다. 일부러 이 집안을 선정한 것이 아니고 사신을 보내 미인을 골랐는데, 그녀만한 인물이 없었다고 한다. 그녀는 누이를 팔아 출세한다고 한확을 원망하며 떠나갔지만, 덕분에 한씨 집안은 영화를 누렸고 한확은 우의정까지 올랐다.

여기서 끝나지 않고 세조는 자신의 며느리를 모두 청주 한씨인 한명회와 한확의 가문에서 들였다. 세조의 맏며느리는 이 한확의 둘째 딸이었다. 그녀가 바로 성종의 어머니이자 연산의 할머니인 인수왕후다. 한치형은 한확의 조카로서 인수왕후와는 사촌간이었다. 한확이 사망한 후 이 때는 그가 청주 한씨의 대표자로 조정에 자리잡고 있었다.

그런 한치형이었기 때문에 왕가의 스캔들 운운하는 문제에 대해서는 더욱 예민했을 것이다. 게다가 이런 이야기는 원래 밑에서부터 도는 게 정석이다. 소문이 자신에게까지 들어왔다면 이미 소문은 돌 만큼 돌았고, 조만간 왕에게까지 들어가지 않는다는 보장이 없다. 가뜩이나 신하들에 대한 불신이 깊고 선입견이 강한 연산군인데, 이런 사실을 알고도 방치했다든가 고의적으로 숨겼다고 생각하게 된다면? 과거급제도 않고 오직 국왕의 신뢰 하나만으로 정승까지 된 자신에게는 엄청난 타격이 될 것은 불을 보듯 훤한 일이었다.

몸이 달은 그는 어느 날 틈을 보아 의정부 관사에서 좌의정이며 실록청 당상을 맡고 있던 이극돈에게 넌지시 운을 띄웠다.

"김일손의 사초에 세조조의 중대한 사건이 기록되어 있다고 하는데, 사실입니까?"

이극돈은 엉뚱하게 김일손이 연산군 1년에 올린 소릉(단종의 모친 권씨를 말함) 복구상소를 언급하였다. 한치형은 더 이상 추궁하지 못했다. 그는 이극돈이 일부러 딴청을 피운다고 생각했을지도 모른다. 실록의 내용에 대해 이렇게 묻는 것 자체가 커다란 월권이었고, 이극돈의 딴청은 우리들이 알아서 처리중이니 당신은 관여하지 말라는 암시일 수도 있기 때문이다.

나중에 이극돈은 왕에게 자신이 그 때까지 김일손의 사초를 보지 못했기 때문이라고 변명하였다. 그의 말은 사실일 수도 있다. 문제가 된 김일손의 사초는 이극돈이 담당한 방이 아니라 윤효손의 방에 있었기 때문이다.

정작 김일손의 사초 때문에 꽤나 오랫동안 고민하고 이를 깔아 뭉개고 있었던 사람은 윤효손이었다(물론 그것이 이극돈의 압력 때문일 수도 있다). 윤효손은 권력의 핵심이던 파평 윤씨가 아니라 남원 윤씨였다. 그는 부친이 서리였던 데서도 알 수 있듯이 힘들고 어려운 출세를 했고 그것을 위해 그는 평생을 조용히 처신해 왔다. 그러나 그에게 영광을 안겨준 평생의 장점이 일흔을 넘긴 생의 마지막 순간에 커다란 장애가 되고 있었다.

처음에 윤효손은 이 문제를 어떻게든 소리없이 얼버무리려 했다. 김일손의 사초는 수록하지 않아야 했지만, 이 이야기가 밖으로 새나가서도 안 되고 젊은 관원들이나 후세의 인물들이 이 일로 자신을 비난하게 해서도 안 되었다. 그러나 누가 보아도 이 세 가지를 동시에 달성한다는 것은 불가능한 일이었다. 이야기가 옆방으로 새면서 실록청의 젊은 낭관들이 이 사실을 알기 시작했다. 그들은 동료와 윗사람들에게 김일손의 사초는 반드시 실어야 한다고 압력을 넣기 시작했다.

그런데 공교롭게도 이 때 윤효손의 옆방에 이목이 낭청으로 근무하고 있었다. 이목은 본관이 전주였던 것으로 보아 종친의 후예가 아닌가도 싶은데 확실하지 않다. 그는 똑똑하긴 했지만 도도한 천재형이었던지 남달리 과격하고 직설적이었다. 그의 일화를 보면 미운 사람을 보면 바로 쏘아붙이고, 주막에서도 남들 눈치 안 보고 성큼성큼 들어가 자리를 잡고, 술을 마시면서도 주변 사람 의식하지 않고 마구 떠드는 그런 스타일이었다.

성균관 유생 시절에 가뭄이 들자 "윤필상을 삶아 죽이면 하늘이 비를 줄 것입니다"라고 상소해서 화제가 되기도 했다. 나중에 길에서 우연히 윤필상과 부딪혔다. 윤필상은 노회한 정치가답게 "자네가 이 늙은이의 고기를 꼭 먹어야겠는가"라고 유머있게 말을 건넸다. 그러자 이목은 화를 내며 뒤도 돌아보지 않고 갔다고 한다.

그는 연산군이 즉위할 때 성균관 유생들이 벌인 수륙재 반대투쟁에서 선봉에 섰다가 유배를 당했다. 그러나 다행히 금방 유배에서 풀려나 연산군 1년에 있었던 과거에서 장원으로 급제했다. 그리고 엘리트 문신의 길을 걸어서 4년 사이에 실록청 낭청으로까지 승진했던 것이다. 그런 이목이 이런 소문을 들었으니 그냥 넘어갈 리가 없었다.

그는 윤효손 방의 낭청이던 성중엄을 만나 진상을 캐묻고 김일손의 사초를 지키기 위하여 여러 가지로 노력했다. 그는 김일손에게 이 사실을 알리고, 성중엄에게 만약 끝내 김일손의 사초를 누락시켜 버리면 자신이 그 사초를 누락시켰다는 기사와 이유를 적어 넣겠다고 협박하기도 했다.

젊은 관원들이 집단행동을 하거나 문제를 공개할 빌미를 주어서는 안 되었으므로 윤효손은 모든 것을 미정과 불확실성 속에 두면서 시간을 끄는 수밖에 없었다. 젊은이들에게는 자신이 김일손의 사초를 푸대접한 것은 내용 때문이 아니라, 김일손의 사초가 매일매일 기록해야 하는 규칙을 지키지 않았기 때문이라고 말을 돌렸다. 그리고는 젊은이들을 안심시키기 위하여 비로소 그의 사초를 읽어 보았는데 읽어 보고는 깜짝 놀랐다, 난 그가 이렇게 인걸인 줄 몰랐다고 말하기도 했다.

일종의 복지부동이라고 할까, 윤효손이 이렇게 눈치만 보며 뭉그적거리고 있는 사이에 소문은 흘러나와 번지기 시작했다. 마침내 좌의정 이극돈도 한치형이 건넨 이야기의 진상을 알게 되었다. 알게 된 이상 이제 이 문제는 이극돈의 몫이었다. 항상 그런 것은 아니지만 의정부 삼정승의 역할 분담은 좀 독특하다. 영의정은 형식상으로는 최고 실권을 쥐고 있지만 그 자격요건은 인망과 덕이다. 우의정은 보조적인 역할이나 관례적인 실무에 많이 관여한다. 따라서 실제로 국무총리나 최고 경영자 역할을 하는 사람은 좌의정일 경우가 많다. 게다가 이 때 이극돈은 실록청 당상이기도 했다. 전날 한치형이 이극돈에게 이 이야기를 꺼낸 것은 결국 당신이 나서야 하지 않겠냐는 뜻이기도 했다.

뛰어난 학식과 판단력, 요직을 두루 거친 다양한 실무능력, 젊은이들에게 너무 엄하고 권위적이어서 인기가 떨어지기는 했지만, 누가 보아도 이극돈은 당시 조정 인사 중에서는 좌상에 최고로 적합한 인물이었다. 그러나 천하의 이극돈도 이 문제가 자기 손에 떨어지자 우물거리기 시작했다. 이 일은 개인이 주도할 수 없고 실록청에 참여한 대신들이 모두 합의하여 공의로 해결해야 한다고 발뺌을 했다. 말이야 맞는 말이었는데, 이극돈은 개인적으로 사람들을 찾아가 의논할 뿐 끝내 공식회의를 소집하지는 않았다. 몸이 달은 한치형이 몇 번을 찾아가 물어도 최근에 교정일이 바빠서 미처 못했다, 며칠 후에 ……, 이 일이 끝나면 …… 식으로 자꾸 미루기만 했다. 참다 못한 한치형은 당신이 가만 있으면 충훈부(종친에 대한 업무를 관장하는 부서로 고위 관원은 모두 종친들이 맡는다)를 통해 왕에게 보고하겠다고 재촉했으나 이극돈은 그래서는 안 된다며 곧 우리들이 해결하겠다고 말릴 뿐이었다.

그렇다면 도대체 김일손의 사초에 있다는 이야기란 어떤 것이었을까? 일반적으로 무오사화 하면 김일손의 스승 김종직이 지었다는 「조의제문(弔義帝文)」이 사건의 빌미였다고 알려져 있다. 김종직이 항우에게 살해당한 의제를 빗대어 세조의 쿠데타와 단종 살해를 비난했다는 것이다. 「조의제문」에 대해서는 조금 후에 자세히 이야기하겠지만 처음에 화제가 된 것은 그것이 아니었다. 자고로 입소문에는 위험하고 딱딱한 얘기보다는 스캔들 기사가 인기일 수밖에 없다. 물론 「조의제문」 이야기도 돌았지만 이 때의 톱뉴스는 어려워서 읽기도 힘든 「조의제문」이 아니라 세조의 스캔들이었다. 세조가 죽은 맏아들(성종의 아버지)의 후궁이었던 소훈 윤씨와 아무래도 수상한 사이였고, 또 다른 후궁 귀인 권씨도 유혹하려다가 실패했다는 이야기였다.

세조의 맏아들이었던 의경세자는 부인으로 한확의 딸 인수왕후 외에, 권씨・윤씨・신씨 세 사람의 후궁을 두었다. 세조는 왕실 가족들에게 땅과 노비를 자주 나누어 주었는데, 실록 기록에 보면 특별히 윤씨에게 잘해 주긴 하였다. 윤씨에게만 토지와 노비를 주거나 어장을 떼 주기도 하고, 지급한 노비가 부실하다고 건장한 노비로 바꿔주라는 명령을 내리기도 했다. 세조 12년 병이 들었을 때 공신들에게 자급을 더해 주었는데, 이 때 왕가의 인척 중에서는 인수왕후와 윤씨 일가만 해당되었다. 윤씨의 모친이 고향 진주로 돌아갈 때는 지나가는 역과 군현에서 접대하도록 명령하기도 했다. 제일 이상한 것은 윤소훈이 세조가 거동할 때 자주 어가를 수행했고, 윤소훈의 집 앞에 시위군까지 배정하여 24시간 파수를 서도록 했다는 사실이었다.

이런 사실이 빌미가 되어 윤소훈 이야기가 구설수에 올랐다. 권귀인(당시에는 숙의였다)의 경우도 세조가 그녀에게 토지와 노비를 내리는 일이 많았고, 세자의 상중에는 고기를 먹고 기운을 차리라는 명령을 내렸다는 등의 사실이 여러 사람의 호기심을 건드렸다. 권씨 집안에서는 권씨가 고기를 먹으라는 세조의 명령을 거절하여 세조의 노여움을 샀고 이 때문에 권씨가 달아났다는 이야기가 전해져 온다는 소문도 돌았다. 그래서 권씨 집안에서는 권귀인은 절부(節婦)라고 자랑했다는 것인데, '절개를 지킨 부인'이란 보통 유혹을 이겨낸 여인을 가리키는 말이다. 자연히 권귀인을 유혹한 사람은 세조라는 유추가 성립된다.

소문은 진실도 있지만 근거 없는 이야기도 많다. 세조야 언제 어디서나 편애가 심했던 사람이니까 당연히 세 며느리에게 똑같이 대우해 주었을

리 없다. 아무튼 이런 이야기는 어차피 후세인으로서는 확인이 불가능한 이야기다. 그리고 국왕 쪽에서 본다면 이런 이야기를, 그것도 소문으로만 들은 이야기를 정사에까지 올렸다는 것은 화낼 만한 이야기다.

연산군은 열심히 이 말의 근원지를 추궁했다. 김일손은 처음에는 권씨의 조카이면서 양자였던 허반을 지목했고 나중에는 강겸이라고 불었다. 세 사람 다 서로 집에서 함께 자기도 할 정도로 친한 사이였다. 대충 판단해 보건대, 술자리나 잡담을 나누는 자리에서 오간 이야기였던 것 같다. 우리는 유학자, 유학을 익힌 관료들이라고 하면 그저 점잖고 엄격한 이미지만 떠올리는 경향이 있는데, 실제로는 그렇지 않다. 오히려 오늘에 비해 오락거리도 별반 없던 세상이라 술마시며 떠드는 게 커다란 즐거움이었고, 음주문화가 과격해서 이런 자리는 늘 질펀하고 온갖 얘기가 마구 오갔던 것 같다. 그러다 보면 순간적으로 과장도 되고 혼돈도 되기 마련인데, 그 중 한 이야기가 사명감과 역사의식을 가지고 세조시대의 비리를 추적하고 있던 김일손의 귀에 걸린 것이었다.

다시 실록청으로 돌아가 보자. 이극돈은 여전히 결정을 내리지 못하고 있었고, 젊은 사관들과의 갈등도 깊어지고 있었다. 자신의 능력과 판단에 대한 확신이 강했기 때문인지 평소부터 이극돈은 젊은이들의 행동을 못마땅하게 여겼다. 다른 사람들이 그들의 행동을 그냥 "미친 아이들의 소행" 쯤으로 간주하고 넘기자고 할 때도 이극돈은 반대했다. 저들은 이미 배울 만큼 배우고 관리의 길에도 들어선 인물들인데 어떻게 아이 취급을 하느냐는 것이었다. 저런 경망한 행동을 하는 것은 이미 자질에 문제가 있는 것이니 잘못이 있으면 처벌하고 관직에서도 쫓아내거나 한직을 주어야 한다는 것이 그의 소신이었다. 실제로 그는 젊은층의 비난을 감수하며 김일손의 이조정랑 진출을 끝까지 막았다.

그런 이극돈이었기에 노사신과 김일손의 사초를 논하면서 "어쩌다 세상이 이 지경까지 되었냐"고 한탄하며 눈물을 흘리기까지 했다고 한다. 아마도 그가 보기에는 김일손, 이목 등은 새로운 사상과 진보된 학문이

키워낸 신세대가 아니라 생각이 모자라고 단순한 시골출신이거나 건강성을 상실한 세태가 만들어 낸 경박하고 철없는 2세 집단이었을 것이다.

그러나 이극돈도 이 문제를 처리하는 데는 매우 신중했다. 아마도 그는 두 가지 문제로 난감해했던 것 같다. 첫째로 어쨌든 사초란 고치거나 폐기할 수 없는 것이었다. 설사 그릇된 비방이 있다고 해도 그대로 실록에 기재해야 한다는 것이 원칙이었고, 국초의 집정자들은 존경스러울 정도로 이 원칙을 고수하려고 애써 왔다.

예를 들어 『세종실록』을 편찬할 때 이호문이 쓴 황희에 대한 비방기록을 보고 논쟁이 벌어진 적이 있었다. 이호문의 사초에는 황희의 금전적인 비리에다가 그가 역모로 지명수배된 박포의 부인을 숨겨주고 그녀와 간통했다는 이야기까지 씌어 있었다. 실록청 당상들은 이 문제로 격론을 벌였다. 그들의 공통된 견해는 황희에 대해서는 자신들이 누구보다 더 잘 알고 있는데 이건 무고라는 것이었다. 성삼문도 다른 종이는 다 누렇게 변색했는데 이 부분만 변하지 않았다는 점을 들어 누가 황희를 비방하기 위해 나중에 끼워넣은 글 같다는 추리를 폈다.

결론이 여기까지 나왔지만 그럼에도 불구하고 그들은 사초를 고쳤다는 전례를 남길 수 없다는 일로 고민했다. 결국 이 기사는 삭제하기로 의결했지만, 최종 편집을 마치지 못해서 그 기사가 그대로 『세종실록』에 실렸다.

조선시대에 사관을 선출하는 방식은 매우 엄격하고 복잡했는데, 거기에는 사초란 이처럼 특별한 대접을 받는 것이므로 그것을 다루는 사람에게는 기본적인 소양과 상식, 그리고 양심이 있어야 한다는 의미도 있었을 것이다. 그렇기 때문에 이극돈으로서는 더욱 난감했을 것이다. 그의 상식으로는 이런 짓은 도저히 사관씩이나 된 인물이 할 짓이 아니었다. 이극돈과 노사신이 "어쩌다 이 지경까지 되었느냐"며 울기까지 했다는 것도 이런 생각 때문이었을 것이다. 젊은 세대는 달라도 너무나 달랐다. 도대체 무엇이 잘못되었을까? 자신들이 뭘 잘못했기에 이런 후세를 길러 놓았을까?

그러나 언제까지 이런 고민만 하고 있을 수는 없었다. 이미 소문은 날대로 나서 곧 왕의 귀에까지 들어갈 판이었다. 특히 공신들의 관서인 충훈부가 들썩거리고 있었다. 그들은 대개 세조대부터의 공신들이므로 세조의 쿠데타에 대한 서술에 민감하기도 했지만, 하필 이 때 충훈부 당상으로 있던 인물이 바로 정가의 하이에나라 할 수 있는 유자광이었다.

서얼치고는 유래없는 출세를 했지만, 정작 유자광 자신은 불만이 많았다. 이미 군(君) 칭호까지 받아서 품계상으로는 최고의 자리까지 올랐다. 세조를 감탄케 한 무술의 고수에다 문과장원―세조가 의도적으로 밀어준 덕이긴 하지만―의 경력이 말해 주듯 문무를 겸비한 군계일학의 재능과 판단력을 지닌 자신이었다. 그러나 서얼이란 이유로 그는 한 번도 요직에 들어가 보지는 못했다. 연산군 때도 왕의 최측근이라 할 수 있는 경연관까지 되었지만 실제로 관직은 왕과 궁궐의 식사를 담당하는 사용원 제조나 충훈부 당상 따위의 한심한 일이나 맡고 있었다.

그는 크고 작은 일을 가리지 않고, 쉴새없이 어떻게든 왕의 눈에 들 건수를 찾고 있었다. 남이의 옥사 이래 그가 일으킨 수많은 음모극들은 실은 이런 배경 때문에 나온 것이었다. 이런 그가 이렇게 좋은 건수를 놓칠 리가 없었다.

한편 연산군이 이 사실을 알게 된다면 그의 평소의 행동으로 보건대 '사초는 불가침'이라는 식의 관례니 원칙이니 하는 말은 통할 리도 없었다. 그는 당장 폐기하라고 할 것이고, 지금까지 이를 방치한 실록청의 대신들에게까지 책임을 물을 것이다.

그러나 그렇다고 실록청 회의를 소집하여 '잘못된 기록일 때는 대신들이 논의하여 사초를 완전 폐기할 수 있다'는 최초의 전례를 자신이 주관해서 만들어 낼 수도 없는 일이었다. 당시의 젊은 사림들로부터 비난도 많이 받았지만 이극돈도 사대부 관료로서의 신념과 지조가 있던 인물이다. 작은 명예를 위해 국기의 근간을 파기했다는 불명예를 감수할 인물은 아니었다.

그는 과거출신의 정통 관료로서 공신과 외척이 번성하던 시기에 나름으로 국가운영의 기본 원칙과 틀을 준수하려고 노력하며 살아 왔다. 젊은 세대는 이극돈의 원칙 자체가 잘못되었다고 생각한 것 같기는 하지만 하여간 그 잘못된 원칙에도 사초 보존과 실록 편찬의 공정성에 관한 신념은 들어 있었다.

그가 난감해하고 있는 사이에 사초 이야기는 결국 왕에게 들어가고 말았다. 최초의 밀고자가 누구인지는 끝내 밝혀지지 않았다. 이극돈은 충훈부에서 보고한 것이라고 짐작했고, 젊은 그룹에서는 이극돈이 유자광을 사주했다고 판단했다. 7월 1일 윤필상, 노사신, 한치형, 유자광 등이 공식적으로 이 문제를 왕에게 보고했고 왕은 김일손을 체포하라는 명령을 내렸다. 결국 실록청 사람들도 가만 있을 수 없으므로 당상관 회의를 열어 문제가 되는 사초를 봉인하는 조치를 취했다. 이 때 영의정인 어세겸도 실록청 당상으로 참여하고 있었지만 사람들을 부르고 회의를 주재한 사람은 이극돈이었다.

11일에 연산군은 사초의 열람을 요구하였다. 이 때 연산군은 이미 문제가 된 내용을 다 알고 있었다. 그의 열람 요구는 강경하였다. 결국 이극돈이 나서서 왕은 사초를 보아서는 안 되니 자신들이 김일손의 사초에서 문제가 되는 부분만 뜯어서 올리겠다고 타협안을 제시했다. 이런 식으로 사초를 보는 것은 예전에도 전례가 있었다. 연산은 동의했고 김일손의 사초에서 도합 여섯 부분이 적발되었다.

여섯 부분의 내용은 정확히는 알 수 없다. 다만 국문한 내용으로 미루어 보면, 앞서 말한 세조의 스캔들 기사와 함께 단종의 죽음이 억울했고 단종을 위해 죽은 신하들은 충신이었다는 두 가지 내용이 주류였다. 나중에 몇 개가 더 추가되어 사육신에 관한 일화나 영응대군 부인과 고승 학조가 서로 사통했다는 따위의 이야기들이 더 적발되었다. 그러나 국문이 진행되면서 당연히 사건의 비중은 세조의 쿠데타 쪽으로 옮겨 갔다. 그 중 충격적인 부분이 바로 단종 살해와 「조의제문」에 관한 기사였다.

단종의 죽음에 대해서는 영월 호장이던 엄홍도가 시신을 수습해서 자기 선산에 묻었다는 이야기가 조선시대에 공인된 정설이다. 중종 때 단종의 이 무덤을 찾아서 단장을 했고, 그것이 지금까지 영월에 보존되어 있는 장릉이다. 그러나 1권에서도 소개했듯이 강에 던졌다거나 어느 중이 시신을 업고 도망쳤다는 등 당시부터도 여러 가지 설이 돌아다녔다. 김일손은 그런 소문 중에서도 가장 자극적인 이야기를 수록했다.

노산군[단종]의 시체는 숲속에 던져져 방치되었다. 한 달이 지나도 염습하는 자가 없어 까마귀와 솔개가 날아와서 시체를 쪼아 먹었다. 마침내 한 동자가 밤에 와서 몰래 시체를 짊어지고 달아났는데, 물에 던졌는지 불에 던졌는지 알 수가 없다. (『연산군일기』 4년 7월 13일)

이 이야기에서 말하고자 한 바는 단종이 세조에게 살해당했다는 사실이었다. 이 때까지도 단종의 죽음은 공식적으로는 자살로 처리되어 있었고, 『세조실록』에도 그렇게 기록되어 있었다. 그런데 김일손이 이를 부정하면서 그 근거로서 「조의제문」을 끌어들였다.

그는 자신의 스승 김종직이 과거에 급제하기 전에 꿈을 꾸었는데, 그 꿈에서 느낀 것이 있어 「조의제문」을 지어 단종에 대한 충성스러운 분노를 표시했다고 하고, 아예 「조의제문」 전문을 전재해 놓았다.

「조의제문」은 상당히 어렵고 은유가 심한 글이라 그냥 읽어서는 무엇을 말하려 한 것인지 전혀 알 수 없다. 그런데 김종직은 친절하게도 작품 앞에 창작 동기를 밝히는 글을 써두었다.

내가 정축년 10월에 밀성[밀양]에서 경산으로 가다가 답계역에서 자는데, 꿈에 칠장(七章)의 의복을 입은 헌칠한 모습의 신이 내게 다가오더니, "나는 초나라 회왕(懷王)의 손자 심(心)인데, 서초패왕(西楚霸王 : 항우)에게 살해되어 빈강(彬江)에 빠져 잠겨 있다" 하고는 문득 사라졌다.

나는 꿈에서 깨어 놀라며 생각하기를 '의제는 중국 남방 초나라 사람이요, 나는 동이 사람이다. 땅이 서로 만여 리나 떨어져 있고 시간상으로도 천 년이나 떨어져 있는데 그가 내 꿈에 나타나서 말하니 이것이 무슨 의미일까? 또 역사책을 보아도 의제가 죽어서 강에 잠겼다는 말은 없으니, 정녕 항우가 사람을 시켜서 비밀리에 쳐죽이고 그 시체를 물에 던진 것일까? 이는 알 수 없는 일이다' 하고, 드디어 의제를 위한 제문을 지었다. (『연산군일기』 4년 7월 17일)

여기에서 나오는 회왕의 손자 심은 진시황에게 멸망당한 초나라의 마지막 왕손이었다. 항우가 반란을 일으킬 때 내건 슬로건은 진에게 멸망당한 전국시대의 여러 나라를 복구한다는 것이었다. 그리고 그 증거로 자신의 조국인 초나라 왕손의 생존자를 수소문했다. 마침내 산에서 양치기를 하고 있는 소년을 찾아내서 초나라 왕으로 복위시켰는데, 그 소년이 바로 의제이다. 그러나 일단 진을 멸망시키자 의제의 존재는 오히려 항우의 야심을 실현하는 데 방해가 되었다. 결국 항우는 의제를 침주 동쪽 강가에서 강물에 빠뜨려 죽여버린 후 배가 전복되었다고 발표하였다. 단 시체를 그냥 물에 던져 두었는지 어떻게 처리했는지는 기록이 없다.

김종직의 말마따나 천 년이나 전에 있었던 사건인데, 왜 새삼스럽게 만리타국에 사는 초야의 서생의 꿈에 그가 나타났을까? 본인도 이상하다고 말했지만 사실 그것은 괜히 하는 이야기고 김종직 자신이 이 글 속에 분명한 힌트를 남겨 두었다.

우선 그가 꿈을 꾸었다는 정축년 10월은 바로 단종이 살해당한 때다. 두번째로 꿈에 의제는 7장의 의복을 입고 나타났다고 했다. '장(章)'이란 옷의 목 부분이나 소매에 박는 둥글거나 꽃 모양을 한 작은 장식을 말한다. 신분에 따라 그 수가 정해져 있는데, 황제의 복은 9장이고, 황제의 형제나 아들, 제후가 입는 옷이 7장복이다. 태종 때 중국은 조선을 제후의 나라로 인정하여 7장복을 하사했으므로 그 후로 조선국왕은 7장복을 입었다. 그런데 의제가 자신이 입어야 할 황제의 복을 입지 않고 조선국왕의 옷을 입고 김종직의 꿈에 나타난 것이다.

마지막으로 글을 자세히 보면 의제가 호소하는 것은 항우에게 살해되었다는 사실이 아니다. 그것은 이미 사서에 실려 있기 때문에 배운 사람이라면 다 아는 이야기다. 김종직의 꿈에 나타난 의제가 강조한 것은 자신이 강에 잠겼다는 이야기다. 여기서 단종의 죽음에 관해 지금까지도 널리 회자되는 전설 중에 시체를 강에 던져서 며칠 동안 떠다녔다는 이야기가 있음을 상기할 필요가 있다.

간혹 「조의제문」 사건에 대해 훈구파가 사림을 숙청하기 위해 생트집을 잡아 일으킨 것으로 알고 있는 분들도 있다. 나중에 사림에서는 「조의제문」의 내용은 언급하지 않고 이 어려운 비유를 풀어 해석한 사람이 악당 유자광이었다는 사실을 강조하였다. 이 역시 은근히 자신들이 억울한 피해를 당했다는 사실을 강조하고 이 때의 해석이 억지였다는 인상을 주고자 한 것이다.

그러나 김종직 자신이 쓴 서문을 보아도 「조의제문」이 단종을 애도하는 글이었던 것은 분명하다. 혹 작가의 원 의도가 그렇지 않았다고 해도 문제는 달라지지 않는다. 김일손 등은 「조의제문」의 의미를 분명히 그런 뜻으로 이해했고, 그런 뜻으로 사초에 기재했기 때문이다.

「조의제문」이 단종을 애도하는 글이라고 전제한 후 본문을 읽어 보면 내용은 상당히 험악하다. 대단히 어려운 비유와 숙어를 사용하기는 했지만, 가해자인 항우를 진시황에 비유하기도 하고, "의제는 항우가 불의를 저지를 때 왜 미리 잡아다 죽이지 않았던가"라는 뜻으로 쓴 문구까지 있기 때문이다.

여기까지가 대략적인 사건의 진상이다. 그런데 여기서 짚고 넘어가야 할 문제가 있다. 김일손은 왜 근거도 불확실한 세조의 스캔들을 굳이 기록했을까? 역사가는 당연히 진실을 밝혀야 하겠지만 단종애사의 진상을 밝히려 들면 다른 구체적인 증거도 많았을 텐데 굳이 김종직의 「조의제문」을 끌어들인 이유는 무엇일까?

사실 무오사화의 비밀은 여기에 있다. 먼저 김일손이 세조의 스캔들을 기록했던 것은 세조가 기본적인 인륜조차 지키지 못한 인간 이하의 인물임을 말하기 위해서였다. 그렇다면 당연히 이런 질문이 뒤따르게 된다. 이런 인간이 일으킨 거사가 과연 위기의 나라를 구하고 종묘사직을 바로세우기 위한 것일 수 있을까? 세조가 총애하고 엄청난 부와 권력을 양도한 공신이란 인간들이 과연 그런 대접을 받을 만한 양식과 정당성을 가진 인물들일까?

김일손은 여기서 그치지 않고 그 해답을 제시한다. 「조의제문」이 바로 그 열쇠이다. 단종이 죽은 그 때 그의 영혼이 다른 사람의 형상을 빌어 시골에 사는 무명 선비의 꿈에 나타났다. 그 청년은 그의 죽음에 분노하였고, 진상을 밝히는 글을 지어 그를 위로했다. 그 후 그 청년은 과거에 급제했고, 지독스레 문벌을 따지는 폐쇄적인 관료사회 속에서 보잘것 없는 시골양반 출신으로는 거의 기적적인 출세를 했다. 국왕의 최측근 신하가 되었으며, 학식과 덕망으로 많은 청년들의 존경을 받는 인물이 되었다.

이건 누구의 음덕이었을까? 단종이 김종직의 꿈에 나타난 것은 더 이상 속세에 머무를 수 없게 된 그가 이 나라를 다스려 나갈 참된 덕과 정당성을, 자신을 몰아낸 훈구파가 아니라 김종직과 그의 제자들에게 부여한다는 뜻은 아니었겠는가?

이렇게까지 신비적으로 생각하지 않아도 김종직이 「조의제문」을 지었다는 것은 그가 세조의 추종자들과는 달리 정의와 충의의 편에 섰다는 것을 의미한다. 세조는 사육신으로 대표되는 절개와 충의의 신하들을 가혹하게 제거했으나 아직 초야에서 마음 속에 절개와 충의를 간직하고 살아가는 청년까지는 어쩔 수 없었다. 이제 조정에는 공신으로 대변되는 반역의 신하들과 그의 후손들이 한 편에 서고, 또 다른 한 편에는 절개와 충의를 지킨 신하들과 그의 제자들이 서 있게 되었다. 어느 집단이 관료로서의 정통성을 갖는가? 잘못된 역사를 바로잡기 위해서는 누가 등용되고 누가 물러나야만 하는가?

이러한 의미에서 김일손의 사초는 역사의 진실을 밝히는 차원을 훨씬 넘어선 분명한 도전이었다. 과거 정치판에서 자주 벌어지던 선명성 논쟁이란 게 있다. 내가 선명하다고 주장하는 것은 상대는 선명하지 못하다는 의미가 된다. 더 중요한 것은 그것이 누가 더 깨끗한 사람인가를 가리자는 싸움이 아니라, 선명하지 못한 사람은 물러나야 한다는 전제를 깔고 벌이는 싸움이라는 것이다.

　김일손은 이 수준에서 훨씬 더 나갔다. 그는 선명의 정도를 가리자는 것이 아니라 역적과 충신을 구분하자고 나선 것이다. 역적은 죽어야 한다. 적어도 이 시대에는 아직 '성공한 쿠데타는 처벌할 수 없다'는 판례는 없었다. 명분과 강상이 사회의 기준이던 시대다. 그러므로 역적이라고 판명이 나면 반드시 죽거나 매장되어야 한다. 그게 싫으면 역적이 아니라고 주장하는 수밖에 없다. 이들이 역적이 아니라면 역적이라고 몰아세운 사람이 역적이 된다. 멀쩡한 사람을 역적으로 몬 것은 역모와 똑같은 죄이기 때문이다. 이상하게 들릴지 모르지만 중세의 법에는 무고죄의 형량이 고정되어 있지 않다. 법률용어로 '반좌(反坐)'라고 해서 다른 사람을 무고한 죄는 무고한 죄상과 동일한 처벌을 받도록 했다. 즉 사형에 해당하는 죄로 무고했다가 무고인 것이 밝혀지면 무고한 사람에 대한 형은 사형이다.

　물론 김일손의 본래 의도가 이 정도까지는 아니었을지도 모른다. 그러나 사초가 공개되고 사건이 법정으로 비화되면서 이제는 억측과 유추를 막을 수 없게 되었다. 그야말로 한순간에 양측은 물러서는 쪽이 죽음이라는 벼랑에 선 대결을 벌여야 하는 자신들을 발견하게 되었다.

　사건은 금새 여러 갈래로 확산되었다. 처음에 왕이 김일손을 추궁했던 것은 스캔들 이야기의 발설자를 밝히라는 것이었다. 김일손은 허반과 강겸이라고 실토했다. 두 사람은 강하게 부인했으나 고발자인 김일손이 사관이었다는 게 그들에겐 불행이었다. 사관씩이나 된 인물이 이야기를 만들어서 집어넣었을 리는 절대로 없다는 것이다. 며칠 심문 끝에 결국 자백을 받아냈다. 아무도 매 때문에 억지로 자백한 것이라고 의심하지 않았다.

그런데 김일손의 집을 수색하다 보니 실록청 낭관으로 근무중이던 이목과 권경복이 김일손에게 보낸 편지가 발견되었다. 김일손을 '형'이라고 부르고 있는 이목의 편지에는 김일손의 사초를 두고 이미 오랫동안 실록청 내부에 내분이 있었으며, 윤효손은 이극돈의 사주를 받아 이를 얼버무리려 하고 젊은 낭관들은 김일손의 사초를 지지하고 있다는 내용이 적혀 있었다. 이목은 또한 김일손에 대한 무한한 존경과 감동의 심정을 듬뿍 드러내면서 자신도 『성종실록』을 만드는 여가에 밤에 등불을 밝히고 당세의 일을 써서 형의 과업에 조금이라도 보탬이 되도록 하고 싶다는 이야기까지 적어 놓았다.

편지의 논조로 보아서는 이들이 당장 문제를 공개해서 정치공세화하려는 의도까지는 없었던 것 같다. 실록 편찬이란 국왕도 볼 수 없는 비공개로 이루어지는 작업이고 한 번 실록에 오르면 고칠 수 없는 것이니 만큼 실록에 진실을 기록함으로써 다음 세대에서 그들이 생각한 대로 충신과 공신, 주류와 비주류가 다시 구별되는 세상이 올 것을 염원했던 것 같다.

다시 관련자의 집을 수색하자 이목의 집에서 임사홍의 아들인 임희재의 편지가 나왔다. 성균관 유생 시절 이목과 함께 유배된 경력이 있던 임희재는 당시의 정치현실에 매우 비판적이어서 이극돈 등에 의해 김일손·이목 등이 모두 외방으로 쫓겨가니 자신도 벼슬을 내놓고 여주나 과천 등지로 낙향할까 한다는 등의 이야기가 들어 있었다. 이로써 임희재도 같은 그룹으로 낙인찍힌다.

이목은 예감이 있었던지 편지의 끝에 다 읽은 후에는 태워달라고 부탁했다. 그러나 왜 그랬는지 김일손은 그의 염려를 무시했는데 이게 화근이 되었다. 연산군은 성급한 만큼 머리회전은 빠른 사람이었다. 그는 순식간에 이 편지의 의미를 알아차렸다. 이 사건은 별난 한 개인의 돌출행동이 아니었다. 왕은 다시 사초들을 검토하여 불순한 내용을 찾아 보고하라는 명령을 내렸다. 며칠 후 권오복과 권경유의 사초에서도 논조가 많이 약하기는 하지만 「조의제문」 이야기가 실려 있다는 사실이 밝혀졌다.

사건은 여기서 끝나지 않았다. 이번에는 유자광이 나서서 재상들이 누락한 것이 있을지 모르니 사초를 모조리 재검토해야 한다고 왕에게 건의했다. 재상들은 그것은 자신들을 믿지 않고 의심하는 행위라며 강력하게 반대했다. 결국 유자광의 주장이 패하기는 했지만 공포 분위기를 조성하기에는 충분했다. 할 수 없이 실록청에서 자진해서 재검을 해야 했다. 이번에는 홍한, 표연말, 신종호가 걸려들었다. 홍한의 사초에는 "세조가 비밀리에 무사들과 결탁했다"는 기술이 있었고, 신종호는 단종의 처형을 처음 발의한 정창손을 비판했다. 표연말의 사초에는 세조가 단종의 어머니 권비의 무덤인 소릉을 헐어 버린 것은 지나친 처사였다는 비판이 있었다.

가뜩이나 신종호와 표연말은 김종직의 제자로 보고되어 있었고, 표연말에게는 김종직의 행장을 썼다는 혐의가 더해져 있었다. 이미 두려움을 느낀 표연말은 「조의제문」 사건이 터졌을 때 김일손의 처형에 찬성하면서 위기를 벗어나려고 했으나 이것이 터지자 빠져나갈 수가 없게 되었다.

이미 사망한 김종직에게는 부관참시의 명이 내려져 관을 쪼개 시체를 베었다. 왕은 그의 문집과 문집판본을 불태우고 출간한 문집은 회수했다. 김일손, 권오복, 권경유는 대역죄로 판결나서 찢어 죽이는 능지처사를 당했다. 이목, 허반, 강겸은 참수형이었다. 표연말, 홍한 등은 곤장 100대에다 경원, 강계, 삭주 같은 가장 멀고 험한 지역으로 유배되어 종이나 봉화대에서 불지피는 일을 하며 살아야 했다. 이 중 표연말은 매를 잘못 맞았던지 다음 달 유배지로 가던 도중에 사망했다.

신종호는 이전에 죽었으므로 관작을 삭제했다. 이 밖에 이들 그룹과 친했거나 김일손 사초의 다른 이야기에 소재를 제공한 사람들, 그것을 듣고도 고발하지 않은 사람들, 김종직의 문집을 간행하거나 발문을 쓴 사람들도 대부분 유배를 당했다. 이들에게 태형을 집행할 때는 백관이 모두 나가서 보게 했다. 왕은 몰래 승지와 내관에게 명령하여 신하 중에 고개를 돌리거나 낯을 가리거나 참석하지 않은 관리의 이름을 적어 오게 했다. 이들 중 이육(李陸)은 윤필상의 간청으로 석방되고, 권경유의 형인 권경우는 부인이 중궁과 6촌간이고 성종 때 폐비 윤씨를 궁에 머물게 해야 한다고 주장한 것이 참작되어 1년 후 석방되었다. 그러나 나머지 사람들은 일부를 제외하고는 갑자사화 때까지 유배가 풀리지 않았다.

실록청 당상들도 사초를 감추고 늑장보고를 했다는 죄로 어세겸·이극돈·유순·윤효손은 파직되고, 홍귀달·조익정·허침·안침은 좌천되었다. 조위는 김종직의 문집을 편찬한데다가 그의 문집을 중국에까지 가지고 갔다는 죄로 의주로 유배되었다.

사건은 여기서 끝나지 않았다. 8월 16일에 유자광이 남효온·홍유손·김굉필 등을 김종직의 당이라고 고발해 왔기 때문이다. 그들의 죄명은 쉽게 말해서 평소에 잘난 척하고 정부와 관료들을 비웃는 행동을 하였다는 것. 공자와 그 제자들을 본떠 강응정을 공자라는 의미로 부자(夫子 : 원뜻은 선생님으로서 제자들이 공자를 부르던 호칭)라고 부르고, 자기들끼리 홍씨를 홍자(洪子)라고 하는 등 잘난 척을 하고 살았다는 것이다.

죄목으로 든 것 중 더 희한한 것은 그들의 집에 있는 서재나 정자에다 잘못된 세상에서 은둔한다는 뜻이 담긴 이름을 붙이고, 자기들 무리를 중국 고사에 나오는 '십철(十哲)'이니 '죽림칠현'이니 하며 불렀다는 것이었다. 죽림칠현은 원래 몰락한 시대에 나온 사람들인데, 지금같이 훌륭한 세상에서 이런 이름을 붙였다는 자체가 세상을 비판하는 뜻이 있다는 것이었다. 다시 말해 은자의 명칭을 사용하거나 은둔한다는 표현을 쓰는 것은 곧 현재의 세상을 잘못된 세상이라고 비판하는 뜻이 된다는 것이었다.

이건 정말 납득하기 힘든 황당한 사건이었다. 원래 동양의 문화나 문학에서는 노장사상의 영향이 깊어서 겉멋으로라도 은둔이니 속세를 떠나니 하는 표현을 자주 쓴다. 정극인의 「상춘곡」이나 정철의 「사미인곡」 같은 유명한 가사작품이나 수많은 시구에도 다 나오는 표현이고, 실제로 이 시대의 명사치고 시구에 그런 표현 하나 쓰지 않는 사람이 어디 있겠는가?

더욱이 빌미가 된 '죽림칠현'이란 것도 그들이 항상 죽림칠현을 칭하면서 세상을 향해 암시적인 몸짓을 한 것도 아니고, 어느 날 한 번 도성 밖

죽림에 모여 그들을 흉내내며 질펀한 술자리를 벌인 것뿐이었다.

물론 이들이 '요즘 세상은 벼슬하기 좋은 세상이 아니다'라는 말도 했고, 다른 사람들 눈에는 비판적이고 괜히 잘난 척하는 무리로 보였던 것은 사실인 듯하다. 사람들은 이들을 '소학계'니 '효자계'니 하는 말로 불렀다. 소학을 공부하고 주자의 고사를 따라 자기들끼리 향약을 만들고 하므로 주변 사람들이 놀리느라고 부른 말이었다. 이 팀의 리더였던 강응정을 '부자'라고 불렀던 것도 놀리는 말이었다.

그러나 이 모임은 무슨 정치적 단체도 아니었고 비밀결사로 지속된 것도 아니었다. 이들은 이미 30년 전의 젊은 시절에 그런 식으로 함께 어울렸던 것뿐이다. 더구나 리더격으로 꼽힌 인물 가운데 남효온·강응정은 이미 사망한 상태였다.

이들 그룹 중에는 이미 사초사건과 결부되어 숙청된 대간이나 사관도 끼여 있었다. 그러나 이 때 유자광이 지목한 인물들은 그 무리 중에서 아예 관직에도 나가지 않고 이 때까지 조용히 살던 사람들이었다. 이들은 비판적 언행으로 재야에서 명망은 있었는지 모르지만 요직으로 진출하거나 정치세력화하지도 않았다. 연산군조차도 홍유손만 처벌하고 다른 사람은 놓아주는 게 어떠냐고 말할 정도였다.

죽림칠현 사건에서 수괴로 지목받은 홍유손은 원래 남양 향리였다. 어려서부터 글을 잘해서 남양부사 채신보가 감동을 받아 향역을 면제시켜 주었다고 한다. 그러나 끝내 출신이 문제가 되었던지 그는 출세하지는 못했고 세상에 대해 비판적이 되었다. 성격이 어찌나 강했던지 스승인 김종직에게까지 처신이 너무 소극적이고 다른 사람들의 비위나 맞춘다고 비난을 했을 정도였다. 김종직도 이러한 홍유손을 대단히 미워해서 위선자라고 불렀다고 한다. 그가 불교배척이나 품행을 강조하는 골수 원칙론자였는지 아니면 제도적 개혁을 추구하는 개혁 성향의 인물이었는지는 분명하지 않다. 그리고 이들 그룹이 다 그의 동류였던 것도 아니다. 죽림칠현 중에는 왕족도 있었다. 재미난 일은 유자광의 아들 유방도 이들과 어울렸다는 사실이다. 그러나 왕은 무조건 유방은 그들 일파가 아니라며 빼주었다.

하여간 왕과 대신들은 이들에게 세상을 업신여기고 풍속을 비난했다는 선고를 내려서 제주, 갑산 등지로 유배시켰다. 실록상으로만 보면 아마도 이들이 조선건국 후 등장한 최초의 양심수가 될 것이다. 이들은 폭력혁명을 추구하거나 정치적 결사를 결성한 것도 아니었다. 술자리에서의 행동과 사적인 모임이 죄가 된 것이다.

또 다른 희생자

무오사화의 피해자는 가해자측에서도 나왔다. 이상하게 들릴지 모르지만 그 대표적인 인물이 이극돈과 유자광이다. 오랫동안 사림 측에서는 이극돈을 사초사건을 공개하고 유자광을 충동질하여 왕에게 보고하게 만든 진범이라고 지목해 왔다. 그 시나리오는 이렇다.

평소에 김일손이 이극돈을 비난하여 미움을 샀는데, 이극돈이 실록청 당상이 되어 김일손의 사초를 보니 자신을 비난하는 폭로기사가 있었다. 즉 이극돈이 세조 때 불경을 잘 외워 출세를 했고, 성종이 사망했을 때 전라감사로 재직중이었는데 국상중임에도 불구하고 장흥의 관기를 데리고 놀러다녔으며 뇌물을 많이 받아 먹었다는 등의 기사였다. 이극돈은 이 기록을 지우려고 여러 모로 수를 썼으나 실패하자 마지막으로 김일손의 사초 전체를 폐기해 버리기 위해 세조 관련 부분을 누설하기로 했다. 그러나 자신이 직접 나설 수는 없는 일이었으므로 유자광을 찾아가 이 일을 부탁했다. 유자광은 노사신, 윤필상, 한치형을 충동질하여 함께 왕에게 사초의 내용을 보고하였고 이로써 무오사화가 일어났다는 것이다.

중종반정으로 복귀한 사림들 사이에서는 이런 견해가 상당히 지배적이었던 것 같다. 그러나 진상을 알 만한 사람은 이미 거의 사망한 뒤고, 중종 초반의 지배층은 연산조 사람이 거의 그대로였으므로 의도적으로 이극돈과 유자광을 범인으로 몰아세우는 경향도 있었다. 그러나 결국 이것이 정설이 되었고 이극돈은 나중에 사림정권에 의해 관직과 시호를 삭탈당했다. 물론 이런 견해는 그들과 동시대를 함께 살았던 인물들의 견해이니 무시하기가 쉽지 않다. 실록을 보면 김일손도 체포될 때에 이극돈을 먼저 의심했고, 젊은 사람들 사이에서 이런 이야기가 돌았다.

사실 이극돈과 김일손은 오랫동안 앙숙이었다. 이극돈은 신진세력을 좋아하지 않았는데, 김일손이 이 신진세력 중의 명망가였다. 이런 관계로 두 사람은 대립할 수밖에 없었다. 과거에서 김일손의 답안지가 장원으로 뽑혔을 때도 문장은 좋지만 답안지의 형식을 무시했으니 장원을 줄 수 없다고 주장하여 끝내 김일손의 장원급제를 무산시킨 사람이 이극돈이었다.

이극돈은 문관의 인사를 장악한 이조판서를 3년간이나 맡았는데, 이건 당시로서는 기록적인 연임이었다. 이 기간 동안에 이·병조의 낭청들이 그들의 후임자로 김일손을 적극 추천했다. 이조의 낭청은 당하관의 인사를 전담하는 요직이다. 김일손이 이조낭청만 되면 그의 동류들을 정계 요직으로 끌어들일 수 있고, 그 공로로 자신의 지도자적 지위도 더욱 확고해질 것이었다. 그러나 이극돈이 강경하게 반대하여 이 기대를 좌절시켰다. 결국 김일손은 무관 인사를 담당하는 병조낭청으로 한 번 임명되었을 뿐 이조에는 끝내 들어가지 못했다.

그러니 김일손과 그 그룹들이 이극돈을 원수처럼 여기는 것도 당연했다. 여러 훈구파 중에서도 이극돈이 가장 적극적으로, 그리고 실권을 쥐고 자신들의 승진길을 막고 있었기 때문이다. 그랬기 때문에 사건이 터지자 김일손과 동료들은 다 이극돈이 배후에 있을 것이라고 의심했던 것 같다.

그러나 실록을 보면 의외로 하급관료들은 정부의 핵심에서 일어나는 일이나 권력구조에 대해 잘 모르는 경우가 많다. 사초사건도 실록의 사건 기사를 자세히 검토해 보면, 이극돈을 주모자로 모는 것은 아무래도 부당하다고 생각된다. 실록청에서 근무하던 이목의 편지에도 윤효손만 비난했을 뿐 이극돈이 방해한다는 이야기는 없다. 설사 그가 유자광을 사주했다고 해도 유자광이 윤필상 등과 함께 왕에게 면대를 요청하기 전에 이미 사초 이야기는 누설되어 번지고 있었다.

오히려 사초를 보려는 연산군을 말린 사람이 이극돈이었다. 그는 처음 사초를 발췌할 때도 김일손의 사초 이외에는 전혀 보고하지 않았다. 가능한 한 희생자를 줄이려고 노력한 흔적이 역력하다.

실은 이극돈도 사초 사건의 피해자였다. 연산은 몇 번의 협박과 재검열을 통해 문제의 기록과 사람을 더 찾아낸다. 이극돈을 위시하여 실록청 당상들은 사초를 숨기고 빨리 보고하지 않았다는 죄목으로 관직을 삭탈당했다. 이극돈은 금방 병조판서로 복귀하기는 하지만, 이후 다시 재상이 되지 못하고 연산군 9년 2월 사망할 때까지 병조판서로 머물러야 했다. 그러나 광주 이씨가의 힘은 강했으므로 이극돈의 동생인 이극균이 대신 좌의정이 되었다.

이 때까지는 겉보기에 큰 탈이 없었으나 연산이 이극돈에 대해 상당한 배신감과 실망의 감정을 가졌을 것은 분명하다. 어쩌면 연산은 이극돈에 대한 불쾌감을 광주 이씨 전체로까지 확대시켰을 가능성도 있다. 이극돈이 이런 일을 전혀 예측하지 못했을 리가 없다. 단지 자신의 조그만 악평을 수정하기 위해 왕의 신뢰를 잃고, 피해자를 양산하고, 모든 관료들에게 악평을 얻게 될 역사상 유래 없는 행동을 한다는 것은 너무나 손해보는 거래가 아닐까? 이극돈을 그처럼 어리석은 인물로 생각하기는 어렵다.

무오사화가 진행되던 중에도 이극돈은 별 활약을 하지 않았다. 적극적으로 희생자를 색출해 내거나 강경처벌을 주장하지도 않았다. 물론 반대로 사림을 보호하려 한 흔적도 보이지 않는다. 그가 미움을 산 것은 여기에도 원인이 있는 것 같은데, 그 자신도 보고를 늦게 했다는 죄목으로 피의자 명단에 올라 있었다는 사실을 감안해 주어야 할 것 같다.

유자광은 더 심한 비난을 받아서 무오사화 자체가 그의 음모와 계략의 산물인 것처럼 되어 있다. 이런 견해를 만들어 내는 데 크게 공헌한 것이 남곤의 「유자광전」이다. 이 글에는 무오사화의 전개과정이 비교적 상세히 적혀 있어 무오사화를 이해하는 데 있어서 당시부터 큰 영향을 끼쳤던 작품이다. 그런데 이 글에서는 「조의제문」의 등장부터가 유자광의 소행으로 되어 있다.

유자광은 오히려 옥사가 점차 완화되어 제 뜻대로 다 되지 않을까 염려하여 밤낮으로 죄 만들기를 계획하였다. 하루는 소매 속에서 책 한 권을 내어 놓으니 곧 김종직의 문집이었다. 그 중에서 「조의제문」과 「술주시(述酒詩)」를 들춰내어 국문을 담당한 관원들에게 두루 보이면서 "이것은 모두 세조를 빗대어 지은 것인데 김일손의 악함은 모두 김종직이 가르쳐서 그렇게 된 것이다"라고 하고 제가 주석을 달아 글귀마다 해석하여 폐주[연산군]에게 설명하였다. (「유자광전」)

남곤은 교묘하게 사실을 왜곡하고 있다. 유자광이 「조의제문」을 주석하여 왕에게 강론한 것은 사실이다. 또 국문을 맡은 관원들에게 이런 행동을 했을 수도 있다. 그러나 「조의제문」을 처음 적발한 것은 그가 아니었다. 실록에 의하면 「조의제문」은 김일손의 사초에 전문이 통째로 기재되어 있었고, 연산군이 직접 심문한 둘쨋날 국문장에서부터 벌써 논란이 되고 있었다.

남곤은 연산조에 벼슬을 했고, 『연산군일기』의 편찬에도 참여했던 사람이다. 적어도 이런 부분을 잘못 알고 있었을 리 없다. 그럼에도 불구하고 그가 무오사화를 이극돈과 유자광의 합작품이라는 식으로 몰아간 이유는 앞서도 말했듯이 희생자들이 세조를 비난했다는 약점은 감추고, 그들은 그저 억울하게 희생되었다는 점만 강조하려는 의도였을 것이다.

사초사건이 터지자 유자광이 물을 만난 고기처럼 설쳤던 것도 사실이다. 취조 책임을 맡았고, 가능한 한 더 많은 사람을 연루시키려고 했다. 왕에게 대신들이 사건을 축소·엄폐하려 한다는 의심을 불러일으키게 하고, 사초에 대한 광범위한 조사를 건의해서 2차로 표연말 등이 걸려들게 한 것도 그의 공이고, 재야나 다름없는 홍유손 등까지 연루시켜 처벌하게 했다.

그러나 무오사화가 그로부터 시작된 것은 아니다. 유자광은 이미 만들어진 분위기를 극대화하고 이용한 면이 없지 않다. 그 이유는 앞서도 말했듯이 그것만이 그가 출세할 수 있는 방법이었고, 국왕의 입장에서도 유자광이 가진 최고의 이용가치는 바로 이런 데 있었기 때문이다. 그는 공신이든 종친이든 어떤 세력에도 애정을 가지지 않고 국왕의 편에서 일해 줄 수 있는 거의 유일한 사람이었다.

다음으로 제일 중요하면서도 의외의 희생자가 한 사람 있다. 바로 이 글의 주인공 연산군이다. 가뜩이나 논리가 성급하고, 시각과 생각이 단선적이었던 연산군에게 사초사건은 자신의 판단과 사고방식이 옳다는 확신을 불어넣는 계기가 되었다. 기억을 더듬어 보면 즉위 초부터 연산군은 유생이나 대간들의 행동의 배후에는 왕을 업신여긴다거나 어떤 의도가 깔려 있다고 의심해 왔다. 사초사건은 그것을 사실로 증명해 주는 셈이 되었다. 사초사건의 핵심인물인 이목과 정여창은 바로 자신이 즉위하던 날 성종의 유해 앞까지 몰려들어 데모를 일으켰던 주동자들이었다. 그들을 유배했을 때 얼마나 많은 조정관료들이 자신을 만류하고 뒷구석에서 자신을 비난했던가?

그들은 결국에는 자신의 왕위를 부정하는 일까지 저질렀다. 김일손 이하 사관들의 표적이야 공신들에게 있었겠지만, 세조의 정통성을 부정한다는 것은 곧 성종과 자신의 왕위도 부정하는 것이 아니겠는가? 사실 왕의 입장에서는 충분히 그렇게 생각할 수도 있었다. 그 동안 대간들이 그토록 자주 국왕을 무시하고, 자존심 대결을 벌이면서 왕을 이기려 든 것도 이런 생각이 있었기 때문이 아니었을까?

이러한 왕의 불신감은 관료들의 가치관과 사상으로까지 번졌던 것 같다. 그 동안 관료들은 온갖 고상한 말과 원론으로 국왕을 구속하고 자신들의 행동을 미화해 왔다. 그러나 의리와 도덕을 외치던 그들, 그 중에서도 남들과는 질적으로 다른 도학자이고 잘났다고 하는 친구들이 속으로는 자신을 단종을 살해한 역적의 후손이라고 생각하며 두 마음을 품고 살아왔고, 소문으로 떠돌던 간통사건까지 역사에 적어넣는 등 유치하고 몰상식한 짓을 하였다.

게다가 그는 이 사건을 계기로 대신들에 대해서도 불신감을 갖게 되었던 것 같다. 사초의 처리과정에서 보여준 대신들의 태도는 결국 그들이 누구 편이고, 누구와 더 가까운 존재인가라는 의문을 불러일으키기에 족했다. 연산은 지금껏 그들에게 광범위한 실권과 특권을 위임하고 각종 부정을 방관해 주었다. 그러나 이극돈 이하 실록청의 당상들은 국왕과 왕가의 명예를 희생시키면서까지 그들을 감싸고 보호하려고만 들었다. 따지고 보면 지금의 대간들은 나중에는 다 대신이 될 인물들이다. 때로 서로 비난하고 싸우고 하지만 결국은 그들은 한통속이 아닐까? 몇 년 전에 국왕을 모욕한 죄로 유배되었던 유생은 어느 새 장원급제를 하고 실록청 낭관으로 진출해 있다. 대신에게 무례한 행동을 하고, 대신을 몰아낼 것처럼 대들던 대간들은 야금야금 승진해서 관계의 중진으로 성장하고 있다.

가뜩이나 관료들에게 인간적인 정을 주지 않고, 자신과 관료들과의 관계를 지나치게 대립적으로 보고 있던 연산이 대신들에게까지 실망과 불신을 느꼈다는 사실은 매우 중요하다. 연산이 국정과 경연을 소홀히 했다지만 대신 그는 그만큼 모든 일을 대신에게 위임하고 국정에서는 그들의 의견을 청종해 왔다. 후대의 요란스러운 비난에도 불구하고 연산의 시대에 별다른 사회적 위기나 갈등이 없었던 것은 국가의 시스템이 정상적으로 가동되고 있었던 탓도 크다.

그러나 대신들에 대한 이 최후의 유대감도 금이 가고 있었다. 그렇지 않아도 귀하게만 자라난 연산은 아쉬운 것도 모르고, 타인의 입장을 배려할 줄 모르는 성격이었다. 그러한 그가 노장이든 소장이든, 그들의 행동이든 가치관이든, 자신과 국가를 지탱하고 있는 모든 것에 대해서 회의와 거리감을 강하게 느끼기 시작한 것이다.

하지만 이런 생각이 당장 행동으로 나타난 것은 아니다. 그가 자신의 생각을 행동으로 옮기기까지에는 약간의 잠복기가 필요하였다.

연산군과 홍길동

무오사화가 끝난 후 연산은 사람이 좀 변했다. 연산군 5년부터 갑자사화가 발생하는 연산군 10년 사이에 연산은 전보다는 정사도 열심히 하고 경연에도 나갔다. 전에는 1월 말경에 거행하는 사직제와 선농제에는 한 번도 참석하지 않았었다. 제사에 참석하려면 목욕을 해야 하는데, 날씨가 추울 때라 감기 들기 쉽다는 게 핑계였다. 그러나 연산군 7년경부터는 연산이 이 제사를 친히 지내기 시작했다. 목욕탕 시설을 보강했는지는 모르겠으나 어쨌든 발전적이고 긍정적인 변화였다.

노련한 재상들이 알아서 하는데 내가 봐서 뭘하느냐며 전에는 쳐다보지도 않던 사형수에 관한 최종 판결문도 자신이 직접 검토하겠다고 나섰다. 관료들을 숙청한 일이 마음에 걸렸는지 신하들에게 인심을 쓰려고 한 흔적도 보인다.

연산군 5년 연산군은 재상과 승지는 물론 일반 관료와 내시에게까지 모두 금대, 은대, 침향목으로 만든 대를 사여했다. 남아 있는 젊은 관료들도 포섭해 보려고 그랬는지 크게 인심을 썼다. 문신을 대상으로 보는 문신정시라는 시험이 있는데, 수석합격자에게는 한 자급을 올려주고, 2등에게는 어린 말 한 필을 상으로 주었다. 연산은 이 포상을 파격적으로 늘려 합격자 전원에게 자급을 올려주고, 근무일수도 늘려주어 승진을 빠르게 하고, 모두에게 건장한 말을 지급하도록 했다.

학생들에게도 인기정책을 폈다. 흉년이 들면 성균관과 지금의 중고등학교에 해당하는 사학(四學)의 급식량을 줄이는 게 관례였는데, 학교는 인재를 양성하는 곳이니 그렇게 대우해서는 안 된다며 절대 급식량을 줄이지 말라는 명령을 하기도 했다.

권경우 외에 유배자는 풀어주지 않았지만 파직시켰던 실록청 당상들도 복직시켰고, 7년에는 무오사화 때 유배보낸 사람들 중에서 이수공·강경서·정희량·정승조는 풀어 주었다. 파직한 대간들도 다시는 대간에 복직할 수 없다는 단서는 달았지만 다 용서해 주었다.

본인은 전혀 믿지 않으면서도 천재지변을 구실로 전국에서 상소를 올리게 하기도 했다. 이런 것은 어느 왕대나 하는 일이지만 15세기 후반부터 이것도 형식화되고 여기저기서 감시하므로 별다른 내용이 없었는데, 연산은 백성들이 거리낌 없이 하고 싶은 말을 하도록 상소를 밀봉해서 올리라는 파격적인 명령을 내리기도 했다.

그러나 그 내면을 들여다 보면 제대로 변한 것은 아무것도 없다는 사실을 알게 된다. 연산은 여전히 자기 중심적이고 위를 능멸하는 풍속에 대해 강한 문제의식을 가지고 있었다. 이 때가 되면 신하들도 그것을 알아서 연산에게 비위를 맞추기 시작했다. 연산군 5년에 문신들을 모아서 풍속의 선한 것과 아름다운 것을 논하는 글을 짓게 했는데, 참여한 문신 전부가 아래가 위를 능멸하는 풍속이 성행한다는 주제로 글을 지었다고 한다.

제 편할 대로 사물을 해석하는 태도도 여전했다. 사형수를 재심하는 일은 국왕의 주요 업무였다. 재심은 유죄·무죄를 판결하는 일도 있고, 정상을 참작해서 형량을 조절하는 일도 있는데, 선조 때부터 내려온 원칙은 조금이라도 이상한 단서가 보이거나 살릴 만한 정황이 있으면 살린다는 것이었다. 우리 민족이 워낙 자비로웠기 때문이 아니라, 옛날에는 과학적 수사가 불가능하고 대개가 정황증거와 두들겨 패서 얻어낸 자백으로 판단해야 했던 관계로 자연히 억울한 사람이 발생할 소지가 컸기 때문이다. 오늘날에도 자주 거론되는 '열 명의 범인을 놓치더라도 한 명의 억울한 피해자를 만들어서는 안 된다'는 원리였다.

사형수의 재심에 연산이 전보다 훨씬 열심히 참석하기는 했지만, 연산의 열심은 거기까지였다. 그의 최종판결은 늘 "그냥 규정대로 처벌하라"였다. 복잡하게 고민하기 싫다는 것이었다.

그런데 가끔 판단하기 어려운 범죄가 올라와서 재상들 간에도 의견이 분분할 때가 있었다. 이럴 때는 왕이 판결을 해주어야만 했는데, 연산은 한두 가지 분명한 사실이 있고, 그것으로 이야기를 정리할 수만 있다면 끝이었다. 더 이상 다른 쪽 시각, 예외의 경우를 들여다보려고 하지 않았다. 그리고 평소에는 재상들의 말을 잘 따르고 맡겼지만, 막상 자기가 추리를 하고 상황을 정리한 경우에는 절대 양보하지 않았다.

연산의 시작(詩作) 행위도 이런 의미에서 해석할 수 있다. 연산은 신하들과 시로 묻고 응답하기를 좋아했다. 술자리에서 그랬다면 이상할 것도 없지만, 국정과 관련된 주제에 대해서도 자주 시로 써서 내리고 시로 응답하게 하였다. 이전의 왕들 같으면 경연에서 주고받을 얘기였다.

작시는 주로 승지나 홍문관원에게 시켰는데, 참소로 인한 폐단을 칠언 율시로 적어 올리라고도 하고, 왕이 참언을 듣고 어리석어지는 행위에 대해서 시를 지어 올리라고도 했다. 더 문학적이고 상징적인 제목도 있었지만, 하여간 이런 행사가 이 시기부터 부쩍 증가한다.

이 역시 단순하고 명쾌한 결론을 좋아하던 그의 성격에서 유래한 것이다. 시란 상징성이나 호소력은 뛰어나지만, 다양한 경우를 상정해야 하는 경우, 예를 들면 이런 경우에는 장점이지만 저런 경우에는 단점이 된다거나 단기적으로 보면 이렇지만 장기적으로 볼 때는 저렇다는 식의 설명을 하기에는 아무래도 좋은 수단이 아니다. 물론 탁월한 시인이라면 이런 이야기도 탁월한 상징과 비유를 통해 더 간결하고 효과적으로 전달할 수 있을지 모르겠다. 그러나 보통의 관료가 더욱이 운율에 맞추어 시간의 제약을 가지고 써야 하는 시에서 그렇게 하기는 쉽지 않다. 연산으로서는 혹 내용이 맘에 안 들더라도 좌우간 짧고 간단하게 결론을 파악할 수 있다는 게 맘에 들었을 것이다.

경연도 열흘 이상씩 지속적으로 참석하는 진귀한 모습을 보이기도 했지만, 갖은 핑계를 대고 빠져나가는 버릇은 여전했다. 신하가 뭐라고 진언을 하면 "나는 어질지 못해서 그렇다" "세종과 성종은 훌륭한 임금이셔서 그렇다. 나 같은 사람이 어떻게 그렇게 하겠느냐"며 시니컬하게 답변하는 태도도 변함이 없었다. 확실히 무언가 좀 이상한 부분이 있었다. 겉으로는 변하고 노력하는 모습을 보이고 있었으나 그의 본질은 전혀 바뀌지 않았고, 바꾸려고 하지도 않았다.

이 시기에 연산은 무엇을 생각하며, 무엇을 찾고 있었던 것일까? 그러나 어디에도 이 문제에 대한 단서는 없다. 아무튼 대신들은 외형적인 변화일지라도 상당히 긍정적으로 받아들였던 것 같다. 좋게 보면 차츰 변해 가는 과정이었다고 볼 수도 있었다. 사람이 단박에 변하기는 어려우니 말이다.

게다가 세상은 평화롭고 그들의 세계는 부유하고 영화로웠다. 이런 때는 늘 근거없는 낙관론이 인간을 지배한다. 괜한 걱정과 근심과 비판의식으로 삶을 피곤하게 하기에는 현실의 삶이 너무나 풍족하고 아름답지 않은가?

한편 이 시기에 오늘날까지도 세인의 관심을 사로잡는 대단한 사건이 하나 발생한다. 바로 대도 홍길동(洪吉同) 사건이다. 소설의 홍길동은 한자 표기가 '洪吉童'으로서 '童'자만 다르고, 활약시기도 연산대가 아닌 세종대로 되어 있다.

실제 인물 홍길동은 활빈당을 만들지는 않았고, 충청도를 거점으로 활동한 도적두목이었다. 그러나 연산군에 대한 고발기사 외에는 부실하기 짝이 없는『연산군일기』는 홍길동 사건의 전후사정에 대해서도 전혀 언급하지 않았다. 강도 홍길동은 연산군 6년 10월 22일 삼정승의 보고에 갑자기 등장한다.

> 삼정승이 보고하였다. "강도 홍길동을 잡았으니 기쁨을 견딜 수 없습니다. 백성을 위하여 해독을 제거하는 일이 이보다 더 큰 일이 있을 수가 없으니 이 기회에 그의 무리들을 다 잡도록 하소서."

홍길동의 활약상이나 언제부터 활약을 했고, 일당의 숫자가 얼마나 되고, 어느 관청을 몇 군데나 어떻게 털었는지에 대해서도 실록에는 전혀 언급이 없다. 홍길동을 신문한 기록은 후세까지 의금부에 남아 있었으나, 실록에는 일체 실리지 않았다.

단지 연산군 2년에 전국에 도둑과 강도가 많아 일제 소탕기간을 두자는 의견이 있었고, 3년 8월에 도적을 체포하러 경기·충청도에 포도대장 정유지를 파견했다는 기록이 있다. 정유지의 파견이 전 해의 일제소탕령과 관련이 있는 것인지, 홍길동과 관련이 있는지, 전 해의 일제소탕령이 또한 홍길동과 관련이 있는지는 판단하기 어렵다.

홍길동이 세상을 놀라게 한 이유는 그가 과감하게 관청을 습격하여 털어 갔기 때문이다. 전란으로 엉망이 되었던 14세기나 소요사태와 민란이 빈발했던 후기와 달라서 15세기에서 16세기 초엽까지는 수십명 단위의 떼강도만 발생해도 정부가 놀라 뒤집어졌다. 그것이 이 시기의 상당한 장점이었고, 지배층의 자부심이었다. 그러나 세조 말부터 점차 떼강도가 등장하고, 성종 때는 관찰사를 위협하기도 하더니 마침내는 관아를 털어 버린 사건이 발생한 것이다.

그의 활약은 그 정도에서 그친 것이 아니었던지, 중종 8년 기록에 보면 홍길동 때문에 충청도에 토지를 버리고 유망한 사람들이 많이 생겨 이 때까지 양전을 못했다는 이야기가 나온다. 유망이 홍길동의 약탈 때문인지, 정부측의 관련자 수색 때문인지는 분명치 않은데 아마도 후자일 것이다. 그렇다면 이것은 홍길동과 관련된 사람들이 많았고 그만큼 그가 많은 사람에게 베풀었다는 뜻이 된다.

홍길동은 평소에는 당상관 옷차림을 하고, 첨지라고 행세하면서 살았다고 한다. 그 때문에 수령들도 그를 함부로 하지 못했다. 그의 부하들도 최소한 50~60명 이상은 되었던 것 같은데, 도내 각지에 흩어져 있었다. 소설이나 영화에서는 산 속 동굴이나 임꺽정의 청석골 산채같이 요새화된 산채가 잘 나오지만, 우리 나라는 땅이 좁고 인구밀도가 높아서 그런 거점은 비밀유지가 불가능하다. 또 정부는 언제든지 2, 3만의 원정군을 파견할 능력을 갖추고 있었다. 아무리 용사들 집단이라고 해도 정규군이 공격해오면 금새 공략당하고 말 것이다.

다음 세대의 임꺽정도 마찬가지지만 이들이 실전에 사용한 방법은 여러 곳으로 나뉘어 다양한 직업을 가지고 평범하게 살다가 일이 있을 때 비밀리에 집결하여 한탕하고 튀는 것이었다. 그러므로 산채라는 것도 이들이 임시로 집결하는 안전가옥과 같은 장소였다.

어쨌든 홍길동은 평소에 첨지 행세를 하였으므로 지역의 품관, 향리들까지 사귀고, 위세당당하게 관에도 출입하였다. 그가 이렇게 행세할 수 있었던 이유는 진짜 당상관 출신 고관과 깊은 관계를 맺고 있었기 때문이다. 그 고관은 엄귀손이란 인물이었다.

당시의 지배층들은 신출귀몰한 도적 홍길동보다도 그의 장물아비이며 후원자가 당상관까지 지낸 엄귀손이었다는 사실에 더 큰 충격을 받았던 것 같다. 엄귀손은 충청도 홍천 사람이었다. 출신은 분명하지 않은데, 당상관까지 무리없이 오른 걸 보면 지방양반이거나 양인 출신이었고, 집은 크게 부유하지 않은 편이었다.

성종 때 왕의 경호대라 할 수 있는 내금위 무사가 되었다. 활솜씨가 뛰어나 내금위 중에서도 10명의 대표선수에 뽑히는 실력이었다. 활쏘기 시합을 좋아했던 성종은 엄귀손을 등용하여 당상관인 절충장군에 임명했다. 엄은 성종 22년 여진정벌에도 종군했다.

조선군이 철수하던 날 이 때까지 늘 전투를 피하던 여진족이 조선군의 후미를 기습해 왔는데, 이 날의 전투가 이 정벌에서 벌어진 최대의 전투였다. 이 때 후위부대를 맡았던 장수가 육한과 엄귀손이었다. 이 날 엄귀손의 행동에 대해서는 평가가 엇갈려서 공이 컸다고도 하고, 반대로 가장 치열하게 싸웠던 육한 부대를 빨리 지원하지 않고 우물거렸다고도 한다. 그러나 어쨌든 육한과 그의 부대는 적을 격퇴하고 그 상당수를 참살했다. 그는 이 공으로 평안도 우후가 되었다.

성종은 끝까지 그를 아꼈지만, 관료들의 평가는 지극히 좋지 않았다. 재물을 탐내고 부정한 짓을 쉽게 한다는 이유에서였다. 전부터 그는 관직에 있을 때마다 모리사건으로 구설수에 올랐다. 성종 18년에 포도장 이양생이 장물을 추적하다 보니 엄귀손의 첩의 장인집(또는 홍천 본가였다는 소문도 있었다)이 수사대상에 올랐다. 이양생은 그 집에서 산더미처럼 쌓여 있는 유기와 동기(銅器)를 발견했다. 장물이 아닌가 하는 의심이 들었으나 증거불충분으로 유야무야되었다. 이외에도 면천에 살던 사망한 모 재상의 첩이 부유하다는 소문을 듣고, 휴가를 내어 고향으로 가서 그 첩을 간통하여 자기 첩으로 삼았다. 이 때 휴가를 얻기 위해 왕의 명령서를 고쳐써서 큰 논란이 되었으나 성종의 비호로 겨우 무사하였다. 그러나 성종이 사망하자 더 이상 관계에 머물 수는 없었다.

홍길동은 체포되어 고문을 당하다가 엄귀손이란 이름을 불었다. 엄귀손은 처음에는 그저 그가 보내준 음식물을 받았을 뿐이라고 버텼으나, 엄귀손은 재수가 없었다. 이 때의 재상들인 윤필상, 이극돈 등은 모두 성종 때 엄귀손의 처벌을 극력 주장했던 인물들이었다. 나중에 홍길동의 집도 엄귀손이 주선해서 사주었다는 사실까지 드러났다. 그도 홍길동에게 속은 것인지, 알면서 적당히 선물을 받고 교유만 한 것인지, 적극적인 후원자였는지는 확실하지 않으나 이미 눈 밖에 나 있던 그는 취조중에 옥중에서 사망하였다.

홍길동의 최후에 대해서는 알려진 바가 없으나 판결은 당연히 사형이었다. 하여간 강도조차도 드물던 이 사회에서 홍길동 사건이 던진 충격은 커서, 선조 때까지도 민간에서는 '홍길동 같은 놈'이란 욕이 돌아다녔다고 한다.

이 홍길동의 출현을 연산군의 학정과 관련시켜 생각하는 분이 있을지도 모르겠다. 그러나 이 때까지도 연산군의 국내정치는 아무리 나쁘게 잡아도 평균점 이하는 아니었다. 어떤 분들은 그가 아무것도 한 일이 없다고 비난하지만 그건 연산의 탓이 아니다. 100년을 고민해서 만들어 놓은 법과 관례가 바로 그의 앞에 있었다.

그의 국정운영 방침은 철저하게 기존의 법과 관례를 따른다는 것이었다. 그래서 그는 국정은 대신들에게 위임하고 그들의 의견에 따랐다. 세종이 듣고 고민했던 "조선의 법은 3일"이란 속담은 연산의 시대에 와서도 변함없는 진리가 되어 있었을 정도로 법을 너무 자주 바꾸는 게 폐단인 사회였던 만큼 이제는 작은 폐단에 동요하지 말고 좀 느긋하게 지켜갈 필요가 있었다. 연산이 게을러서 그랬든 우매해서 그랬든 결과는 마찬가지였다. 그의 시대는 이런 방침이 최고의 정책이었음을 부정할 수 없다. 다른 국왕이었다면 좀더 잘 운영하고, 미래를 대비한 준비를 좀더 충실히 할 수도 있었겠지만 전체적인 틀은 마찬가지였을 것이다.

반대로 그는 새로운 악법을 만들지도 않았고, 성종처럼 궁궐을 몇 채씩 새로 짓지도 않았다. 조세와 공물이 증가했다고는 하나 그것은 이미 이전 시대부터 발생하던 현상의 연장선상에 있는 것들이었고, 특별히 새롭고 기괴한 세를 창안해 낸 것은 아니었다. 대규모 역사도 없었고, 정부를 비방하거나 소요사태가 발생한 경우도 극히 적었다. 있는 것이라야 겨우 왕을 욕했다거나 비난했다는 수준이었고, 그 정도는 세종 때도 있었다.

비판적인 시각에서 보면 물론 심각하고 구조적인 문제가 물밑에서 꿈틀대고 있었다. 재정은 상당히 고갈되어 전처럼 축적에 여유가 없었다. 왕실과 훈구파의 농장은 자꾸 증가하고, 많은 양민이 이들의 노비로 들어감에 따라 조세를 내고 군역을 져야 할 자원이 계속 줄고 있었다. 사람들은 자신이 군역을 지기보다는 대신 돈을 내거나 다른 사람을 사서 보내는 게 일반화되고 있었다. 조세와 군역은 가난하고 힘없는 사람에게 전가되고, 부익부 빈익빈 현상이 증가했다. 몰락한 사람들은 유민이 되거나 승려가 되고, 어떤 이는 도적이 되고, 무리를 짓기 시작했다. 그 절정이 홍길동이었고 이들이 관가까지 습격하는 사태가 발생했다. 지방의 사족들은 훈구파의 전횡과 세력확장에 분노하고 있었다. 관료들 특히 지방관들의 자질은 자꾸 떨어지고, 부패의 먹이사슬과 모리현상도 커져 갔다.

그러나 이런 현상이 연산의 악정 때문에 발생했다고 할 수는 없다. 그것은 건국 초부터 세종과 세조의 시대를 거치면서 만들어 낸 체제가 지닌 근본적이고 구조적인 문제였다. 그런 폐단들은 법제를 만들었던 사람들도 예상했던 것이고, 제도와 규정 자체가 폐단의 발생을 근원부터 차단한다 기보다는 조절하며 유지해 가도록 만들어져 있었다.

물론 당장 손을 대야 할 문제도 있었다. 특히 폐쇄적인 관료체제가 낳은 정치적 갈등은 심각해서 집권층 내부에서도, 지방의 사족들에게서도 불만과 갈등의 골이 깊어지고 있었다. 그러나 전체적으로 볼 때 체제는 아직 유효했고, 잘 기능하고 있었다.

이처럼 연산군 중반은 대체로 정상적이었고, 나라는 평화로웠다. 연산은 여전히 관료들과 화합하지 않는 모습이 있었지만, 그것이 국정에까지 지장을 줄 것 같지는 않았다. 그리고 왕은 조금씩 깨닫고 나아지는 기미를 보여주고 있었다.

그런데, 이 시기에 진짜로 불안한 징조가 하나 꿈틀거리기 시작하였다. 폐비 윤씨 문제였다.

폐비의 그림자

연산군 후반의 어느 날, 한 노파가 비밀리에 궁에 들어와 연산을 만난다. 일설에는 임사홍이 이 모임을 알선했다고도 한다. 연산의 눈에 왠지 낯설게 느껴지지 않는 노파는 꽁꽁 싸가지고 온 보따리를 풀더니 피로 얼룩진 흰색 치마저고리를 내놓았다. 연산의 어머니 윤씨가 최후의 순간에 입었던 옷과 숨이 끊어지면서 토해 놓은 핏자국이었다. 노파는 윤비의 어머니 신씨였다. 그 날 밤 연산은 외할머니로부터 친어머니가 후궁들의 모함과 음모로 성종에게서 버림받았으며, 끝내는 시어머니에게도 미움을 사서 비참한 최후를 마쳤다는 이야기를 듣게 된다. 연산은 엄청난 충격을 받았고, 다음 날부터 그는 복수심에 불타는 광기 어린 사나이로 돌변한다.

연산을 다룬 영화나 드라마에서는 늘 이 장면이 극의 절정에 등장한다. 폐비 윤씨와 연산의 복수에 관한 고전적인 기록은 안로(安璐)라는 사람이 쓴 『기묘록보유』란 책의 이청전(李淸傳)에 있다.

　　임금[성종]이 내시를 보내어 윤씨의 동정을 염탐하게 하였는데, 인수대비가 그 내시에게 윤씨는 머리 빗고 곱게 단장하여 후회하는 뜻이 없다고 회보하도록 하였다. 임금이 그 말을 믿고 죄를 더했다. 윤씨가 피눈물을 닦아 얼룩진 손수건을 그의 어머니 신씨(申氏를 혹은 愼·辛이라고 했는데 자세하지 않다 : 원문 주)에게 주면서 "우리 아이가 다행히 목숨이 보전되거든 이것을 전해서 나의 원통함을 말해 주시오. 또 나를 왕이 다니는 길가에 묻어 임금의 행차라도 보게 해 주오" 하였다. 그리하여 건원릉 가는 길 곁에 장사지냈다.
　　그 뒤에 인수대비가 세상을 떠나고 연산이 즉위한 다음 신씨가 궁중 나인들을 통하여 연산의 생모 윤씨가 비명에 죽은 원통함을 호소하고 또 피묻은 수건을 올리니, 연산이 그 때까지도 자순대비를 친어머니로 알고 있다가 이 말을 듣고 깜짝 놀라며 슬퍼하였다.
　　『시정기』를 보고서 폐비하자는 의견을 바친 대신과 그 때 봉사하였던 사람들을 괘씸하게 여겨 모두 관을 쪼개서 시체를 베고, 뼈를 부수어서 바람에 날렸다. 그 죄에 연좌되어 참형에 해당하는 자로서 이미 죽은 자도 시체를 베었다.

　　옛날 연산을 다룬 영화나 드라마는 대개가 이 책의 이야기를 토대로 했다. 복선, 극적 구성, 겹겹이 깔린 음모, 다 좋은데 연산에게 전해진 윤비의 유품이 피눈물을 닦은 손수건이어서 사실감이 떨어진다. 그래서인지 다른 이야기에서는 이 손수건이 보다 극적이고 시각적인 효과를 주는 피묻은 적삼으로 바뀌었다. 또 연산은 처음에는 훌륭한 왕이었는데 어머니의 사건으로 폭군으로 변해 버렸다는 설명도 있다.

　　윤씨가 죽을 때 약을 토하면서 목숨이 끊어졌는데, 그 약물이 흰 비단 적삼에 뿌려졌다. 윤씨의 어미가 그 적삼을 전하여 뒤에 연산에게 바치니 연산이 밤낮으로 그 적삼을 안고 울었다. 그가 장성하자 그만 마음의 병이 되어 마침내 나라를 잃고 말았다. (『연려실기술』)

연산이 동궁이었을 때 어느 날 성종에게 거리에 나가 놀고 싶다고 청하니 성종이 허락하였다. 저녁 때 동궁이 대궐로 돌아오자 성종이 "오늘 밖에서 무슨 기이한 일을 보았느냐"고 물었다. 연산은 "구경할 만한 것은 없었습니다. 다만 송아지 한 마리가 어미 소를 따라가는데, 그 어미 소가 문득 울면 송아지도 따라 울고 하니 이것이 가장 부러운 일이었습니다" 하였다. 성종은 이 말을 듣고 슬피 여겼다. 대개 연산군이 본성을 잃은 것은 윤씨가 폐위된 데 원인이 있는 것이지만 왕위에 처음 올랐을 때는 자못 슬기롭고 총명한 임금으로 일컬어졌었다. (『연려실기술』)

이런 소재들을 합하여 연산의 폭정을 해설하는 방식은 방송드라마 이전에 이미 조선 중기부터 사람들의 마음을 사로잡은 인기 있는 포맷이었다. 그러다 보니 구전 과정에서 각색과 변형이 많이 이루어졌다. 『기묘록보유』의 이야기만 해도 재미는 있지만 사실과 조금씩 다른 게 문제다. 연산의 외할머니 성도 정확히 모르고, 갑자사화 때까지도 인수대비가 죽지 않았다는 사실을 모르는 것으로 봐서는 전체 이야기의 신빙성이 매우 의심스럽다. 출처와 근원은 알 수 없으나 궁이나 지배층의 사정을 잘 모르는 것으로 보아 지방이나 민간에서 여러 사람의 입을 많이 탄 이야기임에 틀림없다.

진상을 들춰 보자면 연산이 어머니에 관한 사실을 모르고 자란 것은 사실이다. 성종은 폐비 윤씨에 관한 사실을 세자에게 철저히 비밀에 붙였다. 오랫동안 비밀은 유지되었다. 우연인지 고의인지 자순왕후도 윤씨였고, 처음에 후궁으로 들어왔다가 숙의에서 왕비로 책봉된 것도 똑같았으므로 혹시 누가 실수를 하더라도 속이기가 쉬웠을 것이다.

그러나 성종도 말년에 폐비 윤씨에 대해 관에서 매년 제사를 지내주도록 하는 등 약간의 조치를 한 것을 보면 이 비밀이 영원히 지속되리라고는 믿지 않았던 것 같다. 그래도 자기 생전에는 끝까지 비밀을 유지했다. 어쩌면 동궁이 모친을 살해한 부친에 대해 극단의 반감을 품게 될까봐 두려워했을 수도 있다. 사실 폐비 윤씨를 죽인 것은 국왕 이전에 한 아버지로서도 무책임한 처사였다. 하지만 성종은 윤씨가 왕자를 끼고 자신을 해칠지 모른다고 두려워했고, 윤씨를 죽이고 한참 후까지 그런 꿈을 꾸며 가위눌리곤 했을 정도로 소심한 면이 있었던 사람이었다. 또 지극히 자기중심적인 인물이었던 만큼 나중에야 어떻게 되든 세자에게 "내가 네 어머니를 죽였다"라고 말해야 하는 난처한 순간을 경험하고 싶지는 않았던 것 같다.

설사 그렇더라도 결자해지라고 이 문제는 자신이 해결해야 했다. 게다가 사망할 때는 세자가 내내 옆에 있었으므로 유언 형식으로라도 말할 기회가 있었는데, 성종은 끝내 이 책임을 회피했다.

폐비 윤씨의 비밀이 실제로 탄로난 때와 과정은 위의 이야기와는 전혀 다르다. 성종이 사망하자 당연히 왕의 행장과 묘지문을 짓게 되었다. 묘지문은 연산군 1년 1월에 이조참의 홍춘경이 지었는데, 묘지문이란 게 죽은 이의 가족관계와 업적을 써넣는 것이어서 어쩔 수 없이 연산군의 생모는 윤기무(또는 윤기견)의 딸이었던 숙의 윤씨였고, 그녀가 폐위된 후에 다시 윤호의 딸 숙의 윤씨를 올려 왕비로 삼았다는 내용이 들어갔다.

왕실가족과 대신들은 아마도 꽤 고민을 했을 것이다. 이 부분을 삭제할 수도 없고, 그렇다고 왜곡할 수도 없었다. 그렇다면 차라리 연산에게 진실을 알려주는 게 낫지 않을까? 그러면 누가 언제 그 말을 할 것인가? 아니면 어떻게든 왕이 이 글을 보지 않게 하는 방법은 없을까?

정말 그런 노력을 했는지 어쨌는지는 모르지만 처음 얼마간은 비밀이 유지되었다. 그러나 국왕의 상은 행사도 많고 커다란 분묘를 조성해야 하므로 완전히 마무리하는 데는 시간이 오래 걸린다. 아직도 행사가 다 끝나지 않고, 대간과 유생은 매일 지겹게 상소를 해대던 연산군 1년 3월 중순경에 연산은 이 글을 보고야 말았다.

왕이 성종의 묘지문을 보고 승정원에 물었다. "이 글에 있는 판봉상시사 윤기무란 이는 어떤 사람이냐? 혹시 영돈녕 윤호(자순왕비의 부친)를 윤기무라 잘못 쓴 것이 아니냐?" 이에 승지들이 "그는 폐비 윤씨의 아버지인데, 윤씨가 왕비로 책봉되기 전에 죽었습니다"라고 대답하였다. 이 때야 왕이 비로소 윤씨가 폐위되어 죽은 줄 알고 이 날 수라를 들지 않았다. (『연산군일기』 1년 3월 16일)

"수라를 들지 않았다."

실록이 밝혀 놓은 연산의 반응은 이것뿐이다. 그는 어디에서 어떻게 부왕의 묘지문을 보았을까? 왕의 질문을 받은 승지들은 얼마나 난감했을까? 이 소식을 들은 대비와 대신들의 반응은? 무엇보다도 연산이 어떤 충격을 받았으며, 어떤 반응을 보였을까? 그는 누구에게 뛰어가서 혹은 누구를 불러서 이 이야기를 확인했을까? 꽤 많은 장면이 연상되지만, 실록의 기록은 이 이야기를 이렇게 무성의하게 적어 놓았다. 야사에서 윤씨 사건을 너무 극적으로 몰고 간 것과는 반대로 실록은 이 문제에 대해 이상할 정도로 냉담하다. 그러나 그것이 어찌 수라를 들지 않은 것 정도로 끝났겠는가?

계모로 밝혀진 자순왕비와 연산의 관계에 대해서도 거의 알려진 것이 없다. 연산의 흠이라면 있는 대로 잡으려 했던 실록에서도 연산이 자순왕비에게 무례했다거나 핍박했다는 기사는 없다. 딱 한 번 술에 취해 난동을 부렸다는 기사만 있다.

말년까지도 연산은 대비를 위하여 성대한 잔치를 자주 베풀었다. 실록에서는 절대로 연산에게 효심이 있어서가 아니고 자신이 놀기 위해서 그랬다고 하였지만, 그 때는 연산이 절대적인 권력을 휘두르던 때였다. 순전히 자신이 놀기 위해서였다면 굳이 대비전에서 잔치를 베풀 필요는 없었을 것이다.

그러나 자식이 자라다 보면 부모에게도 서운한 감정을 느낄 때가 많다. 계모일 경우는 더 심해서 정상적인 부모라면 그저 그러려니 하고 넘어갈 일도 "친어머니가 아니기 때문에 내게 이렇게 한다 ……"라고 괜히 서운해하는 경우도 종종 있다.

연산은 늘 멋대로 생각하고, 자기 생각에 확신이 강하고, 심하게 얘기하면 편집벽이 있는 인물이다. 기록에는 없지만 그는 분명 속으로 이런 고민의 과정을 겪었을 것이다.

짓궂은 운명이 연산에게 준 또 하나의 형벌은 불신감이었다. 부친에서부터 할머니, 일가친척, 시종, 내시, 심복부하 ……. 연산은 그들이 했던 수많은 거짓말을 기억해 냈을 것이다. 그가 의지하고 신뢰했던 사람 모두가 총동원되어 20년간 그를 속여 왔다. 연산의 큰 결점인 신하들에 대한 지독한 불신, 인간사의 현상들을 지나치게 위선적으로만 이해하려는 경향, 자신이 속거나 우롱당하는 데에 대한 지나친 과민반응 등은 이 때의 충격과도 무관하지 않을 것이다.

연산은 즉위 직후부터 불행한 어머니를 위해 여러 가지 일을 했다. 그녀의 기일에는 고기반찬을 먹지 않는 소식(素食)을 했고, 다음 해인 연산군 2년에 모친의 묘를 이장하고 신주와 사당을 세웠으며, 모친의 시호를 추숭하려 하였다. 외할머니 신씨도 한참 후에 몰래 만난 것이 아니라, 이 때 벌써 교류가 있어서 왕비의 친가의 예로 국가에서 해마다 쌀 30석과 황두 20석을 지급해 주게 하였다.

이러한 조치에 대한 신하들의 반대는 강경했다. 그 근거로 내세운 것은 성종의 유언이었다. 성종이 이런 사태를 예상하고, 그 지역 수령으로 하여금 1년에 세 번 명절 때만 제사를 지내게 했으며, 그 이상의 예우나 추숭은 절대로 해서는 안 된다는 엄명을 내려놓았던 것이다. 결국 연산도 이 반대에 밀려 묘만 세우고 시호 추숭은 포기하였다. 새로 세운 윤씨의 묘에는 회묘(懷廟)라는 이름을 붙였다. 회(懷)자에 회상이란 뜻이 담겨 있는지, 회포·회한의 뜻인지는 알 수 없으나 적절하면서도 일말의 불안감을 주는 명칭임에는 틀림없다.

연산군 3년에는 회묘의 기일에 시장을 닫고, 궁에서는 고기를 먹지 못하게 하였다. 정식으로 왕비 대우를 하도록 한 것이다. 회묘는 지금 경기도 고양시 서삼릉 안에 있다. 서삼릉 서쪽 비공개 지역 안에 있는 탓에 일반인들은 쉽게 볼 수 없는 게 단점이다.

다행히 필자는 한 번 들어가 볼 수 있는 기회가 있었다. 회묘는 사람의 발길이 끊긴 덕분에 거의 원시림에 가까울 정도로 울창한 숲에 호젓하게 자리잡고 있다. 왕릉의 형식을 따라 하단에 돌을 두르고 그 위에 돌난간을 세웠으며, 주변에는 문인상, 무인상, 석수 등을 둘렀다.

연산군의 한이 담긴 이 무덤은 내가 본 조선왕릉 중에서는 제일 잘 만든 무덤이었다. 조선시대의 왕릉에는 표준규격이 있어서 생김새나 주변 장식물이 다 비슷비슷하다. 회묘도 예외는 아니다. 하지만 그 곳에 있는 석상의 새김솜씨나 석물들의 균형, 봉분과 주변 석물들과의 조화는 어떤 왕릉보다도 뛰어나다. 연산의 그리움과 정성이 그만큼 컸던 것일까? 역시 성종~연산군대가 조선의 최전성기였기 때문일까? 아니면 연산의 분노가 두려웠던 신하들이 최고의 정성과 노력을 기울였기 때문일까?

역사적으로 보면 두번째가 정답이라고 해야겠지만 세번째 이유도 무시해서는 안 된다. 이런 게 역사의 아이러니인데, 회묘를 세울 때 선공감(영선과 건축을 담당하는 관청)의 책임자는 공교롭게도 윤비의 사형 집행을 주관했던 이세좌였다.

이상의 일들은 다 연산군 1년에서 3년 사이에 행해졌으며, 이것으로 폐비 문제는 일단락된 것처럼 보였다. 다만 새로 알게 된 외삼촌들인 윤구·윤우를 연산군 6년 9월에 각각 두 자급, 한 자급씩 특별 승진시켰다. 윤구는 나중에 승지로까지 승진한다.

이야기를 정리하면 야사와 달리 연산은 즉위 초에 이미 모친에 대한 비밀을 알았다. 충격은 꽤 컸겠지만 연산은 모친과 외가를 위한 조치를 찬찬히 했다. 신하들도 적절히 연산의 비위를 맞춰 주었으므로 즉위 초에 이 문제는 양쪽이 만족하는 선에서 해결되었다. 이 과정에서 연산이 흥분하거나 분노했다는 흔적은 찾을 수 없다.

그런데 이처럼 폐비 문제가 차분히 처리될 수 있었던 데는 숨은 전제가 하나 있었다. 윤씨의 폐위와 처형은 전적으로 윤씨의 잘못이라는 것이다. 이 전제로 인해 신하들은 면죄부를 받았고, 모친의 불행이 연산에게 슬픔이기는 했으나 억울함과 분노의 대상이 될 수는 없었다.

　　그런데 연산군 8년 2월 5일에 연산이 갑자기 이런 글을 내린다.

　　　첩이 참소하는 것을 살피지 않고 왕후를 폐위시킬 적에 조정 신하들이 자기의 삶을 돌아보지 않고 기어코 간하는 것이 옳겠는가? 자신의 목숨을 아껴 순종하는 것이 옳겠는가? 사람에 구애받지 말고 명확하게 의논하여 아뢰라.

　　그리고는 이를 주제로 하여 승정원에는 논문을, 홍문관에는 율시를 지어 바치라는 명령까지 내렸다. 폐비 사건의 전환점은 야사에서 말하듯 피 묻은 치마저고리가 아니라 폐비의 동기였다. 언제, 누구를 통해 연산에게 이런 이야기가 들어갔는지는 알 수 없으나 연산은 윤비의 비극이 후궁의 참소 때문이라는 새로운 첩보에 접하게 된다. 참소의 범인으로 지목된 사람은 윤비와 사이가 좋지 않았던 숙의 엄씨와 소용 정씨였다.

　　연산은 이 이야기를 굳게 믿었다. 이야기의 발설자가 누구였는지는 알 수 없으나 실록에서는 범인을 임사홍으로 지목하고 있다.

　　　어느 날 왕이 미복으로 임사홍의 집에 가서 함께 술을 마셨다. 사홍은 임금을 뵙자 절하며 목이 메이도록 울었다. 임금이 깜짝 놀라 이유를 물으니, 사홍은 말하기를 "대궐 문이 겹겹이라 스스로 들어가 아뢸 수 없었는데, 오늘 저의 집에서 성주를 뵐 줄 어찌 알았겠습니까?" 하고, 이어 "엄숙의와 정소용이 모후를 참소하여 폐비하였습니다"라고 모함하니 임금도 또한 울었다. 밤이 들어 환궁하자, 곧 엄·정 두 후궁을 불러 손수 죽였다. (『연산군일기』 12년 4월 17일)

이 기록은 실록은 실록대로 거짓말 내지는 미확인 보도, 불확실한 소문을 실어 놓았음을 보여주는 명확한 증거이다. 이 기록에서는 연산이 임사홍에게 그 이야기를 듣고 환궁하자마자 바로 두 후궁을 죽였다고 했지만, 연산이 후궁음모설을 제기한 것은 연산군 8년이고, 후술하겠지만 엄·정 두 여인을 살해한 것은 그 2년 후의 일이기 때문이다.

이런 이야기는 그 속성상 윤씨의 본가, 특히 폐비의 모친 신씨에게서 나왔을 확률이 제일 크다. 폐비 윤씨도 아버지를 일찍 여의고 홀어머니 밑에서 자랐으므로 모친에게 궁중생활의 어려움이나 억울한 일을 많이 이야기했을 것이다. 처첩갈등이나 고부갈등처럼 잘잘못을 가리기 힘든 경우도 없다. 한쪽 편의 말을 들으면 늘 그 쪽에 억울하고 분한 일이 많은 것이다. 성격이 사악해서 거짓말을 한 경우가 아니라도 사람은 어쩔 수 없이 이기적이기 때문에 자신의 행동은 미화하고, 자신의 입장에서 해석하게 되고 당한 일, 억울한 일들이 누적되고 증폭되기 마련이다. 더욱이 윤씨가 살해된 후 신씨와 그 아들들은 험한 곳으로 유배되어 모진 고생을 했다. 신씨의 개인적인 원한도 만만치 않았을 것이다.

폐비의 모친 신씨가 연산을 만남으로써 갑자사화가 시작되었다는 이야기가 널리 퍼진 것도 이런 사정 때문이 아닌가 싶다. 실제로 갑자사화가 한창 진행되던 연산군 10년 7월에 궁중에서 일하는 의녀들이 "신씨 때문에 이런 참혹한 일이 일어났다"고 이야기한 사실이 누설되어 참형을 당하는 일이 있었던 것을 보면, 당시부터 윤씨의 본가 쪽에서 연산을 분노하게 만들었다는 추측이 돌았던 것 같다.

윤씨의 피문은 적삼이 실존했고, 신씨가 보관하다가 연산에게 전달했을 가능성은 충분하다. 그러나 그렇다고 해도 연산이 하루아침에 광기 어린 폭군으로 돌변해서 복수극을 시작했다는 대목은 잘못되었다. 연산은 전혀 미치지 않았다. 반대로 그는 대단히 냉정하고 분석적으로 이 변화를 받아들였다. 사실 설사 윤비가 후궁의 참소로 억울하게 죽었다고 해도 별로 달라질 것은 없었다. 두려워할 사람도 엄씨와 정씨뿐이었다.

그러나 연산은 여기에서 자신이 오랫동안 찾아 왔던 아주 중요한 요소 하나를 찾아낸다. 성종은 참언에 속은 것이다. 그렇다면 신하와 대간들은 그 때 무엇을 했는가? 그들의 평소 보여온 무례함과 생트집과 국왕의 일거수 일투족에 대한 온갖 잔소리는 오직 하나의 명분, 신하들의 입을 열어 놓지 않으면 국왕이 참언이나 아첨하는 말에 넘어간다는 그 하나의 이유 때문에 용납되어 온 것이다.

그런데 성종이 바로 참언에 걸렸다. 그것도 국모를 핍박하고 죽이는 참언이었는데, 그들은 침묵하였다. 자신들과 관련된 이야기는 사소한 의견이라도 들어주지 않으면 사직원을 내고 몇 년씩 사보타지를 하는 자들이, 국모가 모함을 당해 죽음의 길로 가는데도 입을 다물고 몸을 뺐다. 왕을 추모하는 불공에 쓸 제문을 지으라고 하면 이단의 행사에 참여할 수 없다고 붓을 꺾고 거부하는 자들이, 국모에게 내리는 사약은 부당한 줄 알면서도 기꺼이 운반하였다.

"너희들은 왜 목숨을 걸고 그 일을 막지 않았는가?"

이것이 연산이 그들에게 내린 엄숙한 선고였다.

똑똑하고 눈치빠른 관료들은 왕이 내린 시의 의미를 재빨리 알아차렸을 것이고, 상당수는 꽤나 긴장했을 것이다. 그러나 왕실가족과 관료세계에 상당한 파문을 일으켰을 것이 분명함에도 불구하고, 이 이야기는 연산군 8년에 불쑥 등장했다가 다시 역사의 표면에서 사라진다. 기록이 부실한 탓도 있겠으나 연산이 이 문제를 더 이상 공개적으로 문제삼지 않았던 것 같다.

그 이유는 연산이 마음 속으로 폐비사건을 빌미로 한 엄청난 계획을 구상하고 있었기 때문이다. 연산은 야사에서처럼 이성을 상실한 복수귀가 아니라 냉혹한 음모가로 변하였다. 그는 폐비사건이 자신이 마음 속에서 품어오던 구상에 얼마나 유용한가를 찾아낸 것이다. 그러나 그것을 실행하기 위해서는 계획과 준비, 그리고 1년 이상의 침묵이 필요하였다.

4. 통렬한 개혁

용의 얼굴에 술을 쏟다

이극감(이극돈의 형)의 아들 이세좌에게는 당시인으로서는 특이한 면이 있었다. 술을 마시지 못했던 것이다. 우리 민족은 술과 인연이 깊어서 예로부터 취하도록 마시기를 즐겼다. 경주의 안압지에서 발견된 신라시대의 주사위에 벌칙으로 한 잔 가득 마시는 벌이 적혀 있지만, 오늘날도 자주 말썽이 되는 폭탄주, 강권, 술잔 돌리기 등의 풍속은 실록에도 다 등장한다. 술에 의한 사망사고도 간간이 발생했고, 술 때문에 요절했다는 인재는 벌써 이 책에 등장한 사람만 해도 여럿이다.

술이 없으면 놀 수 없고, 술이 없으면 시도 지을 수 없으며, 무사들이 활쏘기 시합을 할 때도 술에 취하지 않으면 힘이 나지 않는다고 했다. 만취를 좋아하다 보니 술버릇도 나빴다. 까다롭게 예의와 법도를 따지는 세상이었지만 임금이고 대신이고 술만 들어가면 볼썽 사나운 일이 자주 생겼다. 술자리에서 벌어진 일은 탓하지 않는다는 관행도 음주문화만큼이나 오래 된 것 같다.

이런 사회에서 술을 마시지 않고 살기란 쉽지 않다. 불행히도 이세좌는 큰 키와 비대한 체격에 어울리지 않게 거의 마시지 못할 정도로 술이 약했다고 하니, 말 못 할 고충이 많았을 것이다. 그러나 술이 가져다 준 어떤 고충도 그가 59세 되던 해인 1503년(연산군 9) 9월의 사건만큼 황당하지는 않았을 것이다.

9월 11일 인정전에서 양로연이 열렸다. 연로한 노인들을 위로하는 잔치인 만큼 양로연의 후반부는 늘 흥겨운 잔치였다. 술이 돌고 왕은 재상들에게 계속 잔을 돌렸다. 왕이 친히 내리는 술을 누가 감히 사양할 수 있겠는가? 이미 취해 있던 상태에서 예조판서 이세좌에게 차례가 왔다. 이세좌는 왕에게 잔을 올리고 답주를 받았는데, 실수로 반 이상을 쏟고 말았다. 이세좌는 그것도 모른 채 남은 술을 비웠고, 잔치가 끝난 후 재상들에게 내가 오늘 내게 오는 술을 다 받아 마셨다고 자랑까지 하였다.

잔치가 끝난 후 왕은 승지들에게 임금에게 술을 엎지른 신하는 어떻게 처리해야 하느냐고 물었다. 승지들은 또 괜히 신경질을 부리는구나 싶었을 것이다. 그러나 다음 날 왕은 다시 승지들을 불러다 놓고 화를 냈다. "이세좌가 술을 엎질러 내 옷을 적시고, 자리 위에도 흘러 오래도록 마르지 않았다. 재상은 작은 과실이 있더라도 사면해 주는 법이지만, 이것은 심히 공경스럽지 못한 일이니 내버려둘 수 없다. 더구나 자신이 예의를 담당한 예조판서면서 이럴 수가 있느냐?"

왕은 이세좌의 국문을 명령했다. 이세좌는 자신이 술에 약해서 제 정신이 아니었고, 몸이 비대하고 둔해서 그런 것이라고 변명하였다. 어찌된 일인지 왕은 계속 자기 말만 고집하였다. 이세좌가 거짓말을 하고 있으며, 그가 고의로 왕에게 술을 쏟은 것이 분명하다는 것이었다. 제 말만 옳다고 우기는 게 처음은 아니지만 이번에는 좀 심했다. 이에 승지들은 과감하게 이세좌의 편을 들었고, 친구 간에도 감히 그런 짓을 할 수는 없을 것이라면서 왕의 오해를 풀려고 노력하였다.

며칠 후 왕은 대신들을 모아 놓고 다시 이 문제를 꺼냈다. 이젠 한 술 더 떠서 아예 스토리를 지어냈다. 이세좌가 술을 마시기 싫어서 고의로 쏟았다는 것이다. "술을 마시지 못한다면 조금씩 마실 일이지 엎지르는 것은 옳지 못한 일이다. …… 대신을 죄 줄 수 없기 때문에 그 직만을 갈게 하려는데, 경들의 의견은 어떠한가?"

이 때의 재상에는 변동이 좀 있었다. 연산 치세의 전반을 이끌어 왔던 한치형은 연산군 8년에, 이극돈은 9년 2월에 사망했다. 이에 윤필상이 파평부원군으로 중요한 회의에 참석하고 영의정은 성준, 좌의정은 이극균, 우의정은 유순이 맡고 있었다.

재상들은 오랜 경험으로 연산군의 성격을 잘 알고 있었다. 연산군이 우겨댈 때는 당신이 전부 틀렸다고 몰아세워서는 안 된다. 특히 국왕의 위엄

어쩌고 할 때는 말이다. 세조나 성종이라면 저놈이 고의로 그랬다며 화를 내는 치졸한 투정 같은 것을 할 리 없겠지만—두 국왕은 술자리에서 일어난 실수에 대해 매우 관대했다—만약 그런 일이 생긴다면 대간들은 일단 불경죄라고 들고 나섰을 것이다. 이세좌에겐 안되었지만 실수라도 불경죄는 불경죄다. 직에서 해임되는 처벌이야 감수할 수도 있는 일이었다. 이세좌의 경력에 흠이 되고, 앞으로 승진할 때마다 대간들의 시빗거리가 되겠지만, 조금 있으면 복직할 것이고 곧 자신들의 후임이 될 터였다.

그래서 재상들은 "성상의 하교가 지당하십니다. 그러나 이세좌야 실수로 그런 것이지 본의가 그렇기까지야 했겠습니까"라고 대답하였다. 왕의 처벌은 당연하지만 고의로 그랬다는 생각은 버려 달라는 뜻이었다.

이상하게도 연산군은 끈질겼다. 이틀 후 그는 재상들에게 "나이 늙은 대신이 왕이 어리다고 이렇게까지 공손하지 못하다니 될 말이냐?"고 치고 나왔다. 다음 날 연산군의 비난은 대간들에게로 옮겨 갔다.

예전에 이계동(李季소)이 어좌 앞에서 과일을 던져 기생을 희롱한 것도 대간이 탄핵했는데, 이세좌는 하사하는 술을 엎질렀다. 이는 교만 방종하여 그런 것이니, 계동의 일보다도 불경죄가 더욱 크다. 그러나 지금 정부에서나 대간이나 한 사람도 이를 말하는 자가 없다. 이는 이세좌의 아들 이수의(李守義)가 한림(翰林)이고, 이수정(李守貞)이 홍문관원이기 때문에 그 세력을 무서워하여 말하지 않은 것이다. 이수의 등은 청요직에 있는 것이 옳지 않으니, 갈도록 하라. 또한 이세좌에 대한 처벌을 더 무겁게 해야 할 것이 있는지, 벙어리마냥 한 마디 말도 안한 대간도 처벌해야 할 것인지 아닌지를 의논하여 아뢰도록 하라. (『연산군일기』 9년 9월 19일)

즉시로 이세좌의 세 아들, 이수의·이수정·이수공이 모두 경질되었고, 이계동의 예에 따라 이세좌는 전라도 벽지인 무안으로 유배되었다. 대간들도 업무를 방기한 죄로 모두 경질시켜 무반직에 임명하고는 다시는 대간이나 홍문관 같은 청요직에 임명할 수 없다는 낙인까지 찍었다. 문관

중에서도 정수 중의 정수로 꼽히는 그들에게 무관직을 준다는 건 모욕 중의 모욕이었다.

이세좌를 귀양보낼 때는 무안에 도착하는 날짜까지 적어 보고하라고 하였다. 여기저기서 접대를 받으며 유람하듯 꾸물거리면서 가거나 도중에 병이 났다고 지방의 별장에서 적당히 머물면서 사면이 날 때까지 기다리는 그간의 악습을 사용하지 못하도록 한 것이다. 그것도 성에 안 찼던지 다음 날에는 유배지를 고쳐 제일 멀고 악명높은 함경도 온성으로 배정해 버렸다.

물론 이러한 일련의 조치가 사전에 치밀하게 계획된 행동일 수는 없다. 대신이나 승지, 대간의 반응은 이런 것을 예측하기에는 변수가 너무 다양했다. 게다가 연산군은 미리 상대의 행동을 예상해서 경우의 수에 따른 다양한 각본을 준비한다든가 하는 그런 능력이 결여된 인물이었다. 그런 행동은 어떻게든 자신의 행동에 일관성과 합리성을 부여하려고 애쓰는 사람들이 하는 짓이다. 이전에도 그렇고 이후에도 그렇지만 연산군에게 일관성이란 생소한 단어였다. 그는 손에 잡히는 대로 트집을 잡으면서 일을 처리해 갔다. 자신이 이전에 무슨 말을 했든, 전에는 어떤 처벌을 내렸든 그런 것에는 신경을 쓰는 사람이 아니었다. 대간의 일만 해도 그렇다. 그런 사소한 일로 대간에게 상소하지 못하게 하고, 상벌은 임금의 고유한 권한이라고 늘 윽박지른 사람이 바로 자신이었다.

그러나 이것은 일을 처리하는 방식이 그렇다는 것이다. 이후의 사건들과 맞추어 보면 이건 분명 고의적인 숙청이었다. 연산은 기회를 노리고 있었던 것이다. 대신과 대간들의 반응까지 예상하고 준비하지는 않았다고 해도, 혹시 이세좌가 술을 엎지른 것은 연산군의 의도적인 계략에 의한 것은 아니었을까 하는 생각도 든다. 그러나 어떻든 이번 경우에는 연산군의 이런 좌충우돌하는 일처리 방식이 그의 숨은 야심을 감추는 데 크게 도움을 주었다.

게다가 연산군은 이번 사건으로 중요한 사실을 배웠다. 누구를 숙청할 때는 어렵고 복잡하게 할 것이 없다. 아무렇게든 트집을 잡으면 된다. 그 방법은 의외로 저항도 적고 간단하고 효과적이었다. 즉위 10년째를 맞으며 연산도 이젠 웬만큼 정부 돌아가는 사정을 알게 되었다. 덕분에 누구든지, 어떤 상황에서든 자신이 필요하다면 꼬투리를 잡아낼 수 있다는 자신감이 생겼다. 비록 탐색전이었지만 제1라운드는 연산군의 완벽한 승리였다. 조정의 어떤 인물도 이것이 대숙청의 전조라는 사실을 감지하지 못했다.

대숙청 1

1503년의 남은 기간 동안 국왕의 존엄과 관련하여 계속 잔신경질을 부리기는 했지만, 연산군과 대신들 간의 관계는 좋았다. 이세좌의 숙부인 이극균은 여전히 좌의정 자리에 있었고, 다른 재상들과 그의 일가에 대한 대우도 여전히 융숭하였다.

11월 하순 두 대비가 창경궁에서 왕과 관원을 초청하여 잔치를 열었다. 실록에서는 의외로 이 날의 파티의 양상을 꽤 자세하게 기록했다. 그만큼 이 날의 파티는 그간의 불상사와 약간의 우려를 모두 잊게 할 만큼 질펀하고 화기애애한 것이었기 때문이다.

참석자는 정승과 사헌부, 승정원의 관원이었다. 대비는 꽤 마음을 써서 연산군이 평소에 눈독을 들이던 기생 광한선까지 데려오고, 참석한 관원에게 광한선을 글제로 시를 지으라는 명령까지 내려주었다. 기분이 좋아진 왕은 참석한 관원들에게 호피를 하사하고, 문정전 뜰로 옮겨가 2차로 잔치판을 크게 벌였다. 이극균, 성준, 남곤, 이희보, 성세순, 허집, 권균, 이계맹, 이맥, 이창신, 한형윤 등 왕이 총애하던 실세들과 젊은 경연관, 대간들까지 다 모인 셈이었다.

술이 점점 오르자 연산은 관원들과 점점 더 격이 없어졌다. 한형윤이 시를 지었는데 연산이 보더니 "시가 나쁘다"고 혹평을 했다. 함께 취한 한형윤은 거리낌 없이 "제 시는 나쁘지 않습니다"라고 반박을 했다. 옆에 있던 성준이 기회를 놓치지 않고 자기 아들들은 시를 더 잘한다고 왕에게 추천을 했다. 왕은 고개를 끄떡이며, 자신이 두 아들의 이름을 기억하고 있다고 성준에게 말해 주었다.

왕은 흥이 올랐고, 신하들도 신이 났다. 연산은 직접 북을 치며 노래하고 춤추고, 기생들과 어울렸다. 신하들도 같이 춤추고 노래하였는데, 예의와 격식을 벗어던지고 마음껏 취하였다. 만취한 연산은 사모를 벗겨 머리털을 움켜잡고 휘두르기도 하였다고 한다.

밤이 깊어지자 연산은 내전으로 들어갔는데, 한형윤과 이희보가 부축하여 감히 들어가기 힘든 내전까지 들어갔다. 연산은 이 곳에서 다시 3차를 벌였다. 광한선을 옆에 두고 희롱하던 연산은 갑자기 한형윤에게 "너를 이조참판으로 삼겠다"고 하고는 자기 신을 벗어 한형윤에게 주었다. 다시 왕은 젊은 문신 남곤을 불러 『춘추』를 강론하게 하였다. 평소에 경연에도 참석하지 않던 왕이 이런 술판에서 강론을 듣겠다고까지 한 것은 경연관에 대한 상당한 배려였다. 이 날 양상을 기록한 사관은 왕이 강론을 듣다가 오락과 유흥에 빠졌던 정나라가 끝내 망했다는 듣기 싫은 내용이 나오자 기분이 상해서 들어갔다고 꼬집어 놓았지만 이 때가 벌써 사경(새벽 1~3시)이었으니 누구라도 더 이상은 버틸 수 없었을 것이다.

다음 날 연산은 대신들을 불러 술자리에서의 실수를 사과했다. 이 날 따라 유달리 착해지고 점잖아진 연산은 거의 자신을 자책하는 기미까지 보였다.

왕이 말하기를 "어제 과음해서 취한 뒤의 일은 아무것도 생각나지 않는다"고 하였다. 성준이 아뢰기를 "신의 소견으로는 아무것도 실수하신 것이 없었습니다. 세조 때도 자주 대신들을 소대(召對)하시기를 그렇게 하셨는데, 어제 입은 성상의 은혜는 죽더라도 어찌 감히 잊겠습니까? 이는 천 년에 한 번 있는 행복입니다" 하고, 이극균은 "군신 간에 때로 만나는 것이 어찌 의리에 해롭겠습니까?" 하였다.

왕이 대답하기를 "어제 과음하여 실수하였으니, 인군의 패덕이 이보다 더할 수 없고 역사를 더럽힘도 이보다 더할 것은 없으리라. 군신 간에는 의당 예절로 대해야 하는 것인데, 이래서야 되겠는가? 내일 경연에 나가야 하겠으나 대신들 보기가 부끄럽다" 하였다.

성준과 이극균이 아뢰기를, "제왕이 대신을 접대할 때 때로는 그렇게 할 수도 있는 것입니다. 어제 신 등도 역시 취하였으니, 어찌 전하의 실수를 알겠습니까? 다만 술이 취하셨을 뿐, 다른 잘못하신 일은 없으셨습니다. 신 등의 생각으로는, 군신 간에도 한결같이 엄하고 공경하는 것으로만 대할 수 없는 일이니, 때로 편전에서 사사로이 대신을 보시는 것이 무슨 잘못이겠습니까? 성종께서도 일찍이 여러 신하들을 접견하셨는데, 그 때 정인지가 수상으로 있으면서 아뢰기를 '군신 간에는 의당 예절로 접해야 합니다. 그러나 한결같이 예절로만 할 수는 없는 것이요, 역시 온화하게 대할 때도 있어야 합니다' 하였습니다. 성종께서 술이 취하자, 바로 정전에서 일어나 춤추시며 이어 여러 신하들도 춤추게 하셨던 것입니다. 인군으로서 대신을 접하는 데는 역시 화흡(和洽)한 때가 있어야 하는데, 어제 일이 무슨 실례가 되겠습니까?" 하였다.

이자건이 말하기를 "어제 일은 근래에 보고 듣지 못한 일입니다. 전하께서 위로는 양전을 모시고, 아래로는 대신·시종·대간을 불러 중심을 보이시며 성의로 대하셨으니, 무슨 잘못하신 일이 있겠습니까? 참으로 제왕의 도량이십니다" 하였다. 성준이 다시 말하기를 "신이 세조도 모셨었는데, 세조께서도 자주 이렇게 하셨습니다" 하였다. …… (『연산군일기』 9년 11월 22일)

몇 번이고 더 만취한 자신을 탓하던 왕은 성준에게 후추 한 푸대를 하사하고, 한형윤을 불러 옥관자를 내려주다가 갑자기 생각난 듯 술자리에서 한 약속을 지켜 김감을 자헌대부로 승진시켜 성균관사로 임명하고, 한형윤은 종2품의 가선대부로 승진시켜 이조참판으로 임명한다고 발표했다. 2품관이 되면 요대도 은띠에서 금띠로 바뀐다. 한형윤이 장식을 교체하자 왕은 한의 외조부이며 후원자였던 성준을 부르더니 "저 금띠가 경이 보기에는 어떤가?"라고 물었다. 성준은 감격하여 울먹였다. "신이 외람되게 성상의 은혜를 입고 지금 죽기를 기다리고 있는 중에, 형윤이 가선되는 것을 보게 되었습니다. 성상의 은혜가 이러하시니 감격의 울음을 금할 수 없습니다."

옆에 있던 이극균도 따라서 울기 시작했다. "성준이 눈물 흘리는 것을 보니, 신 역시 자신도 모르게 눈물이 흐릅니다." 왕은 털털하게 "관직을 받은 사람은 한형윤인데 어찌 정승이 울면서 사례하는가?"라고 하였다.

그들로서는 더 이상 흐뭇할 수가 없었다. 이 얼마나 특별한 관계인가? 한형윤은 밖으로 나와 이 자랑스럽고 흐뭇한 미담을 사람들에게 전하였다. 이 말을 들은 이창신은 내관에게 달려가 자신도 한형윤의 이야기를 들으니 감격하여 눈물이 흐르는데 조부인 성준이 우는 것이야 당연하지 않겠느냐는 말을 왕에게 전해 달라고 부탁했다고 한다.

성준은 그렇다 치고 한형윤과는 혈연관계도 없는 이극균에 이창신마저 눈물을 흘린 이유는 다름이 아니다. 왕과 공신들 간의 끈끈한 정을 다시 확인했기 때문이다. 젊은 국왕의 갑작스런 분노는 과하기는 했지만 역시 우려할 수준은 아니었다. 젊은이야 그럴 수도 있는 것이다. 그가 보기에 왕은 정도를 알고 있었고, 여유를 되찾고 있었으며, 최소한의 정도는 지키려고 노력하고 있었다.

과연 다음 해 1월이 되자 왕은 이세좌를 방면하라는 명령을 내렸다. 절차가 많고 교통이 불편하던 시대라 이세좌는 한 계절이 지난 3월 3일에야 서울에 도착했다. 이세좌가 국왕에게 감사의 예를 올리기 위해 방문하자 연산은 그를 따뜻하게 맞았고, 당연히 고향으로 돌아온 것이건만 연산군은 무슨 먼 나라에서 온 사신이라도 접대하듯 "험난한 만리 길에 와 궐문 밖에서 사은하니, 아직도 충성이 남아 있다"고 칭찬하고 술을 내려주었다. 이세좌가 잔을 받들자 왕은 "그 잔이 바로 그대가 전에 쏟은 그 잔이다"라고 멋을 부렸고, 이세좌는 울면서 사례하였다.

이세좌의 귀향은 광주 이씨 일가뿐만 아니라 조정 대신 모두에게 반가운 소식이었다. 잠시 일탈했던 세상이 완전히 정상을 되찾았기 때문이다. 지난 10년간의 정사를 돌이켜 보아도 이번 국왕은 무슨 콤플렉스라도 있는 사람처럼 과민하고 가끔 어디로 튈지 모르는 행동을 하기는 했지만, 적어도 대신가와의 관계에서는 정도를 지켜 왔다. 국정은 늘 그들의 뜻에 따랐고, 대간이나 젊은 층들과 자주 대립하는 만큼 대신들은 싸고돌았고, 그들의 아들과 일가를 기억하였다.

기쁜 마음으로 그들은 이세좌를 찾아가 그를 위로하고 격려하였다. 일가와 친구만 해도 수백은 되었을 것이고 옛 막료와 동료들, 아들의 친구와 동료까지 빠짐없이 방문했을 것이니 손님을 접대하는 것만 해도 하루 이틀의 잔치로는 부족했을 것이다.

이세좌의 귀향잔치가 아직도 지속되고 있었을 3월 11일에 연산에게 상소 한 편이 전달되었다. 경기도 관찰사 홍귀달의 상소였다. 상소를 읽은 연산은 몹시 화를 내더니 바로 의정부 대신과 육조판서, 승지들을 모조리 소집했다.

홍귀달의 상소는 자기 아들 홍언국의 행위를 변명하는 것이었다. 앞의 사정은 잘 알 수 없지만 왕자의 간택령이 있었는지, 연산이 후궁으로 삼으려고 했는지 홍언국의 딸에게 입궐명령이 내렸다. 그러나 홍언국은 딸이 병이 있다는 이유를 대고 입궐시키지 않았는데, 이 일로 홍언국이 의금부에 체포되어 국문중이었던 것이다.

법적으로 말하면 의금부에서 계류중인 사건에 대해 사건 당사자도 아닌 사람이 왕에게 상소하는 것은 불법이었다. 그러나 조선 건국 이래 이런 일은 비일비재했고, 그래서 대간들이 탄핵하는 단골 메뉴이기도 했다. 그러나 특별히 거짓말을 한 경우가 아니라면 대신들은 이런 일로 처벌받지 않았다. 대신쯤 되면 그 정도의 특권은 주어야 했다. 홍귀달로서는 대간들의 탄핵이 귀찮기는 했겠지만 자식과 가문을 위해 그 정도는 감수해야 할 것으로 생각했다.

그런데 연산군이 갑자기 법대로 나왔다. 즉위 초만 해도 왕은 홍귀달을 총애하고 내심 정승감으로까지 생각했는데, 홍귀달의 행동은 크게 잘못된 것이라며 한참을 힐난하더니, 이런 상소를 걸러내지 않고 왕에게 올린 승지들까지 책망했다. 하긴 그거야 맞는 말이었다. 다른 임금이 이랬다면 사관들은 이를 대서특필했을 것이고, 왕의 행장에도 기록했을 만한 미담이었다. 그러나 이야기가 갑자기 이상하게 전개되기 시작한다.

관원들을 부른 자리에서 왕은 홍귀달을 처벌할 뿐 아니라 이세좌도 다시 유배해야겠다고 말한다. 중세의 법에도 일사부재리의 법칙은 엄연히 존재했다. 자신이 사면해 준 사람을 그것도 대신을 다시 처벌한 것은 아마 조선 역사상 처음 있는 일일 것이다. 연산군은 일장연설을 하면서 이세좌를 다시 처벌해야 하는 이유를 이렇게 말했다.

> 이세좌가 중죄를 지고 귀양갈 때에 재상이나 대간이 그 세력을 무서워하여 한 사람도 그 처벌이 가볍다고 말하지 않았고, 방면될 때에도 역시 누구 하나 빨리 풀려온 데 대해 말한 자가 없었다. 모든 재상들이 이 때문에 교만해져 모두들 '아무개도 귀양간 지 얼마 안 되어 돌아왔으니, 내가 죄를 입더라도 역시 오래지 않아 방면될 것이다' 하여, 홍귀달 역시 경계하지 않고 공손스럽지 못한 말을 한 것이니, 지금 마땅히 국문하여 죄주어야 한다. 이세좌가 지금 방면되었지만 하필 성 안에 있게 해야겠느냐? 성 밖에 두는 것이 어떤가? 거리낌 없이 말하라. (『연산군일기』 10년 3월 11일)

그야말로 제멋대로의 해석이었다. 그러나 누구 하나 홍귀달과 이세좌를 위하여 변호하러 나서지 않았다. 연산군은 이를 예상했던 것이다. 작년의 탐색전에서 얻은 확실한 소득은 대신가들의 결속력이 많이 와해되어 있다는 사실이었다. 오랫동안 평화와 번영을 누려서 그런지 그들에게는 자신들이 공멸할 수도 있다는 위기의식이 약해져 있었다. 게다가 이미 그들 내부에서도 경쟁이 치열해져 있었다. 누군가가 숙청되면 주인 잃은 자리와 이권이 남는다. 그것은 자신이나 자신의 일가에게 기회일 수 있다.

연산군의 말에는 정곡을 찌른 면도 있는데, 그들은 역모가 아닌 이상 큰 처벌을 받거나 일가가 화를 당하는 일은 듣도 보도 못하고 자랐다. 족벌의 번창이 이럴 때는 오히려 큰 단점이 되었다. 혹 누가 처벌받는다 하더라도 잠시의 고통일 뿐, 그럴수록 일가의 다른 사람들은 무사해서 가문의 맥을 이어야 한다는 것이 그들의 생각이었다. 그들은 아직도 눈앞에 닥친 위험을 전혀 깨닫지 못하고 있었다. 그들이 보고 자란 우주에서는 상상할 수도 없는 일이었기 때문이다.

연산군은 흥분된 속에서 오랫동안 별러 오던 일을 착수하였다. 그는 먼저 약간의 계략을 썼다. 위의 연설에서 그는 이세좌를 다시 유배한다고는 하지 않았다. 만인에게 경고하기 위해 도성에 들어오지는 못하게 하겠다는 것이었다. 그는 이렇게 말하고 성준과 이극균의 의견을 물었다. 두 사람도 동의할 수밖에 없었다. 바람이 세게 불 때는 잠시 엎드려 있는 게 상수이다. 그러나 그 바람은 그들이 생각한 것보다 훨씬 거대한 것이었다.

연산군은 이세좌를 방면할 때 이를 논박하지 않았다고 대간을 모두 처벌했다. 이어 이후 아무리 큰 대사령이 있어도 이세좌는 용서하지 말라는 엄청난 명령을 내리더니, 단지 도성 안에 거주하지 못하게 하겠다고 하여 재상들의 동의를 얻고서는 이세좌를 다시 거제도로 유배시켜 버렸다. 홍귀달은 연산이 스스로 유배지를 물색해서 가장 먼 곳으로 정했다. 선택받은 땅은 함경도 경원이었다.

이세좌와 홍귀달을 축으로 연산군은 닥치는 대로 관원을 적발하기 시작했다. 이세좌가 유배되고 방면될 때 대간직에 있던 관원을 모조리 조사했다. 이세좌와 홍귀달은 옥졸을 시켜 압령해서 보내도록 하고, 중간에 접대하거나 위로하는 자가 있으면 처벌하겠다고 엄포를 놓았다. 이어 주서(注書) 이희보를 보내어 상황을 엿보게 했다.

신이 용진(龍津)으로 달려가니, 한 사람이 초라한 차림으로 가는 것이 보였는데 가까이 가서 보니 이세좌였습니다. 따라가는 사람은 그 아들 이

수정과 손자 두 사람뿐이요, 별로 전송하여 위로하는 자가 없었습니다. 다만 압령해 가는 옥졸이 보이지 않았습니다. (『연산군일기』 10년 3월 14일)

이희보의 보고는 더 이상 희생자를 내지 않으려는 의도가 역력하다. 그러나 모든 것이 완벽하게 시행되고 있다고 말하면 연산은 이희보도 국문하라고 하거나 2차, 3차로 계속 감시자를 보낼 것이 뻔했다. 아랫사람에게는 안되었지만 이희보는 옥졸을 희생시키기로 한 것 같다.

그러나 연산군은 여기서도 건수를 찾았다. 옥졸을 처벌하고, 부친을 수행한 이수정은 관직에 있으면서 무단으로 직을 떠났다는 죄를 씌워 체포하게 했다.

정말로 연산군은 종잡을 수 없었다. 때로는 그는 정말 즉흥적이었다. 놀이를 즐기는 아이처럼 문득 생각이 나면 해치우고 거기서 또 새로운 아이디어를 찾고 하는 식이었다. 얄미운 대간에게 무반직을 주는 새로운 아이디어를 생각해 낸 그는 이번에는 아예 매를 때리는 방법을 생각해 냈다. 이런 좋은(!) 생각이 나자 다음에는 모조리 매 맞을 보게 해 줘야겠다는 생각이 떠올랐다. 그는 재빨리 이미 경원으로 가고 있던 홍귀달도 도로 불러들여 이 행사에 참여시켰다.

홍귀달은 대신이었을 뿐만 아니라 성종조에 이미 최고의 문신이 임명되는 대제학을 역임하고, 오랫동안 왕의 스승이라고 할 수 있는 경연관까지 지낸 명망 있는 인물이었다. 이런 그에게 형장을 가한다는 것은 대신만이 아니라 문신 자체를 우습게 본다는 행위였다.

홍귀달이 매를 맞을 때, 연산은 사람을 보내 그가 맞는 이유를 이렇게 설명해 주었다.

"군왕을 능멸하는 풍습이 만연해서 먼저 노성한 대신을 처벌해야만 아랫사람의 경계가 되기 때문에 이렇게 하는 것이다."

국왕인 나만 국가와 백성을 위하여 하고 싶은 것을 못하고 힘들게 살아야 할 것이 아니라 너희들도 한 번 대의를 위하여 몸을 바치라는 야유였다.

일설에는 홍귀달이 연산의 미움을 산 이유는 어떤 사람이 경기감영의 창고지기 자리를 장녹수에게 청탁하고 장녹수가 이를 왕에게 청탁했는데 경기감사였던 홍귀달이 이 청을 거부하였고, 홍귀달이 간언을 자주하는데다 경연에서도 자제들조차 말을 좀 순하게 하라고 걱정할 정도로 대단히 직설적인 이야기를 많이 했기 때문이라고 한다. 아무리 그렇다고 해도 홍귀달은 대간이나 젊은 측과 의견을 같이했던 것도 아니고, 윤필상이나 노사신 등과 같이 가능하면 연산을 이해하고 왕의 편을 들어주는 입장이었다. 그런 그에게 연산은 노성한 대신으로서 그대가 본보기가 되라는 말한 마디를 던지고 형장에 묶더니 나중에는 결국 처형하였다.

이런저런 건수를 잡을 때마다 이세좌의 가족들에 대한 핍박도 심해졌다. 동생과 아들, 사위를 모두 유배하고 미성년의 아들까지 성밖으로 쫓아냈다. 거기에 홍귀달과 마찬가지로 유배가는 아들들을 도로 잡아와서 매를 때렸고, 정말 때렸는지 직접 상처를 확인하기까지 했다. 그러더니 말끝마다 고전에서 자기 행동의 당위성을 끄집어내던 그들을 비웃어 주려는 듯 괜히 고전에서 유배형의 기원까지 들먹이면서 유배령을 내렸다.

> 순임금이 공공(共工)을 유주(幽州)로 귀양보낸 것은, 거기에 두고 다른 데로 가지 못하게 한 것이다. 지금 이세좌의 자제를 모두 외딴 지방으로 귀양보내어 다른 데로 가지 못하게 하라. (『연산군일기』 10년 3월 20일)

그렇다고 연산군이 매사를 감정적으로만 처리한 것은 아니었다. 자신의 말마따나 통렬한 개혁을 위하여 그간의 국정 경험에서 얻은 노하우를 모조리 동원하여 희생자들을 얽어냈다. 사건이 벌어질 때마다 왕은 그 동안 습관적으로 행해지던 정가의 각종 비리를 들추어냈다. 오랫동안 훈구파의 세상이 되다 보니 사실 엉망인 관행들이 많았고, 국왕의 입장에서 보면 정말 화가 날 정도로 뻔뻔한 경우도 많았다. 관원들은 죄를 지어도 매를 때리거나 구금할 수가 없으므로 대개 보석금을 내거나 종을 대신 구금했다. 이 때 내는 보석금을 속전이라고 했다. 여기까지야 그렇다고 해도, 관리들은 이걸 자기 재산에서 내지 않고 공금에서 떼어 충당했다고 한다.

인맥이 왕성하니 웬만한 잘못은 다 용서를 받고, 왕도 모르는 새에 슬쩍슬쩍 등용되었다. 대간이나 유생이 말이 심하고 소위 말하는 언론이 왕성했던 것도 정말 문제의식이 투철해서 그랬는지, 아니면 자신의 미래에 대해 무서운 것이 없어서 그랬는지 의문스러운 경우도 많다. 대신들이 분노하고 어쩌고 해도 결국은 일가요 한통속이었다. 연산군 때의 경우만 보아도 즉위 초부터 단체행동에 앞장선 인물들이 유배되었느니 어쩌느니 했어도 결국에는 어느 새 다 요직에 들어와 있었다.

하루는 연산군이 관례에 따라 지방에 파견되는 외관을 접견했다. 그 중에 예전에 노사신의 살을 씹어 먹어 버리고 싶다고 말했던 조순이 3품관인 함경도 도사로 발령받아 앉아 있었다. 연산군은 그를 기억해 내고 화를 내며 당장 경질하게 했다. 살기등등하던 갑자년 이 때도 방금 유배시킨 이세좌의 아들들이 이조와 병조의 신임관원 인사에서 후보자로 올라왔다. 이 때의 옥사가 정상적인 것은 아니었지만 왕의 입장에서 보면 화날 만도 했다. 이런 것들은 모두 건수가 되었다. 한 사건이 지나면 이런 식으로 다음 처벌자가 나왔다.

실록의 기록을 찬찬히 검토해 보면 분명 연산은 때로 아주 교묘했고, 때로는 지나치게 감정적이었다. 그것까지 연기였던 것 같지는 않다. 역사상 어떤 국왕도 감행해 보지 못한 정치적 도박을 시도하면서 연산군은 이성과 감성을 모두 사용하고 있었다. 불행인지 다행인지 이 때의 상황과 그의 특이한 개성은 정말로 잘 맞아떨어져서 최대의 효과를 발휘하고 있었다. 갑자사화를 대성공으로 이끈 요인은 바로 이것이었다. 기존 세계의 법칙과 상식을 가지고 사고하는 사람들이라면 누구든 연산의 행동을 예측할 수 없었고, 그의 진심을 알아낼 수도 없었다. 모든 것이 그와 이 시간을 위하여 준비되어 있는 듯했다.

대신들은 바짝 엎드려 있었다. 간혹 연산군이 재상들의 동의를 구하면 그들은 왕의 비위를 맞추는 데 급급하였다. 노사신의 아들이었던 노공필과 김응기가 이세좌의 불경죄가 종묘사직을 위태롭게 하는 정도는 아니지 않느냐고 비호했다가 유배형에 처해졌다. 이 처벌을 대신들에게 묻자 윤필상·성준·유순 등은 지당하다고 조아릴 뿐이었다. 왕은 다시 이들의 처벌에 대해 이극균에게 자문을 구했다. 이극균은 왕의 불경죄론에 일단 동의한 후 불경죄이기는 하지만 종묘사직을 위태롭게 하는 불경죄와는 다르지 않겠느냐고 말했다가 예외없이 그도 달려들어갔다.

연산은 "이번 기회에 위를 능멸하는 풍습을 완전히 뜯어 고치겠다", "왕을 초개같이 보는 것이 아예 풍습이 되었다"는 말을 몇 번씩 했다. 신하들은 너무 심하다는 생각은 했지만 왕의 의도를 종잡을 수가 없었다. 정황을 되짚어 볼 때 그들에게 분명한 것은 하나뿐이었다. 왕의 흥분이 이세좌 일가와 대간들에게 집중되고 있다는 사실이었다. 그것이 회오리의 중심이었다. 다시 말하면 아무튼 자신들은 아니었다. 가만히 있으면 다치지 않는 것이다. 설마 저들이 더 이상 심한 처벌을 받지는 않을 것이고 조금 있으면 유배도 풀릴 것이다. 아마도 자신들은 나중에 그들을 구원하고 그들에게 생색을 내기 위해서도 지금은 자중하여 스스로를 보존할 필요가 있다는 말로 자신을 위로하고 정당화했을 것이다. 연산군은 회심의 미소를 지었다. 제2라운드도 그의 승리였다.

3월 20일 회오리의 중심이 갑자기 바뀌었다.

이 날 연산은 안양군 이항과 봉안군 이봉의 목에 칼을 씌워 옥에 가두라는 명령을 내린다. 이항과 이봉은 정귀인의 아들이다. 다행이라고 해야 할지 엄귀인에게는 아들이 없고 시집간 딸 하나만 있었다. 조금 후 왕은 숙직 승지 두 사람을 부르더니 이항과 이봉을 장80대씩 때려서 외방에 유배시키고, 의금부 낭청 1명에게 옥졸 10인을 거느리고 금호문 밖으로 와서 대기하라는 명령을 내렸다.

승지들이 항과 봉에게 곤장을 치는데, 다시 둘을 창경궁으로 데려다가 구금시키라는 명령이 내려왔다. 그 사이에 옥졸들은 궁 안으로 들어가 엄귀인과 정귀인을 체포했다. 두 여인을 궁궐 뜰로 끌어내 결박한 후 연산은 몸소 몽둥이를 들어 두 여인을 마구 치고 짓밟았다. 숨이 끊어지는 듯한 비명과 피가 어우러져 튀었다. 그러나 쇼는 아직 끝나지 않았다. 한참을 구타한 후 연산은 준비했던 메인 이벤트를 시작했다.

자정을 전후한 무렵 이항과 이봉은 연산이 있는 마당으로 끌려나왔다. 왕은 둘을 가까이 부르더니 엄씨와 정씨를 가리키며 이 죄인을 치라고 하였다. 기록에는 이항은 어두워서 두 사람이 누구인지 모르고 치고, 이봉은 속으로 어머니임을 알고 차마 몽둥이를 들지 못하였다고 하였다. 그러나 그렇게 어두웠다면 연산을 경호하기도 불가능했을 것이다. 이봉은 끝내 거부하였으나 이항은 두려움에 못 이겨 평생 자책감에 시달릴 행위를 하고야 말았다.

연산은 두 아들이 보는 앞에서 옥졸들을 시켜 두 여인을 난타하고 그 외에도 온갖 고문을 가하여 끝내 그 뜰에서 죽여 버렸다. 나중에 내수사를 시켜 두 여인의 시신을 가져다가 갈기갈기 찢어서 젓을 담그고, 산과 들에 뿌리게 했다.

두 여인을 때려 죽인 후에도 연산의 흥분은 가라앉지 않았다. 분명 술에 취했을 연산은 다시 셰익스피어 극에 나올 듯한 광란의 장면을 연출하였다. 엄씨와 정씨를 마구 구타하던 그는 장검을 들고 자순왕후의 침전으로 달려갔다. 그러나 차마 침전으로 난입하지는 못하고, 뜰 밖에 서서 "빨리 뜰 아래로 나오라"고 소리쳤다.

내관과 시녀들은 모조리 달아났다. 겁에 질린 대비는 문을 걸어 잠그고 방에서 나오지 않았다. 대비가 나오지 않자 연산은 점점 화가 나서 더욱 더 큰소리를 질렀다. 왕은 점점 더 흥분하고 있었지만 제지할 사람이 없었다. 내관들은 연산이 20대 중반이 넘어서면서 주정이 점점 심해지고 있다는 사실을 잘 알고 있었다. 누구든 그 앞에 나섰다가는 당장 칼부림을 당할 판이었다. 위기일발의 순간에 왕비 신씨가 이 소식을 듣고 대비전으로 필사적으로 달려왔다.

신씨는 덕이 있고 사리에 밝은 여인이었다. 연산 11년에 연산 자신도 중궁의 어짊을 칭찬하는 책문을 내렸고, 연산을 내쫓고 그녀의 처가를 몰살시킨 반정 주역들조차 신씨에 대해서만은 현명한 왕비였다고 칭찬을 아끼지 않을 정도였다. 누구의 말도 듣지 않던 연산도 그녀에게만은 함부로 대하지 못했다고 한다.

그러나 주정이 심해졌을 때는 달랐다. 취한 왕은 현모양처에게도 고분고분하지 않았다. 신씨는 연산을 진정시키기 위해 상당한 고통을 당해야 했다. 그러나 연산도 더 이상 어떻게 하지는 못했다. 신씨의 제지로 김이 빠진 왕은 이번에는 이항과 이봉의 머리를 잡아 끌면서 인수대비의 침전으로 달려갔다. 신씨도 구타를 당했는지 기력이 빠졌는지 이번에는 따라오지 못했다.

병석에 누워 살 날이 며칠 남지도 않았던 인수대비는 이 날 밤 술에 취한 손자의 방문을 받고 기겁하였다.

> 왕이 이항과 이봉의 머리털을 움켜잡고 다시 인수대비 침전으로 갔다. 대비전의 방문을 열고 욕하면서 "이것은 대비의 사랑하는 손자가 드리는 술잔이니 한 번 맛보시오" 하고는 이항을 독촉하여 잔을 드리게 했다. 대비가 부득이하여 잔을 마셨다. 왕이 또 말하기를, "사랑하는 손자에게 하사하는 것이 없습니까?" 하니, 대비가 놀라 창졸간에 베 2필을 가져다주었다. 이어 왕은 "대비는 어찌하여 우리 어머니를 죽였습니까?" 하며 불손한 말이 많았다. (『연산군일기』 10년 3월 20일)

야사에서는 이 날 인수대비가 부왕의 후궁을 어찌 이렇게 할 수 있느냐고 나무라자 연산이 달려들어 대비를 받았다고도 한다.

연산이 난동을 부려 직접 엄귀인과 정귀인을 때려 죽였다는 소식을 들은 관료들은 모두 아차 싶었을 것이다. 어떤 이들은 폐비 윤씨에게 사약을 내릴 때 이세좌가 형방승지로서 그 일을 주관했다는 사실을 기억해 냈을 것이다. 폐비사건은 정말 기억하기 싫은 사건이었다. 그러나 일이 이렇게 된 이상 나이 든 관료들은 오랫동안 마음 한 구석에 처박아 두었던 폐비와 관련된 기억들을 끄집어내야 했다. 그러나 어차피 윤씨 문제는 전적으로 성종이 주도한 것이었다. 하필 그 때 사약 운반을 맡았던 이세좌는 정말 재수가 없었던 것이다. 다른 사람들은 그 정도의 악연을 찾아낼 수는 없었다.

21일은 정씨와 엄씨 살해가 이 피바람의 절정이며 대미라고 보여진 하루였다. 전날 광란의 밤을 보낸 연산은 날이 밝자 예의 블랙유머를 다시 발휘해서 어머니를 때린 공로로 이항에게 말 한 마리, 그것도 잘 길든 말로 골라 상으로 내려 주게 했다. 두 사람은 유배되었다. 이항이 유배길에 그 말을 타고 갔는지는 알 수 없으나 두 사람은 연산군 11년에 처형되었다.

이어서 백관들을 소집하여 새삼스럽게 이세좌와 그 아들들을 처벌한 것이 정당한 행동이었는지를 의논하게 하였다. "나도 이세좌와 그 일가에게는 죄가 없다는 사실을 안다. 그러나 내가 왜 이러는지 이제 그대들은 알았을 것이다. 그러니 이 문제는 논리로 접근하지 말아 달라." 아마도 백관들은 이 회의의 의미를 이렇게 이해했을 것이다. 관료들은 자신의 안위를 위하여 모처럼 나타난 진정국면을 안정시키고자 이세좌는 불경죄를 지었으며 그 아들과 사위까지 처벌하는 것은 당연하다고 동의하였다.

하지만 다음 날 연산군은 정말로 사람들의 뒤통수를 때렸다. 이세좌가 방면되었을 때 그의 집을 찾아간 사람을 모조리 조사하라는 명령이 떨어진 것이다. 후기처럼 당파가 나뉘어져 있던 시대도 아니고, 혈연, 학연, 지연, 관연 모든 것이 연으로 얽혀 있던 사회였다. 승지들이 이런 것은 사람 사는 사회의 일상사라고 만류하자 연산은 아니 설마 너희들 중에도 위문한 자가 있는 것이냐고 위협을 했다. 수많은 사람이 국문장으로 끌려갔고, 더 많은 사람들이 자수해 왔다. 이 카드로 연산은 거의 모든 관료에게 올가미를 걸었다.

대숙청의 시기에 연산군은 내내 악마적인 유머를 발휘했다. 후세 사람들이 연산군의 행동은 충격과 복수심에 불탄 광란이었다고 기억할 정도로 당하는 사람의 입장에서는 매일매일 급박하고 충격적인 사건의 연속이었다. 하지만 사실 연산군은 서두르지 않았다. 왕은 검을 뽑아들고 회오리의 한복판에 서서 자신의 신하들을 굽어보며 서 있었다. 모든 관료가 약점이 잡혀 있었다. 그는 페이스를 조절했고 시기와 방법을 선택했다. 마치 맹수가 어린 사냥감을 가지고 놀 듯이 그는 하나하나 사냥감을 조준하고, 그들을 조롱할 방법과 사냥할 시간을 궁리하였다.

이세좌만 해도 그랬다. 그는 생의 마지막 6개월 동안 절망과 희망, 천국과 지옥을 넘나드는 경험을 해야 했다. 평생 육체적인 고생이라고는 해본 적도 없고 살이 쪄서 몸까지 둔했던 그는 겨울에서 봄이 되는 사이에 함경도 온성에서 거제까지 한반도를 완전히 종단해야 했다. 그러나 무엇보다도 그를 괴롭혔던 것은 종잡을 수 없고 예측 불가능한 왕의 태도였을 것이다. 사면령을 받아 온성에서 돌아온 그는 일주일 만에 다시 이미 형이 끝난 이전의 죄로 유배 명령을 받았다. 이건 아무래도 왕이 흥분했기 때문이라고 생각했던 그는 궁궐로 찾아가 왕에게 대죄하였다. 연산군은 분노와 조롱으로 이에 응답하고 아들과 사위까지 잡아들였다.

23일 연산군은 다시 한 번 대미를 암시하는 사인을 보냈다. 폐비 윤씨에게 왕비의 칭호를 추숭하자는 것이었다. 대신들은 대개 찬성하였지만 젊은 층들이 반대하였다. 예상했다는 듯이 연산은 마지막 카드를 꺼냈다. "성종은 명철한 임금이셨다." 이거야 평소 신하들이 연산군에게 간할 때마다 써먹던 명제니 부정할 수가 없었다. "명철한 임금이 죄없는 왕비를 쫓아냈다. 이건 틀림없이 후궁의 참소 때문이다. 아무리 현명한 왕도 실수할 수가 있다. 그럴 때를 대비해서 재상들이 있는 것이 아닌가? 너희들은 그때 왜 목숨을 걸고 왕의 잘못을 간하지 않았는가?"

젊은 층들이야 폐비와 아무런 관련이 없으니 꺼릴 것이 없었지만 성종조를 경험한 재상들로서는 가장 두려워하던 이야기가 터진 것이었다. 다음 날 겁에 질린 윤필상 이하 대신들은 서둘러 윤비의 시호를 추숭했다. 왕은 정씨·엄씨의 후손까지 유배하고 대간들을 처벌하는 문제를 덤으로 물었다. 왕이 끌어다 대는 이유는 다 억지였지만, 대신들은 '지당'을 반복했다. 대간들은 국문장으로 끌려갔고, 왕은 원하던 바를 하루 만에 모두 해치웠다.

공포의 하루를 보낸 대신들이 겨우 안도의 숨을 내쉴 때 비밀리에 승정원으로 한 장의 명령서가 날아들었다. "폐비할 때 의논에 참여한 재상과 폐비가 궁궐에서 쫓겨나갈 때 시위한 재상, 사약을 내릴 때 나가 참여한 재상들을 『일기』를 뒤져 보고하라."

경악 그 자체였다. 드디어 판도라의 상자가 열린 것이다.

대숙청 2

시호를 추숭하는 것을 끝으로 재상들의 이용가치는 끝났다. 그러나 『시정기』를 검토하는 데는 시간이 좀 걸렸던 것 같다. 그 동안 연산은 엄씨와 정씨의 아들과 딸, 사위, 여든이 넘은 그들의 부모와 출가한 자매까지 잡아들여 매를 치고 유배를 보냈다. 법에 따르면 여든이 넘은 사람과 출가한 여인은 연좌에 해당되지 않았지만 이번에는 무조건 예외였다. 매를 칠 때도 여인의 경우, 간음죄를 저질렀을 때만 옷을 벗겨 맨살을 때리게 되어 있었지만, 이 역시 예외였다. 조금 후에 부모는 다 참형에 처해졌다.

28일 드디어 연산의 화살이 재상들을 향한다. 불공대천의 원수를 갚는다는 명분으로 이극균을 체포하여 인동(경북 구미)으로 유배했다. 30일에는 이세좌에게 사형을 언도하였다.

분위기가 분위기인 만큼 의금부 도사 안처직은 말을 달려 5일 만에 남해가 바라보이는 곤양군(지금의 사천군 일대) 양포역에서 이세좌 일행을 따라잡았다. 안처직은 커다란 나무 아래 자리를 잡고, 역에서 머무르고 있던 이세좌를 불렀다. 이런 경우 드라마에서는 곧잘 약사발을 받는 장면이 나온다. 하지만 실제로 '자진' 즉 강제자살에 처할 때는 자살 방법을 본인이 선택하도록 하는 경우도 많았다.

이세좌는 담담하게 "머리와 몸이 나뉘는 형벌을 받지 않은 것을 감사한다"고 말했다. 그러나 막상 자살하려니 쉽지 않았다. 그는 혼잣말로 '자진하기는 정말 어렵다'고 중얼거리더니 안처직에게 목을 매는 것은 할 수 있겠다고 말했다.

부근의 나무를 골라 보았으나 이세좌는 만인이 보는 앞에서 비참하게 몸부림치는 추한 모습을 보이고 싶어하지 않았다.

이세좌는 주변 민가로 가더니 종을 시켜 짐꾸러미에서 명주 홑이불을 뜯어 오게 했다. 그것으로 줄을 만들어 대들보에 매더니 겉에 입었던 흰 베옷과 한삼을 풀고 갓을 벗은 후 상에 올라가 목을 매었다. 특별한 유언도 없었고, 원망하는 말도 없었다. 다만 목을 매기 직전에 "내가 죽은 뒤에 개가 찢어먹지 못하게 하기를 바랄 뿐이다"라고 말하여 시신을 거두어 장례를 치러 줄 것을 부탁했다.

그러나 사형언도를 받은 이세좌가 통곡하지도 않고 행동거지도 태연했다는 것이 연산의 기분을 상하게 했다. 죽어 가면서도 자존심과 기세를 꺾지 않으려 한 것이고, 자신의 잘못을 인정하지 않고 왕에게 저항하는 행동이라는 게 연산의 해석이었다. 연산은 이세좌의 마지막 감사를 기억해 내고, 다시 의금부도사를 보내 이세좌의 사지를 자르고 머리를 잘라 매달았다.

4월이 되자 희생자는 점점 늘어갔고, 형량도 점점 세졌다. 대간과 홍문 관원들도 이세좌를 탄핵하지 않았다거나 윤비의 추숭을 반대했다는 이유 등등으로 매를 맞고 여기저기로 유배되었다. 어떤 이는 다시는 왕도로 돌아올 수 없다는 명령도 함께 달고 내려가야 했다.

4월 18일에 드디어 이계전의 아들인 이파와 윤필상까지 걸려들었다. 이파의 죄목은 폐비 때에 찬성을 했다는 것이고, 윤필상의 죄목은 절개 없이 그 때는 폐비에 찬성하고 지금은 시호를 추숭하는 데 찬성했다는 것이었다. 이 역시 연산의 블랙유머였다. 윤필상으로서는 어처구니가 없었을 것이다. 그는 처음부터 끝까지 연산의 편이었고, 숙청이 시작된 이후에도 조금도 저항하지 않고 왕의 뜻을 맞추었다. 이용가치가 사라지자 연산은 엄숙히 그것이 그대의 죄라고 선언하였다.

윤필상은 관직과 재산을 모두 빼앗기고 아들들과 함께 유배되었다. 이미 사망한 이파는 부관참시를 당했고, 훈구세력의 시조들이라고 할 수 있는 정창손·한명회·심회·정인지·김승경도 모두 관직을 삭탈하고 서인으로 강등시켰다. 이들은 이미 사망했으므로 무덤을 장식한 석물들을 제거해서 평민의 무덤으로 만드는 조치를 취했다. 나중에는 다 썩어 남지도 않은 시체까지 부관참시를 하고 썩은 해골을 꺼내 목을 매달았다. 그 아들들도 모조리 관직을 박탈하고 유배시켰고, 혼인관계에 있는 사람들까지 처벌을 받았다.

윤필상은 재산이 많아서 집이 다섯 채고 집마다 재산이 가득 차 있었다. 최후에 살던 집 한 곳에서만도 무명이 3만 필, 양곡이 1천 섬이나 나왔다. 연산은 그의 탐욕을 탓하고, 위대한(!) 왕답게 몰수한 재산은 변방에서 수자리 사는 군인들에게 나누어주게 하였다.

폐비할 때의 승지와 사관, 주요 관원들도 모조리 걸려들었다. 권주는 당시 의정부 주서로 윤비를 사사할 때 전의감에 가서 약을 받아왔는데, 이 죄목으로 처형당했다. 정승들이 힘써 말려 처음에는 겨우 유배로 낮추었으나 얼마 후 연산은 끝내 사약을 내렸다.

성준과 노사신의 아들인 노공필도 이번 화살은 피할 수 없었다. 폐비할 때 대비들이 폐비 윤씨의 죄상을 적어 왕에게 보낸 언문편지를 전달했다는 죄였다. 연산에게 눈물의 아첨을 했던 이창신과 젊은 시절 성종을 따라다니며 괴롭히던 정성근은 이 언문을 한문으로 번역한 죄로 유배되었다. 내시 안중경은 그 편지를 펴서 읽은 죄였고, 강자평은 언문을 해석한 죄였다.

성준과 노공필은 유배였으나 나중에는 또 다른 트집을 잡혀 결국 처형당했고, 이창신과 정성근은 유배지에서 죽었다. 다른 사람들도 재수가 좋은 사람이 파직이었다.

채수는 성종 때 대사헌으로 있으면서 윤비를 폐하는 것에 극력 반대했다. 그러나 그도 언문번역죄로 걸려들었다. 그의 딸이 상소하여 이전에 폐비를 반대했던 일을 말하였다. 그 공으로 석달 후 채수는 석방되기는 하였지만 처음 상소를 읽었을 때 연산은 "열심히 간했어도 끝내 중지시키지 못했으니 무슨 공이 있느냐"고 시니컬하게 말하더니 겨우 장형을 태형으로 바꿔주었다.

권숙의도 부관참시의 대상이었다. 그런데 관을 여니 시체가 없었다. 알고 보니 몰래 불교식으로 화장을 하고 빈 관으로 장례를 치렀던 것이다. 이 보고를 받은 연산은 화가 나서 펄펄 뛰더니 화장을 해준 여승을 잡아 처벌했다. 기어이 일가까지 잡아다 죄를 주려고 했는데, 권숙의는 동생도 부모도 없었다. 가장 가까운 일가를 찾으니 삼촌조카 유지형과 허밀이 있었다. 둘 다 변방에서 사역하는 노비로 만들었다.

이 과정에서 이미 처벌받은 사람들의 형량도 점점 올라갔다. 유배로 결정되었던 이극균이나 윤필상은 한 달도 못 되어 다시 사형언도를 받았다. 이런 식으로 한 번 걸려들면 아들, 사위들까지 관직을 삭탈당하고 유배되는 게 보통이었다. 나중에는 이들 중 상당수가 사약을 받았다. 특히 광주 이씨 집안이 크게 당해서 이세좌의 서자를 포함한 다섯 아들과 사촌들이 거의 살해되고, 외가로 팔촌에, 사돈들, 이극균을 만난 무사들까지도 유배당했다. 이파나 윤필상 등도 마찬가지였다. 성준의 조카로 극도의 총애를 받던 한형윤도 섬으로 유배당했으나 다행히 죽지는 않았다. 왕은 친절하게도 "이건 너희들의 죄가 아니고 뿌리와 그루를 아주 없애버리기 위해서이다"라고 말해 주었다.

4월 18일에 인동에 있던 이극균에게 죽음의 사절이 찾아왔다. 이극균은 순순히 명령에 응했다. 그도 목을 매는 방법을 택했지만 방식은 이세좌와 달랐다. 나무나 대들보에 목을 매는 방법말고도 교수형에는 여러 가지 방법이 있었다. 조선시대에 많이 사용한 방법은 목에 줄을 감고 사람이 양쪽에서 잡아당기는 방법, 방에 들어가 목을 매고 벽에 구멍을 내거나 문지방을 통해 줄을 밖으로 내놓으면 사람들이 잡아당기는 방법이 있었다.

이극균은 마지막 방법을 택했다. 줄이 드리워지고 사람들이 막 힘을 쓰려고 하는데, 갑자기 안에서 "잠깐 기다리라"는 이극균의 급박한 외침이 들려왔다. 사람들이 멈칫 하는 사이에 그가 방문을 열고 밖으로 나왔다. 의금부 도사가 무슨 일이냐고 묻자 이극균은 죽기 전에 왕에게 전할 말이 있다고 하였다.

"나는 이미 70이 넘었으니 지금 죽어도 여한이 없다. 그러나 나는 어려서부터 변방에서 일하였으며, 나랏일에는 크고 작은 일을 가리지 않고 모두 진심으로 힘을 다하여 일하였다. 아무리 돌이켜 생각해 보아도 내게는 한 가지 죄도 없다. 도사는 이 말을 주상께 전달해 주기 바란다."

의연하게 죽음을 맞으려고 했으나 막상 죽음의 순간이 되자 이극균은 너무나 억울했던 것 같다. 하긴 광주 이씨 집안, 특히 그의 형제들은 누구보다도 열심히 나랏일을 했다. 이극균만 해도 여진정벌에 참전했고, 여진족의 소요가 있을 때마다 북방으로 달려가 변경을 진압했다. 이 부분에 있어서 그 노력과 공로는 세종조의 하경복이나 김종서에 비길 만했다. 그런 그에게 왕은 이유도 분명치 않은 죽음을 내렸다.

게다가 이 살인극은 그의 죽음으로 그칠 것도 아니었다. 지금 아들과 딸, 사위, 일가친척, 수하들까지 수백 명이 일거에 쫓겨났고, 그들 중 상당수에게 똑같은 죽음이 찾아갈 판국이었다. 지난 백년간 상승가도를 달려온 가문에 종말의 순간이 드리우고 있었다. '극'자 돌림 형제 중 마지막 생존자이고, 집안의 최고 어른으로서 그는 가문의 명예를 위해서라도 한 마디 남기지 않을 수 없었던 것 같다.

전남 진원(지금의 장성)에 있던 윤필상은 담담하게 "내 이렇게 될 줄 알았다"라고 말했다고 한다. 그러나 속으로는 그 자각이 너무나 늦었다는 후회를 몇 번이고 했을 것이다. 지난 몇 달 간은 연산의 완벽한 승리였다. 원로 중의 원로로서 그는 연산의 의도와 목적이 어디에 있는지 몰랐고, 저항 한 번 해 보지 못했다. 그것이 더욱 가슴 아팠는지도 모른다.

윤필상은 미리 준비해 두었던 비상을 꺼내 술에 타서 마셨다. 그러나 한참을 기다려도 죽지 않았다. 할 수 없이 그는 비단이불을 찢어 목을 매었다.

이극균 등에 대한 보고를 받은 연산은 이극균의 시체를 능지처참하고 머리를 매달아 백관이 줄서서 보게 한 후에 팔도에 돌리게 하였다. 윤필상, 이파 등도 모두 능지처참의 형벌을 추가하고, 집도 헐어서 연못으로 만들었다. 이것은 저택(瀦宅)이라고 하는 것으로, 대역죄인이나 국가나 수령에게 반항한 향리에게 내리는 형벌이었다.

그런데 이 죽음의 4월에 한 가지 사실이 분명해졌다. 대숙청은 폐비의 복수와는 무관하다는 사실이다. 성준이나 노공필의 경우를 보아도 폐비사건에 연루되었다고는 하지만 정말 말도 안 되는 사소한 것들이었다. 그렇기 때문에 연산의 행동에 대해 충격에 의한 광기니 마음의 병이니 하는 해석이 나온 것 같다. 그러나 아무리 복수라도 그 정도로 사리판단을 못할 정도라면 정말 제 정신이 아닌 것이며, 그 정도 수준이라면 정상적인 생활도 불가능하다.

만약 광기에 의한 행동이 아니라면 답은 하나다. 다른 목적을 가진 생트집일 수밖에.

실제로 4월부터 폐비사건과는 아무런 연관도 없는 사람들이 연산의 블랙리스트에 오르기 시작했다. 연산은 그의 치세중에 있었던 온갖 사건들을 다 끄집어냈다. '그 때 그렇게 말했던 자, 그 때 그런 건의를 한 자……' 대부분 왕을 능욕하는 행위라는 죄목이었는데, 폐비사건보다 더한 생트집이었다.

거기에 먼저 걸려든 사람이 왕의 어린 시절을 불행하게 했던 스승과 내관들이었다. 잔소리를 많이 하면서 그걸로 자신의 명성을 삼았다는 죄였다. 세자 때의 스승이었던 조지서는 이미 미움을 받아 제주로 귀양가 있었지만, 이 때 붙잡혀 와 형장을 맞다가 숨이 끊어졌다. 그는 몸이 비대했는데 너무 심하게 결박을 하고 매를 쳐서 숨이 막혀 죽었다고 한다. 어차피 처형할 의도였지만 시체에 '제 스스로 높은 체하고 임금을 경멸한다'는 쪽지를 써 붙여 달아매고 백관으로 하여금 보게 하였다.

정성근도 비슷한 죄목에 성종을 위해 3년간 소식을 했다는 죄로 사형언도를 받았으나 사형명령이 가기 전에 그와 아들이 갑자기 죽었다. 평소에 동궁에게 간언을 많이 했다고 하는 내관 김순손은 왕에게 잘난 척했다는 죄로 처형했다.

그래도 이 정도는 양반이다. 심순문은 왕의 옷이 중국에 비해 너무 좁다고 했다가 불경죄에 걸렸다. 누구는 궁궐에서 치는 휘장에 대해 잔소리를 했다고 처벌받았다. 이전에 살곶이 목장을 왕의 채소를 재배하는 내원포로 소속시킨 적이 있었는데 그것에 반대한 자도 불경죄였다. "다 내 땅인데 어디에 소속되든 무슨 상관이냐"가 연산의 변이었다.

심지어 왕에게 사냥이나 유흥을 간하거나 절약해야 한다고 말한 것도 불경죄였다. 궁중에서 있었던 일을 짐작으로 넘겨짚어 말한 죄는 대단한 중죄였다. 이 죄목에 걸려 상당히 많은 사람이 다쳤다. 연산은 성종 때 있었던 언론까지 트집잡아 이덕숭·정인인을 처벌했다. 이덕숭의 죄목은 "전임 간관으로서 성종을 가볍게 보아 궁중의 일을 억측으로 말한 죄"였다.

연산은 이런 일들을 쭉 리스트로 적어내렸고, 이 리스트에 걸린 수많은 사람이 다시 체포되었다. 아예 일사부재리의 법칙을 부정하고 이미 판결하여 처벌한 사람도 또다시 처벌할 수 있다는 새로운 법을 만들었다. 이로써 왕은 누구든지 아무 때나 처벌할 수 있게 되었다.

사초사건도 다시 거론되었다. 남효온도 부관참시되고, 이미 유배되었던 사람에게는 더 중한 처벌이 떨어지거나 죽음이 내려졌다. 이 중에서도 가장 불행했던 것은 역시 광주 이씨 집안으로 이세좌의 형제들과 그들의 자식들은 전부 처형당했다. 이 집안 사람으로서 처형되거나 유배된 사람은 200여 명이 넘었다.

즉위 초의 성균관 유생 체포사건 때 유생을 구원하자고 발언했던 사람들도 다시 적발되어 처벌받았다. 한때 대단히 총애를 받았던 한치형도 정승으로 있으면서 작은 일을 많이 간했다. 왕명을 전달하는 내시들이 꾸물거린다든가 말을 조련하는 내관의 일 등을 두고 이렇게 저렇게 간언한 것이 궁중에서 있었던 일을 짐작해서 말한 죄가 되어 부관참시당했다. 한치형은 연산군 8년 10월에 사망했는데, 시신에서 잘라온 목을 내걸어 전시시켰다. 그 곳에 붙인 쪽지에 적힌 죄목은 '재주도 없는 인물이 재상이 된 죄'와 '이극균의 술책에 빠져 불초한 일을 많이 한' 것이었다.

성준도 이 일과 관련되어 교수되고 목이 걸렸다. 성준은 윤필상과 함께 연산 치세 내내 연산을 보필했던 인물이다. 하지만 연산은 추호의 동정심도 보이지 않았다. 성준이 유배처에서 잡혀올 때 노구에 병이 들어 제대로 걷지도 못했다. 그럼에도 칼을 씌워 끌고 왔건만, 연산은 사형수에게 칼만 씌우고 발에 채우는 칼과 착고를 채우지 않았다고 화를 냈다. 다시 대궐로 올 때 성준은 걷지도 못하여 업혀 왔는데, 연산이 대궐 안까지 업고 오는 것은 불가하다고 하여 땅에 내려놓고 질질 끌어서 데려왔다.

집요한 연산은 성준을 처형한 후 목을 걸어 전시하고, 사람을 보내 감히 성준의 시체를 장례하는 자가 있는지까지 감시하게 했다. 성준은 물론이고 진원에서 죽은 윤필상도 장사하는 사람이 없어 시신이 노상에서 몇 달 간 방치되었다고 한다. 야사에서는 그래도 새나 짐승이 시신을 뜯어먹지 않는 신기한 일이 벌어졌다고 했지만, 그건 나중에 하는 이야기일 것이다. 장례를 중히 여기는 나라에서 재상의 시체가 노상에 방치되었다는 것은 당시인들에게는 보통 충격이 아니었다.

여기에서는 대강 유명한 사람의 이름만 언급했지만, 이들 외에도 사건마다 연루자들은 훨씬 많았다. 게다가 이들의 가족, 인척, 사돈, 친구, 수하까지 닥치는 대로 연루자를 만들었다. 사실 정승급 인물들의 친척, 혼인이나 기타 교분관계가 있는 사람들을 다 끌어들이면 조정에 있는 사람치고 무사할 사람은 아무도 없었다. 심지어 유자광과 임사홍까지도 이극균과 친하게 지내 서로 교유한 사람 목록에 올랐다. 처벌은 받지 않았으나 유자광도 한 일 년 관직에서 쫓겨났다.

　왕이 이런 식으로 트집을 잡으니 조정관료는 모두 한두 가지씩 약점이 잡혔다. 그들은 전전긍긍했고, 살기 위해서는 바짝 엎드릴 수밖에 없었다. 연산은 천천히 살릴 자와 죽일 자, 쫓아낼 자를 선별했다. 조선시대를 통해 다시는 볼 수 없는 대규모적이고 무차별적인, 그리고 완벽한 숙청이었다.

　연산은 스스로 이 역사적 과업의 의미를 다음과 같이 정의했다.

　　재상과 조정의 신하들을 이렇게 처벌하니, 반드시 포악한 정사라 할 것이다. 그러나 지금 세상에는 위를 업신여기는 풍습이 있다. 아랫사람들은 서로 동료들을 비호하기만 하고, 10분의 1도 국가를 돌아보며 생각하는 일이 없다. 만일 이런 풍습을 통렬히 고치지 않는다면, 삼한 땅에서 오랫동안 전해오는 나라가 어찌 잘못되지 않겠는가? 사관은 틀림없이 내가 어진 정치를 하지 않았다고 쓸 것이다. 그러나 이런 잘못된 풍습은 고치지 않을 수 없으므로 내가 이렇게 하는 것이다. (『연산군일기』10년 3월 30일)

　연산은 '통렬한 개혁'이란 말을 즐겨 사용했다. 국가를 위하여 통렬한 개혁을 할 수밖에 없고, 통렬한 개혁이기 때문에 비상수단을 쓸 수밖에 없고, 과도한 처벌을 할 수밖에 없다. 그는 심지어 스스로 악명을 감내하겠다는 순교자적인 자세까지 보여주었다. 그러면 그가 이처럼 자신을 희생시킨다고까지 하면서 창조하려고 했던 세상은 도대체 어떤 세계였을까?

5. 나는 왕이로소이다

계엄령 시대

상명하복!
복창!

명령에는 절대복종!

명령이 떨어지면 신속하게, 눈썹이 휘날리게, 발바닥이 닳도록!

명령에 죽고, 명령에 산다 …….

군대란 자고로 이래야 한다는 데는 이론이 있을 수 없다. 그러나 군대도 사람 사는 곳이다. 그것이 원칙이고 절대적으로 그래야 할 때도 있지만, 평상시에는 하루종일 교본대로 원칙대로 살지는 않으며, 그렇게 살 수도 없다.

연산이 만들고자 했던 아름다운 세상이 바로 그런 곳이었다. 위를 능멸하는 풍습이 완전히 사라져서 원칙대로 상명, 아니 왕명하복이 절대적이고 신속하게 항상 통용되는 세계였다.

연산도 대간의 기능 자체는 무시하지 않았다. 자신은 신하의 간언을 얼마든지 들어주는 군주라고 자부하기도 했다. 그러나 쓸데없는 내지는 잘못된 이야기를 간하는 것은 참을 수 없다는 단서를 단다. 왜냐하면 그것은 위를 능멸하는 행위이기 때문이다. 왕의 행동을 넘겨짚거나 짐작해서 이야기하는 것, 하다못해 공장들에게 일을 시켰을 때 무슨 일을 하려고 하시는 거냐고 왕에게 묻는 행위도 위를 능멸하는 행위였다. 왕이 명령을 내리면 군소리 없이 신속하게 수행할 것이지 무슨 잔소리가 그렇게 많으냐는 말이다. 이런 자들을 모두 없애고 취한 관료상을 그는 '순수한 정성'이라고 표현했다.

> 간사한 신하 제거하고 충신얻기를 목마른 것 같이 한다
> 이름만 낚는 자 모두 베고 순수한 정성을 취하려 한다
> (『연산군일기』 10년 11월 20일)

위에서 있었던 일을 누설하는 것도 역시 중죄였다. 왕이 구설수에 오르고 오해를 받고 악평이 번지기 때문이다. 대궐 담 밖으로 퍼져나오는 북소리를 듣고 성균관 유생들이 "오늘 또 잔치를 벌이는군"이라고 말하면 그

아버지까지 처벌하겠다고 했다. 유생이나 사학 학생들이 한데 모여 세상 얘기를 한다든가 정치인들을 평하는 것은 당연히 금지였고, 역시 부친까지 처벌하겠다고 했다. 이 바람에 부형들이 학생을 학교에 보내지 않고 공부를 금지시키는 일까지 벌어졌다.

왕의 인사에 대해 대간이 이러쿵저러쿵 하는 것이나, 궁궐에 출입하는 사람을 보고 "저 사람이 무슨 일로 궁에 갔을까?"라고 말하는 것도 위를 의심하는 마음의 발로였다.

연산은 아예 왕이란 절대적인 존재이니 누구도 간섭하거나 잔소리하거나 규제하려고 들어서는 안 된다고 못을 박았다. 왕도 사람이니 똑똑한 왕이 있는가 하면 그렇지 못한 왕도 있다. 정사에 부지런한 왕도 있고 그렇지 않은 왕도 있다. 그렇더라도 신하들이 그것을 가지고 이러쿵저러쿵 해서도 안 되고 왕을 변화시키려고 해서도 안 된다. 왜냐하면 임금이 정사에 부지런하든 그렇지 않든 그것은 왕의 자유권한이다. 어질고 어질지 않는 것은 이미 하늘에서 낼 때부터 정해진 일이다. 이것은 인력으로 변화시킬 수는 없는 일이니 신하가 가르친다고 될 일이 아니다. 더더군다나 신하들이 왕을 평가하려 드는 것은 안 된다. 그 역시 하늘의 권한이다.

신하들이 늘 써먹는 원리 중 하나인 '천재지변은 왕이나 정치에 대한 하늘의 경고'라는 말에 대해서도 연산은 정말 그다운 멋진 해석을 내린다. 천재지변은 하늘의 경고다. 그리고 왕은 재변이 있으면 당연히 하늘을 두려워하는 마음을 가지고 자신의 정치를 반성해야 한다. 그러나 이것은 지고하신 하늘과 지존하신 왕 사이의 관계다. 그러니 무엇이 잘못되었고, 무엇을 반성해야 할지는 왕이 알아서 할 일이다. 신하들이 무엇이 잘못되었다, 무엇 때문에 재변이 났으니 무엇을 고쳐야 한다고 지적해서는 안 된다. 건방지게 말이다.

이런 나라를 건설하기 위해 연산은 비상시국론을 내세웠다. 위를 능멸하는 풍습이 만연해서 현재 이 사회는 극히 위험한 상태이다. 그러므로 나라를 위기에서 구하기 위해서는 강력하고 비상한 조치가 필요하다. 연산의 위기상황론에 공감한 사람이 과연 있기나 했는지 의심스럽지만, 연산은 그런 것에 개의할 왕이 아니었다. 나름대로 논리구조는 온전하다고 생각한 연산은 기존의 법과 법리를 무시한 초법적이고 강력한 철권통치를 시행한다.

　　지금 습속이 아름답지 못하여 위를 능멸하는 것이 풍속이 되었으니, 그 폐단을 고치지 않을 수 없다. 옛사람이 이르기를 "어지러운 나라를 다스리려면 무거운 법을 쓴다"고 하였으니, 지금 뜯어고치려면 무거운 법을 써서 바로잡아야 한다. 지금부터 인심이 바른 데로 돌아갈 때까지 위를 능멸하는 죄를 저지르면 그것이 크건 작건 상관없이 벌을 내려 다른 사람의 경계로 삼겠다. 이를 널리 알리라. (『연산군일기』 10년 5월 7일)

　연산은 자신이 이렇게 훌륭한 명분과 논리를 찾아낸 것에 대하여 대단히 만족했던 모양이다. 한참 연산이 통렬한 개혁을 하고 있을 때 측근에서 이 정도면 풍속이 많이 개혁되지 않았겠냐고 암시적인 발언을 하였다. 연산의 비상시국론은 누구도 납득할 수 없는 것인 이상 오래 끌어서는 안 되는 것이었다. 그러나 득의만만하던 연산은 "풍속이 하루아침에 개혁되겠느냐, 한 10년은 해야 할 것이다"고 대답하였다.

　연산은 법조문도 상당히 많이 외우고 있었던 것으로 보아 나름대로 법에 대해 연구도 한 것 같다. 그러나 법을 사용하고 운영하는 원리는 초보와 치기의 범주를 벗어나지 못했다.

　기준도 모호한 위를 능멸하는 범죄에 대해서는 대사령이든 일사부재리의 원칙이든 개의치 않았다. 형량도 법전규정과 무관했으며, 결국은 거의가 사형으로 갔다. 그것만으로도 부족해서 사형방식도 참형, 능지처사, 효수, 저택, 일가친척에 대한 연좌로 확대되었다. 처형당한 시신은 장례를 지낼 수도 없고, 구덩이를 파서 집단으로 묻은 후 돌에 죄상을 새겨 세우게 했다. 나중에는 시신을 그냥 노상에 방치하게 했고, 나아가 아예 뼈를 갈아서 바람에 날려버려 나중에라도 다시 파묻는 일이 없도록 하였다.

이런 과정에서 새로운 판례가 나오면 이전의 범죄자들에 대해 항상 소급적용을 했다. 특히 무오사화 관련자들이 그 피해를 많이 보았다.

연산은 연좌제도도 극히 좋아했다. 일가친척, 출가녀, 첩자는 기본이고, 노인이나 어린아이에게도 예외를 두지 않았다. 말년에는 연좌의 범위가 외손으로까지 확대되었다. 정치범을 처벌하기 위해서만이 아니라 각종 사역자들을 닦달하기 위해서도 연좌제를 활용했다. 사천이 범죄하면 주인까지 처벌하고, 병사가 범죄하면 지휘관도 함께 처벌하였다. 기생이 제대로 화장하지 않고 복장이 청결하지 않으면 부모까지 처벌했다.

관료들에게도 마찬가지였다. 관료제가 발달한 나라일수록 관료들의 교묘함도 늘어서 관서들의 업무는 중복되고 절차는 복잡해서, 무슨 일이 터지면 관료들은 서로 책임을 미루어 책임소재를 가리기 어렵게 된다. 이것은 아주 오랜 고질병이었는데, 연산은 대단히 간단하게 이 문제를 해결했다. 관련자를 다 처벌한 것이다. 육조에서 무슨 실수를 하면 승지들까지 처벌을 받았다.

그는 강력한 법이면 모든 폐단을 고칠 수 있다는 신념을 가졌던 듯하다. 도둑을 없애기 위하여 그는 단순 절도에도 사형을 구형했다. 그는 자신이 이렇게 중형을 사용하는 것은 사람들을 깨우쳐 결국에는 법과 형이 필요 없는 사회를 만들기 위해서라는 궤변까지 늘어놓았는데, 본인은 그게 궤변인 줄 몰랐을 것이다.

연산의 이 중형주의는 점점 영역을 넓혀 갔다. 왕의 권위와 관련된 사건의 형량을 혹 적게 판결해서 올리거나 하면 담당 관원들에게 당장 매가 떨어졌다. 관료고 환관이고 조금이라도 불평하거나 꾸물거리거나 명령불복종 기미를 보였다간 매질은 당연하고, 아차 하면 사형까지 갔다. 하다못해 기생이나 공장이 연습을 열심히 하지 않아 기능이 떨어져도, 잔치에 나오는 기생이 곱게 단장하지 않아도 국왕모욕죄에 해당했다.

이런 죄에는 보석금을 내는 것도 금지였다. 떨어지는 매를 몸으로만 받아야 했다. 왕 앞에서는 '지당'이라고 하고 물러가서 뒷말을 한 자는 왕을 속인 죄로 사형이었다.

죄인에게 형벌을 가하거나 때릴 때 옆에서 탄식하거나 울면 처벌이었고, 내관이나 관료가 병을 핑계로 낙향해도 중죄였다. 수령이 자기 고을로 유배온 사람에게 잘해 주어도 범법행위였다. 관기든 공장이든 대궐에서 징발할 때는 불평해서는 안 된다. 관기는 나라의 것이므로 궁에 불려 들어가는 것에 대해 그 남편이 불평한다거나 기생을 감춘다거나 하면 중죄로 다스렸다. 승지나 내관은 초상을 당해도 장기휴가를 낼 수 없게 했다. 왕이 항상 필요로 하는 사람이기 때문이다.

왕명을 받들고 가는 사신은 승명패라는 걸 들고 갔는데, 이 승명패를 보고 엎드리지 않으면 참형이었다. 이후로 도성에서는 "승명패가 떴다"는 소리만 들리면 사람들이 사방으로 흩어져 달아나는 웃지 못할 소동이 벌어졌다. 아마 연산이 그 풍경을 보았다면 "교육이 제대로 되어 간다"고 흐뭇해했을 것이다.

온 국민을 교육하고 개조하기 위하여 소재를 자꾸 찾다보니 심술궂은 선임하사처럼 트집거리를 찾아내고, 신하들을 달달 볶는 실력도 점점 더 좋아져 갔다. 하루는 왕이 밖에 나갔다. 왕의 행차를 만난 유생들은 바짝 엎드렸다. 그간의 교육이 효과를 발휘하여 유생들은 꽤 먼 거리에서도 꼼짝 않고 엎드려 있었는데, 날카로운 연산의 눈은 그들의 무릎 아래 자리가 깔려 있는 것을 찾아냈다.

"지금 저놈들이 땅이 진창이라고 자리를 깔고 엎드린 건가?" 유생들은 체포되어 매를 맞으러 끌려갔다. 이후로 이런 행위도 불경죄 목록에 올랐다.

마침내는 파시즘이 지배하는 계엄시대에서 볼 수 있는 법들도 나타났다. 연산군 말년 연산의 정치를 비판하는 대자보가 붙기 시작하자 연산은 먼저 유생들을 의심했고, 아예 유생은 서로 모여 놀거나 이야기를 할 수 없다는 법을 세웠다. 이 역시 걸리면 부친까지 처벌을 받았다.

연산의 행위를 광기와 복수로 몰아가는 사람들은 연산의 이런 행위만을 강조하는 경향이 있다. 그러나 연산의 관심이 이런 폭거와 생트집에만 쏠려 있었던 것은 아니다. 그는 나름대로 족벌화되고 특권화한 관료사회의 오랜 폐단에도 관심이 많았고, 그것도 수술하려고 들었다. 물론 방법은 똑같았다.

예를 들어 조선시대를 통해 늘 문제가 된 것이 수령의 불법과 부정의 감시였다. 그것은 일반 백성의 생활에 직접 영향을 미치는 것이었기 때문이다. 이를 위하여 정부에서 제일 공을 들인 제도가 '전최'라고 해서 관찰사가 수령의 근무성적을 평가하여 인사고과에 반영하는 제도였다.

이 제도는 세종 때 완비되었지만 아무래도 한계가 있었다. 성종 때가 되면 매너리즘에 빠져 한 도의 수령의 대부분이 '최우수'를 받는 웃지 못할 일도 자주 벌어졌다. 연산은 이 문제에도 개혁의 칼을 댔다. 별로 쓸모도 없고 복잡하고 오래 걸리는 '전최' 제도는 폐지하고 대신 즉결재판식 제도를 도입했다. 3개월에 한 번씩 관찰사가 업무수행을 잘하지 못한 수령을 보고하면 정부에서 당장 조사에 착수하여 매를 때리거나 재판에 회부하여 처벌하는 방식이었다.

관료들이 궁에서 술 마시는 관행도 금지했다. 이건 대간들을 겨냥한 것이었다. 관료들의 윤리규정은 관서마다 달라서 승정원 같은 곳에서는 관원들끼리 농담도 할 수 없었다. 그러나 대간에게는 근무시간에도 술을 마실 수 있는 특권이 부여되어 있었다.

앞서도 몇 번 말했지만 관료사회의 관행이 된 서로 봐주기, 친인척 보호하기 등등은 연산이 극도로 미워하는 것이었다. 무슨 사건이 벌어질 때마다 연산은 이중삼중으로 감시를 하고, 이름을 적고 하면서 점검을 했다.

그는 행정업무가 옆으로 안면과 인정으로 처리되는 것도 몹시 싫어했다. 한 번은 익양군 이회(성종의 후궁 숙의 홍씨의 아들)의 집에 도둑이 들어 1천 필에 가까운 면포를 훔쳐갔다. 왕자의 집이니 종도 많고 그 중에는 경호원에 해당하는 무사도 있었을 것이다. 수사에 나선 그들은 금산까지 쫓아가서 한 사람을 붙잡았다. 이회는 왕을 찾아와 형조를 시켜 범인을 국문하여 나머지 일당을 잡게 해 달라고 말했다.

연산은 대뜸 이회의 잘못을 지적했다. 도둑은 포도장에게 신고해서 잡아야지 사적으로 수사, 체포해서는 안 된다. 종친이라고 관서를 경유하지 않고 사사로이 청탁해서는 안 된다. 승지들은 왜 이회를 제지하지 않고 왕에게 이런 말을 아뢰게 하는가?

이런 일들이 많았다면 연산도 상당한 칭찬을 받았을 것이다. 그러나 이런 태도 역시 사정에 따라 왔다갔다 하니 문제였다. 이회도 이미 연산군의 눈 밖에 난 인물이었다. 그의 형 완원군은 연산군을 비난한 투서사건과 연루되어 귀양가 죽었고, 어머니 홍씨는 작위를 삭탈당했다.

사실 이 시대에 인맥과 안면의 논리를 완전히 배제한다는 것은 불가능했다. 다른 왕들이 이런 문제를 느슨하게 처리한 것도 '준법정신'이 부족해서가 아니라 실상은 일관성 있는 태도를 유지하기 힘들었기 때문이다. 불행히도 연산은 한 쪽은 법대로, 한 쪽은 인정대로라는 태도를 견지했다. 그러므로 당하는 쪽에서는 법을 준수한다는 연산의 노력을 높이 사기보다는 그의 모순되고 불공평한 처사에 분노할 수밖에 없었다.

연산은 강력한 법치만큼 통제와 일사불란함도 신봉하였다. 자질구레한 일들을 조사하고, 기록하라는 명령도 자주 내렸다. 투서가 발생하자 전국에서 글을 아는 사람의 한문과 언문 필적을 네 통씩 모아서 보관하라거나, 오발사고를 없애기 위하여 화살마다 주인의 이름을 새기라는 믿어지지 않는 명령을 내렸다. 기생에 대해서는 예복의 종류, 구입 연월일, 남편, 주인, 특기까지 조사하여 명부를 비치하게 했다.

이런 면에서도 연산의 독재자적인 사고가 어김없이 드러난다. 꽉 짜이고 일사불란하고 하나하나 기록되고 통제되는 사회. 조지 오웰의 『1984년』보다 근 500년이나 앞서 펼쳐진 연산의 꿈의 세계였다.

꿈의 나라

피의 숙청은 연산군 10년 내내 계속되었다. 그러다 대체로 5월쯤 들어서부터 연산은 새나라 건설에 대한 확고한 자신감을 보이기 시작했다. 그 증거는 우선 말이 많아졌다는 것이다. 독재자가 되면 교시와 훈시가 늘어나는 것도 변함없는 역사의 법칙인 듯하다. 연산도 자신의 포부를 자주 피력하기 시작했고, 신하들에 대한 훈시와 설교도 늘어갔다. 특히 재위 10년 6월 4일에 대제학 김감과 부제학 강혼을 시켜 지은 「신하들을 경계하고 격려하는 교시」는 그 중에서도 압권이다.

이 교시는 "살든 죽든 오직 명령대로 따를 것이며, 함부로 말하지 말고, 아첨하지도 말고, 나랏일에 참견하지도 말고, 맡은 바 일이나 열심히 할 것이며 ……" 등등의 잠언으로 꽉 차 있다. 그리고 끝에 가면 구약성서에 나오는 여호와 하나님의 말투와 유사한 교훈과 경고로 마무리된다.

모든 선비들아! 훈사(訓辭)를 경계로 삼으라. 전에는 몰라서 혹 범하였을지라도, 이제는 너희에게 알렸으니 못 들었다 말고 네 새로운 마음을 기르고 낡은 마음을 버리라. 이 여덟 조목을 위현(韋弦)을 차듯이 좌우에 새기며(韋는 부드러운 가죽, 弦은 팽팽한 활시위를 말하는 것으로 자신의 성질과 반대되는 것을 늘 부착하여 단점을 고치도록 경계의 표시로 삼는다는 의미 : 인용자 주), 마음에 간직하여 잃지 말며, 살펴 바루되 늘 곁에 있듯이 하라. 알기는 어렵지 않으나 행하기는 쉽지 않으니라. 너희들은 저마다 삼갈지어다. 내 두 번 말하지 않으리라.

이렇게 만 스물일곱의 젊은이는 드디어 자신의 나라를 얻었다. 득의만만해진 그는 계속되는 피바람 속에서 자신의 세계를 치장하기 시작했다.

먼저 그의 나라는 화려하고 호화스러워야 하였다. 궁을 넓히고 풍경을 저해하는 주변의 가옥을 헐었다. 헐어버릴 집도 자신이 직접 나가서 시찰하여 지정했다. 이 때 철거당한 민가가 1천 호에 달했다. 자고로 궁은 그윽

하여야 한다는 게 그의 지론이었다.

궁을 화려하게 개조하기 위해 겨우 작은 동산에 불과하던 후원을 넓혀 사냥이 가능한 넓은 장원으로 만들고, 전국에서 동물을 징발하여 채웠다. 성균관도 궁에 너무 바짝 붙어 있다 하여 헐어서 옮겨 버렸고, 그 자리는 동물원으로 만들었다. 궁 주변의 관사들도 밖으로 내몰아 다시 지었다.

별장과 정자도 새로 짓거나 개조했다. 그 중 유명한 것이 장의문 밖 조지서 터에 지은 장의이궁, 황해도 장단의 석벽에 쌓은 석벽이궁, 지금의 홍제동 부근 산 위에 쌓은 탕춘대(蕩春臺), 창덕궁 안에 쌓은 서총대(瑞葱臺)이다. 이 공사를 하는 데 목수와 석공에게 급료로 나간 곡식만 해도 매달 1천 석이었다고 한다.

탕춘정은 연산이 제일 좋아하던 곳으로 홍제천 계곡물이 흐르는 위로 다리 놓듯 정자를 놓고, 지붕은 청유리 기와로 덮었다. 산에는 진달래를 가득 심어 조경을 꾸몄다.

> 그 중에서 가장 큰 것은 삼각산 밑 장의사동에 있는 탕춘정(蕩春亭)인데, 시냇물이 굽이쳐 흐르는 위에 위치하여 단청이 수면에 현란하고, 시내를 가로질러 회랑을 지었는데 규모가 극히 웅장하였다. 일찍이 강물을 끌어다 정자 밑으로 이르게 하고 또 산을 뚫어 다른 시냇물을 끌어 정자 밑에 합류시키려 했는데, 모두 이루지 못했다. (『연산군일기』12년 9월 2일)

서총대는 창덕궁 후원에 있던 것으로 성종 때 이 곳에서 한 줄기에 아홉 가지가 달린 파가 나서 이것을 서총이라고 부르고 이 곳에서 재배했다고 한다. 연산군 11년에 이 곳을 야외무대로 개발해서 석조로 대를 쌓고, 그 아래에는 못을 팠다. 서총대 공사는 연산이 벌인 대규모 사역 중에서도 대표적인 것으로 꼽힌다.

> 후원에 돌을 쌓아 대(臺)를 만들고 용을 아로새긴 돌로 난간을 만들었는데, 1천 명이 앉을 만하고 높이는 10길이나 되었다. 이름을 서총대라 하고

그 앞에는 큰 못을 팠는데, 차송한 인원 1백 명이 감독하였으며, 역군은 수만 명이나 되어 호야(呼邪)하는 소리가 밤낮으로 끊이지 않았으니, 그 소리가 천지를 진동하였다. (『연산군일기』 12년 1월 21일)

창덕궁 후원에 있는 것은 서총대라 하는데, 높이가 수십 길이며 넓기도 높이와 걸맞았다. 그 아래 큰 못을 파는데 해가 넘도록 공사를 마치지 못했다. (『연산군일기』 12년 9월 2일)

『소문쇄록』에서는 이 공사비용을 대기 위하여 베를 하도 많이 공출하므로 백성들이 감당하기 힘들어 옷 속에 든 솜까지 꺼내어 베를 짰다고 한다. 이 바람에 때에 절어 거무충충한 빛깔을 띠고 척수도 짧은 베가 유통되어, 그 후 품질이 나쁜 베를 서총대포라고 부르게 되었다는 이야기가 전해진다.

한강변에도 정자를 여럿 신축했다. 한강변 망원동에 있던 망원정은 효령대군이 세운 것으로 처음 이름은 희우정이었다. 이 때는 월산대군의 소유였는데, 연산은 이 곳을 크게 확장하여 1천 명이 앉을 수 있는 커다란 정자를 짓고 나중에 두 배로 확충하려는 시도까지 했다고 한다.

연산을 비판하는 사람들은 이런 대규모 역사로 민중이 도탄에 빠졌다고 한다. 그러나 연산은 명군까지는 못 되어도 민생에 대해서는 꽤 조심을 한 왕이었다. 사실 이 건축공사들도 상식에서 벗어난 어마어마한 공사는 아니었다. 탕춘대나 서총대, 망원정은 실록에 적어 놓은 것처럼 그렇게 큰 규모는 아니었다. 『연산군일기』에서는 이렇게 호들갑을 떨었던 관료들이 나중에 중종의 건축공사를 말릴 때는 이렇게 말한다.

연산군 시대에 궁과 관을 짓기는 하였으나, 탕춘대는 대들보 하나를 걸친 수십 칸의 집이었을 뿐이고 동호정은 그 규모 또한 작았습니다. (『중종실록』 36년 4월 4일)

이런 걸 보면 연산이 훈구세력이나 관료들을 미워한 것도 이해가 가긴 한다. 앞서 인용한 『연산군일기』의 탕춘대 기사를 자세히 읽어 보면 규모를 과장하기 위하여 하지도 않은 공사까지 적어 놓았다. 동호는 지금의 용산강가, 옥수동, 서빙고동 일대를 말하는데, 중종 때에 김안로는 여기에다 더 큰 정자를 지었다.

서총대도 마찬가지다. 서총대는 지금의 창경궁 후원 춘당대 지역이다. 조선 후기까지 연산군이 파다 말았다는 연못과 물을 끌어들이던 수로가 남아 있었는데, 기록에서처럼 엄청난 크기는 아니다.

명종 때 그린 서총대 그림이 남아 있다. 서총대는 후원의 경치 좋은 곳에 만든 일종의 단상이다. 조선 후기의 윤덕희가 그린 또 다른 그림을 보면 위의 그림보다 단상은 넓지만 그렇다고 엄청난 규모는 아니다. 단상의 높이도 사람 키보다 조금 낮은 정도여서 십 길 또는 수십 길이 된다는 것은 과장이다. 또 1천 명이 앉을 만한 넓이라는 표현은 굉장한 느낌을 주지만 1인당 $1m^2$로 상정해서 계산해 보면 $1,000m^2$, 즉 $20 \times 50m$ 정도의 무대가 된다. 연산이 만들었다는 석조난간은 철거해서 묘사되어 있지 않지만 혹이 곳에 난간을 두르고 용을 휘감아 조각했다고 해도 성종이 경회루 기둥에 두른 용에 비하면 도마뱀 수준도 안 되는 규모였을 것이다. 망원정도 마찬가지다.

또한 사역군도 수만 명이 되었다고 하지만 그것은 연 동원인원일 것이다. 못을 파기 위해 전라도에서 징발한 역군이 950명 정도였으니까 하삼도에서 다 징발했다고 해도 3천 명 미만이고, 그나마 전라도에서만 징발했는지 하삼도에서 다 징발했는지도 확실하지 않다. 못의 깊이도 수십 길이 아니라 겨우 두 길이었다.

서총대포도 실록에 의하면 서총대의 비용을 마련하기 위한 세금이 아니라 사역에 빠진 역부들에게 빠진 대가로 징발하는 베였다. 서총대포가 악명을 떨친 이유도 위의 진술과는 좀 다르다. 연산은 자신의 지지세력을 만들어 내기 위하여 오늘날 식으로 말하면 인턴사원제 비슷한 방식을 고

명종조 서총대 시예도(試藝圖).

안해 냈다. 유생들을 임시 관원으로 등용하고 행실과 실적을 보아 나중에 정식 관원으로 등용하는 방식이었다. 그런데 이 때 서총대 공사의 감독관으로 유생들이 많이 채용되었다.

인턴사원들은 당연히 충성경쟁을 했고, 역졸들에게도 가혹했다. 역졸들은 벌금을 조달하기 위해 입던 옷을 풀어서까지 포를 짜서 바쳐야 했다. 그것을 사람들이 서총대포라고 불렀다. 따라서 『소문쇄록』의 기록처럼 서총대의 건축비용이 과다해서 생긴 포는 아니다.

더욱이 성종 때부터 군역이나 사역에 빠질 때는 대가(代價)라고 해서 베를 바치고, 그 돈으로 대신 인부를 사서 고용하는 게 거의 합법화되어 있었다. 그러나 부역이 불공평해지고, 빈한한 사람에게 많은 역이 전가되면서 사람들은 재료비를 아끼기 위해 점점 고약한 저질 베를 바치게 되었다. 학술용어를 쓰자면 실물화폐가 지닌 어쩔 수 없는 약점이었다. '서총대포' 역시 그 연장선상에 있었을 뿐이다. 이런 저질포는 시간이 지날수록 점점 더 심해져서 중종대가 되면 거의 보편적인 현상이 되었다.

그러므로 악포의 등장은 연산군과는 무관한 시대의 산물이었다. 그 책임도 왕에게만 있는 것이 아니었다. 훈구세력과 재지지주들의 토지와 노비가 증가하면서 세금과 부역을 감당할 양민이 부족해진 데 궁극적인 원인이 있었다.

어쨌든 연산은 새로 마련한 이 화려하고 번쩍이는 궁궐을 위하여 문무백관에게 고관이든 하위관이든 사라능단, 즉 무늬 있는 화려한 비단옷을 입도록 했다. 왕의 흉배는 금으로 만들었으며, 각종 장식과 옷과 가구들도 새롭고 화려하게 만들고, 때로는 중국 것을 모방하여 만들도록 했다. 연산은 열심히 관복과 사모, 기생, 악공의 복장까지 일일이 개정하고 새로 만들었으며, 머리장식이나 기타 장식물도 새로 지정하였다.

관기들도 아름다운 옷에 화려한 단장을 해야만 했다. 그러지 못한 기생들은 처벌을 받았고, 그녀들이 입은 무대복은 일일이 장부에 등록해서 함부로 팔아 버리지 못하게까지 했다. 나중에는 당나라 제도를 고찰해서 기녀의 의복을 다시 제정하려고까지 했다. 그러나 이 시도는 불행히도 기녀복장에 대해 남긴 기록이 없어서 실패했다. 이 보고를 받자 연산은 "좋은 일을 기록하지 않고 좋지 않은 일만 기록했다"며 당나라의 사관을 비난했다.

복장만 화려해서는 안 되고 자고로 기녀는 예뻐야 분위기가 산다. 연산은 전국의 수령에게 앞으로 서울로 보내는 관기는 반드시 젊고 예쁜 여인이라야 한다고 엄명을 내렸고, 기녀를 선발할 때는 화장을 지우고 맨 얼굴로 심사하라는 명령까지 내렸다.

연산은 이외에도 안장, 마구, 기타 많은 가구와 소품들을 새로 제조하게 했다. 인부 못지않게 많은 장인이 필요했으므로 능력 있는 장인들은 궁궐로 총동원되었다. 관장이 부족하자 사장까지 징발하였다. 하지만 완전한 강제징발은 아니었고, 이들에게는 식사를 제공하고 어느 정도 보상도 해주었던 것 같다. 그러나 대규모 공사가 갑자기 시행되자 전국적으로 기술자가 부족해지는 현상이 발생했고, 관에서 징발하는 사역 기간도 길어짐에 따라 수공업자들이 손해를 입기도 한 것 같다.

또 은, 구리, 철, 마노 등 필요한 재료를 조달하기 위하여 전국 각지로 채굴령이 내려갔다. 당연히 백성의 고통과 피해가 따랐지만 이 정도만 가지고 난세나 폭정이라고까지 비난하기는 어려울 것이다. 연산의 건설공사는 다른 왕들보다 특별히 크거나 대규모였던 것은 아니었다.

연산의 입장에서 볼 때 그에게 가장 위험한 원성을 자아낸 사업은 금표정책이었다. 연산은 궁궐을 넓혔을 뿐만 아니라 도성의 일부와 사방 100리 이내에 금표를 세워 그 곳을 자신의 직할령으로 바꾸었다. 원래 경기(京畿)라는 단어의 뜻이 경은 도성을, 기는 왕의 직할령으로서 도성 주변 100리 혹은 500리 주변의 땅을 말한다. 그러나 이것은 중국의 고대 봉건시대에 천자와 제후들이 각기 자신의 영지나 도시를 보유하고 살 때의 이야기다. 그런데 연산은 이 개념을 그대로 자신에게 적용시켰다. 이 금표정책의 결과 서울로 들어오는 길은 양재역을 거쳐오는 한 길만 남게 되고, 도성 안을 넓게 점유함에 따라 혜화 · 홍인 · 창의 · 광희문 등 소대문을 폐쇄해 버렸다.

도성 밖으로는 경기도 김포, 고양, 파주, 양주, 양천 등지를 자신의 직할령으로 바꾸어 버렸다. 그것도 가을에 경작중인 농민들을 몰아내면서 연산은 "천하의 땅은 내 것이니 불평하지 말라"고 말했다. 빈 땅에는 내수사 노비들을 보내 경작하게 했다. 경기를 왕의 사노비들이 경작하는 왕의 직할농장으로 삼았던 것이다.

잘한 짓은 결코 아니지만, 수많은 지주들이 오랜 역사 동안 비슷한 행위를 해 왔다는 점도 함께 기억할 필요는 있다.

그런데 진짜 문제는 경기평야의 그 너른 들과 산이 대개 종친과 서울에 사는 관료들의 땅이었다는 점에 있다. 지금도 파주, 적성, 포천, 남양주, 구리, 멀리는 양주, 여주, 문산 등지까지 가 보면 서원릉 · 동구릉 같은 왕릉, 왕족의 무덤과 함께 웬만큼 유명한 사람들의 무덤, 그들이 지은 정자를

왕의 직할령임을 표시한 금표.

수두룩하게 발견할 수 있다. 그런 곳에 가 보시는 분들은 무덤과 정자가 그 고유의 기능 못지않게 예로부터 땅의 소유권을 증명하거나 탈취하는 중요한 소재로 활용되어 왔다는 사실을 상기할 필요가 있다.

연산은 이 땅을 그들로부터 빼앗았다. 무덤은 이장하든지 이장하기 싫으면 일년에 세 번 명절 때마다 이틀씩 허락되는 성묘에 만족해야 했다.

그가 몰아낸 농부 중에는 일반 농민도 있었지만 권세가의 노비와 소작인들도 상당수가 있었다. 갑자사화 때 연산은 훈구파의 세력을 약화시키기 위하여 훈구공신들을 부관참시하면서 공신적을 탈취하고, 그들이 받은 공신전도 몰수하려고 했다. 그러나 이 시도는 반대가 만만치 않아서 연산도 과감하게 탈취하지는 못했는데, 이 때에 금표를 통해 일정 구역의 토지를 전부 자기 것으로 해 버렸다. 이렇게 차지한 구역이 어느 정도인지는 명확하지 않은데, 꼭 갑자사화 때 희생자의 형량을 계속 올리듯 연산은 금표를 야금야금 지속적으로 확대해 나갔다. 그의 통치가 좀더 오래 계속 되었더라면, 최소한 경기 땅의 절반 이상이 그의 직할령이 되었을지도 모른다.

금표 안에서는 가옥도 다 철거했다. 그래도 보상은 해 주었다. 농사짓던 사람에게는 다른 토지를 주려고 노력은 했다. 집이 헐린 사람은 큰 집과 작은 집으로 나누어 보상금을 주었는데 큰 집은 쌀 2석, 작은 집은 1석이었다. 이것이 당시의 시가였는지 형식적인 보상액이었는지는 알 수 없다. 그러나 다른 제안대군이나 월산대군 같은 이들의 집, 죽은 성준의 아내의 토지에 대한 보상은 확실히 시가대로 해준 것이었다. 참고로 당시 서울에서 최고의 호화주택이었다고 하는 제안대군의 집값은 면포 5,500필, 법정 기준으로 환산하면 쌀 2,200석이었다(지금의 단위로 계산하면 3,300가마 정도 된다).

그러나 보상을 받았다고 해도 일가친척이 처형당하고 기름진 땅까지 뺏긴 이들의 원망이 이만저만했을 리 없다. 게다가 서울의 부유층들은 대개 농장에서 노비나 소작인들로부터 받아낸 쌀을 서울로 가져다가 먹었고 남는 것은 서울의 주민에게 팔았다. 쌀은 조선 후기까지도 국내시장에서는 최고의 상품이고 수입원이었다. 도성에서 소비되는 쌀의 상당 비율이 이런 루트를 통해 공급되었다.

그런데 도성 주변의 땅을 빼앗기면 더 먼 곳에서 쌀을 가져와야 한다. 쉽게 말해 물류비용이 엄청나게 뛰어버린다. 결국 토지만이 아니라 서울의 미곡유통망, 상권까지 왕에게 빼앗겨 버리는 것이다.

연산도 그 불평을 의식했던지 대안을 마련했다. 문제는 대안이란 게 획기적인 보상책이 아니라 철저한 협박이었다는 것이다. 연산은 금표에 대해 불평하는 자는 삼족을 멸하겠다는 엄명을 내렸다. 삼족을 멸하는 것은 절대로 실현 불가능한 이야기다. 삼족은 친가·외가·처가로 팔촌까지를 말하는데, 그랬다간 왕가를 포함하여 서울에 사는 지배층을 몰살해야 할 것이다. 신하들도 그건 말만 있을 뿐 중국에도 역사적으로 유래가 없고 불가능한 이야기라고 만류했으나 연산은 이 공갈포를 교지로 내리고야 말았다.

물론 천하의 연산이라도 차마 실행에는 옮기지 못했다. 금표를 위반해서 잡힌 사람은 목을 잘라 전시하고 노비면 주인, 군인이면 상관까지라는 식으로 연좌제를 시행했다.

아무튼 연산은 1, 2년 사이에 대궐과 도성의 모습을 싹 바꾸어 놓는 데는 성공했다. 아름다운 자신의 나라였다. 화려하고 풍요롭게 변모해 가는 자신의 세계를 보면서 연산은 기쁨과 감격의 노래를 불렀다.

> 새 집이 되어가매 이름 빛나고
> 분홍 맺힌 봄이슬 방초에 지네
> 삼백 방화 어여쁨 뉘라서 알랴
> 향기가 바람 타니 나비 나르네 (『연산군일기』 11년 1월 3일)

그러나 겉모양과 물질적 풍요만으로는 만족할 수 없다. 그가 꿈꾸는 왕국은 젊은 시절의 그를 괴롭혔던 짜증나는 논리와 불합리한 관습이 철폐된 사회, 오직 국왕의 위엄만이 찬란히 빛나는 사회였다.

연산군 10년 8월에 연산은 경연 철폐를 선언했다. 자신은 장성하고 학문이 진보해서 굳이 배울 것도 없는데다가 쓸데없는 인간들이 경연에서 불손한 소리만 많이 하니 경연에 나갈 필요가 없다는 것이었다. 그리고 나라가 잘못되면 내탓이 아니라 너희들 탓이라는 논리를 다시 한번 상기시켰다.

> 나라를 누림이 길고 짧음은 원래 경연에 나가는 데 있지 않는 것이니, 만약 군자를 조정에 있게 하고 소인을 초야에 있게 하면 조정이 스스로 맑아질 것이니 비록 경연이 아니더라도 무엇이 해로울 것인가. (『연산군일기』 10년 8월 10일)

수많은 제사와 늘 있는 천재지변에 허둥대는 삶도 청산했다. 연산군 12년 1월 말경의 일이다. 날씨가 갑자기 추워졌다. 양력으로는 2월이나 3월 초쯤이었을 테니 꽃샘추위였다. 연산이 문득 생각난 듯 승지들에게 물었다. "전에 대간들이 봄추위를 재변이라고 하지 않았었던가?" 서슬 퍼런 시대라 승지들도 이번에는 유가의 정치원리를 무시하고 본심대로 대답을 했다. "정월은 본래 추운 때입니다. 옛날에도 봄추위란 말이 있는데, 누가 감히 이것을 재변이라고 하겠습니까?"

연산은 일식·월식 때 지내는 '구식의(救蝕儀)'도 폐지했다. 동양에서는 일식과 월식을 불길한 징조 내지는 하늘의 경고라고 생각해서 일식·월식이 있을 때마다 해·달의 침식을 구원하는 제사를 지냈다. 그 의례를 '구식의'라고 했는데, 이게 참 아이러니였다. 왜냐하면 고대부터 천문학의 발달로 일식·월식의 발생을 계산하여 예측했기 때문이다. 다만 동양에서는 태음력을 썼던 이유로 태양력에 비해 일식·월식의 계산이 힘들고 간간이 틀리기도 했다. 그래서 예측을 못하거나 빗나가면 천문을 담당한 관리가 벌을 받았다.

이렇게 예측되는 자연현상을 '재앙'이니 '경고'니 하며 호들갑을 떠니 연산의 비위에 맞을 리가 없었다. 나중에는 천재지변은 아예 보고도 하지 못하게 했다. 아마 조선 후기의 진보적인 인사가 이런 일을 했다면 과학적, 실학적 태도라고 칭송받았을 것이다.

이러한 연산의 시대는 관료와 내관들에게는 그야말로 수난의 시대였다. 연산군 10년부터 환관들에게 "입은 화의 문이요, 혀는 몸을 베는 칼이다. 입을 닫고 혀를 깊이 간직하면 몸이 편안하여 어디서나 안전하리라(口是禍之門 舌是斬身刀 閉口深藏舌 安身處處牢)"라고 새긴 패를 차고 다니게 했다.

좀 지나자 궁궐은 아예 병영이 되었다. 관원들은 모두 사모의 앞뒤에 '충성'이란 구호를 붙였다. 대궐에 들어서면 손을 흔들며 걸어다녀서는 안 되고, 우산을 받치고 다녀서도 안 되고, 하인들이 뒤에서 옷자락을 들고 다녀도 안 되었다. 조정대신들도 반드시 공손하게 두 손을 모아 붙잡고 구부정한 자세로 다녀야 했다. 조회할 때나 왕의 행차를 만나면 무릎을 꿇고 앉게 했다. 그 뒤로 거의 천민 대접을 받는 악사들이 악기를 들고 풍악을 울리며 당당하게 서 있었다.

여기에 만족하지 않고 연산은 관료들에 대한 최대의 모욕을 고안했다. '신하가 위를 받드는 모습'을 생중계하기 위하여 그는 유생들로 하여금 왕의 가마를 메게 했다. 나중에는 문신도, 신성불가침의 대간까지도 가마꾼으로 차출했다.

연산 11년부터는 문무백관도 내관들이 차는 패를 차야 했다. 하고 싶은 말이 너무 많았던 연산은 대제학에게 '너는 앞에서는 순종하고 물러가서는 뒷말을 하지 말라'는 뜻으로, 시를 짓게 하여 그 패의 뒷면에 새기게 했다.

지방의 수령들은 수령들대로 그들의 임무와 관련된 내용을 시로 지어 패에 새겨 차고 다녔다. 독재시대의 두번째 특징, 교시와 훈시에 이어 구호와 표어가 난무하는 시대가 온 것이다.

독재의 세번째 징표는 언론탄압이었다. 이미 대간의 입은 꽁꽁 묶였지만, 역사가 남아 있었다. 연산은 기록중인 사초를 전부 회수해서 조사하게 하고는 새로운 역사이론을 제시했다.

공자가 그의 저서인 『춘추』에서 말하기를, 부모의 허물을 가려주는 것이 자식의 도리라고 했다. 하긴 성경에도 같은 말이 있으니 이거야 반론이 불가능한 동서고금의 진리다. 그런데 자고로 '군사부 일체'라고 했다. 왕과 부모와 스승은 동격이라는 뜻이다. 즉 왕과 신하의 관계와 부모와 자식의 관계는 같다는 뜻이다. 그렇다면 당연히 신하가 왕의 잘못을 드러내서는 안 된다. 그런데 이 나라의 사관은 관료들의 잘못은 서로 감춰 주면서 임금의 허물만 잡아내려고 안달이다. 이 폐단은 고쳐야 한다. 연산은 사초에는 인사기록이나 국가정책에 관한 내용만 기술하게 했다.

마지막으로 연산은 유가의 전통윤리 중에서도 목숨처럼 중히 여기는 장례제도에 도전했다. 3년상은 꼭 필요한 것인가? 관료나 군인이 국가의 일은 내팽개쳐 두고 초상이 났다고 집에만 틀어박히는 것이 잘하는 일인가? 연산은 아예 중국의 상제까지 조사시켜 3년상을 폐지하게 하였다. 그리고 굳이 3년상을 지내는 자들은 괴상한 짓을 해서 잘난 체하려는 자라고 잡아 가두게 하였다. 처벌은 당연히 처형이었다.

르네상스 맨

연산이 만든 꿈의 나라의 제일 법칙은 '임금을 위한 일은 언제나 옳다'였다. 그는 이 명제를 확대하여 욕망과 쾌락, 향락까지도 선의 영역에 집어넣었다. 그런 것들도 다 임금을 즐겁게 하고 임금의 마음을 안정시키는 일이기 때문이다.

> 제삿날 음악을 쓰지 않는 것은 비록 옛 제도이나, 들건대 중국에서는 장례 때 역시 주악을 한다니 제삿날에 음악을 쓴다 하여도 상관이 없을 것이다. 옛날 임금도 상중에 음악을 쓴 일이 있었으니, 이는 그 몸을 위한 것이다. 나라에 무슨 해가 있겠는가?
> 대체로 임금이란 반드시 마음이 안정되어야 하는 것이니, 임금의 마음이 안정되어야 백성의 마음이 안정되는 것이다. 또 옛말에 "군자가 연고 없이는 거문고와 비파를 곁에서 치우지 않는다" 하였으니, 제삿날이라고 해서 풍악을 폐할 수는 없는 것이요 또 이 때문에 불효라고 할 수도 없는 것이다.
> (『연산군일기』 12년 8월 16일)

서구나 동양이나 중세사회의 윤리는 늘 사람의 일상 생활을 조이고 인간의 감각과 쾌락을 부정하는, 즉 사람의 삶을 무겁고 우울하게 만드는 경향이 있다. 이것을 부정하고 인간의 욕망과 감각을 삶의 원리로 부활시킨 시대가 바로 르네상스 시대다.

연산은 이런 점에서 르네상스 맨이라고 불릴 만한 자격이 있다. 그는 자신의 욕망과 쾌락이 전통윤리의 속박보다 우선한다고 분명히 말하였다. 그래서 그는 부모의 제삿날에도 고기를 먹고, 풍악을 울리고, 미녀들을 모아 섹스파티를 열었다.

'르네상스' 하면 '문예부흥' '고전읽기' 같이 고상한 이미지를 연상하는 분들은 이런 말에 기분이 상할지도 모르겠다. 그러나 르네상스는 절대로 그렇게 고상한 분야가 주류가 아니다. 실제로 그 시대를 이끈 사람들 중에 고상한 철학자나 도학자는 극히 드물다. 대개는 난봉꾼에 술주정꾼, 파렴치한이었다. 현실의 고상함이 아니라 역사적 의미가 그 시대를 인류역사에서 위대한 시대로 만든 것이다.

양쪽의 진정한 차이는 이탈리아 르네상스는 사회가 이미 변하여 르네상스 맨들을 양산해 내고 있었고, 연산은 기존 사회와 동떨어져 홀로 르네상스의 이상을 부르짖고 있었다는 점에 있다. 그래서 첼리니는 위대한 자유인이 되고 연산은 몰상식한 폭군이 되었다.

하여간 연산은 국왕이란 모름지기 하늘과 땅과 백성을 조심하면서 수도사 같은 삶을 살아야 한다고 노래를 부르는 관료들에게 향락과 여색을 좀 밝히는 게 뭐가 어떠냐고 당당하게 주장했다.

> 봄이 장안에 돌아오니 누수 소리 더디고
> 바람이 따스하고 가벼운 연기에 경치 기이하여라
> 이 모두 태평하고 조야가 안전한 덕이니
> 길게 취하여 계집이나 희롱함도 무방하리 (『연산군일기』 11년 12월 27)

군주가 여색을 밝히는 것도 다 종묘사직과 나라를 위한 일이다. 왕이 수많은 여인을 두어야 자손을 풍성하게 하여 왕가를 튼튼하게 함으로써 나라를 안정시킬 수 있을 것이기 때문이다. 이것도 다 국왕이 사명감과 책임감을 가지고 하는 일인데 뭘 모르는 인간들이 자꾸 잔소리를 하고, 심지어 임금의 황음 때문에 나라가 망했다는 등의 엉터리 소리를 한다.

연산은 역사책을 뒤져 증거를 찾아냈다. 여인 때문에 망했다는 대표적인 인물이 양귀비와의 로맨스로 유명한 당나라 현종이다. 그는 묻는다. 정말 당나라 현종이 양귀비 때문에 망했는가? 아니면 양국충과 같은 간신배가 재상으로 있었기 때문인가?

연산의 해석에 따르면 임금의 황음으로 나라가 망한 적은 없다. 나라가 망한 이유는 군자가 아닌 소인배가 정부를 차지했기 때문이다. 이것이 연산의 결론이다. 그러므로 태평성대에 임금은 열심히 놀고 여색을 밝히고 해도 무관한 것이다. 단 한 가지에만 신경을 쓰면 나라는 유지된다. 바로 그의 신하 중에서 소인배를 제거하는 것이다.

관료들은 연산의 이 논리에 누구도 항변하지 못했다. 반론을 제기했다가는 당장 소인배로 몰릴 게 분명했기 때문이다.

쾌락주의와 '가르강튀아(네 멋대로 해라)'를 선언한 연산은 경연과 함께 정사, 관원면담 시간도 대폭 줄였다. 남은 시간을 그는 향락과 레저 활동에 투자했다. 여러 차례 전국에서 기녀와 악공과 의녀를 선발했다. 의녀는 오늘날로 치면 여의사 내지는 간호사에 해당하는 신분이지만 조선시대에는 반은 기녀였다.

연산은 '새 술은 새 부대에 담아야 한다'는 원칙에도 아주 철저했다. 자신이 직접 고안해서 관사와 관원에서부터 기녀에 이르기까지 각종 명칭을 수없이 새로 붙였다. 그 중에서도 가장 공을 들인 것이 기녀들의 명칭이어서 악기를 다루는 등급에 따라 홍청(興淸)·운평(運平)·광희(廣熙)라고 3등급으로 작명을 했다. 홍청은 사악하고 더러운 것을 깨끗하게 씻는다는 뜻이고, 운평은 태평한 운수를 만났다는 뜻이었다. 이 중에서 홍청이 제일 급이 높았다.

선발된 여인들에게는 다 노비를 주고, 장인들을 시켜 각종 식량과 땔감, 화장품, 장신구와 생활용품을 만들어 지급하게 했다. 그 목록 중에는 놋요강까지 있었다. 숫자에는 과장이 있는 것 같지만 홍청은 3백, 운평과 광희는 각각 1천 명이었다.

이들 중에 왕이 거들떠보지 않은 여인을 지과(地科)라 하고 왕의 사랑을 받은 여인을 천과(天科)라고 불렀다. 플레이보이답게 동침하기는 했지만 별로 맘에 들지 않는 급도 만들었다. 그들의 명칭은 '반쪽 천과[半天科]'였다. 천과 중에서도 맘에 드는 여인에게는 작호를 주었는데, 이것도 자신이 만들어서 숙화(淑華)·여원(麗媛)·한아(閑娥) 식으로 불렀다.

총애받은 여인들은 삶이 폈지만 그렇지 못한 여인들은 궁궐 한 귀퉁이에서 격리된 삶을 살아야 했다. 연산은 이들이 전에는 아무나 겪을 수 있었던 관기였지만 지금은 내 것이니 함부로 아무나 꺾어서는 안 된다고 엄명을 내렸다. 그러나 2천 명에 가까운 젊은 미녀들을 한데 모아 놓았으니 사고가 안 날 수가 없다. 임신하거나 아이를 낳아서 적발되는 여인들이 속출했다. 연산은 이들에게 잔혹한 처벌을 가하고 낳은 아이는 오작인(시체를 묻고 처리하는 사람)에게 주어 묻어 버렸다.

이 때부터 연산의 황음도 점점 심해졌다. 여기에 대해서는 후원에서 기녀들과 벌거벗고 난행을 했다는 이야기부터 시작해서 수많은 이야기가 있다. 연산을 둘러싼 이야기 중에서도 제일 과장이 심한 부분이 이 부분인 듯하다. 꼭 조작이라기보다는 원래 사람들이 이런 이야기하기를 제일 좋아하여 소문과 루머가 많았는데, 다른 왕들의 실록에서는 불확실한 이야기나 왕의 사생활에 대해서는 거의 언급하지 않은 반면, 『연산군일기』에서는 소문과 미확인 보도를 가리지 않고 적극적으로 이런 이야기를 채집해서 실었기 때문이다. 그 중에서도 제일 유명한 이야기는 다음의 기록이다.

왕의 음탕이 날로 심해져, 늘 족친 및 선왕의 후궁을 모아 왕이 친히 잔을 들어서 마시게 하다가 마음에 드는 사람이 있으면 문득 녹수나 총애하는 궁인을 시켜 누구의 아내인지를 몰래 알아보게 하여 외워 두었다가 이어 궁중에 묵게 하여 밤에 강제로 간음하며 낮에도 그랬다. 혹 4, 5일이 지나도록 나가지 못한 사람으로서 좌의정 박숭질의 아내, 남천군 이쟁의 아내, 봉사 변성의 아내, 총곡수의 아내, 참의 권인손의 아내, 승지 윤순의 아내, 생원 권필의 아내, 중추 홍백경의 아내 같은 이들이 다 추문이 있었다. (『연산군일기』 11년 4월 12일)

대궐 안에서 베푼 연회에 사대부의 아내로서 들어가 참여하는 자는 모두 그 남편의 성명을 써서 옷깃에 붙이게 하고, 미모가 빼어난 이는 녹수를 시켜 머리단장이 잘 안 되었다고 핑계대고 조용한 방으로 끌어들이게 해서 는 곧 간통했는데, 혹 하루가 지난 뒤에 나오기도 하고 혹은 다시 대비나 왕비의 명령을 받고 궁궐에 유숙하는 일도 자주 있었다.

월산대군 부인은 세자의 양모라는 핑계로 항상 궁내에 머물게 하였고, 성종의 후궁 남씨(南氏)도 대비의 이어소(移御所)에 있으면서 특별한 총애를 입어 추한 소문이 바깥까지 퍼졌다. (『중종실록』 1년 9월 2일)

실록을 포함해서 옛 기록에서 잘 써먹는 과장법의 하나는 한두 번 있었던 일을 일상적인 일처럼 쓰는 방법이다. 그러므로 머리단장이 잘 안 되었다고 방으로 끌어들여 간통했다는 것도 늘 그랬던 것이 아니라 어떤 한 여인과의 사건일 가능성이 높다. 아무리 국왕을 절대권력의 화신으로 착각하고 산 연산일지라도 사대부가의 여인을 마구 농락하는 위험한 짓을 자행했을 리는 없다고 생각된다.

월산대군 부인 박씨와의 스캔들은 더욱 애매모호하다. 박씨는 연산의 큰어머니다. 세상에 아무리 별별 불륜이 다 있다고 해도 나이 차이가 너무 난다. 그래서 상황을 그럴 듯하게 만들기 위해 박씨가 세자의 유모였다든 가, 박씨가 박원종의 동생으로 월산대군의 후처였으며 이 때까지도 젊고 미인이었다는 식으로 얘기가 슬슬 바뀌어 갔다. 어느 권위 있는 고전 번역 본에서도 박씨에 대해 이렇게 설명해 둔 것을 본 일이 있다.

그러나 박씨는 박원종의 누나였으며, 후처도 아니었다. 정확한 출생연도는 알려지지 않았지만 박원종이 1467년(세조 13)생인데, 박씨는 박원종이 태어나기 전 해인 1466년에 월산대군과 결혼했다. 월산대군은 1454년

(단종 2)생으로 박원종보다 열네 살 위였고, 박씨와는 열세 살 때 결혼했다. 이 시기 왕족들의 결혼을 보면 나이 차이가 별로 나지 않았고, 여성 쪽이 많아야 한두 살 위이고 적어도 크게 내려가지 않았다. 또 아무리 어려도 여덟 살 정도는 되어야 혼약을 한다. 그러므로 월산대군이 열세 살이었다면 박씨는 적으면 여덟 살에서 열 살, 많아도 열대여섯 살 정도였을 것이다.

그러므로 연산군 10년(1504)이면 박씨는 매력있는 30대 미시족이 아니라 적어도 46, 47세는 넘었고, 많으면 50대 중반의 여인이었다. 최대한 낮추어 잡아서 박원종보다 두세 살 위였다고 하면 이 때 박원종이 38세였으므로 박씨는 40대 초반이 된다. 그러나 두세 살에 결혼했을 리는 없으므로 40대 중반에서 50대 초반으로 보는 게 합당하다. 연산은 이 때 스물아홉이었다. 세상에는 별별 일이 다 있고, 장녹수도 연산보다 두 살 정도 위였다고 추정되지만 이건 좀 심하지 않은가 싶다.

박씨와의 스캔들은 분명한 증거가 없다. 야사에서나 실록에서나 이 이야기는 소문으로 처리하였다. 조선시대에 왕자들은 궁에서만 자라서는 안 된다고 하여 어릴 때는 궁 밖에서 키우는 관습이 있었다. 그래서 성종은 한명회의 집에서 자랐고 연산은 강희맹의 집에서 컸다. 연산은 세자의 양육을 월산대군가(월산대군의 집은 지금의 덕수궁 자리이다)에 맡겼는데, 그 일로 미망인 박씨를 후하게 대접하였고 승평부대부인(昇平府大夫人)이란 작호까지 주었다. 이것이 빌미가 되어 소문이 자랐던 것 같다.

사신(史臣)은 논한다. 박씨가 수십 년을 홀몸으로 살면서 불교를 받들고 믿어 이정[월산대군]의 묘 곁에 흥복사(興福寺)를 세우고 명복을 비느라 자주 그 절에 다녔으므로 사람들에게 의심을 사기도 하였다. 왕이 박씨에게 그 집에서 세자를 키우게 하였는데 세자가 장성해서 경복궁에 들어와 거처하게 된 후에는 왕이 박씨에게 특별히 명하여 세자를 알현하게 하고, 드디어 간통을 한 다음 은으로 승평부대부인이라고 새긴 도장을 만들어 주었다.

어느 날 밤 왕이 박씨와 함께 자다가 꿈에 월산대군을 보고는 밉게 여겨 내관으로 하여금 한 길이나 되는 쇠막대기를 만들어 이정의 묘 가운데다 꽂게 하였는데 우레와 같은 소리가 들렸다. (『연산군일기』 12년 6월 9일)

월산대군 이정의 처 승평부대부인 박씨가 죽었다. 사람들이 왕에게 총애를 받아 잉태하자 약을 먹고 죽었다고 말했다. (『연산군일기』 12년 7월 20)

"사신이 논한다"는 이야기는 정규 기사가 아니다. 실록을 편찬할 때 사관이 정식 기사 밑에 자신의 의견이나 보충설명, 세간의 평 등을 적어넣은 것이다. 그러나 내용으로 보아 알 수 있듯이 박씨 관련 기사는 흘러다니는 소문을 적어넣은 것이다. 다음의 박씨 자살 기사도 어디까지나 소문이다. 야사에서는 박씨가 연산의 아이를 잉태하자 칼로 국부를 찔러 자살했다거나 연산에게서 성병이 옮아 죽었다는 이야기도 있다.

더 이상의 진위를 가려내는 것은 불가능하지만, 실록에도 자신 없이 써놓은 걸 보면 아무래도 의심스럽다. 오늘날에도 우리 나라를 포함하여 세계 각국에서 대통령이나 황태자비의 스캔들이 끊임없이 구설수에 오른다. 통치자의 사생활에 대한 관심은 꽤나 오랜 역사를 가지고 있다는 사실을 깨닫는 선에서 만족하도록 하자.

연산의 여자관계를 이야기할 때 빼 놓을 수 없는 여인이 장녹수이다. 연산이 분노했던 그대로 오랫동안 많은 사람들은 임금의 황음 내지는 못된 첩이 한 인간과 나라를 망친다는 식의 역사이해를 가져 왔다. 바로 그런 역사관에 의해 연산시대의 악녀로 자리매김된 여인이 장녹수이다.

장녹수는 연산군 8년 3월 기록에 처음 등장한다. 연산이 승지에게 그녀의 부친 장한필(張漢弼)의 내력을 조사시켰다는 기록인데, 이 해부터 장녹수에게 빠졌다는 기록도 있는 것으로 보아 대략 이 때쯤 연산과 장녹수가 만났던 것 같다.

장녹수의 아버지 장한필은 문과에 급제하고 성종 19년에 충청도 문의현령까지 지냈다. 그러나 더 이상 크게 출세하지는 못한 것 같다. 어머니는 장한필의 첩이었고 신분도 천인이었음이 분명하다. 조선시대에는 부모 중 한 쪽이 천인이면 자녀는 자동으로 천인이 되었으며, 그 자녀의 소유권은 모계를 따라 가도록 되어 있었다.

장녹수가 제안대군의 종과 결혼하고, 제안대군의 여종이었다는 기록이 있는 것으로 보아 모친도 제안대군의 종이 아니었나 싶다.

장녹수의 젊은 시절은 불행했다. 가난하고 신분도 천한 여인이라 몸을 팔아서 생활했고 결혼도 여러 번 했다. 그러다가 제안대군의 집 종과 결혼했다. 아들 하나까지 낳았는데, 이 가정도 힘들었던지 다시 생활전선으로 나왔다. 그러나 이번에는 바닥에서 몸을 파는 수준에서 벗어나 노래와 춤을 배워 정식으로 기녀로 데뷔했다.

맑은 목소리의 노래로 그녀는 인기를 모았다. 무대에서뿐 아니라 남자 심리도 잘 알아서 기분을 잘 맞추고, 잘 다루었으므로 기녀로서 크게 성공했다. 인기가 오르고 명성이 높아지자 그 시대의 명사나 귀공자들과도 많이 어울렸던 것 같다. 마침내 연산마저 소문을 들었다. 연산은 장녹수를 불렀고, 그녀를 만나본 연산은 그녀의 매력에 푹 빠져 버렸다.

희대의 바람둥이를 매혹시킨 장녹수의 매력은 어떤 것이었을까? 의외로 그녀는 탁월한 미인은 아니었다고 한다. 실록에서는 그녀가 그냥 중간 수준의 얼굴이라고 표현했다. 나이도 연산보다 두세 살 이상 많았다.

그러나 30대에도 16세의 앳된 소녀처럼 보일 만큼 동안이었던데다 영리해서 남자의 뜻을 잘 맞추고, 아양 떨고 분위기를 만들어 내는 능력은 견줄 사람이 없었다고 한다. 헐리우드의 스타로 비교하자면 인형 같은 미모는 아니지만 미소와 귀염성 있는 얼굴이 매력인 맥라이언 같은 스타일이었던 모양이다.

연산은 장녹수에게 완전히 빠졌다. 연산이 남다르게 총애한 여성은 장녹수 외에도 많았다. 그 중에서도 연산이 폐위된 후에 악녀로 지목되어 장녹수와 함께 처형된 여인으로 전비(田非)와 김귀비(金貴非), 백견(白犬

: 또는 倚春桃라고도 한다. 의미상 흰강아지 또는 봄복숭아 같다는 뜻이니 아마 피부가 희고 매력적이었던 모양이다) 등이 있었다.

그러나 장녹수는 그들 중 누구도 누리지 못한 특별한 역할을 했다. 연산은 장녹수를 거의 아내처럼 대우했다. 연산의 왕비 신씨는 신승선의 셋째 딸이었다. 연산과 신비의 사이는 좋았다. 연산은 신비를 현모양처요 훌륭한 국모로 인정하고 존중했다. 그러나 그것은 국왕과 왕비의 사이였다. 연산이 국왕이 아닌 세속적 인간으로 돌아올 때는 장녹수가 그의 아내가 되어 주었다. 때로 장녹수는 연산을 어린아이같이 조롱하고 연산을 하대하며 욕을 하기도 했다.

이런 일을 기록한 사람은 혀를 찼지만, 연산은 인간 본연의 감정에 충실하고 싶었고, 그런 세계를 맛보고 싶었던 것 같다. 그러나 섣불리 연산에게 그런 사이버 공간을 연출했다가는 당장 국왕 능멸죄에 걸렸을 것이다. 그 역을 감당하기에는 아주 특별한 매력과 재능이 필요했다. 아마도 장녹수는 오랜 호스티스 생활을 통해 남자가 필요로 하는 것을 파악하고 충족시켜 주는 재능을 터득했던 것 같다.

연산이 아무리 화가 났다가도 장녹수만 보면 반드시 기뻐하며 웃었다고 하니 진짜 일류 호스티스였다. 어찌 보면 조정관료들이 그녀에게 제일 감사해야 했을 것 같은데, 그들은 그 고마움은 잊고 녹수의 형부가 순식간에 등용되고, 연산이 자기들에게서 빼앗은 저택과 땅과 노비를 천한 첩들에게 하사하는 것을 보고 분노하였다.

후궁 중에서 가장 총애를 받은 사람이 전숙원(田淑媛 : 전비)과 장소용(張昭容 : 장녹수)이다. 왕이 두 후궁에게는 들어주지 않은 것이 없고 하려는 것을 해주지 않은 것이 없으므로, 옥사를 농간하고 벼슬을 팔며 남의 재물·노비·가사를 빼앗는 등 못하는 짓이 없었다. 조금이라도 자기 뜻에 거슬리면 반드시 화로써 갚으므로 종친과 외척이나 공경대부들 가운데 그들에게 침해와 모욕을 받지 않는 이가 없었다. 주인을 배반하고 이익을 노리는 무뢰배로서 일가라고 하면서 투탁(投托)하는 자가 셀 수 없었다. 두

집의 증명이나 서찰을 가진 자가 사방에 깔려 있으면서 소란을 피우며 수령을 업신여기고, 백성들을 못살게 구는 등 기세가 등등했으나 누구 하나 감히 범접하지 못하고 조심스레 빌며 사양하고 움츠리고 피할 뿐이었다.

왕이 이들을 위하여 큰 집을 지어 주되 대관에게 감독을 맡겨 지어 주었고, 그들이 만약 부모를 뵈러 출입할 때면 중관(中官) 및 승지·주서·재상들이 모두 따라나가 앞에서 인도하고 뒤를 감싸 마치 왕비의 행차와 같았다. (『중종실록』 1년 9월 2일)

사적인 청탁과 인정을 배제하기는 불가능한 사회였다는 점을 감안하면, 장녹수가 인사나 이권에 유래가 없을 정도로 엄청나게 개입한 것 같지는 않다. 정도의 차이가 있을지는 모르지만 위에서 꼽은 부정들은 과거부터 종친과 훈구세력들이 늘 해오던 일들이다.

수령이나 하급관직은 몰라도 녹수의 청탁으로 고위직에 올랐다는 사람도 다 종친이나 관료들이었다. 그녀의 친척 중에서 제일 출세한 사람이라면 형부 김효손인데, 연산군 10년 이전에는 겨우 7품 무관직인 사정(司正)을 받았을 뿐이다. 6품과 7품은 질적 차이가 있어서 7품 이하는 정치적 비중이 거의 없는 단순 행정 또는 실무직에 해당하며, 서리 출신들도 여기까지는 많이 진출했다. 수령 자리 하나 얻지 못했으니 녹수가 많이 자제를 했거나 연산이 꽤 엄격했던 것이라고 할 수 있다.

그러나 연산군 10년에서 12년 사이에 김효손은 벼락승진을 해서 정3품 당상관까지 올라갔다. 아마도 이 조치에 대해 많은 관료들이 상당히 분노했을 것이다. 그러나 장녹수의 일가로서 출세한 사람은 그 하나뿐이었다는 점은 고려해 줄 만하다.

녹수의 집을 건축할 때 대간을 보내 감독을 시킨 것이나 내시와 승지 등에게 그녀의 가마를 뒤따르게 한 것 등도 그녀의 청탁이 아니라 연산이 항상 궁리했던 '관료 길들이기'의 일환이었을 가능성이 크다.

그러나 관료들은 종친과 고급관료가 천인 출신의 계집에게 굽실거리고, 사족의 집과 땅이 그녀의 손아귀로 들어가며, 그녀의 종들이 자신들의 종을 우습게 보고, 상권·노비·토지 등의 이권다툼에서 자신들을 이기고, 자신들의 이권을 앞서서 채가는 현상을 참을 수 없었다. 이것은 사회의 기강을 무너뜨리는 행위였고, 왕이나 세상 사람들이 기억해서는 안 되는 전례였다.

그녀의 최후는 비참하였다. 중종반정이 일어났을 때 녹수와 전비 등은 당일로 군기시(지금의 서울시청과 서울신문사 사이) 앞에 끌려가 처형당했다.

전비·녹수·백견을 군기시 앞에서 베니, 도성 사람들이 다투어 기왓장과 돌멩이를 그들의 국부에 던지면서 "나라의 고혈이 여기에서 탕진됐다"고 하였는데, 잠깐 사이에 돌무더기를 이루었다. (『중종실록』1년 9월 2일)

많은 후궁들 중에서 녹수와 전비가 비난과 처형의 대상이 된 것은 그녀들의 재산이 많았던 탓도 있지만(그 중 상당수는 연산이 공신, 관료들로부터 뺏은 것들이다), 그녀들의 출신이 미약했기 때문이다. 아마도 그녀들의 진정한 죄는 자신들의 주제로서는 참여해서는 안 되는 특권에 참여한 죄였을 것이다.

역전의 날

최후의 도박

연산이 절정의 나날을 구가하던 연산군 12년 3월 20일, 그는 다음과 같은 시를 지어 신하들에게 회람시켰다.

대궐 안에서 꽃과 달의 시구를 누가 가르쳤던가
두고 읊으매 생각이 간절하여 정분이 더하기만 하이
다시 보매 복숭아 오얏꽃 밝은 햇살이 옹호하였으니
나야말로 삼한에서 제일 가는 호걸이야

그러나 자칭 삼한 제일의 호걸도 마음 속으로는 슬슬 걱정이 되기 시작했던 모양이다. 바로 그 며칠 전에는 이런 시도 지었다.

> 늘 부끄럽소 박덕한 내가 선왕의 빛을 이은 것이
> 매양 기쁘다오 삼정승이 모두 뛰어났으니
> 승정원의 충성과 정성에서 나오는 도움을 받으매
> 간사한 무리의 싸늘한 간장을 다시금 알리로다
> (『연산군일기』 12년 3월 1일)

이기적인 관료들과 싸우면서 혼자 세상을 이끌어 가는 듯 폼을 잡던 연산이다. 그가 이처럼 스스로를 박덕하다고 하며, 신하들을 칭찬하는 경우는 정말 보기 힘든 태도이다. 그것도 이 때는 자신을 삼한 제일의 호걸이라고 자칭할 정도로 절정의 권력과 승리감을 누릴 때였다. 그런 그가 갑자기 왜 이러는 것일까?

이유는 간단하다. 때려 부술 때는 좋았는데, 다음에 건설할 때를 전혀 고려하지 않았던 것이다. 화끈한 숙청을 했지만 숙청이 끝나자 연산은 갑자기 자신이 쓸 수 있는 카드가 이젠 없다는 사실을 깨달아야 했다. 연산은 그와 가장 가깝던 신하들을 하루아침에 안면을 몰수하고 숙청했다. 상식을 초월하는 연산의 배신에 사람들은 속수무책으로 당했다. 그러나 그 다음은? 이젠 누구도 연산을 신뢰하지 않는다. 총애를 받지 못하는 신하는 총애가 없어서 두렵고, 총애를 받는 신하는 자신에게 주어진 은총과 특권이 많아질수록 자신도 이극균이나 성준의 전철을 따를 것이라는 두려움을 가지게 된다.

연산이 대숙청을 통해 지방의 사림과 같은 새로운 정치세력을 끌어들였다면 그는 나름대로 탄탄한 기반을 가질 수 있었을 것이다. 하다못해 기존의 훈구세력을 엄밀하게 재배치하는 정도라도 했어야 했다. 그러나 숙청의 화살은 처가인 거창 신씨가만 피해 갔을 뿐 왕실, 종친, 훈구, 사림 가릴 것 없이 날아갔다. 더욱이 원래부터 인맥으로 얽혀 있는 사회라 연산군이 연좌제로 얽어서 때린 철퇴는 모든 사람을 피해자로 만들어 놓았다.

상식적으로는 누구도 예상할 수 없었던 그 무절제함이 성공의 비결이었지만 그러고 나니 자신이 기댈 세력이 남아 있지 않았다. 피의 숙청의 생존자들은 연산을 환호하는 새로운 세력이 아니라 피곤하고 지친 희생자들의 친구, 인척들이었다. 조정관료치고 이래저래 희생자와 연관이 없는 사람이 없었다. 임사홍조차도 연산의 '법의 정신'에 의해 아들을 잃었다. 나중에 반정 주역의 한 명이 되는 구수영은 연산의 절대적인 총애를 받던 사람이고, 임사홍과는 사돈지간이었다. 그가 반정에 주도적으로 참여한 것이 하도 이상해서 여러 가지 소문과 억측이 생겨났을 정도였다. 그러나 뒤집어 보면 그에게도 그늘이 있었다. 연산이 살해한 안양군 이항의 장인이었고, 이극균과는 종형제 간이었다. 그러고 보니 구수영도 안심할 수 없었고, 연산도 누구도 신뢰할 수 없게 되었다. 연산은 피바람과 협박으로 그들을 강하게 틀어쥐고 있었을 뿐이다.

그러나 더 이상 그들을 위협할 방법이 없었다. 그래도 연산군 11년까지는 유배된 자를 다시 처형하고, 무오사화의 생존자들을 재처벌하는 등의 방식으로 버텨올 수 있었다. 사람들은 어떻게 해서든 자신이 걸려들지 않기 위해서 피하고 연산에게 아부하기에 바빴다. 그러나 12년이 되면 그야말로 실탄이 바닥났다. 더 이상 소재가 없었다. 그러나 이런 식으로 절대권력을 유지하려면 어떤 일로든 그들을 끊임없이 위협하고 약점을 잡아야한다. 그러기 위해서는 새로운 트집거리를 만드는 수밖에 없었다.

연산은 트집거리를 만들어 관료들에게 계속 올가미를 만들어 씌웠다. 여기에는 예외가 없었다. 하다못해 임사홍까지도 중국사신에게 예우를 잘못했다고 국문을 당했다. 말 그대로 누구든지 언제든지 죽을 수 있으니 죽기 싫으면 충성하고, 절대 복종하라는 식이었다.

연산군 12년 1월 연산은 제2의 사초사건을 기획한다. 사관들이 기록중인 사초를 일제히 검열하고 자신에 대해 불초한 말을 한 것이 있으면 찾아내라는 명령을 내린 것이다. 드디어 재탕이 나온 것을 보면 창의력 넘치는 그의 두뇌에서도 아이디어가 말라 간다는 증거였다. 더 희한한 것은 사초를 검열하고 왕의 비리는 적어서는 안 된다는 등 사초 서술방식에 대한 새로운 지침을 내리기까지 하지만 희생자가 단 한 명도 나타나지 않았다는 점이다. 연산은 재차 불초한 말을 찾아내라고 명령을 내리지만 이 문제는 흐지부지 끝난다.

검열에 걸린 자가 없었기 때문일까? 절대로 그럴 리는 없다. 이젠 이 방법의 효용성이 사라졌다. 김일손의 사초사건이나 폐비문제는 그래도 희생자의 범주가 분명했다. 관료들은 나중에 낭패를 보기는 했지만 연루자를 나름대로 넘겨짚었고, 그 덕분에 관료군을 분열시키고 일부의 협조와 방관을 얻어낼 수 있었다. 하지만 이젠 연산이 생트집을 잡으면 어떤 소재든 그의 화살이 전방위로 튄다는 것을 관료들은 다 알고 있다. 연좌제가 살아 있는 한 어떤 건수이든 한순간에 모든 사람이 사정권 안에 들어간다. 이제는 연산이 새로운 소재를 개발하는 기미만 보여도 전 관료가 긴장하고, 합심하여 대응할 것이다. 이건 위험부담이 너무 컸다.

다시 말하면 당근이든 채찍이든 소용이 없게 된 것이다. 어느 것이든 더 이상, 친위세력을 육성한다거나 관료군을 분열시키는 효과를 상실해 버렸다. 연산이 그것을 무원칙하게 남용했기 때문이다. 결국 연산은 자존심을 꺾고 「신하에게 바치는 노래」까지 짓지 않을 수 없었다.

물론 연산도 바보는 아니었기 때문에 뒤늦게 자신을 지지할 새로운 정치세력을 육성하려는 시도를 하기는 하였다. 12년 1월에 임시관원인 '가관(假官)'이란 것을 만들어 과거도 거치지 않은 유생을 관료로 채용하였다. 일종의 인턴사원제도인데, 채용된 유생들은 뛸 듯이 기뻐하였다고 한다. 이들 중에는 힘없고 빽이 없어 평생 유생으로 썩어 가던 지방출신 유생들도 있었을 것이다.

연산은 또한 훈구세력의 후손 중에서 극도의 불만세력이던 서얼 출신들을 등용하였다. 『연산군일기』의 편찬자들은 천한 잡류들이 장녹수나 전비 따위에 청탁하여 많이 벼슬길에 올랐다고 이 의미를 비하시켰지만, 연산으로서는 자기 직할 세력을 양성하려는 의도였음이 분명하다. 그런데 서얼 등용도 대단히 즉흥적이고, 체계적이지 못했다. 정작 연산은 비록 무반이지만 서얼을 위한 유일한 관로이던 우림위(서얼 출신으로 편성한 부대)를 쓸데없는 군대라고 혁파해 버렸기 때문이다. 혹시 이것이 반대로 친위군 선발에서 서얼차별을 없애 버리려는 시도였을 수도 있지만, 분명치는 않다.

역시 사족 축에 못 끼던 의과 출신들에게도 관직을 개방했다. 그러나 이 과정에서 측근, 후궁, 흥청들과 연줄을 맺어 등용된 사람들도 많았다. 이렇게 올라오는 사람들은 대개 기회주의자이거나 모리배들일 경우가 많다. 그렇기 때문에 이런 개혁일수록 시간이 걸리더라도 기성세력의 구조적인 약점을 파고들면서 체계적이고 제도적인 개혁과 함께 수행해야 한다. 국왕의 자의적인 명령으로 급속히 새로운 세력을 등용하는 방식은 아무래도 자질 검증도 어렵고 기존 세력들의 집단적인 불만과 급속한 반발을 야기하지 않을 수 없다는 약점을 안고 있다.

이래저래 연산은 불안했다. 아무래도 무언가 잘못되어 가고 있다는 생각이 들긴 든 모양이다. 연산군 12년 1월 22일 연산은 승지와 대간 총신인 임사홍, 김감, 김수동, 채수, 이희보 등을 명정전 안뜰로 불러 잔치를 벌였다. 술이 돌고 잔치는 흥겹게 진행되었는데, 갑자기 왕이 이런 시를 읊었다.

옥루는 옆으로 기울어지고 분장은 텅 비니
겹겹이 싸인 푸른 산만 고궁을 둘렀구나
무제가 간 후 미인은 다 없어지고
들꽃에 노란 나비만 봄바람을 차지하누나

왕은 옆에 있던 채수를 돌아보며 물었다. "이 시가 어떠한가?" "예, 매우 아름답습니다." 연산은 버럭 화를 냈다. "누가 네 놈에게 시를 아는 놈이라고 했더냐?" 채수는 실컷 두들겨맞고 밖으로 쫓겨나야 했다.

불행하게도 그 시는 당나라의 왕건(王建)이란 사람이 지은 것으로 멸망한 한나라 수도의 황폐하고 쓸쓸한 풍경을 읊은 시였다. 연산은 당연히 이런 시를 무척 싫어하였다. 그러면서도 문득문득 무언가 불안하고 허전한 심정이 되어 자기도 모르게 그 시를 읊었던 것이다. 연산이 채수에게 시평을 부탁했던 것도 '태평성대에는 어울리지 않는 시'라든가 '한나라는 무엇무엇 때문에 망했는데, 지금 우리 나라는 그렇지 않으니 앞으로도 오래 번성할 것이다'라는 식의 위안을 얻으려는 뜻이었을 것이다. 그러나 불행히도 채수는 연산의 자작시인 줄 알고 그만 "좋습니다"라고 읊어 버렸던 것이다.

연산이 평소에도 비극을 좋아하고 자학적이고 감상적인 분위기에 젖어드는 경향은 있었지만, 이 때에는 확실히 알 수 없는 불안감이 증가했던 것 같다. 상황은 걷잡을 수 없게 되었지만 무엇이 어디서부터 잘못되었는지 연산이 가진 지식으로는 분석해 낼 수가 없었다. 연산과 같은 사람이 이런 처지가 되면 자신이 실수한 일을 찾아내고 그 실수에 원인을 제공한 사람에게 닥치는 대로 책임을 전가하고 원망하는 경우가 많다. 첫 부분에서 소개한 일화, 그가 성종을 미워하고 술에 취하여 성종의 무덤을 파오라고 소리쳤다는 등의 기록이 사실이라면 아마 이 때 나온 행동이었을 것이다.

불안하고 고독해진 독재자는 경호시스템을 강화했다. 내금위를 충철위로, 겸사복을 보려대로 명칭을 개칭한 그는 그들의 수효를 늘리고, 무장과 훈련을 점검하고 강화했다. 위엄을 증가시키기 위해 복장도 개조했다. 밤에 행차할 때는 가마 앞과 뒤를 세 겹으로 싸게 하고, 경호의 효율성을 높이기 위하여 이들의 창검을 짧고 작게 개조했다. 아마 이전에는 위세를 드러내는 데만 신경을 써서 창검도 의장용으로 크고 번쩍이는 것들을 들었던 모양이다. 연산은 이를 실전용으로 개조했던 것이다.

12년 2월에는 대궐 문 각각의 수비병 숫자를 비상시의 숫자인 60명으로 늘리고 항상 갑옷을 입고 무기를 휴대한 채 경비에 임하게 했다. 그러나 칼날이나 활시위가 대궐로 향해서는 안 되었다.

이 기록을 보면 이전에는 대궐 경비도 느슨해서 궁궐의 작은 문들에서는 아예 무장도 안하고 경비를 섰던 것 같다. 그만큼 사회가 안정되었다는 뜻도 되지만 도성에 거주하는 국왕과 집권세력 간의 유대와 이해관계가 밀접했다는 얘기도 된다. 그러나 그 동맹이 바로 자신에 의해 무참하게 깨어져 있었다.

정예병 2만 명을 추려 명부를 따로 만들라는 명령도 내렸다. 조선의 군제는 상당히 복잡하고 다양했는데, 만약의 사태를 위하여 병종을 불문하고 최정예의 정규군을 편성하려는 시도가 아니었나 싶다.

한편 불안이 커지는 만큼 연산은 더욱 공격적이고 가학적이 되었다. 앞에서 언급한 관원에게 가마를 메게 한다든지, 왕 앞에서 문무백관에게 무릎을 꿇게 한다든지 하는 모욕적인 제도들은 거의 12년부터 시행한 것이다. 또 그는 대신들과 충성서약에 해당하는 행사를 하고 이들의 맹세문을 옥책(玉冊)에 적어 보관하기도 했다.

연산 자신도 그런 방식으로는 마음까지 굴복시킬 수 없다는 사실을 알고 있었다. 그러나 그의 심정은 불안을 그대로 담아둘 만큼 강하지 못했다. 무엇이든 해야 했고, 눈으로라도 그의 마음을 안심시켜야 했다. 맹세니 하는 것도 자신을 안심시키는 행위에 불과했다. 사실은 할 수 있는 게 그것밖에 없었다.

그러나 '충성'이란 구호를 붙이고 구부정하게 걸어가는 백관들, 명정전 앞뜰 차가운 돌바닥 위에 무릎을 꿇고 정렬한 수염이 허연 대신을 바라보노라면 안심이 되기는커녕 왠지 마음 한 구석은 더욱 허전하고 불안한 심정이 되었다. 시간이 갈수록 이렇게 불안해져 가는 연산의 심정을 잘 보여주는 일화가 하나 있다.

왕이 후궁과 시녀를 거느리고 후원에서 잔치를 벌였다. 왕이 직접 풀피리를 불며 탄식하기를, "인생은 초로와 같아서 만날 때가 많지 않은 것"이라고 하더니 갑자기 두 줄기 눈물을 흘렸다. 여러 계집들은 몰래 서로 비웃었으나 유독 전비와 장녹수는 슬피 흐느끼며 눈물을 머금었다. 왕이 그들의 등을 어루만지며 이르기를 "지금 태평한 지 오래이니 어찌 불의에 변이 있겠느냐마는, 만약 변고가 있게 되면 너희들은 반드시 면하지 못하리라" 하더니 두 사람에게 선물을 하사하였다. (『연산군일기』 12년 8월 23일)

그런데 이 날 연산이 이렇게까지 비감해진 데는 약간의 이유가 있었다. 일주일 전인 8월 17일 남해에 안치해 두었던 이장곤이 유배지에서 탈주하는 사건이 벌어졌던 것이다. 이장곤은 어우동의 연인이었던 호남아 이승언의 아들이다. 부친의 피가 그대로 전수되었는지 문과에 장원으로 급제했으며, 체격도 크고 타고난 명궁이어서 문신들끼리 벌이는 활쏘기 시합에서 늘 1등을 했다. 문무를 겸비한 인재로 명망이 높았는데, 출세의 문턱에서 불운이 씌워졌다. 이번에는 부친처럼 여자문제가 아니라 정치문제였다. 이극균이 그를 천거했다는 게 빌미가 되어서 연산군 11년에 남해로 유배되었던 것이다.

2대에 걸친 불운이 너무나 억울했던 것일까? 이장곤은 탈출을 감행했다. 연산군이 그 동안 수백 명이 넘는 사람을 유배시켰지만 유배지에서 탈출한 사람은 그가 처음이었다. 사람들은 이장곤의 무모한 행동에 의구심이 들었다. 특별한 사연이 있는 것은 아닐까? 순식간에 장안에는 이장곤이 무리를 모아 반란을 일으킨다는 소문이 돌았다.

후원에서 한참 눈물을 흘린 연산은 26일로 예정되었던 장단에서의 놀이 계획을 취소하였다. 올해 들어 벌써 8개월째 연산은 같은 고민을 반복하고 있었다. 분위기를 바꾸기 위해서는 뭔가 하지 않으면 안 되었다. 사실 얼마 전부터 연산의 마음 속에는 한 가지 계획이 싹트고 있었다. 제2의 무오사화는 실패했다. 그렇다면 남은 방법은 하나뿐이다. 다시 생트집을 잡아 제2의 갑자사화를 일으키거나 일으키려 한다고 겁을 주는 것이었다.

25일 연산은 신하들에게 내리는 장문의 성명서를 발표하였다.

　　임금이 이미 천도(天道)를 본받으니 신하 또한 마땅히 임금의 뜻을 받들어 어기지 않아야 할 터인데, 지금 조정의 신하들을 보면 태평 세월에 빠져 늘어지고 게으른 것이 버릇이 되어 오직 자기만 편히 먹고 자고 입는 데 힘쓰니 그 폐단으로 장차 쇠퇴하고 말 것이다. 지금 만일 불의의 변고라도 생긴다면 나라를 위해 자신의 몸을 버릴 자가 있을까? 지난번 사냥하는 일로 말한 자가 있었지만 이도 자기 일신의 편안을 위함이지 임금을 위한 것은 아니다. 신하의 도리가 과연 이럴 수 있는가?
　　지금 세상을 고칠 때가 왔으니 다시 마음을 가다듬어 온갖 일에 부지런히 노력하되, 오직 완전하게 하지 못할 것을 걱정하고 항상 적국이 눈앞에 있는 것같이 조금도 게을리하지 말며, 임금이 명령한 일은 비록 산에 올라가고 물에 들어가는 일이라도 꺼리지 말며 온 힘을 다해야 할 것이다. 더구나 "편안히 살면서도 위태함을 생각하라"는 옛 교훈도 있지 않은가. 비단 임금만 경계할 것이 아니라 신하 된 자 또한 마땅히 스스로 경계해야 한다.

언제나 그렇듯이 이 글의 목적은 신하들을 긴장시키고, 지금도 얼마든지 숙청과 쇄신운동을 행할 수 있는 혁명적 개혁기임을 강조하는 데 있다. 그러나 자세히 읽어보면 어딘가 공허하고 맥이 빠져 있음을 알 수 있다. 이 글에서 언급하는 비상시국은 전부 만약과 가정이기 때문이다. 그만큼 연산의 논리나 아이디어가 이젠 궁색해졌다는 뜻이 된다. 그러나 딱 한 구절 걸리는 부분이 있다.

"지금 만일 불의의 변고라도 생긴다면 나라를 위해 자신의 몸을 버릴 자가 있을까? 지난번 사냥하는 일로 말한 자가 있었지만 이도 자기 일신의 편안을 위함이지 임금을 위한 것은 아니다. 신하의 도리가 과연 이럴 수 있는가?"

관료들은 이세좌에 대한 숙청이 얼마나 사소한 질문에서 시작되었는가를 기억하고 있었다. 한치형이나 이극균의 경우도 마찬가지였다. 연산에게서 "신하가 이럴 수가 없다"라는 말이 나오면 그것은 곧 사형선고였고, 그 불똥은 사방으로 튀곤 하였다.

이 구절은 연산이 누군가를 지목하고 있음을 분명히 보여주고 있다. 그러나 이상하게도 이 성명서를 발표한 후 연산은 아무런 행동도 취하지 않았다. 할 수 없었던 것인지도 모른다. 그저 관료들에게 갑자사화를 상기시키려는 단순한 협박용이었을 가능성도 있다. 연산이 후원에서 감상적인 눈물을 흘린 것도 막연한 불안감 때문만이 아니라 다시 한 번 정치적 도박을 감행하려는 비장한 심정 때문이었을 수도 있고, 이젠 협박 이상의 별다른 수를 쓸 수도 없는 자신을 발견하고 비감한 심정이 되었을 수도 있다.

하여간 일주일 후 연산은 성명서는 까마득히 잊은 듯 개경 시찰을 기획한다. 장단에서의 놀이를 취소하고 거행하는 행차였다. 울적하고 불안한 심정을 억누르며 놀기보다는 국왕의 위엄을 다시 한 번 현장감 있게 느끼고 확인하고 싶었던 모양이다.

개경행차를 기획하면서 연산은 다시 활력을 얻었다. 그는 다시 새로운 의식과 행사를 직접 기획하기 시작했다. 유생들은 모두 나와서 왕을 배알하라, 주악은 어떻게 해야 한다는 등 자질구레한 명령을 쉴 새 없이 내리더니 드디어 새로운 의식을 하나 찾아내서 추가했다. 왕이 도착하면 개성유수가 나와 개성의 특산물을 바친다. 그러면 왕이 그것을 시위하는 장수와 군졸들에게 다시 나누어준다는 것이었다. 이것은 당나라 현종의 고사를 모방한 것이었다. 황제의 고사를 모방한다는 게 특히 마음에 들었다. 배우 못지않게 연기도 잘하고 무대기질도 충분했던 연산이었다. 이런 때에 긴장 속에 도열해 있는 관원과 백성을 보며 잠시 황제가 되어 본다는 것은 참으로 괜찮은 생각이었다. 출발 예정일은 9월 2일이었다.

훈련원

9월 1일, 연산이 황제의 꿈으로 자신을 달래고 있는 동안 도성의 밤은 바쁘게 움직이고 있었다. 폭풍의 핵은 을지로 6가 국립의료원 자리에 있던 훈련원이었다. 밤이 깊어지면서 계속 사람들이 몰려들기 시작했다. 모여든 사람들은 가지각색이어서 무사, 돈으로 고용한 무뢰배, 역부(役夫), 백성, 노비들이 뒤섞여 어수선했다. 시간이 지남에 따라 가마를 타고 노비와 시종을 거느린 고관들이 여기저기서 불쑥불쑥 도착하면서 혼란과 소란이 가중되었다. 누구는 출근길 가듯이 가마를 타고 종을 앞세워 물렀거라를 외치면서 들어왔다. 한밤중에 말이다. 이 날 이 곳의 주역은 성희안과 박원종이었다.

한편 이 날 밤 천리 길 떨어진 남원에서도 몇몇 사람들이 말을 타고 사방으로 흩어지고 있었다. 그 중에는 주동자의 한 사람이었던 김준손(金驥孫)도 있었다. 광주부를 향하여 달려가는 김준손은 극도로 긴장하고 있었다. 그의 품속에는 봉기를 촉구하는 격문과 모의에 동참한 사람들의 명단이 들어 있었다. 그의 임무는 봉기의 성공 여부를 가늠할 만큼 중요한 것으로 광주목사 이줄을 거사에 끌어들이는 것이었다. 한편 같은 때에 경상도에서는 조숙기가 열심히 모의를 추진하고 있었다.

흥미로운 사실은 모의자들의 성분이다. 남원의 음모자들은 이 곳으로 유배된 자들과 주변 고을의 수령들이었다. 성희안은 종친의 후예이면서 연산에 의해 좌천된 관료이며, 박원종은 당시 종1품의 지중추부사였다. 집정대신과 좌천자, 유배자들이 같은 시기에 비슷한 음모를 추진하고 있었다는 사실은 연산의 통치가 전 관료층을 불안하게 만들었으며, 연산의 수법이 한계에 달한 지금 연산의 다음 행동에 대해 비슷한 느낌과 두려움을 가지고 있었다는 증거이다.

그러나 매사가 생각처럼 쉽지는 않다. 도성을 흉흉하게 만들었던 이장곤은 정작 함흥 부근의 백정마을에서 우물가에서 만난 처녀와 진한 로맨스에 빠져 있었다. 조숙기의 음모는 음모 선에서 머물러 있었다. 남원의 거사는 중대한 장벽에 부딪혔다. 광주목사 이줄이 거사 가담을 거부하고 김준손을 체포하려고까지 했기 때문이다. 다행히 연산을 미워하던 이줄의 어머니가 보호해 주어서 김준손은 무사히 광주청사에서 도망쳐 나올 수가

있었다. 그녀의 사위가 연산에게 죽은 권주였기 때문이다. 그러나 광주목
사의 이탈은 치명적이었다. 광주는 이 일대에서 제일 큰 고을이었다. 설사
남원봉기에 성공한다고 해도 광주가 침묵한다면 주변의 군소 군현의 수령
들은 쉽게 호응하지 않을 것이다. 그렇다면 봉기가 성공할 가능성은 희박
해진다.

여러 움직임 중에서 연산에게 치명적이었던 것은 역시 그의 목 밑이라
고 할 수 있는 도성에서의 음모였다. 가담자들의 면모도 수준이 달랐다.
박원종, 성희안에 이조판서 유순정, 수원 부사 장정(張珽), 군자 부정 신윤
무(辛允武), 군기시 첨정 박영문(朴永文), 사복시 첨정 홍경주(洪景舟)에
다 종친인 운수군과 운산군, 마지막에는 유자광, 구수영, 영의정 유순, 우
의정 김수동까지 가담했다.

이 봉기의 희한한 특징은 가담자들이 쟁쟁한 현역 관료들이며, 그 중에
서도 연산의 최측근 인물들이란 사실이다. 그럭저럭 반정을 주도할 이유
가 뚜렷한 사람은 성희안밖에 없었다.

성희안은 창녕 성씨가의 후손이다. 여러 공신을 배출했고, 성종대에 성
현이 이극돈의 광주 이씨 다음으로 번성한 문벌이라고 자부했던 집안이
다. 왕가와도 결혼이 활발했다. 성희안의 외할아버지는 정종의 아들인 덕
천군 이후생이었다.

성종대부터 잘 나가던 그는 연산군 10년 이조참판으로 있다가 갑자기
쫓겨났다. 표면상의 이유는 사소한 일을 잘못 처리해서 연산의 미움을 산
데다, 연산을 따라 망원정에 갔다가 지은 시에 "임금은 본래 청류(淸流)를
좋아하지 않는다"는 구절이 있었는데, 연산이 자신을 비난하는 구절이라
고 생각했기 때문이라고 한다.

그러나 진짜 이유는 창녕 성씨가도 숙청의 바람을 맞은 것이라고 할
수 있다. 이 집안에 내린 재앙은 성준의 참형으로 절정에 달한다. 그러나
2위 가문이어서 그랬는지 광주 이씨가보다는 피해를 덜 입었다. 성희안은
벼슬에서 떨어졌으나 서울에 거주하며 살았고, 일가인 성몽정은 옛날 수

류재 반대상소에 가담한 유생 가운데 한 명이었음에도 불구하고 연산의 총애를 받아 채홍사로까지 임명되었다.

연산으로서는 성씨가에게 은혜를 베풀었다고 생각했을지도 모르나, 광주 이씨가가 완전히 몰락하다시피 한 지금 명맥을 유지하고 있는 2위 가문에 사람들의 관심이 쏠릴 수밖에 없었다. 성희안도 그것을 알았을 것이고 연산도 의식하였을 것이다. 다시 한 번 바람이 분다면 이 집안, 적어도 성희안은 무사하지 못할 것이다.

성희안은 결국 연산에게 정면 도전을 생각하게 되었다. 그는 남산 아래 묵사동(墨寺洞 : 지금의 필동 2가 동국대학교 부근)에 살았는데, 절박한 심정으로 동지를 물색하던 중에 한 동네에 살던 신윤무를 설득했고, 신윤무를 통해 박원종과도 연결되었다.

연산의 난정이 날로 심하여 종사가 위급해지자, 성희안은 본시 큰 지략이 많아서 혼란한 조정을 숙청하고 어진 임금을 추대하려 하였으나 함께 계획할 이가 없었다. 박원종 같으면 큰일을 부탁할 만한 사람이라고 생각했으나 서로 잘 아는 사이가 아니므로 말을 하기가 어려웠는데, 신윤무가 한 동네에 살면서 두 집을 다 왕래하여 매우 친하였다. (신윤무를 통해 다리를 놓아) 성희안이 드디어 은밀한 뜻을 전했더니 박원종이 소매를 떨치며 일어나서 말하기를, "이는 내가 밤낮으로 쌓은 뜻이다"라고 하였다. (『해동야언』)

그런데 바로 이 부분, 박원종의 가담이 중종반정 최대의 미스터리다. 박원종 가문의 내력과 경력을 알 만한 사람이라면 그가 반정에 가담하리라고는 도저히 생각할 수 없기 때문이다.

박원종의 집안은 대단한 명문가였다. 본관은 순천인데, 고조부 박석명은 공양왕의 동생이며 태조와 사돈간이었던 왕우의 사위였다. 태종이 즉위하자 좌명공신이 되고 태종의 최측근으로 활약하여 평양군으로까지 봉군되었다. 박석명의 막내아들 박거소는 세종의 왕비 소헌왕후의 동생과 결혼했다. 이 박거소의 아들이 박원종의 부친인 박중선이다. 세조와는 이종사촌간이 된다. 무과로 급제해서 세조 때 병조참의를 거쳐 병조판서가 되었고, 이후로 예종, 성종 초반까지 병조를 장악했다. 건국 이래 그처럼 오래 병판을 맡은 인물은 없었다. 병조는 여러 가지 일을 하지만 제일 중요한 임무는 무관의 인사이다. 그러니 세조 중반부터 성종 초반까지 모든 무반이 박중선의 손을 거쳐 등용되고 승진했다는 말이 된다(단 병조판서가 무반인사를 완전히 전담하는 것은 아니다. 병조를 관할하는 재상과 승지, 병조의 낭청 등에게로 분산된다).

아무리 왕가와 사돈이 된다고 해도 보통으로 신뢰를 받지 않는다면 이렇게 오래 병권을 맡을 수는 없다. 그는 이시애의 난에 종군하여 공신이 되었다. 남이와 같은 적개공신이었지만, 남이의 옥사, 성종 즉위 때도 공신으로 책봉되어 겹겹의 공신호를 얻더니 마침내 평양군이 되었다.

박중선은 7남매를 두었다. 맏딸은 월산대군과 결혼했다. 연산과 스캔들을 일으킨 월산대군 부인 박씨가 바로 그녀이다. 다른 딸 하나도 제안대군과 결혼했다가 이혼했다. 성종대에는 대군이 월산과 제안 두 사람뿐이었는데, 그들이 모두 박중선의 딸 즉 박원종의 누이와 결혼한 것이다. 박원종은 이런 현실에 만족했는지 아니면 어차피 가문 덕에 적당히 출세는 할 테니까 그랬는지, 세간의 명예나 공부에는 신경쓰지 않고 거리낄 것 없이 살았다고 한다. 나중에 무과에 응시해서 무관이 되었는데, 활쏘기는 어릴 때부터 자주 놀러다니던 동네 푸줏간 주인에게 배웠다.

박원종이 태어났을 때 누이는 이미 월산대군과 결혼한 상태였다. 그러나 이 부부에게서는 아이가 태어나지 않았다. 가뜩이나 고독했던 월산대군은 갓난아기 때부터 보아 온 이 통 크고 시원시원한 처남을 친동생처럼, 아들처럼 사랑했다. 성종도 월산대군이 후손도 없이 일찍 사망하자 혈육 아닌 혈육이었던 그를 매우 총애해서 무반인데다 별다른 관직도 거치지 않았고, 심지어 글도 모르는 겨우 스물여섯 살의 젊은이를 승지로 발탁했다. 건국 이래 이런 인사는 처음이었을 것이다. 당연히 대간들이 벌떼처럼 들고일어났다. 글도 모르는 자가 어떻게 승지를 하느냐고 반대하자, 성종은 천연덕스럽게 다른 승지를 개인교수로 붙여 글을 배우게까지 하였다. 결국 성종이 져서 승지 임명을 철회하기는 했지만, 그 후로 박원종은 외방의 장수로도 한 번 나가지 않고 내내 병조 참지와 참의로 병조 일에 간여했다.

연산군은 성종보다도 그를 더욱 특별히 대우했다. 세자가 월산대군가에서 자랐다는 이야기는 앞에서도 했지만, 연산대에도 박원종은 계속 병조에서 근무하다가 승지가 되고, 강원도, 경기도 관찰사에 이어 중추원부사로까지 승진했다. 이 코스는 재상으로 향하는 정통 코스였다.

연산군 12년 2월 경기도 관찰사로 있던 박원종은 연산에게 상소하여 김포와 통진, 백운산을 금표지역에서 구해 냈다. 이 시기에 연산의 정책에 대하여, 그것도 금표처럼 민감한 사안에 대하여 이 정도라도 반론을 펴고 또 무사히 연산의 허락을 얻어 낸 경우는 이전에도 이후에도 없었다. 이것만으로도 연산이 그를 얼마나 배려해 주었는가를 잘 알 수 있다.

이런 그가 반정의 주역이 되었다는 사실이 도무지 믿어지지 않았던 당시 사람들은 박원종의 배신은 틀림없이 누이 박씨가 연산에게 무슨 일을 당했기 때문일 것이라고 굳게 믿었다. 박씨가 죽기 전에 박원종에게 원수를 갚아 달라고 부탁했다는 이야기도 있다. 연산과 박씨의 스캔들이 사실처럼 널리 퍼진 것도 따지고 보면 박원종의 반정 가담이 큰 역할을 했다고 할 수 있다.

그러나 사실은 연산군 12년에 왕과 박원종 사이에 중대한 갈등이 발생하고 있었다. 박원종은 오랫동안 왕실의 총애를 받았고, 그간의 정치문제에 전혀 개입하지 않았지만 최소한의 문제의식은 있었던 것 같다. 연산 12년에 그는 용감하게 연산에게 상소를 올려 금표지역을 두 번이나 수정케 하고, 다시 중국사신이 온다는 핑계로 연산의 사냥 중지를 건의하였다. 이 역시 작은 일이지만 대단한 용기였다. 이전의 재상들이 다 숙청된 마당에 조정관료 중에서 연산과 가장 가까운 사람은 그였다. 연산의 말로에 불안감을 가졌기 때문인지, 자신의 지위에 대한 책임감을 느꼈기 때문인지, 아니면 재상 자리를 노리며 조정관료들의 명성을 얻으려 한 것인지는 알 수 없으나, 박원종은 갑자기 연산에게 누구도 할 수 없는 이야기를 하기 시작한 것이다.

그러나 세번째가 되자 연산은 마침내 박원종에게도 화를 냈다. 그러더니 옹졸한 성격을 또다시 드러내서 묵은 감정을 다 끄집어냈다.

> 이전에 송일이 경기감사로 있을 때는 금표 여부를 한 마디도 한 적이 없었다. 그런데 요사이 박원종은 표 세운 것이 들어갔다느니 나갔다느니, 새 길을 내자느니 어쩌느니 따위의 일을 아뢰더니, 지금 또 사냥을 중지하자고 하니 매우 옳지 못하다. (『연산군일기』 12년 2월 26일)

꼭 누가 잘못한 일이 있으면 지난 일까지 다 털어 내서 모아 처벌하려고 덤비는 태도는 연산이 지닌 가장 큰 결점 중의 하나였다. 지도자 된 사람에게 이것은 거의 금기라고까지 할 수 있는 것인데, 연산은 전혀 깨닫지를 못했다. 하긴 경연을 거부하고 아예 대화를 거부했으니 그런 걸 배울 도리가 없었다.

이후 박원종은 바로 경기관찰사에서 해임되어 북도절도사로 갔다가 누이 박씨의 병으로 귀경해서 지중추부사로 임명되었다. 품계는 2품관에서 종1품관으로 올라갔지만, 지중추부사는 실권은 없는 직책이다. 연산의 속마음은 아무도 알 수 없지만 연산의 특별한 총애를 받는 것은 늘 불안한 일이었다. 게다가 경기관찰사 시절에 연산에게 꼬투리를 잡혔었는데, 이 옹졸한 국왕이 그 일을 잊지 않고 자꾸만 거론하고 있었다.

앞에서 인용한 8월 25일의 교지 중의 이상한 부분 "지난번 사냥하는 일로 말한 자가 있었지만 이도 자기 일신의 편안을 위함이지 임금을 위한 것은 아니다. 신하의 도리가 과연 이럴 수 있는가?"라는 구절은 분명 박원종을 겨냥한 말이었다. 지난 3년간 연산에게서 이런 말을 들은 사람치고 살아남은 사람은 한 명도 없었다. 연산이 정말 박원종까지도 제2의 이극균으로 생각했는지, 2대에 걸쳐 병조를 장악해 온 이 가문이 두려워졌기 때문인지, 단지 조정관료들에 대한 협박용이었는지는 알 수 없다. 이전과 달리 박원종을 체포하지 않고 이런 말만 흘린 것을 보면 협박용이었을 가능성도 있다. 그러나 당하는 사람의 입장에서는 그렇게 사치스러운 고민을 할 여유가 없다. 이 정도면 박씨의 죽음 때문이 아니라도 박원종이 반정에 앞장설 이유는 충분하지 않을까?

박원종의 배반은 보통 사람이 상상하는 이상으로 엄청난 위력이 있었다. 인맥과 의리를 중시하던 시대에 박씨 가문은 지난 수십 년 간 무반의 인사를 관장해 왔다. 즉 그는 장수와 무사의 사회에서는 누구보다도 폭넓은 인맥과 정보를 보유하고 있었다. 남이의 옥사와 이극균의 숙청을 기억하는 사람은, 그들과 조금이라도 교분이 있거나 집에서 명함이 발견된 무사들은 함께 죽음을 맞았다는 사실도 기억하고 있었을 것이다. 당시의 무관이나 무사치고 박원종의 집에 명함 한 장 안 내밀어 본 사람이 있었을까? 박원종이 반정에 가담했다는 사실만으로도, 아니 그 전에 다음 표적은 박원종일지도 모른다는 소문만으로도 그들에게는 이미 선택의 여지가 없었다.

드디어 박영문, 신윤무, 홍경주 등에게 두루 말해서 각자 동지를 모으게 하였다. 규합한 자들은 대개 무사가 많았다. 이들은 대의명분을 따른 것은 아니고, 공을 노리고 모인 무리들이어서 저절로 뜻이 맞았다. (『음애일기』)

『음애일기』에서는 박영문 등을 끌어모은 주체를 분명히 대지는 않았지만 이들은 다 박원종과 형 동생 하는 사이였다. 내로라 하는 무장들이었으므로 그들 밑에는 또 많은 무사가 있었다. 그들이 반정의 주력이었다. 『음애일기』가 그들의 천박함을 비난한 이유는 그 무리 속에 도둑, 강도 출신도 있었기 때문이다. 특히 박영문 휘하에는 당래와 미륵이라는 백정 출신

용사가 있었는데, 둘은 인천과 김포 일대에서 활약하던 암흑가의 사나이였다. 관군에게 쫓기던 둘을 박영문이 숨겨준 인연으로 박영문과 사귀게 되었다고 한다. 두 사람 다 두목 급이었으므로 자기 부하들을 끌고 참전했을 것이다. 둘은 그 공으로 원종공신까지 되었는데, 계속 조직을 이끌고 살다가 중종 4년에 강도죄로 체포되어 처형당했다. 이러니 박원종이 없었더라면 반정 자체가 불가능했을지도 모른다.

박원종보다는 덜 하지만 구수영과 유자광의 가담도 꽤 많은 사람을 골치 아프게 하였다. 구수영은 세종의 막내아들인 영응대군의 사위였다. 아들 구문경은 연산의 딸 휘순공주와 결혼했다. 그는 오랫동안 돈령부의 장을 맡았는데, 그가 승진할 때마다 대간들이 부당한 인사라고 사직원을 내고 시위를 했다. 갑자사화 직전인 연산군 8년 연산과 대간이 벌인 최후이자 최대의 대결이 바로 구수영의 종1품관 승진 문제였다.

이러한 구수영이 반정에 가담했으니 거기에 대해서도 여러 가지 소문이 퍼졌다.

구수영은 임금을 음란한 행위로 이끌고 악을 퍼뜨린 죄가 있어 아울러 죽이려고 했는데, 그 일가인 구현휘가 반정계획에 참여했으므로 구수영에게 달려가 이 사실을 알려 주었다. 이에 구수영이 훈련원에 나가 살려주기를 애걸하니, 박원종 등이 용서해 주었다. (『음애일기』)

세 대장이 거사하던 날, (반정군이) 광화문 밖에 진을 치고 있다는 얘기를 듣고 온 집안이 통곡하며 어쩔 줄을 몰랐다. 한 건장한 종이 말하기를 "사람의 죽고 사는 것은 각기 천명이 있는 것인데, 어찌 앉아서 죽기를 기다릴 수 있습니까? 급히 술과 음식을 준비하십시오. 제가 대감을 모시고 가서 요행히 모면할 수를 찾아보겠습니다" 하므로 곧 좋은 안주와 술을 잔뜩 마련하고 말과 종들을 대강 평일과 같이 하여 앞뒤에서 호위하고 나가 군대 앞에 이르렀다. 종이 초헌(가마)의 안석을 들어내어 세 대장이 앉아 있는 맞은편에 깔고 구수영을 앉혔으나, 사람들이 붐벼 세 대장은 구수영이 온 것을 미처 몰랐다.

　세 대장이 밤새도록 한데에 앉아 속이 비고 추웠으나 감히 말을 못하고 있었다. 이 때 그 종이 찬합을 가져다가 차례차례 바치고, 또 큰 술잔을 번갈아 올렸다. 여러 사람이 그것이 어디서 나온 것인지 묻지도 않고 손에 닿는 대로 네댓 번이나 먹고 나서 비로소 "이것이 뉘 집 물건이냐"고 물으니, 종이 구수영을 가리키면서 "구 대감께서 가지고 온 것입니다" 하였다. …… 구수영이 이 일로 인하여 세 대장들과 말을 붙이게 되고, 점차로 기회를 노려 계책을 마련하여 드디어 공신으로 임명되고, 군으로 봉군되었다. (『기재잡기』)

　또 한 사람 유자광의 반정 가담은 그렇지 않아도 신화적인 그의 처세술과 순발력의 결정판으로 알려져 있다. 유자광은 왕을 제외하고는 모든 조정관료가 다 싫어했다. 게다가 젊은 관료들에게는 이미 무오사화의 주범으로 낙인찍혀 있었다. 누가 보아도 반정이 일어나면 임사홍보다 먼저 살해될 인물이었다. 그런 그가 마지막 순간에 반정에 가담하더니 반정 1등공신까지 되었다.

　이 때 여러 사람이 의논하기를 "유자광은 일을 많이 겪어 꾀가 많으니 이 일을 알리지 않을 수 없다" 하였다. 거사할 때에 이르러서야 사람을 시켜 알려주고 만약 숨거나 머뭇거리면 때려 죽이라고 하였다. 그러나 유자광은 이 말을 듣자마자 말을 타고 군복을 입고 나왔다. 또 심부름하는 종을 시켜 두꺼운 기름종이로 만든 노란 비웃을 싸가지고 따라오니 사람들이 왜 그러는지 알지 못했다. 진중에 도착하니 장수와 병졸을 파견할 때 표시로 삼을 만한 것이 없었다. 유자광이 곧 비웃을 오려 표식을 만드니 사람들은 그의 지혜에 탄복하였다. (『동각잡기』)

　앞의 구수영 이야기는 『중종실록』에도 나오기는 하지만 조금씩 다른 이야기가 많아 확실하지 않다. 특히 두번째 이야기는 사실과 거리가 멀다. 유자광의 이야기도 당시에 회자되던 이야기이고, 박원종 등이 거의 마지막 순간에 반정을 통보한 것은 틀림없는 사실이다. 하지만 박원종은 이 소문을 부정하여 자신은 거부하면 죽이라는 명령을 내린 적이 없고, 유자광은 소식을 듣자마자 말을 타고 달려왔다고 중종에게 말하였다. 뒤의 비옷 이야기는 진위를 가리기 어렵다.

사람들의 억측과 달리 두 사람도 반란에 가담할 이유가 있다. 구수영의 사위인 임희재는 임사홍의 아들로 연산에 의해 죽임을 당했다. 또 한 명의 사위는 연산이 어머니를 죽인 주범이라고 믿는 정귀인의 아들 안양군 이항이었고, 이극균과는 종형제간이었다.

유자광은 연산의 총애를 받긴 했지만 연산은 계속해서 유자광을 겁주었다. 그 역시 이극균과 교분이 깊은 자로 처벌대상에 올랐었고, 의금부에서 형량을 정하면 왕이 용서하는 식으로 연산은 유자광 길들이기를 했다. 연산군 12년 4월에 왕은 살아 있는 꿩을 백관들에게 나누어준 일이 있었는데, 이 때도 함정을 파서 꿩을 들고 간 별감에게 제대로 대접하지 않은 관료들을 뽑아 국문장으로 보냈다. 보나마나 별감들을 쭉 모아서 꿩을 받는 관료들의 자세를 물어본 후 리스트를 뽑았을 것이다. 유자광은 구치홍·채수 등과 함께 이 리스트에 걸렸다. 당장 별다른 처벌을 받지는 않았지만, 유자광의 전력에도 꼬투리가 남았다.

숙청의 의도는 전혀 없고 단순히 길들이기 차원이었다고 해도 이것은 연산의 큰 실수였다. 역대로 유자광을 이렇게 다룬 왕은 없었다. 왜냐하면 그럴 필요가 없었기 때문이다. 다시 말하면 이런 행동은 연산이 유자광의 장점과 특징을 몰랐다는 말도 된다. 연산에게 유자광은 박원종과 마찬가지로 유용하면서도 한편으로는 위험한 권력자였을 뿐이다. 유자광의 평생의 무기는 국왕의 신뢰였다. 그것을 획득하기 위하여 그는 관료들의 미움을 사는 일을 감수했다. 그런 그에게 국왕이 의심의 눈초리를 보내고 있다면? 유자광으로서는 자신을 절대로 신뢰하는 새 주인을 찾을 수밖에 없었다.

정상적인 상태였다면 누구도 박원종이나 유자광을 반군에 끌어들이겠다는 생각을 할 수 없었을 것이다. 마찬가지로 정상적인 왕이었다면 박원종이나 유자광 같은 인물이 자신을 배신하도록 몰아세우지는 않았을 것이다. 두 사람마저 등을 돌리게 할 수밖에 없었다는 자체가 연산의 실패이자 한계였다.

반정(反正)

9월 1일 밤. 훈련원에는 박원종, 성희안, 유순정의 3대장을 비롯하여 신윤무, 장정, 구수영, 운산군 이계, 운수군 이효성, 덕진군 이예, 유자광 등이 모여들었다. 소란한 가운데 장정이 박원종 등에게 가서 진성대군(연산군의 이복동생으로 자순왕비의 아들)의 집을 미리 호위할 것을 건의했다. 박원종은 서둘러 한 무리를 어의동(지금의 종로 5가)의 진성대군가로 파견했다. 또한 신윤무가 일단의 무사를 이끌고 어둠 속으로 사라졌다.

이제 본대를 정돈해서 인솔해야 하는데, 막상 출발하려니 온갖 인간이 섞인 잡탕이라 편제하기가 쉽지 않았다. 실전 경험이 풍부한 유자광이 기회라는 듯 나서더니 준비해 온 노란 유둔(기름을 먹인 종이방석)을 잘라 군중에게 나누어주었다. 그것이 그 날 반란군의 표식이 되었다.

반군 주력은 부채를 휘두르며 지휘하는 박원종의 인솔을 받으며 훈련원을 떠났다. 그러나 바로 궁을 공격하지는 않았다. 도중에 밀위청으로 쳐들어가 감옥을 부수고 죄수들을 꺼내 종군시키더니 일부는 창덕궁을 포위하게 하고 박원종의 주력은 하마비동으로 나가 진을 쳤다.

9월 2일 새벽 삼경(11~1시). 관료들은 박원종이 주도하는 반군이 궁을 포위하고 세종로에 진을 쳤다는 소식을 듣자 허겁지겁 반군진영으로 달려왔다. 영의정 유순을 비롯하여 우의정 김수동, 찬성 신준, 정미수, 예조판서 송일, 병조판서 이손, 호조판서 이계남, 도승지 강혼, 좌승지 한순 등 정부의 실세가 모조리 반군진영으로 출근하였다.

한편 이보다 앞서 신윤무가 이끄는 10여 명의 특공대는 임사홍과 신수근의 집으로 가고 있었다. 궁중별감 한 사람이 이들과 동행했는데, 그는

'승명패'를 들고 있었다. 별감은 침착하게 임사홍과 신수근에게 급한 왕명이 있다고 속여서 그들을 끌어내는 데 성공했다. 임사홍 등은 서둘러 말을 타고 궁으로 달려갔다. 급한 행차였으므로 시종하는 하인도 한두 명(아마도 말고삐를 잡고 달렸을)밖에 없었다.

어두운 밤길, 얼마 가지 않아 매복하고 있던 무사들이 덤벼들었다. 그 중에서도 리더격인 자는 이심이라는 용사였다. 쇠몽둥이[鐵椎]를 들고 달려든 그는 전광석화 같은 솜씨로 임사홍을 내리쳤다. 일격이 얼마나 강했는지 머리가 터져 뇌가 다 쏟아져 나왔다. 다른 사람들은 길을 막아 사냥감들의 도주를 방지했다. 퇴로가 막혀 어쩔 줄 모르는 신수근에게 이심이 다시 달려들어 그를 말에서 떨어뜨렸다. 종 하나가 몸을 덮쳐 신수근을 보호했으나 잠시 신수근의 생명을 늦추었을 뿐이다. 이심은 두 사람을 한 자리에서 쳐죽였다. 신수용은 이전에 먼저 살해했고, 신수겸은 이 때 개성유수였으므로 따로 사람을 보내 살해했다. 이심은 얼굴과 옷이 피투성이가 되었는데, 이 날의 공을 자랑하기 위하여 며칠이 지나도록 세수도 않고 피묻은 옷을 갈아입지 않고 돌아다녔다고 한다. 그는 3등공신으로 책봉을 받았다.

규정대로라면 궁에는 최소한 수백 명의 수비병이 있어야 했다. 연산이 친히 무기와 복장까지 고치고, 완전무장한 상태로 경비를 서게 한 병사들이었다. 그러나 반정이 일어났다는 소식을 듣자 지휘관인 도총관 이하 숙직하던 승지들이 모조리 달아났다. 연산은 턱을 떨며 숙직하던 승지 윤장과 이우, 조계형의 옷소매를 붙잡았으나 이우는 밖의 동정을 살펴보겠다고 나가더니 바로 궁 밖으로 달아났고, 두 사람도 소매를 뿌리치고 달아나 수챗구멍으로 궁을 빠져나갔다. 밤새도록 반군은 진을 치고 있었을 뿐 공격도 하지 않았으나 내시와 시녀는 물론이고 군사들까지 달아나거나 투항했다. 일부는 거꾸로 조계형을 잡아 반군에 인도하기까지 하였다.

날이 새자 박원종은 전군을 진군시켜 궐문 밖에 진을 쳤다. 그러나 안에서는 이미 싸울 의욕과 능력을 상실하고 있었다. 반군 측에서는 승지 한순과 내관 서경생을 보내 연산을 설득했다. 연산은 "내 죄가 중하여 이렇게 될 줄 알았다. 좋을 대로 하라"고 말했다고 한다. 그는 순순히 옥새를 내주고, 반군에게 사로잡혔다. 이어 박원종 등은 경복궁으로 가서 자순대비의 명령을 받는 형식으로 연산을 폐하였다. 자순대비는 친아들인 진성대군보다 연산의 맏아들인 세자를 추천했다고도 하는데 박원종 등이 그것을 받아들일 리가 없었다. 그리하여 아침 진시(7~9시)에 진성대군이 경복궁에서 즉위하였다. 연산의 시대는 이렇게 끝났다.

쿠데타는 하루 만에 끝났다. 아마 우리 역사에서 제일 싱겁고 희한한 쿠데타였을 것이다. 영의정 이하 조정의 중요 관료가 모조리 쿠데타군에 가담했다. 제대로 된 전투 한 번 없었다. 물론 태종의 쿠데타 기사에서도 그랬지만 반정 측에서는 가능한 한 전투가 없었다고 서술하는 경향이 있으므로 전혀 의심스럽지 않은 것은 아니다. 그러나 현재로서는 달리 상고할 기록이 없다. 죽은 사람은 관료로는 임사홍과 신수근 삼형제 등 네 사람뿐이었고, 장녹수·전비와 그들의 일가인 김효손 등 몇 명이 당일로 목이 달아났다.

반군 측에서는 미리 의논이 되었는지 당일로 연산을 교동으로 떠나보냈다. 유배 방식은 위리안치였다. 위리안치란 가시울타리로 집을 에워싸서 집 안에서만 거주하게 하는 것으로, 유배형 중에서는 제일 무거운 것이었다. 연산은 가마를 타고 출발했는데, 갓을 쓰고 겉에는 분홍색 옷을 입었다고 한다. 가마를 타면서 그는 "내가 큰 죄가 있는데 특별히 임금의 덕을 입어 무사히 간다"고 말했다. 다음 날 연산의 네 아들은 각각 정선, 수안, 제천, 우봉으로 유배되었다. 이들도 모두 위리안치를 당했다. 왕자들은 나이가 어려서 말을 탈 수가 없었는데, 죄인은 가마를 탈 수 없다고 하여 모두 들것에 태워 보냈다.

왕이 쫓겨나 유배를 가는 모습은 놓칠 수 없는 구경거리였다. 연산이 지나는 길가에는 수많은 사람이 운집하여 구경했다고 한다. 특히 도성에서는 손가락질을 하고 욕을 하는 사람도 많았을 것이다. 나중에 사람들은 이 날의 풍경을 회상하며 이런 노래를 지어 연산을 조롱했다.

> 충성이란 사모*요
> 거동**은 곧 교동일세
> 일만 홍청 어디 두고
> 석양하늘에 뉘를 쫓아가는고
> 두어라 여기 또한 가시***의 집이니
> 날 새우기엔 무방하고 또 조용하지요
> (『중종실록』 1년 9월 2일)

> * 　사모에 붙인 충성이 사모(詐謀), 즉 역모가 되었다는 뜻
> ** 　거동은 왕의 행차
> *** 가시는 각시와 음이 비슷하므로 위리안치한 이 집도 각시집이니 각
> 　　　시집에서 자는 것과 마찬가지 아니냐는 뜻

교동의 우물가

팻말과 우물 하나뿐인 이 곳이 연산의 집터가 맞다면 당시로서는 바닷바람을 바로 맞아야 하는 비탈이었을 것이다. 기록에 의하면 연산의 집은 좁았고, 울타리는 어찌나 좁고 높게 둘렀던지 안에 들어서면 하늘만 보였다고 한다. 그 말을 들은 중종이 울타리 선을 물려 좀더 넓게 치게 했다. 그렇게 해서 겨우 처마에서 울타리까지 3미터 정도의 공간이 생겼다. 울타리에는 작은 문을 하나 내어 그 곳을 통해 음식을 넣어주고 했다고 하니 말이 유배지 감옥이나 다름없었다.

연산을 수행한 사람은 세 명의 시녀와 내시 한 명뿐이었다. 왕비 신씨는 연산을 따라가려고 무척 애를 썼으나 끝내 성공하지 못했다.

기록상으로 보면 연산과 중종의 사이는 나쁘지 않았던 것 같다. 실록의 편찬자들은 연산의 흠을 잡으려고 그렇게 애썼지만, 연산이 배다른 동생

을 괴롭혔다거나 의심했다는 이야기는 실록에도 야사에도 하나도 없다. 딱 하나, 야사에 연산이 사냥터에서 갑자기 진성대군과 말달리기 시합을 하면서 자신보다 궁에 늦게 들어오면 큰일날 줄 알라고 했는데, 종친 한 사람이 아주 좋은 말을 주어서 진성대군이 연산을 이겼다는 이야기가 있을 뿐이다. 그런데 이 이야기는 어째 설득력도 현실감도 떨어진다.

중종은 연산에게 옷과 마른반찬을 마련해 보내주는 등 배려를 해주었다. 그러나 설탕과 열대산 용안(龍眼)이나 중국산 여지(荔枝) 같은 귀한 과일을 좋아하던 키 크고 가늘고 창백한 사나이는 이런 척박한 생활을 견뎌내지 못했다. 9월 24일, 그의 네 아들에게 죽음이 선고되었다. 맏아들은 이 때 열 살이었다. 이들의 유배지가 대개 서울에서 2, 3일 정도 되는 거리였으니까 사형은 26일에서 27, 28일 사이에 집행되었을 것이다.

아들들이 살해당한 지 한 일주일쯤 지난 1506년 10월 5일, 서른하나, 정확히는 스물아홉 하고 11개월의 젊은이였음에도 불구하고 유배생활 한 달 만에 연산은 중병에 걸렸다. 실록에서는 그냥 역질이라고 표현했다. 고열에 시달렸던지 그는 몹시 고통스러워했으며, 물도 마시지 못하고 눈도 뜨지 못했다고 한다. 연산을 지키던 장교가 연산이 위중하다고 궁으로 전령을 보냈다.

전령은 이틀 후인 7일에 서울에 도착했다. 보고를 받은 중종은 바로 의원을 보내주라는 명령을 내렸다. 그러나 전령이 서울에 도착하기도 전인 6일에 이미 연산은 사망해 버렸다. 병세가 심해서 유언도 제대로 못했다고 한다. 그가 남긴 마지막 말은 부인 신씨가 보고싶다는 것이었다.

어떤 분은 폐렴이 아니었는가 추측하기도 하고, 독살이라고 의심하는 사람도 있다. 아무리 갑작스런 병이었다고 해도 발병 하루 만에 사망했을 리는 없다. 거의 죽음에 임박해서 서울로 전령을 보낸 것을 보면 독살이 아니더라도 최소한 그의 병을 방치하면서 죽음을 조장했거나 최대한의 고통을 주려고 했던 것은 틀림없는 것 같다. 보통 조선에서는 왕이 죽으면 의례적으로라도 왕의 건강을 잘 돌보지 못한 책임을 물어 전의를 처벌하곤 하였지만, 연산의 죽음에 대해서는 누구도 감시장교의 늑장보고나 책임을 논하지 않았다.

모든 사람이 그의 죽음을 바라고 있었고 통쾌해했다는 증거이다. 조선의 어떤 국왕보다도 화려하고 제멋대로 살았던 그였지만 죽음은 누구보다도 비참하고 쓸쓸한 것이었다. 관료들은 그가 사망하자 무덤에 묘지기를 두는 것도, 중종이 형을 애도하여 며칠 동안 반찬 가짓수를 줄인 간략한 식사를 하는 것까지도 반대하였다.

눈 아래로 펼쳐진 교동의 해안을 바라보며 연산을 생각해 보았다. 연산은 후세 사가들이 생각했듯이 아무런 문제의식도 없고 업적이라고는 전혀 없는 왕은 아니었다. 그는 당시의 사회와 정치에 대해 나름의 문제의식을 지녔고, 적어도 실록에 기록된 일들보다는 많은 일을 했다. 그를 몰아낸 사람들이 실록에는 거의 기록하지 않았지만, 그 중에는 서얼을 등용하고 당시 사회의 폐단을 손보려고 했던 법도 있었던 것 같다.

그는 무절제하게 민중을 착취하지도 않았다. 그의 시대에 조세가 가혹해지고 많은 농민이 몰락하고 있었지만, 그 책임은 자신의 땅과 노비를 한없이 확대해 가던 공신과 관료들이 나누어 져야 한다. 어쩌면 많은 백성들은 연산에 의해 쫓겨나고 몰락하는 '대감님'들을 보면서 시원해하고 박수갈채를 보냈는지도 모른다.

그러나 역시 그가 실제로는 훌륭하고 문제의식에 찬 임금이었다고 말하기도 곤란하다. 아마도 그에게는 철없고 건방지고 자존심과 자신감에 꽉 찬 2세 경영인이었다는 표현이 제일 적합할 것 같다. 그는 타성에 젖고 공룡화되어 가는 회사에서 문제를 보았고, 비리에 찌들고 이기적인 중역들을 혐오했다. 그의 문제의식은 현상을 비교적 정확하게 지적하고 있었다.

그러나 한 번 그들을 혐오하기 시작한 그는 그들의 과거와 업적, 생각 모든 것을 부정하기 시작했고, 그들로부터 지식을 전수받고 경영방식을 배우는 것을 거부했다. 성종이 끝내 그들의 논리에서 벗어나지 못한 것과는 반대로 연산은 너무 일찍 알을 깨고 나와 버렸다.

연산의 사고방식과 논리구조, 세상을 보고 이해하는 방식을 보면 최후의 순간까지 조금도 변하지 않는다. 그는 끝까지 10대의 반항적인 눈과 치기로 세상을 보고 있었다.

연산은 왜 그들의 정치이론이 그렇게 복잡하고 위선적이기까지 한지, 왜 국왕이 그렇게 어렵고 이중적인 행동을 해야 하는지, 왜 그의 선조들이 그런 무시를 당하며 제대로 놀지도 못하면서 살아야 했는지를 전혀 이해하지 못했다.

한 마디로 그에게는 구조적 인식이라는 것이 완전히 결여되어 있었다. 그는 자신의 권력과 힘이 어떤 구조로부터 나오고, 어떻게 구성되는 것인가를 끝내 몰랐다. 그가 추구한 국왕의 세계와 권력은 그냥 그의 머리 속에서 튀어나온 것이었다. 그는 제멋대로 그것을 추구했다. 현실을 전혀 이해하지 못했으므로 그가 고안해 낸 방법들은 당시인의 상식으로는 황당하고 엉뚱한 것들이었다.

이런 점에서 그는 로마의 황제 네로와 유사한 점이 있다. 우연인지 모르지만 통치자가 되기에는 지나치게 감성적이며 시와 음악을 좋아하고 연예인 기질이 있었던 점까지도 비슷하다. 그것은 개인적으로는 매력적인 재능이었는지는 모르지만, 황제의 자리에는 별로 걸맞은 재능은 아니었다.

하긴 네로나 연산이나 군주의 자리는 부친으로부터 물려받은 자리이므로, 자신의 지위와 적성이 다른 것이 본인의 죄일 수는 없다. 그러나 과연 무죄일까? 연산은 바로 이런 죄목으로 한치형의 목을 거리에 내걸었었다. 우연이었든 고의였든 역사적·사회적 존재로서 인간은 자신의 존재에 대한 책임을 져야 하는 것이 아닐까? 어쩌면 그것은 오늘날의 우리들에게도 적용되는 멍에인지도 모른다.

곰의 인내와 늑대의 지혜

1488(성종 19)~1544년(중종 39). 재위 1506~1544년. 조선의 제11대 왕. 이름은 역(懌). 성종의 둘째 아들로 모친은 정현왕후(자순대비) 윤씨. 첫부인은 신수근의 딸 신씨, 두번째는 윤여필의 딸 장경왕후, 세번째는 윤지임의 딸 문정왕후이다. 1494년(성종 25) 진성대군에 봉해졌다. 박원종·성희안이 일으킨 중종반정으로 왕위에 올랐다. 혁신정치를 추구하는 조광조를 등용하여 향약·현량과를 시행하고, 소격서·여악·내수사 장리를 폐지하는 등의 개혁정치를 행했다. 그러나 1519년 무오사화로 조광조 등을 숙청하고, 그간의 개혁은 다시 철회되었다. 1530년 김안로가 권력을 장악하면서 심정을 축출했다. 이후로 외척들의 세력이 강성해진다. 1537년에는 김안로가 문정왕후를 쫓아내려다가 제거되고, 정국은 세자의 외척인 대윤과 문정왕후 일가인 소윤으로 나뉘었다.

이 시대에는 국방력이 점차 약해져 1510년 삼포왜란이 발생하고 여진족의 침범도 잦아졌고, 이와 관련하여 처음으로 비변사가 설립되었다. 한편 지방의 사족들이 성장하고, 성리학적 도덕관과 사회질서가 한층 발달하여 최초의 서원인 백운동 서원이 설립되고, 향약이 계속 보급되었으며, 일반 백성에 대한 교화정책, 효자, 절부에 대한 포상도 강화되었다. 중종은 재위 39년 만에 57세로 사망하였다. 능은 정릉(靖陵)으로 서울 강남구 삼성동에 있다.

1. 인내의 계절

도성의 봄

1506년 9월 2일 아침 진성대군이 경복궁에서 즉위했다. 이 때 그의 나이는 18세, 묘하게도 연산이 즉위할 때와 똑같은 나이였다. 『국조보감』에 의하면 즉위식장에서 왕이 연산의 악정을 고치겠노라고 선언하자 환성이 천둥소리같이 울렸다고 한다. 그러나 이 날 선언한 공약은 딱 하나뿐이었다.

"금표 철폐"

연산이 훈구세력과 관료들에게서 빼앗은 도성과 경기의 땅을 돌려주겠다는 것이었다. 중종반정의 성격을 적나라하게 보여주는 부분이다.

반정이 일어났지만 죽은 사람은 왕비의 형제인 신수근 형제와 임사홍, 연산의 후궁 중에서도 기댈 언덕이 없던 장녹수나 전비 등 천인 출신 후궁들 그리고 그들의 일가와 부하들뿐이었다. 정말 인도적인 쿠데타였지만 덕분에 약탈물도 많지 않았다. 박원종은 연산군의 딸로 구수영의 며느리였던 휘신공주의 집과 재산을, 성희안은 임광재의 집을, 유자광은 임사홍의 집을, 유순정은 장녹수의 집을 접수했다. 접수하고 보니 임사홍의 집에는 재산이 가득했으나 장녹수의 집에는 별다른 재산이 없었다. 유순정은 유자광의 재수가 부러워서 "복 있는 사람은 역시 다르다"고 말했다나.

공신들은 의리는 있어서 다음에 지방에 있는 이들의 재산을 접수할 때는 수합하여 공평하게 나누었다고 한다.

공신이 아니라도 관료들은 땅을 되찾았고, 공포정치에서 벗어났다. 중종반정은 아무리 국왕이라도 신하들에게 잘못 보이면 하루아침에 쫓겨날 수 있다는 사실을 명확히 보여준 쾌거(!)였다. 관료들은 자신들의 단결력, 힘과 가능성을 보고 감동했고, 과거의 특권과 편안함을 되찾았다.

그러나 백성들의 입장에서 보면 별반 달라진 것도 없었다. 말로는 연산의 폭정과 가혹한 증세 때문에 백성이 도탄에 빠졌다고 떠들었지만, 반정 후에도 세금과 공물은 전혀 줄지 않았다. 오히려 관료들을 잡아먹지 못해 안달이던 왕이 없어지니 관리들은 제 세상을 만나 먹고 즐기기에 바빴다. 근무 태도도 엉망이 되었다. 출근해서도 놀고 즐기는 분위기가 확산되었다. 나중에 『중종실록』을 편찬하려고 보니 사관들이 회의나 정사 기록도 제대로 정리해 놓지 않았더라고 한탄할 정도였다. 그러니 부패도 더 심해졌을 것이다.

반정 후 정권의 중심은 반정에서 주역을 맡은 세 명의 대장에게 돌아갔다. 하지만 유순정은 힘이 좀 떨어지고 실권은 박원종과 성희안이 쥐었다.

박원종은 세련되지는 못했지만 진솔한 면이 있었다. 능력이 따라주지 못했던 탓일 수도 있지만, 정치적 계산과 이해득실에 약삭빠르지 않고 아랫사람의 주장도 여론과 내용을 봐서 동조를 했다. 옳은 게 옳고 좋은 게 좋다는 식이었다. 원래 부귀한데다 명예와 권력을 더 얻었으므로 관심 자체가 정권보다는 풍요로운 삶 쪽에 더 많이 기울어져 있었다. 그는 호화저택을 짓고 수많은 미희를 거느리며 흥청망청 살았다.

반정 후 그는 연산이 거느렸던 흥청을 하사받았는데, 300명이나 되었다는 설이 있다. 어느 날 병조의 젊은 관원이던 정사룡과 황여헌이 공무로 이 호화저택에 한 번 갔다.

박원종이 살던 묵사동은 맑은 시내가 흐르고 숲이 우거진 남산 중턱의 계곡이었다. 지금이야 도심 한복판이 되었지만 그보다 훨씬 아래쪽에 있는 명동성당 부근만 해도 조선시대에는 거의 산 중턱이었다. 박원종의 저택은 이 좋은 지역을 넓게 차지하고 있었다. 두 사람이 대문 서너 개를 지나 안채로 들어가니 연못이 딸린 화려한 정원과 정자가 나왔다. 마당에 화단을 만들어 놓은 정원이 아니라, 계곡 좋은 곳에 넓게 담을 두르고, 계곡물을 막아 연못을 만들고, 집과 누각을 배치한 그런 곳이었을 것이다. 미녀들에게 둘러싸여 앉아 있던 박원종은 용건에는 관심이 없고, 모처럼 우리 집에 왔으니 술이나 하고 놀다 가라며 그들을 붙들었다.

이어지는 잔치와 음식, 선녀처럼 등장하는 미녀들에 눈이 휘둥그레진 두 사람은 우리도 출세하면 저렇게 살아 보자고 약속했다는 일화까지 있다.

성희안은 문관 출신이라 그런지 박원종보다는 훨씬 정치적이었고, 장기 집권에 대한 집념도 있었다. 그러다 보니 고집이 세고 충고를 잘 받아들이지 않는다는 평도 들었다. 그는 심한 전횡을 하지는 않았지만, 끝까지 정국공신 중심의 권력구조를 유지했다. 다만 국가를 운영하면서 구례를 준수하며 일을 원만히 처리하기는 했지만 환부를 도려내고 고치는 면은 부족한 편이었다. 그것에 대해서는 대체로 이 당시 고급 관료들의 일반적 태도였다는 점을 고려해 줄 필요가 있다.

연산의 후유증

세 대장과 관료들에게는 살맛 나는 세상이 펼쳐졌지만, 갑자기 떠밀려서 왕이 된 중종에게는 당혹감의 연속이었다. 이미 연산에 의해 피를 보았고, 다시 피의 보복을 행한 관료들은 냉혹하고 예민해져 있었다. 그들은 쿠데타 당일로 중종에게 부인 신씨와의 이혼을 요구했다. 중종의 부인 신씨는 신수근의 둘째 딸로, 연산의 중궁 신비는 그녀에게 고모가 되었다. 신수근과 형제들을 모조리 살해한 그들로서는 그녀를 왕비로 세울 수는 없었다. 중종은 왕이 된다는 기쁨도 누리기 전에 군사들에게 둘러싸여 조강지처와 강제로 헤어져야 하는 슬픔부터 맛보아야 했다.

반정하던 날 먼저 군사를 보내어 중종의 집을 에워쌌다. 이것은 해칠 자가 있을 것을 염려해서 호위하기 위해서였다. 그런 줄도 모르고 임금이 놀래서 자결하려고 하자 부인 신씨가 말하기를, "군사의 말머리가 이쪽 궁으로 향해 있다면 우리 부부가 죽지 않고 무엇을 기다리리까? 하오나 만일 말꼬리가 궁으로 향하고, 머리를 밖으로 향해 섰다면 반드시 공자를 호위하려는 뜻일 터이니 알고 난 뒤에 죽어도 늦지 아니하리다" 하고 소매를 붙잡고 굳이 말리며 사람을 내보내어 살피고 오게 하였다. 과연 말머리가 밖으로 향해 있었다.

일찍부터 두 사람은 애정이 매우 두터웠는데, 이 때에 이르러 공신들이 상의하기를 "이미 부인의 아버지를 죽였거늘 딸을 왕비로 놓아두면 우리에게 무슨 보복이 올지 모른다" 하고 마침내 폐비하기를 청하였다. 임금이 하는 수 없이 내보내기는 하였으나 별궁에 두고 매양 모화관에 명나라 조사를 맞으러 거동할 때면 반드시 모화관에서 멀지 않은 그 별궁으로 말을 보내서 먹이게 하고, 부인은 흰죽을 손수 쑤어 말을 먹여 보냈다고 한다. (『국조기사』)

신씨로서는 그 날 아침 국왕으로 즉위하기 위하여 반정군의 호위를 받으며 떠나간 남편의 뒷모습이 그녀가 본 남편의 마지막 모습이 되고 말았다. 조금 후 왕은 궁에서 즉위했고, 그녀에겐 이혼통지서가 날아왔다. 부친과 삼촌들의 사망 소식과 함께.

두 사람은 중종이 열한 살, 신씨가 열두 살 되던 해에 결혼하여 이 때까지 8년을 살아 왔었다. 소꿉친구 같은 나이에 만나 막 성년이 되어 가던 때에 난데없이 이혼을 했으니 충격이 작을 수는 없었다.

중종 11년 3월에 경연에서 『고려사』를 공부하다가 최충수가 딸을 태자에게 시집보내려고 태자를 협박하여 그의 비를 폐출하게 한 사건을 읽게 되었다. 이 이야기가 나오자 중종은 여러 번 한숨을 내쉬었다. 겉으로는 내색하지 않으려 했지만 마음이 동요되어 문장을 제대로 읽고 해석하지를 못했다고 한다.

중종이 이혼한 신씨를 그리워하여 경회루에 오르면 늘 신씨가 살고 있는 인왕산 쪽을 바라보았다. 이 소식을 들은 신씨가 날마다 종을 시켜 아침에 자기의 붉은 치마를 경회루에서 마주 보이는 인왕산 바위에 내걸었다가 저녁이면 거둬들이게 하였다는 전설도 있다. 그래서 이 곳의 이름이 지금까지도 치마바위가 되었다.

1507년 신씨를 대신해서 윤여필의 딸 윤씨가 중궁으로 간택되었다. 윤여필은 세조의 부인 정희왕후의 부친인 윤번의 증손이었다. 새 중궁 장경 왕후는 중종보다 세 살 아래였다. 여덟 살 때 모친이 일찍 사망하자 마침 자식이 없었던 월산대군의 미망인 박씨가 데려다가 친딸처럼 키웠다. 윤 여필의 부인이 박씨의 여동생이었기 때문이다. 그러므로 장경왕후는 박원 종에게도 조카가 된다. 이것이 그녀가 왕비로 선택된 배경이었을 것이다.

강제이혼이 서글프기는 했겠지만 중종으로서는 이 결혼이 현실적으로 상당한 힘이 된다는 측면도 있었다. 박원종 가문과 벌써 왕비를 두 명이나 배출한 파평 윤씨 가문 양쪽을 동맹세력으로 삼을 수 있기 때문이다.

그러니 여기까지는 병도 되고 약도 되는 것이었지만 중종 2년 9월에 발생한 이과의 역모사건은 정도를 벗어났다. 이과의 역모 자체도 무고에 가까운 사건이었지만 이과가 견성군 이돈을 추대하려 했다고 해서 견성군 까지 걸려들었다. 견성군은 중종의 이복형제로 숙의 홍씨의 아들이었다. 연산의 형제 중에서는 연산에게 좋은 대접을 받은 편에 속했다. 견성군은 이과를 알지도 못했고 이과가 혼자 추대한 것이라고 결론이 났음에도 불 구하고, 견성군을 유배시키기로 결정되었다. 그러더니 다음 달에 백관이 합심하여 견성군의 처형을 요구하였다.

압제가 나쁜 것은 희생자들의 마음을 메마르게 하고, 그것이 보복과 또 다른 불합리를 낳기 때문이다. 사화의 시대를 거치면서 관료들이 세상을 보는 눈은 상당히 딱딱해져 있었다. 견성군 사건은 이상해서, 사람들은 사 석에서는 무고하다고 말하고 공석에서는 사형을 주장했다. 19세의 소년 왕은 "간사한 무리들이 우리 골육을 보존치 못하고 서로 해치게 한다"고 울부짖었으나 그들의 요구를 물리칠 수는 없었다.

몇 년 후에 박원종조차 견성군은 무죄였지만 그 땐 상황이 어쩔 수가 없었다, 신하들도 다 그의 죽음을 슬퍼했다고 왕을 위로했다. 그 말에 대한 중종의 대답은 "그 때 조정에서 다 견성군을 죽이자고 청했다"였다. 다시 말하면 "무슨 소리냐, 그 때 너희들이 다 죽이자고 하지 않았느냐"란 뜻일 것이다. 이 대답 속에는 관료들의 작은 불안을 해소하기 위해 왕비와 왕자까지 아낌없이 희생되어야 하는 현실에 대한 중종의 비탄이 들어 있는 듯하다.

관료들은 중종의 언행 하나하나에 대해서도 날카롭고 과민했다. 그들로서는 새 왕이 연산과 조금이라도 닮아서는 안 되었다. 좀 나중 일이지만 왕이 사마천의 『사기』를 공부해서는 안 된다는 논란까지 일어났다. 『사기』에 나오는 황제들의 행적에는 연산의 행적과 비슷한 것이 많다는 이유에서였다.

이런 분위기다 보니 중종의 하루하루는 조심스러울 수밖에 없었다. 왕자로 태어났지만 중종에게 궁중은 익숙한 곳이 아니었다. 그가 겨우 일곱 살 때 형 연산이 왕이 되었고 열세 살 되던 해에 궁 밖으로 나왔으므로 궁중생활도 오래 하지 못했다. 정확히는 알 수 없지만, 연산은 신하들과 함께 하는 활쏘기 시합 같은 궁중행사에도 진성대군을 별로 참석시키지 않았던 것 같다. 그렇기 때문에 그에게 왕이란 피상적이고 관념적인 존재였다. 그는 왕의 권력과 행동규범에 대해 잘 알지 못했고, 하루 네 번의 경연을 비롯하여 갑자기 시작한 빡빡한 공식생활에도 잘 적응하지 못했다.

관료들은 중종을 몰아세웠다. 그가 "왕인데 이런 것도 할 수 없느냐"며 연산 비슷한 소리를 한다거나 경연에 한 번 빠지기라도 하면 직설적으로 왕을 나무랐다. 한 마디로 "연산처럼 해서는 안 된다"였다. 중종 초기의 기록을 보면 경연이나 간관들의 말투도 상당히 심했다. 대신들도 왕 앞에서 얼굴빛을 바꾸고 큰 소리를 내는 경우가 있었다고 한다.

심지어 성균관 생원들이 중종의 말을 트집잡아 "그러시다가 나라를 잃을까 두렵다"고 말한 적도 있었다. 연산이 아닌 다른 왕이었더라도 이런 말을 들었다면 무슨 변을 내도 냈겠지만 중종은 참아야 했다.

사생활에 대해서도 과잉일 정도로 간섭이 심했다. 처용무는 단순한 가무가 아니라 악귀를 쫓는 의식과 관련이 있는 궁중의 오랜 전통이었음에도 불구하고 연산이 좋아했다는 이유로 금지되었다.

환관도 줄었다. 그 외에도 사방에서 감시의 눈이 번뜩였다.

> 아침 경연에 나갔다. 기사관 정웅이 아뢰기를, "들자하니 궁전 옥상에서 집비둘기 소리가 난다 합니다. 비둘기의 사특한 것도 불가하거늘 궁중이라면 더 말할 것이 있겠습니까? 청컨대 이를 제거하도록 하소서" 하니, 승정원에 전교하기를, "정웅이 비둘기를 쫓아 버리라고 한 것은, 내가 구경거리로 삼는다고 하는 말이 아닌가? 산비둘기가 스스로 와서 저절로 자라는 것을 어떻게 쫓아 버린단 말인가?" 하였다. (『중종실록』 4년 1월 26일)

이 일은 관료들 사이에서 한참동안 웃음거리가 되었다. 하지만 중종은 전혀 우습지 않았을 것이다.

이런 환경에서 살다 보니 중종에게는 몇 가지 특이한 버릇이 생겼다. 먼저 이복형이 신하들에 의해 가차없이 쫓겨나는 것을 보았기 때문인지 중종은 어떻게 해서든 신하들에게 책을 잡히려 하지 않았다. 신하들이 자신의 잘못을 지적하거나 하면 정황이 어떻느니, 그 땐 그런 뜻이 아니었느니 하면서 구구하게 변명을 늘어놓았다. 심지어는 자신만이 아니라 왕자와 공주들이 법을 어기고 집을 사치스럽게 짓는다거나 어느 관사의 일이 잘못되었다는 이야기만 나와도 일단 "난 모르는 일이다", "내가 거기까지야 어떻게 알겠는가?"라는 말부터 하고 나서 본론으로 들어가는 경우가 종종 눈에 띈다. 이런 태도는 아주 습관이 되어서 말년이 되도록 없어지지 않았다.

그 연장선상에서 그는 가능한 한 자신이 책임질 일을 하려 들지 않았다. 결정해야 할 일이 있으면 될 수 있으면 대신들에게 떠넘겼다. 비난이나 꾸중을 듣는다거나 행하기 곤란한 이야기를 들으면 무조건 말없이 가만히 있는 것도 좋은 방법이었다. 그래도 왕이 결단을 내려야 할 일은 많다. 그럴 때면 자기 의견을 내세우는 법이 없었다. 꼭 누군가가 먼저 안건을 꺼내면 그 쪽을 따르는 방식을 취했다. 그나마 아침에 올린 안건은 점심에,

점심에 올린 안건은 저녁에 결정한다며 신하들이 불평할 정도로 늘 시간을 끌고 눈치를 보았다.

그 과정에서 이 얘기를 했다가 저 얘기를 하고, 이쪽 의견을 들어주었다가 반대의견이 나오면 또 그쪽을 따르는 일도 많았다. 혹 자기 의견을 낼 때도 있지만 일관성 있게 고집하는 경우는 거의 없었다. 그러다가 대세가 기울었다 싶으면 어제까지 자신이 반대하던 일이라도 "그래 사실은 내 생각도 바로 그거였다"고 맞장구를 치면서 순식간에 태도를 바꾸었다.

그렇기 때문에 신하들의 눈에 비친 중종은 착하고 좋은 임금이 되려고 노력은 했지만 용기와 결단력이 부족한 임금이었다. 그가 사망했을 때 사관들은 "인자하고 유순한 면은 부족함이 없었으나 결단성이 부족했다. 비록 일을 할 뜻은 있었으나 일을 한 실상이 없었다", "천성적으로 인자하고 겸손하였으나 우유부단해서 아랫사람들에게 끌려다녔다"고 평하였다.

이렇게 살아야 했던 중종은 어떻게 해서든 자신은 연산과 다르다는 것을 드러내기 위해서도 의식적으로 노력해야 했다. 값비싼 외제품을 좋아하던 연산을 의식해서 중종은 검약하는 생활을 실천했다. 상의원(왕의 의복을 만들고 관리하는 관서)에서 가장자리를 비단으로 싼 신을 만들어 올리자 사치스럽다고 물리기도 했고, 환경미화용으로 생화를 재배해서 바치는 관례도 폐지했다.

간쟁과 잔소리라면 알레르기 반응을 보이던 연산과는 달리 충고와 간쟁에 마음을 연다는 표시를 보이기 위해 승정원과 예문관에 붓 40자루와 먹 20개를 내려주면서 "그것들로 나의 과실을 숨김없이 얼마든지 쓰라"고 하기도 했다.

연산과 자신이 질적으로 다르다는 사실을 천명하기 위해서는 유학의 가치관을 존중한다는 태도도 보여야 했다. 옛날 군대에도 암구호가 있어서 병조에서 매일 왕에게 보고하고 결재를 받았다. 중종 2년 9월 1일에 올라온 암구호는 정말 촌스럽게도 "사람이냐 귀신이냐"였다. 중종은 붓을 들어 쓱 지우더니 암구호를 새로 썼다. "군자냐 소인이냐."

중종이 유일하게 자기 정체성을 무리없이 행사할 수 있는 때는 국왕이란 자리가 주는 고유한 행정적·사무적 기능을 행사할 때뿐이었다. 예나 지금이나 빽없고 힘없는 사람이 지극히 합법적이고 뒤탈 없이 자기 입지를 확보하고 아랫사람을 휘어잡는 좋은 방법 중의 하나가 사무적·행정적으로 제압하는 방법이다. 중종은 이 요령을 빨리 깨달았고, 그만큼 노력했다.

즉위한 지 5년도 안 되어서 그는 사무착오, 오자, 형식, 행정절차 상의 실수를 잡아내는 데 귀재가 되었다. 소위 행정의 달인이 된 것이다. 대신과 각 부서의 당상관들 가운데 행정착오 때문에 대죄하는 자가 줄을 이었다. 참다 못해 그런 세세한 일은 국왕이 간여할 바가 아니고 대신에게 맡겨야 한다고 간하는 일까지 발생했다.

그러나 중종은 이것은 포기하지 않았다. 그는 더욱 부지런히 관서의 장부와 문서를 뒤졌다. 가뜩이나 반정 후 관료들의 기강이 빠져 당연히 해야 할 문서정리도 안한 것이 많았으므로 왕으로서는 명분도 분명하고 효과도 그만이었다. 이 방법은 중종의 권력확보에 꽤 도움이 되었다.

역경 속에 피는 꿈

고달픈 삶을 살고 있는 중종에게 변화의 시기가 찾아왔다. 중종 5년 4월, 실세 중의 실세이던 박원종이 갑자기 사망해 버렸다. 쾌락이 지나쳤던 것일까? 이 때 그의 나이는 겨우 44세였다. 박원종의 죽음은 정국공신에게 대단히 큰 타격이었다.

초기 정국을 주도했던 정국공신들에게는 사실 커다란 약점이 있었다. 공신 중에서 반정에 주도적으로 참여한 사람은 소수였고, 대부분이 연산조에서 고위관료를 지낸 인물들이었다. 심지어 반정 당일 승지로 숙직하다가 그들을 붙잡는 연산을 뿌리치고 하수구를 통해 궁 밖으로 탈출했던 윤장, 조계형, 이우도 다 공신이 되었다. 사람들은 그들을 수구군(水口君)

이라고 놀렸다.

이것은 승진욕에 불타는 중·하위 관료들에게 늘 공격의 빌미가 되었다. 또 연산조에 출세했다는 경력만으로도 알 수 있듯이 그들은 대개 소신이 부족한 현실주의자들이었다. 게다가 그들은 사방에서 공격을 받고 있었으므로 공신이나 관료들과 연합하여 국왕과 대립하려 들지 않았다. 그들은 국왕의 비호 아래서만 살아갈 수 있는 존재들이었기 때문이다. 그러므로 공신들의 입장에서 보면 이들의 단결력이란 전혀 신뢰할 수 없는 것이었다.

나머지 사람들은 대개가 주동자들의 일가친척이거나 무사와 심복부하들이었다. 이들은 중요 관직에 진출할 수 없을 뿐 아니라 책봉 과정에서부터 일가친척에게 공신의 이름을 남발했다는 둥, 뇌물을 받고 넣어주었다는 둥 말이 많았다.

> 신수린은 성희안의 매부이다. 공신을 논할 때, 성희안이 그의 어머니에게 고하기를, "박원종, 유순정, 저까지 세 명의 자제들이 모두 공신이 되었는데, 저희 자제가 제일 많았습니다. 신수린은 나이가 어려 공신으로 삼자고 할 수 없었습니다"라고 하였다. 이 말을 들은 어머니가 노해서 돌아누우며 "내 다시는 네 얼굴을 안 보겠다"라고 하였다. 이튿날 성희안이 어머니의 말 때문에 박원종 등에게 청하여 신수린도 덧붙여 기록하였다. 이에 그 이웃마을이나 족속들이 신수린을 지목하여 노와공신(怒臥功臣)이라 하였다. 기타 외람되게 참여한 자도 또한 이와 같은 경우가 많았다. (『중종실록』 1년 9월 8일)

이렇게 되다 보니 정국공신은 괜히 수만 많았지 전체 지배층 안에서 차지하는 역할은 매우 협소했다. 지도력, 역량, 명분, 포용력 모든 면에서 15세기를 이끌었던 빛나는 공신집단과는 비교가 되지 않았다. 이런 상태에서 장경왕후의 외삼촌이며 정국공신 중에서 다수를 차지하는 무반 인물의 보스 격이던 박원종이 허무하게 죽어 버린 것이다.

권력구조의 개편은 필수적이었다. 권력의 빈 공간을 보면서 사람들은 제각기 딴 생각을 했다. 중종은 이제 자신의 세력을 만들고 싶었다. 남곤, 심정 등을 리더로 하는 중견 그룹들은 정상을 향한 숨고르기에 들어갔다. 홀로 남은 리더 성희안은 구멍 뚫린 방어선을 둘러보았다. 그러나 물러설 마음은 없었다. 그는 그 곳을 사수해야만 했다.

그런데 만약 이 때 중종이 성급하게 자기 세력을 심으려 들었다거나, 정국공신은 공신대로 무조건 자기 영역을 방어하려고 들었다면 1510년의 가을은 꽤 험악한 계절이 되었을 것이다.

그러나 중종은 조심스러웠고 성희안은 노련했다. 권력이 삼각구도를 이루었을 때 어느 한 쪽이 힘 자랑을 하거나 자신의 속셈을 노골적으로 드러내는 것은 절대 금기이다. 그것은 남은 두 세력의 결합을 촉진하기 때문이다. 승리의 비결은 어느 한 세력과의 전술적 동맹을 끌어내는 데 있다. 그러기 위해서는 서로 간에 제한적이면서 부분적으로 이득을 공유할 수 있는 카드를 마련하는 것이 필수적이다. 조광조라는 카드가 중종과 성희안 중 누구의 아이디어였는지는 분명하지 않다. 그러나 그것은 정말 절묘한 카드였다.

조광조

정암 조광조!

개혁의 기수, 젊은 이상주의자, 정직한 정치가.

우리 역사에서 그만큼 추앙을 받는 인물도 드물다. 그의 말과 행동, 사상은 당파를 초월하여 모든 선비들의 사표가 되었다. 어떤 분은 공자를 부르던 호칭을 써서 조광조를 조부자(趙夫子)라고 표현하기도 했다.

사림파의 영수라는 일반적인 이미지와 달리 조광조는 정통 개국공신 집안 출신이었다. 그의 가문을 개국공신의 서열로 끌어올린 사람은 태종의 쿠데타 때 결정적 공헌을 했던 조온이었다. 1권에서 잠깐 소개를 했지만 조온은 조광조의 이미지와는 전혀 다르게 이성계 휘하에서 성장한 무장이었고, 출세를 위하여 주군을 배신한 인물이다.

조온의 후손들은 슬슬 문관으로 전업을 했고, 중견 관료로 출세하기도 했다. 그러나 다른 명문가에 비하면 탁월하게 승진하지는 못했다. 더욱이 조광조의 직계 선조들은 별로 두드러지지 못했다. 부친은 찰방, 현감, 감찰을 거쳐 일찍 사망했다. 기존의 문신이나 유생들과는 다른 정통 유학자가 되겠다는 조광조의 강력한 문제의식과 노력은 이런 가문 배경과도 관련이 있을 것이다.

조광조는 17세 되던 해에 어천(평북 영변) 찰방으로 부임하는 부친을 따라갔다가 마침 무오사화로 옆 고을 희천에 유배중이던 김굉필을 만나 그의 문하로 들어갔다. 김굉필에게서 조광조는 기존의 문신과 유생들이 성리학의 본질을 알지 못하고 근본에서부터 잘못된 교육을 받았다는 사실과, 제대로 도학을 배우고 수행한 도학자들이 정치를 할 때만 세상이 바로 될 수 있다는 신념을 배웠다. 조광조는 이 원리를 굳게 믿었고, 자신은 정통의 삶을 살기로 결심하였다.

그 때부터 그는 남다른 생활을 시작했다. 말을 삼가고, 더우나 추우나 의관을 정제하고 함부로 눕거나 기대지도 않았다. 나중 일이지만 성균관의 유생들조차 조광조를 놀리고 비웃었으나 그는 꿋꿋했다.

> 신[조광조]이 경오년에 생원이 되어 성균관에 들어가니, 그 당시 성균관에 있던 유생들이 모두 의관을 벗고 누워 있었습니다. 혼자 의관을 갖추고 앉아 있으니 사람들이 모두 웃었으며, 『소학』을 읽고 싶어도 그 곳을 벗어나 읽을 수가 없고 해서 남몰래 보곤 하였습니다. 그러면서 항상 마음 속으로 성인이 행하던 일상 생활의 도리가 이 지경에까지 이르렀는가 생각하였습니다. (『중종실록』13년 3월 25일)

그가 살던 시기는 15세기에 만들어 놓은 공신들의 세계가 깨어지기 시작하던 시기였다. 특히 연산의 시대에 15세기의 가치관과 생활방식은 참담할 정도로 무너져 내렸다. 조광조도 그 직접적인 피해를 입었다. 갑자사화가 터졌을 때 숙부 조원기와 조광조도 김굉필의 문도라는 이유로 불순분자가 되어 유배되었다.

중종반정으로 석방은 되었지만 세상은 달라진 것이 없었다. 부정부패도 폐습도 고쳐진 것이 없고, 성인의 원리를 제대로 가르치는 학자도, 나라와 백성을 걱정하는 양심적인 정치가도 눈에 띄지 않았다. 국왕의 폭정과 동료들의 죽음을 방관하면서 제 한 몸만 생각하던 기회주의자들이 이젠 폭군을 내쫓은 영웅이 되어 그대로 국정을 담당하고 있었다. 군주와 신하는 순수한 충성과 능력으로 연결되고 출세하는 것이 아니라 가문과 인연, 서로 간의 비리와 약점을 매개로 결탁하고 있었다.

조광조는 이 체제가 근본에서부터 잘못되었다고 생각하기 시작했다. 많은 사람들이 무식하고 정신상태가 좀 의심스러운 국왕에 의해 엉망이 된 자신들의 세계를 회복하는 데에만 온통 정신이 팔려 있을 때, 그는 훈구니 공신이니 하는 틀에서 과감히 벗어나 보다 크고 넓고 그리고 정직한 세상을 꿈꾸기 시작했다.

중종이 이 젊은 개혁가를 알게 된 계기는 중종 2년에 있었던 박경·김공저의 역모사건이었다. 두 사람은 박원종·성희안 등 반정 3공신을 살해하고 정미수를 영의정으로 추대하려다가 체포되었다. 김공저는 양반 축에는 못 끼는 의원이었고, 박경은 태종의 공신 박은의 손자였지만 서얼이었다. 서얼이란 멍에 때문에 출세하지는 못하고, 글씨를 잘 써서 겨우 교서관의 필경사가 되었다. 박경은 김일손과도 친분이 있었으며, 성리학에도 조예가 있었다. 1498년 무오사화를 야기한 김일손의 사초에 영응대군(세종의 아들)의 미망인 송씨가 고승 학조와 사통했다는 내용이 있었는데, 그 이야기를 김일손에게 전해준 사람이 바로 박경이었다.

모의할 때에 그들은 순자법과 과거를 비판하고, 서얼차별과 종친의 정치참여 금지를 폐지해야 한다고 주장했다. 이것은 사림파의 주장과 유사한 것이었으며, 반정공신을 비난한 논거도 서로 비슷했다.

동지를 찾던 그들은 어느 날 자신과 생각이 비슷한 집단이 있다는 소문을 들었다. 줄을 대서 김식의 집에서 상견례를 했다. 이 때 모인 사람이 문서귀, 조광보, 조광좌, 김식, 조광조 등이었다. 문서귀는 조광조의 처삼촌, 김식은 조광조의 절친한 친구였다.

이 모임이 빌미가 되어서 박경과 김공저는 체포되어 처형되었다. 문서귀가 바로 달려가 고발했기 때문이다. 조광조 등은 다 조사를 받았으나 최초의 고발자가 문서귀였기 때문에 다행히 무사했다. 그러나 박경이 소문을 듣고 특별히 이들을 만나 의중을 떠보았다는 사실에서도 알 수 있듯이 조광조·김식 등은 이미 하나의 운동세력을 만들어 활동하고 있었으며, 그들의 문제의식은 도학뿐만이 아니라 구체적인 정책으로까지 확대되어 있었다. 그런데 묘하게도 이 때 문서귀에게서 첩보를 듣고 박경 등을 고발한 사람이 바로 남곤과 심정이었다. 이들과 조광조의 악연도 이 때부터 시작되었다.

중종이 이 새로운 운동세력에 대해 어느 정도 흥미를 가졌는지는 알 수 없으나 이들의 존재를 알게 된 것은 틀림없다. 3년 후인 중종 5년, 마침 박원종이 사망하고 정가의 분위기가 애매할 때 조광조가 사마시에 수석으로 합격하여 성균관에 들어온다.

성균관에서 조광조의 운동그룹은 추종자를 늘려 갔고, 기존의 유생들과 충돌을 일으켰다. 조광조는 과격한 인물은 아니었지만 정통 도학의 입장에서 보면 기존의 유생들은 사이비가 될 수밖에 없는 게 문제였다. 어차피 미래의 관료가 될 사람은 그들이었기 때문에 학생 시절에 벌써 한 쪽이 사이비로 얘기된다는 것은 심각한 문제였다. 조광조의 활동이 힘을 얻자 반대세력들은 이전 연산군 시절의 '죽림칠현' 사건을 생각해 내어 조광조 등이 스스로 사성십철(四聖十哲)로 자칭한다고 고발하였다.

마침내 이들의 문제는 경연에서까지 논란이 되었는데, 성희안이 앞장서서 전날의 '죽림칠현' 사건은 잘못된 것이며, 지금 한 사람이 학행이 높은 것을 여러 사람이 헐뜯는 것이라며 조광조를 비호하였다.

이어지는 조치를 보면 이미 중종과 성희안 사이에는 조광조의 가치에 대한 교감이 있었던 것 같다. 다음 달 조광조는 성균관의 학장 격이던 김안국과 함께 어전에 나와 경서를 강론하였다. 일종의 상견례 내지는 면접시험이었던 셈인데, 이건 전례가 없는 일이었다. 다음 해 6월에 왕은 성균관에 일부러 명령을 내려 유생을 천거하게 했다. 뽑힌 사람 중에는 당연히 조광조가 들어 있었다.

그런데 중종 5년에 조광조를 등용하려는 계획은 실패로 돌아갔다. 중견 그룹의 선두주자였던 대간과 승지들이 악착같이 반대하고 나섰기 때문이다. 그들은 조광조가 보기 드문 인재니 학업에 더 정진해야 하며 아마 본인도 그것을 더 원할 것이라는 절묘한 이유를 댔다. 결국 조광조의 출현은 5년이 늦춰졌지만 성균관에서 조광조와 동료들의 위상은 단박에 변하였다. 그의 주장은 힘을 얻었고 추종자들은 늘어갔다. 언제고 그가 새로운 세력을 인솔하고 정가로 진출할 것이 뻔한 이상 기존의 관료들도 이를 의식하지 않을 수 없었다. 이것만으로도 소정의 효과는 거둔 셈이었다.

2. 왕도정치

일어서는 사림들

중종 5년에서 조광조가 다시 등장하는 중종 10년 사이에 정국공신의 세력은 더욱 약해졌다. 유자광은 벌써 중종 2년에 쫓겨나서 죽었고, 중종 7년에는 영의정으로 있던 김수동과 유순정이 차례로 죽었다. 8년에는 성희안마저 사망한다.

성희안이 사망하자마자 중종반정의 행동대장이었던 무장 박영문과 신윤무가 역모로 걸려들었다. 정막개라는 의정부의 종이 겁도 없이 고발한

이 사건은 무고라는 징후가 농후했다. 그러나 두 사람은 고문 끝에 시키는 대로 자백했고, 그대로 처형되었다. 이로써 정국공신에서 리더 급 인물은 다 사라지게 되었다. 그들이 처형되자 반정 날 신윤무가 살해했던 신수근 일가의 자손들은 바로 사면을 받았다.

중종 10년 6월 드디어 조광조와 김식, 박훈이 성균관의 천거를 받아 관계로 들어섰다. 중종은 바로 조광조를 종6품 조지서 사지로 임명했다. 조지서 사지 자체는 별로 중요한 자리가 아니지만, 아무 경력도 없는 사람을 처음부터 종6품에 올려놓은 것은 보통 일이 아니었다. 그리고 조지서 사지는 대개 왕의 총애를 받거나 장래성이 있는 관료에게 주는 관직이었다.

조광조를 발탁하면서 중종은 "내가 즉위한 지 10년이 되지만 세상이 나아진 것이 없다"는 자책을 여러 번 했다. 천재지변에도 아주 민감해서 사소한 현상에 대해서도 그는 자책하고, 분발하겠다는 태도를 보여주었다.

중종 11년부터 조광조와 그의 동료들은 경연에 참석하여 본격적으로 왕을 계도하기 시작했다. 이 때 조광조의 나이는 서른다섯, 중종은 그보다 일곱 살 아래인 스물여덟 살이었다.

중종은 열심히 경연에 참석하였다. 이전에도 경연을 소홀히 하지는 않았지만 그래도 날씨가 너무 덥거나 추울 때, 특별한 행사가 있거나 할 때는 경연관들의 동의를 얻어 적당히 거르고 쉬었다. 그러나 이 때부터 그는 자기수양과 도학 공부에 거의 심취하는 모습을 보여주었다. 반년이 채 지나지 않아 중종은 "성리학을 진흥시켜야 하며, 나도 성리학을 숭상하고 싶다"는 말까지 하였다. 조광조에게는 광명과도 같은 한 마디였다.

실제로 중종은 변화된 모습을 보여주기 시작했다. 우선 문제의식이 높아졌다. 왕은 매너리즘과 무사안일주의에 빠진 관료들에 대한 실망을 노골적으로 드러내기도 했다. 심지어는 대신들에 대해서도 실망을 감추지 않았다.

(흉년으로) 백성들이 유리하여 거처를 잃었다. 특히 황해도가 심하다 하매 구제할 계책을 듣고 싶었으나, 대신들은 모두 이전에 이미 의견을 모았고 그 때 빠뜨린 계책이 없다고 하였다. 내가 그들이 그러는 까닭을 알 수 없어 밥맛이 다 떨어졌다. (『중종실록』 12년 2월 28일)

이런 국왕의 모습을 보면서 조광조의 심장은 두근거리지 않을 수 없었다. 조광조가 꿈꾸었던 이상세계는 유학의 원리와 윤리가 살아 숨쉬는 사회였다. 그런 사회를 실현하기 위해서는 참된 교육, 즉 도학을 가르쳐 심성이 제대로 된 인재를 양성해야 한다.

이런 인재들이 수령이 되고, 고급관료가 된다면 부정과 부패는 사라질 것이다. 특권층을 양산하는 음서제, 비능률과 비효율을 낳는 온갖 인위적인 인사규정과 과거제도도 폐지할 수 있을 것이다. 인위적이고 형식적인 규정들은 그만큼 운영자들이 부패했기 때문에 발생한다. 양심적인 관료들이라면 가문과 지역을 따지지 않고 능력있는 이를 천거하고 등용할 것이다. 과거제를 폐지하면 입시공부로 타락한 교육도 정상화될 수 있을 것이다.

지방에서는 향약을 시행하고, 균전제나 한전제를 시행하여 권력가와 지주들의 토지확대를 제한한다. 농민은 평화롭고 안정되게 살 것이다. 그들에게도 예의와 도를 가르친다. 천민들까지도 충효를 알고, 삼년상을 지내는 세상이 될 것이다. 인심은 물론이고 사람들의 표정과 걸음걸이까지 달라지지 않겠는가?

이런 개혁을 이룩하기 위해서 조광조는 국왕의 절대적인 지지가 필요하다고 생각했다. 그렇다면 국왕을 설득하기 위해서는 어떻게 해야 할까? 그는 도학의 진리대로 정통적인 방법으로 도전했다. 왕이 제대로 교육을 받고 경학의 원리를 올바르게 체득한다면 무엇이 정도이고 무엇이 선인가를 당연히 알게 될 것이다.

그런데 실천을 하기 위해서는 아는 것만으로는 부족하다. 의지와 용기를 배양하기 위해서는 악을 보면 등에 가시가 돋는 것 같고, 선한 일을 보면 자기 일처럼 좋아할 정도로 체질적으로 변화되어야 한다. 그 수준이 되려면 구도자와 같은 수양이 필요하다. 수양을 위해서는 자나깨나 도를 생각하고, 작은 일 하나라도 도에 합당한 생활을 해야 한다. 조광조가 더운 날에도 의관을 벗지 않고, 성균관 기숙사에서 살 때는 잠잘 때말고는 기대거나 눕지도 않았다는 사실을 상기하자.

당연히 조광조는 왕에게도 수양을 요구했다. 공부할 때 자세를 바로 하는 것은 당연하고, 성리학을 공부할 때는 의관을 갖추고 정장을 해야 한다. 그렇다고 하루종일 곤룡포를 입고 지내기는 현실적으로 불가능하다. 조광조는 고민 끝에 철릭은 오랑캐 옷과 비슷하니까 안 되고 심의(深衣)를 입어야 한다고 판결했다. 심의란 주자가 유학자의 유니폼으로 규정한 옷이었다.

수양을 위해서는 인간을 유혹하고 가치를 혼동시키는 온갖 유해환경을 제거하는 일도 중요하다. 바로 이런 부분에 극히 예민한 것이 성리학의 특징이자 자부심이다. 불교와 도교에 대한 조선정부의 박해도 여기서 유래한다. 그러나 정통 도학자의 눈으로 보면 그 정도로는 어림도 없다. 습관, 자세, 말씨, 심지어 실내장식까지도 도에 맞지 않으면 안 되는 것이다.

오락? 당연히 안 된다. 작문을 하거나 시를 짓거나 서예공부에 마음을 빼앗겨서도 안 된다. 불교, 도교행사 이런 건 아예 박멸을 해야 한다. 궁중의례와 잔치에 나와 춤추는 미희들. 끔찍한 일이요, 오랑캐의 풍습이다.

조광조가 중종에게 처음부터 일률적으로 이런 수행을 요구했던 것은 아니다. 조광조는 학습진도와 중종의 성취도를 보아 가며 단계마다 수준에 합당한 프로그램이나 정책을 시행하려고 했다. 그러기 위해서는 중종의 수준을 판별하는 것이 관건이었다. 조광조는 이를 위해 고심했고, 때로 중종에게 전하께서 이젠 이 정도의 수준이 되셨다고 말해 주기도 했다.

조광조에게 감화를 받은 중종은 이 어렵고 고달픈 수양의 길을 스스로 행하기 시작했다. 경연은 하루에 네 번이었지만 중종은 '불시면대'라고 해서 아무 때나 하는 경연까지 만들었다. 관을 쓰고 불편한 옷을 입고 똑바로 앉아서 받는 학습이었다. 그럼에도 중종은 싫다는 표정 한 번 짓지 않았다. 내용은 또 좀 어려운가. 어려운 철학을 원론부터 학습하다 보니 가뜩이나 지루한 시간이 끝없이 길어졌다. 아침경연은 점심을 넘기고 야간학습은 심야로 들어갔다. 그래도 중종은 열의를 보여 점심을 넘기면 점심을 먹으면서 계속하자고 하고, 심야까지 이어져도 지친 내색을 하지 않았다.

조광조조차도 너무 무리하시면 안 된다고 권할 정도였다. 그러나 중종의 대답은 내가 좋아서 하는 일인데 뭐가 피곤하겠느냐, 난 아무 병도 없고 멀쩡한데 왜들 그러냐는 것이었다. 감동한 조광조는 더욱 열심히 강론을 했고, 밤은 한없이 깊어만 갔다.

이러던 중 조광조가 다시 한 번 감동할 일이 발생했다. 중종의 두번째 왕비였던 장경왕후는 중종 10년에 세자를 낳고 사망했다. 2년 후에 중종은 세번째 장가를 간다. 새 신부도 역시 파평 윤씨로 골랐다. 이 여인이 유명한 문정왕후이다.

하지만 그건 나중의 일이고 이 때는 조신하고 얌전한 새색시였다. 사림파는 이 때 국왕에게 친영의 예를 행해야 한다고 주장했다. 친영이란 신랑이 직접 처가에 가서 장인·장모에게 절하고 신부를 데려오는 의식이었다. 1권에서도 얘기했지만 전통적으로 처갓집 덕을 본 정치가가 워낙 많은 나라라서 그런지 사대부 사회에서는 친영의 예를 매우 중시했다.

그러나 아무리 장인이라도 국왕의 입장에서 보면 신하이다. 원래 친영례는 고대 중국 봉건제 사회에서 천자와 제후, 제후와 제후가 결혼할 때 사용한 의식이었다. 이 때는 천자와 제후라는 관계가 동맹자적 성격이 강했기 때문이다. 그러나 황제를 정점으로 하는 전제체제가 만들어진 이후로는 친영례를 행하지 않았고, 조선의 왕가에서도 이를 거부했다.

그러므로 사림파가 이 의례를 주장한 이면에는 왕이건 사대부건 의례는 똑같아야 한다는 상징적 의미가 들어 있다. 쉽게 말하면 왕은 사대부들의 수장이며 그들의 협조를 얻어 통치를 해야지 초월적인 존재가 되어서는 안 된다는 의미이다. 조광조가 왕이 성리학을 공부할 때 심의를 입도록 권한 의미도 이런 맥락에서 이해할 수 있다.

그들은 왕이란 작은 정사에 간여해서도 안 되고, 혹 대신이나 관리가 잘못을 하더라도 그들을 직접 책망해서도 안 된다고 말한다. 오직 자신을 반성할 일이다. 이는 도덕적으로야 매우 훌륭한 교훈이다. 그러나 이면에는 관리를 다스리고 처벌하는 것은 철저히 대신에게 위임해야 한다는 뜻이 있었다.

어쨌든 친영례는 대신들조차도 반대했지만 놀랍게도 중종이 기꺼운 표정으로 하겠다고 나섰다. 신이 난 사림파가 며느리가 먼저 사당에 가서 선조에게 인사하는 묘현(廟見)이란 행사도 하자고 하니까 그것은 거부했지만 말이다.

오직 자신만을 책망하며 반성하고 반성하라는 말에도 중종은 고개를 끄떡였다. 끄떡이기만 한 것이 아니라 중종은 조광조를 초고속으로 승진시켰다. 중종 13년 11월에는 드디어 조광조를 사헌부 대사헌으로 임명했다. 이 때 조광조의 나이는 겨우 서른일곱, 조지서 사지가 된 지 3년 만의 일이었다.

조광조의 명성은 하늘을 찌를 듯 솟아올랐다. 갑자기 강력한 라이벌을 만난 기성 관료 중에서는 그를 죽도록 미워하는 사람도 늘어갔지만, 성균관과 중등학교인 사학의 학생들 사이에서 조광조의 인기는 가히 폭발적이었다.

성균관과 사학의 분위기도 단박에 바뀌었다. 많은 학생들이 조광조 흉내를 내고 그의 학설과 학습방법을 받아들였다. 좀 비판적이었던 사관의 표현에 의하면 학생들은 문장공부는 팽개치고 『소학』과 『근사록』만 끼고 다녔으며, 도인처럼 보이려고 소를 타고 다니는 친구까지 생겼다고 한다. 도학에서 중시하는 경(敬)에 몰두한다며 학생이 수업시간까지 빼먹고 하루종일 명상에만 잠겨 있어도 선생이 뭐라고 하지도 못할 정도가 되었다.

몇 년 새에 서민들까지도 복장이 바뀌고 풍습이 바뀌었다. 국가에서는 서민들도 원하면 다 삼년상을 치르게 했고, 천민들까지도 삼년상을 하겠다고 나서는 세상이 되었다. 이 놀라운 변화를 보면서 조광조의 가슴은 벅차올랐을 것이다. 사부 김굉필을 만난 지 20년, 주변의 비웃음을 들으며 소수의 운동권 학생으로 날갯짓을 시작한 지 15년 만에 그들은 세상을 바꿔놓기 시작한 것이다.

절정

이 사이에 사림파는 몇 가지 개혁을 관철시켰다. 정몽주의 신주를 문묘에 안치했고, 소격서와 여악을 혁파하고, 왕실에서 하는 고리대금업인 내수사 장리를 혁파했다. 이런 개혁들은 사림파가 최초로 주장한 것은 아니고 이전부터 오랫동안 논의되어 온 묵은 현안들이었지만, 아직 아무도 성취시키지는 못했던 개혁이었다.

그러나 무엇보다도 사림파를 고무시킨 개혁은 역시 중종 14년에 시행한 현량과였다. 현량과란 기존의 과거와 달리 각 지방에서 인재를 천거받아 등용하는 제도였다. 즉 과거시험이 아니라 천거로 인재를 등용하는 것이었다.

처음에는 현량과도 생각이 없었고 오직 천거로 관직에 임명하려고 했다. 중종 13년에 천거가 시행되어 무려 120명의 천거인이 올라왔다. 하지만 아직 천거권을 가진 관원의 상당수는 구세력이었으므로 천거로 올라온 사람이 다 지방의 사림은 아니었다. 반 정도는 명문가 소생이었다. 그렇다고 해도 관직이 지방의 사족들에게 폭넓게 개방되었고, 사림과 뜻을 같이하는 인물들이 관직으로 진출할 수 있게 되었다는 의미는 컸다.

중종은 대신들의 입회 아래 천거인들을 직접 면담하기까지 했다. 대개는 성리학에 관한 학술적인 대화였지만 그 중의 어떤 인물은 힘있는 자들의 토지겸병을 방지하기 위해서는 토지를 농민에게 균등하게 분배하는 정전제나 균전제를 시행해야 한다는 의견을 제시하기도 했다. 중종은 이런 의견에 동의를 표하지는 않았지만 천거인들을 등용하겠다는 포부를 밝혔다.

기성 세력들은 긴장하지 않을 수가 없었다. 100년 전 지방의 사족들을 정가로 수혈하려던 정도전의 개혁이 좌절된 이래 중앙의 명문가에게 닥친 최대의 위기였다. 여기서 그들은 천거인을 다 믿을 수 없으니 재시험을 보자는 방안을 제시했다. 사림은 반대했지만, 중종이 이 순간에 꺾이고 말았다. 그래서 현량과라는 명칭을 붙이고 천거인들에게 과거 비슷한 시험을 보게 하였다. 이 시험을 통과하여 급제한 사람은 겨우 28명으로 등용대상자가 상당히 줄었다. 게다가 그 중에는 김식을 위시하여 박훈, 안정 등 이미 관직에 올라 있던 사람도 있었다. 특이한 점은 안당의 아들 3형제가 모두 급제한 것이었다.

중종조차도 사람을 너무 줄였다고 불평을 했다. 그러나 사림파로서는 약간의 소득이 있었다. 장원급제자 김식이 바로 성균관 대사성으로 들어갔다. 급제자 28명 중 반 이상이 홍문관과 대간으로 들어가 홍문관 관직 7개 중 5개를, 대간 관직 11개 중 3개를 이들이 점유하게 되었다.

이보다 앞서 중종 13년 5월 오랫동안 이조판서로 있으면서 사림파의 등용에 커다란 공헌을 했던 안당이 서열상으로 자기보다 위인 남곤을 제치고 우의정에 등용되었다. 중종 14년이면 이자가 우참찬, 조광조가 대사헌, 김정이 형조판서, 김식이 성균관 대사성이었다. 이 밖에 대사간과 홍문관 부제학도 사림파였고, 승정원은 거의 사림파가 장악하여 유인숙이 도승지, 홍언필·박세희·윤지임·박훈이 승지가 되었다. 육조의 중견 관리와 하급 행정직에도 상당수가 들어갔다.

힘을 확인한 사림파는 드디어 '위훈삭제' 즉 정국공신을 재정리하자는 주장을 펴게 된다. 정국공신에 대한 공격도 사림파가 처음 시작한 것이 아니고 이 때 처음 발설한 것도 아니다. 그러나 이 때는 아주 강세였다. 그 이유는 좀 분명하지가 않다. 이미 정국공신이 조정의 실세는 아니었다. 주동자급은 거의 죽었고, 연산조에 고관을 지냈던 사람들도 죽거나 눈치를 보아 은퇴했다. 생존자들과 그들의 자제들은 하급관직, 궁중별감, 내수사, 시위군, 서리직 같은 곳에 많이 포진해 있었다.

하지만 이런 자리들도 현실적인 힘은 만만치 않았다. 국왕의 경호, 왕실과 각 관서의 실무를 장악할 수 있었기 때문에 유사시의 힘과 정보력, 행정력은 상당했다.

사림파로서는 현량과 출신들을 수용할 자리가 부족했고, 앞으로도 지속적으로 천거나 현량과를 통해 사림세력을 끌어들이려면 더 많은 자리가 필요했다. 따라서 그들은 이런 하급관직에 눈독을 들였던 것 같다. 음서제에 대해서도 회의적이었던 사림파는 아무리 하급 행정직이라도 이런 곳이 부패하고, 능력도 사명감도 없는 사람들에게 점거되어 있는 것도 불만이었을 것이다. 또한 이것이 언제든지 국왕이 소인배들을 조정으로 끌어들일 수 있는 통로요 인재 풀로서 작동할 수 있다는 점도 고려했을 것이다.

중종 14년 11월 11일 드디어 중종은 이들의 요구에 굴복하여 위훈삭제의 교서를 내렸다. 교서에는 운수군, 운산군, 유순, 구수영 등 사림파가 주장했던 인물들이 100% 올라 있었다. 사림파는 환호성을 질렀다. 엄청난 승리였다. 드디어 그들의 눈앞에 새로운 세계가 열리기 시작하고 있었다.

신무문을 열다

그러나 정작 그 새로운 세계는 엉뚱한 방향에서 열렸다. 사림파의 흥분이 미처 가라앉지도 않은 11월 15일 밤 2경(9~11시) 무렵. 승정원에서 숙직하던 승지 윤자임과 공서린, 의정부 주서 안정 등은 한밤중에 울리는 북소리에 놀라 일어났다. 허겁지겁 밖으로 나가보니 근정전으로 향하는 문과 통로가 다 열려 있고, 푸른 제복을 입은 군사들이 정렬해 있었다.

윤자임 등은 제지하는 군사들을 밀어젖히고 안으로 들어갔다. 근정전과 경연청을 뒤지고 다시 내전 앞문에 이르니 병조판서 이장곤, 병조참의 성운, 화천군 심정, 판중추부사 김전, 그리고 배가 불룩한 형조판서 고형산이 앉아 있었다. 이장곤을 제외하고는 다 평소 사림파와 사이가 좋지 않던 사람들이라 윤자임은 순간적으로 불길한 예감이 들었다. 윤자임이 어떻게 여기에 왔느냐고 묻자, 그들은 왕이 명령패를 내어 불렀다고 하였다. 더욱 불길했다. 원래 왕의 모든 명령은 승정원을 통해서 나가게 되어 있었고, 궁궐 문의 열쇠도 승정원에 있었다. 왕이 승지들도 모르게 문을 열고—승지들이 모두 간의대에 간 사이에 내시를 시켜 열쇠를 훔쳐낸 것이었다—관원을 부른 것이다.

『승정원일기』에는 이 때 정광필과 안당, 정국공신이던 홍경주도 와 있었다고 했다. 다시 말하면 이 날 홍경주·남곤·심정·김전·고형산 등이 먼저 들어오고, 다음에 정광필·안당·이장곤 등이 들어온 것이다. 맨 처음 도착한 사람들은 조광조의 최대의 적들이었다.

윤자임이 왕에게 항의하려고 하는데, 내시가 나오더니 성운이 새로 승지로 임명되었으니 안으로 들어오라고 하였다. 이것도 불법이었다. 성운이 들어가려 하자 사관직을 겸하고 있던 안정이 사관도 함께 들어가야 한다고 소리쳤다. 안정은 재빨리 성운을 붙잡고 따라 들어가려고 했으나 성운이 안정의 팔을 뿌리치고 들어갔고, 문 앞을 지키던 사람들이 안정을 밀어냈다.

한편 이 때 궁에서 무슨 일이 벌어졌다는 소문이 돌자 관료들이 궁궐로 몰려들었고, 일부는 경비를 밀치고 안으로 들어가려고 하였다. 그러나 엄명을 받았는지 군사들의 태도가 워낙 단호했다. 호통을 치고, 소리를 지르며 궁궐 문에서 요란한 소동이 났지만 명령을 받은 자 이외에는 아무도 들어갈 수가 없었다.

조금 후에 성운이 내전에서 나오더니 쪽지를 주며, 거기에 적힌 사람들을 다 의금부로 압송하라고 하였다. 명단에는 윤자임 등 그 날 숙직하던 조광조파의 이름이 있었다. 또 의금부에 별도로 명령을 내려 이자, 김정, 조광조, 김식, 홍언필, 박훈 등을 모조리 잡아 가두게 하였다. 이렇게 하여 사림파는 하루아침에 숙청되어 궤멸하였다. 이것이 유명한 기묘사화이다.

기묘사화의 주범은 조광조의 숙적이었던 남곤과 심정으로 알려져 있다. 전날 남곤·심정·홍경주가 남곤의 집에서 모임을 가지고, 참언(또는 그가 역모를 꾸민다는 말)을 만들어 내어 왕이 조광조를 의심하게 만들었다. 그 날 밤 이들이 신무문(경복궁의 북문)으로 들어가 왕을 모시고 추자정에서 계략을 꾸미고, 도로 나와 연추문으로 들어가 합문 밖에서 대신들을 불러내어 마치 자신들도 왕명을 받고 들어온 것처럼 위장하였다. 또 사건 전날 남곤이 정광필을 끌어들이기 위하여 변장을 하고 정광필을 찾아갔는데, 정광필이 거절하여 실패했다는 등의 이야기가 사건 직후부터 여기저기서 흘러나왔고, 유배길을 가던 조광조도 동료들로부터 이것이 사건의 진상이라고 들었다.

그렇다면 조광조에 대한 그간의 신임을 단박에 되돌린 참언이란 어떤 내용이었을까?

> 홍경주로 하여금 그의 딸 희빈을 시켜 "온 나라의 인심이 모두 조씨에게로 돌아갔다" 하고 밤낮으로 임금에게 말하여 그 마음을 흔들었다. 또 벌레가 좋아하는 나무열매의 감즙을 가지고 일부러 주초위왕(走肖爲王 : 走와 肖를 합하면 趙가 되므로 조씨가 왕이 된다는 뜻)의 넉 자를 비원 나뭇잎에 써서 벌레가 갉아먹게 하여 그 흔적을 마치 글자와 같이 하여 부참서와 같은 것을 만들어 이것을 따서 임금께 바치니 임금이 듣고 의혹하였다. (『기묘당적보』)

이것은 꽤 유명한 이야기지만 좀 개정이 된 것이다. 『중종실록』을 편찬한 사관은 사건의 진상을 다음과 같이 요약하였다.

> 이 때에 정광필은 노성한 대신으로서 신중하게 자신을 견지하면서 나이 젊은 사람들과 더불어 같이 일하기를 달가워하지 않았다. 그런데 남곤이 그의 형적에 남다름이 있음을 보고 남몰래 연합해서 모의하고자 천인의 복장을 하고 깊은 밤을 틈타 찾아가 만나보고 가만히 그의 음모를 말했으

나 정광필이 응하지 않았다.

할 수 없이 물러나와 심정을 만나보고 모의하자, 심정이 "임금의 뜻을 알지 못하고선 거사를 할 수 없다"고 했다. 이 때에 홍경주의 딸 홍씨가 바야흐로 빈어(嬪御)로 있으면서 임금의 총애를 받았는데, 남곤이 심정과 더불어 홍경주와 깊이 결탁하고 홍씨를 후원자로 삼아 몰래 임금의 뜻을 엿보다가 참어를 조작하기를 "목자장군검(木子將軍劍) 주초대부필(走肖大夫筆)"이라 했다. '목자(木子)'는 합하면 '이(李)'자가 되고 '주초(走肖)'는 '조(趙)'자가 된다. 이는 (고려 말에) 태조가 나라를 얻을 적의 참어인데, 남곤 등이 이에 의하여 말을 만든 것이다(이 참언에 등장하는 주초는 조광조가 아니라 조준을 의미한다 : 인용자 주).

이 유언비어가 임금에게 들어갔다. 당시 조광조 등은 논계하여 외람되게 정국공신에 낀 사람들의 공신직을 박탈하고, 또 환관들로 하여금 처첩을 두지 못하도록 하려 했으므로 이 때문에 궁안 사람과 신하들이 서로 결탁하게 되었고, (조광조에 대한) 성상의 총애도 이미 변해 있었다. 남곤 등이 이를 알아차리고서 홍경주 등과 더불어 밤에 신무문을 열고 대궐에 들어와 입대를 청하여 고변하기를, 조광조 등이 공사를 핑계 삼아 사욕을 채우고자 헌장을 변란하고 동류들과 결탁해서 종사를 위태롭게 하고자 한다고 했다.

임금이 크게 놀라 조광조 등을 모조리 불러들여 대궐 뜰에서 박살내려고 했지만, 정광필이 머리를 조아리며 극력 간한 덕에 정지하고 조광조 이하를 차등 있게 귀양보내거나 죽였다. 자세한 것은 기묘년 11월 15일 이후의 『승정원일기』에 실려 있다. (『중종실록』 39년 4월 7일)

이 이야기는 오랫동안 사건의 진상으로 받아들여졌다. 그러나 여기에는 몇 가지 개운치 않은 점이 있다. 중종은 왜 그렇게 쉽게 참언에 속았을까? 아무리 옛날이라도 그런 주문 같은 이야기에 그렇게 쉽게 애정을 증오로 바꿀 만큼 그는 어리석은 사람이었을까?

만약 참언에 속았다면, 그리고 마음이 약하기는 해도 총명하고 양심적인 사람이었다면, 왜 그는 죽을 때까지도 조광조에 대한 미움을 풀지 않았을까? 아무래도 무언가가 서로 맞지 않는다. 중종의 실체와 기묘사화의 진상을 알아내기 위해서는 테이프를 처음부터 다시 돌려볼 필요가 있다.

3. 권력자의 길

진실

진실 하나-중종의 권력은 허약하지 않았다

흔히 중종이 조광조를 등용한 이유는 권력기반이 허약한 중종이 사림세력을 끌어들여 정국공신을 제압하기 위해서였다고 알려져 있다. 그러나 중종 5년 조광조를 앞장서서 변호해 준 사람은 성희안이었다는 점을 상기할 필요가 있다. 조광조의 전격적인 등용은 중종과 성희안의 합의에 의해 가능한 일이었다.

앞서 말했듯이 정국공신은 약점이 많은 집단이었다. 박원종마저 사망한 판에 성희안은 비록 자신들도 이 원리주의자들에게 강한 비난의 대상이 되고 있었지만, 남곤·심정 등의 중견 그룹 역시 이미 이들과 심한 갈등관계를 보이고 있다는 사실에 주목했다. 더욱이 자신들의 약점이 명분과 도덕성이었는데, 이 신진세력에 의하면 남곤 등의 무리도 소인배였다. 그러니 일단 이들이 뜨면 정국공신에 대한 중견 그룹의 공세는 주춤할 수밖에 없을 것이다.

또 싸움이 시작되면 남곤 등은 시비가 칼날 같은 젊은 운동권보다는 정국공신 쪽에 전략적 제휴를 요청할 가능성이 높았다. 조광조 등도 당장 정권의 최상층을 공격하기보다는 그들 바로 위의 계층을 일차 공략 목표로 삼을 것이다. 그렇다면 성희안으로서는 최소한 젊은 세대가 일치 단결해서 그들을 공격하는 사태는 방지할 수 있었다.

중종에게도 새로운 혁신세력은 반가운 존재였다. 친위세력이 필요하고,

관료군을 좀 분열시킬 필요가 있었던 그로서는 기성 그룹과 의견을 달리하는 신진세력의 등장이 해로울 것이 없었다.

하지만 이 때의 조광조 등용은 실패로 끝났다. 그런데 중종 8년 성희안이 사망하고 박영문·신윤무가 처형되면서 정국공신은 실질적으로 정가에서 퇴장하였다. 다음 세대의 의정부를 실질적으로 이끌어 간 사람은 정광필과 신용개였다. 신용개는 신숙주의 손자이다. 이시애의 난 때 함경도에서 살해된 신면이 그의 부친이었다.

정광필은 중종대의 정국을 이해하는 데 대단히 중요한 인물이다. 그는 동래 정씨로 특별한 명문거족 출신은 아니었다. 그러나 당시 그는 성희안과 사돈간이었고, 신용개와도 인척관계에 있었다. 그가 의정부로 발탁된 것도 성희안의 적극적인 후원이 있었기 때문이다.

그렇다고 정광필이 재상이 될 자격이 부족한 인물이었다는 뜻은 아니다. 인격, 포용력, 덕망 모든 면에서 그는 재상이 될 자질을 충분히 갖춘 인물이었다. 특히 그의 최대의 장점은 구세대와 신세대를 연결해 줄 수 있는 사람이라는 점이었다.

그는 훈족 출신은 아니지만 보수적이고 전통을 존중했으며 정치적으로도 온건했다. 그러면서도 후배와 사림의 의견을 존중하고, 그들의 문제의식을 이해했다. 한 마디로 정견, 배경, 가문 모든 면에서 그는 정국공신과 비공신 그룹, 나아가 사림파까지도 이어줄 수 있는 완벽하게 과도적인 인물이었다.

이런 인물을 성희안이 차기 수상으로 천거했다는 사실 자체가 정국공신 그룹의 장기적인 정국운영 구도를 보여준다. 정국공신은 이전의 훈구세력처럼 대를 이어 그들의 권력을 장악해 가려는 구상도 능력도 없었다. 특권과 영광은 자신들이 살아 있을 때로 족한 것이었다. 그들은 다음 세대에 상부와 하부가 점진적으로 화합하기를 원한 것이다.

이 시기에 남곤을 좌장으로 하는 비공신 그룹들은 육조와 언관의 고위직을 장악했다. 그들은 대신들과 갈등을 일으키기도 했지만 특별한 정책적 갈등은 아니었다. 전형적인 헤게모니 싸움에 불과했다. 신용개와 정광필은 다음 세대의 주자로 자연스럽게 남곤 등을 상정하고 있었다. 전체적으로 보면 그들은 너나 없이 연산군에 의해 찢겨진 관료사회의 상처를 회복하고 이전 성종대의 안정되고 단합된 정치문화로의 복귀를 희구하고 있었다.

그러니 중종은 이 과도내각이 불만일 수밖에 없었다. 왕으로서는 얻는 게 없었기 때문이다. 연산과 마찬가지로 중종에게도 성종 때의 세상은 결코 이상세계가 아니었다. 이렇게 되면 시간이 갈수록 국왕이 자기 세력과 권력을 확대하기는 더욱 어려워질 것이다.

기회를 놓칠 수 없었던 중종은 이 해에 바로 도발적인 시도를 한다. 자신에게 관료추천권을 달라고 요구한 것이다. 세종이 정립해 놓은 조선의 인사제도는, 이조와 병조에서 관직마다 후보자 3인을 천거하면 왕이 그중 하나를 선택하는 방법이었다. 객관적인 방법 같지만 왕은 3인 중에 선택할 권리만 있을 뿐 누구를 천거하라는 명령을 내릴 권한은 없었다. 중종은 그 권리를 왕에게 돌려달라고 요구한 것이다. 그는 이것을 친정이라고 표현했는데, 이전의 어떤 국왕도 합법적으로 확보해 본 적이 없는 권력이었다. 이어 그는 학교정비, 인재천거, 현인등용 등을 표방하면서 신진세력을 양성하려고 하였다.

중종 10년에는 영의정 자리가 비었다. 중종은 그 자리를 공석으로 두고 최대한 시간을 끌었다. 원래 이런 경우는 의정부 대신들과 의논하여 수상을 정하는 것이 관례였지만 중종은 전 관료를 대상으로 영의정 후보를 천거받겠다는 명령까지 내렸다. 왕이 주도하여 정치판의 구조를 재편성하겠다는 뜻이었다.

놀란 신하들은 맞불을 놓았다. 그들은 오래 전에 폐지된 의정부 서사제를 들고 나왔다. 육조의 모든 사무를 의정부에 보고해서 대신들이 처리하게 하는 제도였다. 하지만 그런 것이 없어도 왕은 국정의 사소한 데까지 간섭하는 게 아니며, 인사의 권한도 대신들에게 주고 위임해야 한다는 것이 당연한 것으로 여겨져 왔었다. 이 때 관료들이 굳이 서사제를 들고 나온 것은 왕이 이 관례를 무시하면 아예 의정부 서사제를 법제로 못박아 대신들에게 더 강력한 권한을 부여하겠다는 뜻이었다.

중종은 얼른 한 발 물러섰다. 중종은 120%의 힘을 축적하기 전에는 절대로 칼을 뽑지 않는 스타일이었다. 아무래도 완벽한 승리를 위해서는 관료군을 좀더 분열시키고, 자신의 지지세력을 충실하게 확보할 필요가 있었다. 조광조가 다시 관계로 들어온 것은 바로 이 때였다.

여기서 중요한 것은 중종이 이미 상당한 수준의 권력을 확보하고 있었다는 사실이다. 정국공신은 이미 퇴장했으며, 중종은 『경국대전』의 법제를 무시하고 친정을 요구하고 있었다. 돌이켜보면 그 후 4년 동안 조광조는 기존의 모든 규정과 관례를 무시하면서 초고속 승진을 해 왔다. 관계에 들어선 지 5년, 겨우 서른예닐곱 나이에 홍문관 부제학, 성균관 대사성, 대사헌을 다 거쳤다. 부제학과 대사성은 당대 최고의 문신을 기용하는 자리요, 대사헌은 관원 중의 관원이 맡는 관직이다. 조광조의 동료들도 벼락 승진을 했다. 공서린 같은 이는 한 번에 5자급을 건너뛰어 승진했다. 중종이 힘없는 국왕이었다면 이런 인사를 할 수가 없다. 중종이 조광조를 끌어들인 것은 자신이 공신들에게 억압당해 위태롭고 힘없이 살았기 때문이 아니라 중종이 바라던 권력의 수준이 훨씬 높았기 때문이었다. 알고 보면 그도 연산의 동생이 아니었던가.

진실 둘-중종의 태도는 철저한 위선이었다

여기서 우리는 중종의 성격과 평소의 태도에 대해서도 다시 한 번 살펴볼 필요가 있다.

신씨와의 강제이혼, 공신들의 위세, 치마바위의 전설, 겁많고 우유부단한 태도. 이런 것들은 한데 어우러져 착하지만 나약하고 어딘가 감상적인 분위기의 젊은이를 연상시킨다.

그러나 실제의 중종은 아주 이기적이고 자기 중심적이며 충분히 냉혹한 사람이었다. 많은 사람들이 중종이 첫 부인 신씨에 대해서 애착과 한을 가지고 있을 것이라고 생각했다. 앞서 소개한 애틋한 일화와 전설들이 다 그런 선입견의 소산이다.

하지만 실제로는 전혀 그렇지 않았다. 신씨는『국조기사』의 이야기처럼 도성 밖에 있던 모화관 근처의 별궁이 아니라 중종과 함께 살던 어의동 집에 그대로 살았다. 도로상으로 경복궁과는 5km 정도, 창덕궁과는 겨우 2km 떨어진 곳에서 40년을 기다렸지만, 중종은 얼굴 한 번 비치지 않았다.

굳이 모화관으로 갈 때 말을 보냈을 리도 없다. 경복궁에서 모화관 즉 이전 독립문 자리로 가려면 세종로를 내려와서 어의동이 있는 종로 쪽과는 반대방향인 서대문 쪽으로 틀어서 돈의문을 빠져나가야 한다. 사실 중종은 바깥 거동도 많이 했다. 건원릉 이하 선조의 능을 다 참배했고, 매년 대규모 군사훈련과 사냥을 주최했다. 그러니 정말로 그런 일이 있었다면 반대방향인 모화관 거동이 아니라 종로5가를 지나 흥인지문(동대문)을 빠져 나가야 하는 다른 현실성 있는 행사를 언급했을 것이다. 설사 그 이야기가 진짜여서 말을 보냈다 한들 그게 무슨 의미가 있겠는가?

중종은 나중에 그녀를 복위시켜도 될 만큼 충분한 권력을 확보하고, 신씨가의 유족을 복권시켜 관료로 등용해 주면서도 신씨에 대해서만은 아무런 조치를 취하지 않았다. 복위는 고사하고 그녀의 생활이나 복지에 대해서도 전혀 신경쓰지 않았다. 평생에 해준 일이라곤 그녀 집에 도둑이 들자 경비병—실은 감시병이기도 했을—을 4명에서 6명으로 늘려 준 일뿐이다. 그 집을 별궁으로 격상시키고 국가에서 생활물자를 공급하는 조치를 취해 준 사람은 아버지보다 훨씬 인정스럽고 선량했던 인종이었다.

사람들은 끝까지 중종에게 환상을 품고 그가 임종할 때가 되자 신씨가 보고싶어 궁궐 쪽문을 몰래 열어서 그녀를 불렀다는 소문까지 돌았다. 그러나 그 문은 신씨가 아니라 왕을 위해 기도할 어떤 여승을 몰래 들여오기 위해 열었던 것이다. 여승을 불러 기도했다는 사실을 문신들에게 들켜서는 안 되었기 때문이다. 불쌍한 신씨는 이처럼 완전히 버림받은 삶을 살다

온릉. 경기도 양주군 장흥면 일영리에 있는 단경왕후 신씨의 능.

가 명종 12년 12월에 사망하였다.

물론 마지막 가능성, 비밀리에 편지를 보내거나 인편으로 소식을 전하거나 도와주거나 했을 가능성은 남아 있다. 그러나 한두 번이라면 몰라도 이 사회에서 그런 비밀을 지속적으로 유지하기는 거의 불가능하다. 중종도 때때로 그녀가 생각나고 가슴 저리는 느낌이 들 때도 있었을 것이다. 그러나 훌륭한 왕이었던 그의 아버지도 종이 몇 장과 연인을 바꿔야 한다고 말했던 일을 기억하자. 그건 교육의 산물이 아니라 환경의 소산이었다. 중종도 같은 환경에서 살았다. 그는 몰인정한 사람은 아니었지만, 만의 하나라도 작은 인정 때문에 자신이 손해보거나 위험에 빠질 짓은 절대 하지 않는 사람이었다.

그의 권력이 가장 미약할 때였던 초창기에도 왕실 가족의 재산만은 강경하게 지켜냈다. 그의 시대에 내수사는 계속 재산을 불려 나갔다. 그가 사망한 후 사람들은 중종대의 가장 큰 폐단은 내수사가 앞장서서 양민이나 다른 사람의 노비를 훔쳐간 것이라고 지목했다. 잠깐 내수사 장리(고리대)를 폐지하기도 했지만, 그렇다고 수익사업 자체를 포기하지는 않았다. 그들은 다른 방법을 동원하여 계속 재산을 불려 나갔다.

이기적인 사람이라 자기 것에 대한 애착도 상당히 강했다. 그는 신하들에게는 가혹했지만, 왕실 가족과 종친의 입장에서 보면 듬직한 보호자였다. 견성군 사건은 그의 권한 밖이었으므로 예외로 하고, 그 이후로 비슷한 역모사건이 두세 번 있었는데 왕족에게는 더 이상 애꿎은 죽음을 내리지 않았다. 다만 후궁이었던 경빈 박씨와 그녀의 소생인 복성군을 처형한 일이 걸리는데, 이 사건은 세자를 보호하기 위한 것이었던 만큼 예외로 처리해야 할 것이다. 이 내용은 다음 인종편에 서술할 것이다.

그러나 대상이 신하와 백성이 되면 달라졌다. 일반적인 이미지와 다르게 중종은 아주 많은 사람을 죽였다. 정확히 계산할 수는 없지만, 어쩌면 연산보다 더 많은 사람을 죽였을 것이다.

연산이 쿠데타로 쫓겨나는 것을 보았기 때문인지 중종은 고발사건에 대단히 민감했다. 그 중에는 일반 서민들 사이에서 발생하는 말도 안 되는 고발사건도 많았다. 이전의 왕들이라면 웃고 넘길 사소한 고발사건도 중종은 그냥 지나치는 법이 없었다.

한 번 고발사건이 발생하면 주변 사람, 조그만 연루자들이라도 다 잡아들여서 고문을 가했다. 그럴 때마다 많은 사람들이 처벌도 받기 전에 감옥에서 죽어나갔다. 박영문의 처형에서도 알 수 있듯이 대신이나 공신에 대해서도 용서가 없었고, 이전의 공로 따위는 전혀 참작해 주지 않았다. 어차피 그에게 진상은 중요한 것이 아니었다. 자신과 관련된 일이라면 만의 하나의 확률이라도 제거하고 보았다. 그리고 필요하다면 그런 사건들을 자신의 정치적 목표를 위해 아낌없이 이용했다.

그래서 『기재잡기』에는 이런 이야기도 전한다.

중종 때에 어떤 사람이 동몽교관(어린이를 교육하는 선생) 아무개가 제자들을 거느리고 장차 군사를 일으켜 반역을 꾀하려 한다고 고변하자 명을 내려 모두 잡아들였다. 겨우 갓이나 쓸 만한 사람이 수십여 명이요, 15, 16세 된 사람이 또 수십 명이요, 12, 13세 된 자가 60~70명이요, 10세 이상이 또한 수십 명이었다. 금부에 있는 수갑, 착꼬, 쇠사슬 등이 반 이상 모자라므로 모두 새끼로 목을 엮어서 종루 아래에 앉혀 놓았다.

임당 정유길은 당시 열 살이었는데, 같이 공부하는 여러 아이들을 따라 나갔다가 하루가 지나도록 돌아오지 아니하므로 부모들이 찾아본즉 역시 그 속에 끼여 있었다. 조부 정광필이 왕에게 아뢰기를, "신의 손자 옥수[정유길]가 열 살인데, 죄수들 중에 끼여 있사옵기에 감히 와서 죄를 기다리나이다. 다만 이들은 모두 철없는 어린아이들이오니 청컨대 이 옥사를 살펴 처리해 주옵소서" 하였다.

왕이 관원을 시켜 조사해 보았더니 아이들이 남산 위에서 옷을 벗어 깃발을 만들고, 나뭇가지를 꺾어 창을 만들어 전쟁놀이를 한 것이었다. 다른 단서는 없었으므로 고발한 자를 되려 죄주었다.

이 이야기는 실록에 조금 다르게 나오고 정유길도 열여섯 살로 되어 있지만, 비슷한 사건이 있었던 것은 사실이다. 그나마 정광필의 손자가 끼여 있었기에 망정이지 그렇지 않았다면 더 큰 일이 벌어졌을 것이다.

법도 꽤 가혹하게 적용했다. 특히 그가 본색을 드러낸 기묘사화 이후부터 만년에 이르기까지 소위 말하는 어리석은 백성들의 범죄에 대해서도 용서가 없었다. 당시에는 신문고 대신에 격쟁이라고 해서 백성들이 징을 치면서 억울한 사연을 호소하는 일이 많았다. 그 중 어떤 사람이 대궐 뒷동산에 올라가 징을 쳤다. 별감과 경비병이 내려오라고 했지만, 그는 죽어도 못 내려오겠다고 버텼다. 중종은 격쟁을 한 정상은 참작할 만하지만 내려오라는 명령에 저항한 행위는 용서할 수 없다, 이런 걸 용서하면 점점 더 못된 풍습을 조장하게 된다는 이유로 사형을 언도했다. 그는 이런 인물이었다.

그렇다면 그의 우유부단하고 늘 우물거리고 이랬다 저랬다 하는 태도는 어떻게 된 것일까? 한 마디로 말하면 고도의 정치적 테크닉일 뿐이다. 그는 연산의 동생이었던 덕분에 연산이 실패한 이유를 얄미울 정도로 철저히 알고 있었다. 자신감이 지나쳐서 자기도취로 나갔던 연산과는 정반대로, 초기의 역경이 중종을 신중하면서도 조심스럽고 참을 줄 아는 인물로 만들었다.

우유부단하고 조심스런 태도는 불곰과 같은 뚝심과 끈기, 그리고 자기 통제력의 소산이다. 그는 무슨 일이든 서두르는 법이 없었다. 하지만 그렇다고 해서 절대로 포기하지도 않았다.

조금만 싫은 소리도 참아내지 못했던 연산과 달리 그는 자신의 맘에 들든 들지 않든, 관료들의 사고와 논리체제를 철저하게 숙지했다. 그렇게 하면서 그들을 다루고 이용하는 법을 배웠다.

연산이 쓸데없이 자기 주장이 강했다는 점도 알고 있었다. 중종은 무슨 일을 하든지 비난과 책임이 절대로 자신에게까지 넘어오지 않도록 했다. 이랬다 저랬다 하면서 남의 말을 앞세우고, 책임은 남에게 돌리고, 책임소재를 애매하게 만들었다.

무엇보다도 그는 국왕의 권력이란 관념이나 경전의 구절로부터 오는 것이 아니라 현실에 의해 규정된다는 사실을 깨닫고 있었다. 권력은 요구하고 강탈하는 것이 아니라 스스로 자신에게 굴러오도록 환경과 조건을 만들어야 하는 것이다. 그것을 위해 그는 대단한 노력과 인내를 투자했다. 그 결정체가 바로 조광조의 등용과 기묘사화이다.

가면 속의 삶

중종 10년, 친정 즉 인사권 획득에 실패한 불곰의 심장을 가진 사나이는 더 높은 세계로 올라가기 위해서는 관료군을 철저히 분열시킬 필요가 있다는 사실을 깨달았다. 그는 이제 젊은이들 사이에서 명망가가 되어 있는 조광조를 불러올렸다.

이번의 등용은 성공이었다. 조광조의 명성이 높아지고 젊은이들이 그의 추종자가 되면서 기성 관료와 미래의 관료 사이에 커다란 단절과 분쟁이 발생했다. 비공신 그룹 내부에도 몇 개의 파벌이 있었는데, 남곤과 거리가 있었던 안당·이장곤 등은 상대적으로 조광조에게 호의를 베풀었다.

이 때 중종에게 제일 위험스러운 일은 자신의 권력에 대한 욕망을 드러내는 것이었다. 연산의 시대를 겪은 덕분에 훈구파든 사림파든 국왕의 권력강화라는 부분에 대해서는 대단히 예민해져 있었다. 이 부분에 대해서는 중종에게 자기편이 전혀 없었다. 공신을 세워 특권을 주면 그들은 왕을 누르려 들 것이고, 외척을 키우면 임사홍과 같은 자라 할 것이고, 그들과 이질적인 자를 키우면 제2의 유자광이라고 관료들은 합심해서 덤벼들 것이다.

그런 면에서 중종이 조광조의 말을 따르는 한 그런 의심은 살 필요가 없었다. 중종이 도학의 이론에 심취하고 따르는 것은 스스로 더 낮아지겠다는 소리밖에 되지 않는다. 이것이 정승들이나 기성 세력이 조광조파를 미워하면서도 용납할 수밖에 없었던 이유이기도 했다.

정말 교묘했다. 정도전처럼 기성 세력과 이해관계를 전혀 달리하고 대립적인 집단을 정가로 끌어들이려 했다면, 중종이 어떤 고단수를 썼더라도 기존의 관료들은 합심단결하여 반대했을 것이다. 그러나 조광조파는 모든 기성 관료들에게도 유용했고, 그들에게 필요한 행동을 해주고 있었다.

그것을 간파했기 때문에 중종은 조광조의 이상정치론에 동조하면서 그 길고 지루한 경연을 근 5년간이나 싫다는 내색 한 번 보이지 않고 참아냈다. 그것은 대성공이었다. 중종의 이 엄청난 연기 덕분에 훈구든 사림이든 중종의 야심에 대해서만은 경계를 완전히 풀었다. 그들은 마음놓고 서로간에 헤게모니 쟁탈전으로 돌입하였다.

그런데 사림파가 좀 힘을 얻게 되자 중종에게도 골치 아픈 일이 생겼다. 사림파가 이젠 구체적으로 뭘 좀 해 보자고 자꾸 요구하고 나섰기 때문이다. 그들의 이상을 실천해 줄 마음이 전혀 없었던 중종은 예의 우물거리고 귀 얇고 잔걱정이 많은 이미지를 최대한 활용하면서 질질 시간을 끌었다. 태도와 이미지 관리 능력만이 아니라 말솜씨도 정말 교묘해졌다.

중종 12년에 터진 특진관 개정 논쟁이라는 게 있다. 조선에서는 2품 이상의 관원은 특진관이라고 해서 누구나 차례로 경연에 참석하여 왕과 면담을 할 수 있었다. 왕이 덜 떨어진 인간들을 만나 쓸데없는 이야기를 하는 것을 도저히 두고 볼 수 없었던 사림파는 아무나 경연관이 될 수 없으니 특진관을 재선임하자고 나왔다.

논쟁과 양보, 타협안이 오간 끝에 왕은 어차피 경연에 나올 수 없는 노약자 약간을 솎아냈다. 양쪽 다 이 조치에 만족할 리가 없다. 더 솎아내자, 다 복권시켜야 한다는 주장이 팽팽히 맞섰다. 이젠 왕이 나서서 가부를 결정지어야 할 때였다. 중종이 내린 결정은 다음과 같았다.

『경국대전』의 법에 의거한다면 2품 이상이면 모두 들어가야 된다. 그러나 고르지 않고 아무나 천거한다면 실언을 하거나 실행을 하는 자가 있을 것이니, 그런 다음에 바루려면 이미 늦다. 간관이 특진관을 선택하자는 생각은 확실히 옳고, (법대로 하자는) 대신의 생각도 옳다. 내가 보기로는, 이미 승정원에서 가려 도태시킨 자는 노쇠하거나 병으로 움직일 수 없는 자 등이다. 이미 도태시켰는데 이제 다시 둔다는 것도 안 된다. 그러나 도태시키는 것도 자주 해서는 안 된다. (『중종실록』 14년 1월 21일)

특진관 논쟁은 이렇게 끝났다. 사림파의 주장대로 솎아내기는 했지만, 실제로는 솎아내나마나한 결과가 되었다. 이럴 때마다 관료들은 고민에 빠지지 않을 수 없었을 것이다. 도대체 이 양반은 누구의 편을 들고 있는 걸까? 지금은 처음이니까 이 정도로 하고 앞으로 계속 고쳐 가자는 말일까? 이 정도로 얼버무리고 끝내자는 말일까? 만약 후자라면 왜 그럴까? 아직 용기가 없는 것일까? 생각이 짧은 것일까? 왕은 하고자 하는데, 누가 비공식 루트로 압력을 넣어서 눈치를 보고 있는 것은 아닐까?

중종은 늘 이런 식으로 사림파의 애간장을 녹이며 시간을 끌었다. 하지만 중종의 수법은 이것만이 아니었다. 정책토론을 할라치면 이쪽 이야기를 하다가 저쪽 이야기로 살짝 건너가고, 이런 문제를 제기했다가 저런 문제를 제기하면서 도망다녔다. 얼마나 교묘한지 기득권 세력을 의식해서 망설이는 것처럼도 하고, 주된 문제와 지엽적인 문제를 구분 못하는 사람처럼 논제를 뒤섞기도 했다.

그런데 이런 상황을 조장한 데는 조광조에게도 책임이 있었다. 중종에겐 정말 고맙게도 조광조는 더할 나위 없이 진지하고 성실하고 참을성 있는 정통 원론주의자였다. 고기를 던져주기보다는 고기잡는 법을 가르치라는 말처럼, 조광조는 무슨 이야기를 해도 그냥 결론을 제시하지 않았다. 그는 사물을 접하는 태도, 인식하는 방법에서부터 출발을 했다. 왕이 오락가락해도 그는 끈기있게 다시 그에 해당하는 원론을 이야기하고 마음가짐을 이야기하고 사물을 보는 태도를 이야기했다. 혹 조광조가 원론과 원론으로 조여들어 뭔가 결론을 유도해 내려고 하면 중종은 크게 깨달은 듯 추상적이고 원론적인 결론을 내면서 빠져나갔다. 그러니 시간은 무한정 늘어졌고, 그 날의 결론은 모호하게 끝나기 일쑤였다.

이러면서 중종은 자기 실속은 챙겼다. 중종 13년 그는 드디어 오랜 염원이던 신임관원의 지명권을 얻었다. 사림은 국왕이 자기편이라고 생각했고, 대신과 남곤 일파는 대간직을 장악한 그들의 총공세를 두려워했으므로 인사책임을 왕에게 넘길 수밖에 없었던 것이다.

칼을 쥐었다고 당장 휘둘러보는 인간이 제일 어리석은 자이다. 중종은 고생고생해서 얻어낸 권력을 아주 모범적(!)으로 행사했다. 지명권을 행사할 때도 대신에게 물어보고 대간에게 물어보고 하면서 하여간 어느 세력이든지 섭섭하지 않게 해주었다. 그러면서도 야금야금 자기 의도대로 조정을 개편해 나갔다. 이 과정에서 보여준 줄타기와 여론 만들기는 가히 입신의 경지였다.

젊은 운동권

사림파가 중종에게 철저하게 농락당하고, 그들의 개혁이 비참한 실패로 끝난 데에는 사림파의 잘못도 있다는 점을 지적하지 않을 수 없다. 조광조와 그의 동료들은 원론주의자였다. 요순시대의 이상정치를 추구했던 그들은 무엇이든 경전에서 가르치는 원론대로 하려고 했으며, 누가 원론에 더 충실한가를 갖고 선과 악을 나누는 잣대로 삼았다. 그러니 논쟁에서는 그들은 항상 우위에 설 수밖에 없었다. 경전의 말씀대로, 성인의 말씀대로 하자는 사람 앞에서 현실이 어쩌니 편법이 어쩌니 하는 사람은 어차피 구차해 보일 수밖에 없다.

그러나 논쟁의 장에서 벗어나 국정운영에 참여하기 시작하자 당장 그들의 약점이 드러나기 시작했다.

논쟁에서 승리한 그들은 자신들의 생각과 판단에 절대적인 확신을 가지게 되었다. 더욱이 성리학 이론 자체가 도학을 닦은 사람은 자연과 사회의 원리를 제대로 체득하고 이해하게 된다고 말한다. 그들은 당연히 자신들의 머리 속에서 떠오르는 생각과 마음을 사로잡는 판단이 사리사욕에 물든 구차한 속물 정치가의 그것들과는 질적으로 다르다고 생각하였다.

어느 새 그들은 자신들이 보고싶은 것만 보고, 주변에서 일어나는 현상들을 자신들의 시각대로만 해석하게 되었다. 사실 그들이 중종에게 철저히 속은 것도 중종의 연기가 탁월했기 때문만은 아니다. 중종 10년부터 13년 사이에 홍문관은 거의 조광조파가 장악했다. 이들이 다들 중종은 우리편이라고 생각하고 있을 때 유독 황효헌이란 인물이 이런 말을 했다(그는 황희의 현손으로, 조광조파였던 기준과는 동서지간이며 윤자임의 매부였다).

임금이 선을 좋아하시기는 하나 곧은 말에 대해서 반드시 자세를 고치고 얼굴빛을 바꾸시니 나는 매우 의심스럽다. (『중종실록』 14년 11월 18일)

그러나 아무도 그의 말을 귀담아 듣지 않았다. 황은 조광조파에게 따돌림을 당하다가 사직해 버렸다.

사명감과 자기 확신이 넘쳐나자 그들은 개혁을 서둘렀다. 그러면 우선 무엇을 해야 할까? 그들이 설정한 첫번째 과제는 개혁 저항세력, 즉 소인배를 몰아내는 것이었다.

고대 유학에서 군자는 지배층, 소인은 피지배층을 뜻했다. 그러나 성리학은 이 신분제적 개념을 도덕적·철학적 개념으로 바꿔놓았다. 이제부터는 도에 충실한 사람은 군자요 그렇지 못한 사람은 소인이었다. 사림파는 이 개념을 원용해서 자신들은 정도에 서 있는 만큼 군자요, 개혁 저지세력은 소인이라고 분류하기 시작했다. 수양을 위해서는 도에 저촉되는 유해한 환경을 제거하는 게 먼저인 것처럼 개혁을 위해서도 우선 사악한 환경을 제거해야 한다. 제일 사악한 환경은 당연히 소인배였다.

점차 그들은 스스로 소인 감별사가 되어 소인을 찾아서 색출하는 데 전념하게 되었다. 게다가 개혁이 뜻대로 빨리 진행되지 않자 초조감이 늘어갔고, 초조감이 늘어나는 만큼 개혁저지 세력 즉 소인배에 대한 미움도 제멋대로 높아만 갔다. 경연에서의 토론에도 이런 증세가 나타났다. 누가 이상한 소리를 하면 대놓고 저 말은 소인의 말이고, 그런 행동은 소인의 행동이라고 규정하는 일이 잦아졌다.

여기서 또 하나의 문제가 생긴다. 자신들은 도의 실천자요 선이라고 생각하다 보니, 자신들이 하는 행동은 선한 목적에서 나온 것이므로 다 옳다는 생각을 하게 되었다. 그러다 보니 일을 처리하는 방법이 점점 유치해지고 거칠어졌다.

앞에서 언급한 특진관 재선별 논쟁에서도 사림파가 제시한 선별기준은 '인간성'이었다. 그들의 방법대로라면 2품 이상이나 된 대신들을 보통 그들보다 20~30년씩 젊은 이들이 인간성 심사를 해서 "당신은 사악한 인간이므로 앞으로 경연에 참석할 수 없습니다"라는 통지서를 보내자는 것이다. 이들의 순진함과 철없음엔 쓴웃음밖에 나오지 않는다.

그나마 자기들의 공심을 노골적으로 드러내어, 딴 사람은 몰라도 심정과 이자건은 인간성이 아주 못됐으니 꼭 빼야 한다고 치고 나왔다. 두 사람은 남곤계의 핵심인물이었다.

사회를 개혁하려다 보니 버릇없고 못된 인간들은 혼쭐나게 했다. 김정과 김식이 대사헌과 형조판서를 맡았을 때, 사회개혁 차원에서 많은 사람들이 옥에 끌려와 매를 맞았다. 건수는 각종 위법사항이었지만 주로 표적이 된 사람들은 '천한 상것 주제에 권세가와 결탁해서 부자가 되고, 재산과 권력을 믿고 건방을 떠는 그런 부류'들이었다.

사회질서와 기강확립 차원에서 그들은 이런 자들을 잡아다 호되게 신문을 했다. 말이 신문이지 잡아다 놓고 패는 것이므로 맞다가 죽는 사람이 속출했다. 김정이 대간으로 있을 때 30명이 옥중에서 죽었고, 형조판서로 있을 때는 그 배가 죽었다고 했다. 김식이 형조를 맡았을 때도 죄수들이 갑자기 많이 죽어 왕이 특별 조사령까지 내렸다. 조광조는 그래도 형벌을 조심하려고 노력했지만, 이런 사건들은 다 여러 사람의 눈살을 찌푸리게 했다. 그러나 여전히 사림파는 당당했으며 자신들은 선한 일을 하고 있다고 믿었다.

중종 14년에는 이조의 낭관들이 직무태만이란 이유로 관원 몇 명을 파면시켜 버린 사건이 있었다. 그것은 그들의 고유권한이었지만 문제는, 파면된 자들이 직무태만으로 걸릴 뚜렷한 사유가 없었다는 데 있었다. 왕이 이유를 묻자 사실은 그들에게 관료로서 자질이 없기 때문이라고 대답하였다. 중종은 설사 그렇다고 해도 그건 월권이며 방법이 잘못되었다고 판정했다.

그러자 사림파들이 다 나서서 이조의 행위를 변호하고 나섰다. 월권인 거야 사실이기 때문에 입장이 조금 딸리자 여기에도 원론을 끌어넣었다. 자고로 신하에게 일을 맡기면 의심해서는 안 된다, 잘잘못을 가리는 일은 대신이 할 일이지 왕이 나서는 게 아니다는 주장을 펴더니, 왕이 혹시 그들에게 개인적인 감정이 있어서 감싸고도는 게 아니냐는 추궁까지 하였다.

조광조도 이조를 감싸고 나섰다. 파면당한 사람은 자신이 학생 때 같이 있어서 잘 아는데, 파면당해 마땅한 인물들이라는 것이다. 서글프게도 최후의 보루인 조광조까지도 문제의 본질에서 어긋나고 있었다.

어느 해 과거에선 자기들 편에 유리하게 시험문제를 내고는 그것도 못 미더워 일부에게 문제를 유출해 버렸다. 과거답안지를 채점할 때는 이름을 쓴 부분을 철해서 가리게 되어 있다. 채점위원으로 들어갔던 김식이 갑자기 이것을 문제 삼았다. 이건 군자를 의심하는 행위이다, 이런 악습은 고쳐야 한다는 것이다. 결국 그들은 이름을 가린 종이를 뜯고 채점을 했다. 합격자 발표가 나자 합격자들은 여기저기 모여 웃음을 터뜨렸다. 문제와 전혀 상관없는 답안을 쓴 사람도 합격했기 때문이다.

중종 13년부터 천거와 현량과가 시행되었다. 사림파의 세력을 확장하고 개혁을 성취하려면 이들을 등용할 빈자리가 절실하게 필요했다. 이 때부터 사림파들의 소인 물색작업은 더 심해졌다. 마침 그들이 언관을 쥐고 있었으므로 인물 탄핵도 쉬웠다.

그들의 이런 행동에 대해 당을 만들고, 남을 비방하는 행위라는 비판이 일었다. 조광조는 이 일도 변호해야 했다. 그의 변은 요약해서 말하면 이런 것이었다.

소인은 천성적으로 군자와 어울리지 못하므로 편을 만들어 미워하고 죽이려 든다. 군자가 소인을 몰아내는 것은 소인이 뜻을 펼 것을 우려하여 경계하고 배척하는 것이다. 그러므로 비방하고 몰아내는 행위는 같아도 양자는 질이 다르다. (『중종실록』13년 4월 28일)

그런데 이 때 누구보다도 답답했던 사람은 정작 조광조 자신이었다. 벌써 중종을 교육한 지가 근 4년이 되었다. 그간의 학습진도나 성취도를 보면 이제는 중종이 변화된 모습, 개혁에 적극적인 모습을 보여줄 때가 되었는데, 왕의 태도가 여전히 단호하지 못했던 것이다.

여러 모로 원인을 생각하던 그는 아무래도 왕의 사생활에 문제가 있다고 결론을 내렸다. 중종 14년 4월 19일 저녁 경연에서 왕을 만난 조광조는 왕께서는 이제 거의 도를 성취할 단계에 이르렀으나 최종 마무리 단계를 잘 못하고 계신 듯하다고 운을 떼고는 몇 가지 진단을 내놓았다. 수준이 좀 높아졌다고 해이해진 것 같다. 경연에서는 열심히 하지만 그 외 시간에는 긴장을 푸시는 듯하다. 대개 이런 증세는 색을 밝히기 때문에 발생한다. 전하께서 설마 그러시진 않겠지만 아무래도 좀 걱정이 된다. ……

조광조는 자신의 진단을 확신했던 것 같다. 그는 최고의 동료 김식까지 경연에 끌어들인 후 중종에게 왕의 사생활 부분까지 자신들이 체크하게 해 달라고 부탁한다.

> 조광조가 아뢰었다. "신 등은 매양 성상께서 한 가지 선정을 하심을 볼 때마다 기뻤고 한 가지 그른 일 하심을 볼 때마다 두려웠습니다. 지금은 궁중에서 거처하실 때 어떻게 사시는지를 몰라 근심됩니다." 그러자 왕이 얼굴빛을 가다듬어 듣고, 조광조와 김식 등이 서로 더불어 논설하기를 성의가 간절하게 하여 날이 저무는 줄을 모르다가 어린 내시가 촛불을 들고 들어가자 물러갔다. (『중종실록』 14년 7월 21일)

황효헌이 이 자리에 함께 있었더라면 중종의 얼굴빛을 다르게 해석했을지도 모른다. 이런 이야기를 듣고 있을 때 중종의 속마음은 또 어땠는지 모르겠다. 너무도 순진한 조광조에게 안쓰럽고 미안스러웠을까? 분노하고 있었을까? 아니면 악마의 미소를 짓고 있었을까?

마침내 조광조는 대신들에게까지 공세를 폈다. 사직하라는 식의 심한 말은 하지 않았지만 요즘 조정이 혼란스럽고, 전처럼 단합이 안 된다거나, 아무래도 대신들에게 문제가 있는 것 같다는 말을 여러 차례 했다. 대신들이 정의의 편에 서서 반대를 잠재우고 의견과 행동을 통일시키라는 압력이었다.

한참 이렇게 조정이 시끌시끌하던 중종 14년 10월, 좌의정 신용개가 사망했다. 사림파는 정광필과 안당은 우호적이고, 신용개는 반대파라고 규정하고 있었던 듯하다. 저쪽의 날개가 한 풀 꺾였다고 생각한 사림파는 과감하게 공세를 폈다. '위훈삭제' 즉 정국공신 중에서 가짜를 솎아내자는 것이었다.

중종은 늘 하던 대로 타협안을 냈다. 처음에는 삭제 대상자를 4등으로 제한하자고 했고, 나중에는 자신이 직접 삭제할 사람을 선정하기도 했다. 그러나 사림파는 공세를 높였다. 그들의 기준은 가짜 공신에서 인물심사로 옮겨가 구수영·운산군·운수군 등을 공격대상에 올렸다. 운산군은 그날 밤 무사를 이끌고 중종의 집으로 와서 밤새도록 집을 경비했던 인물이다. 중종이 구수영의 활약은 내가 직접 보았다고 보증을 서고, 운수군의 활약도 성희안에게서 직접 들었다고 말했으나 막무가내였다. 공신이 되기에는 비루한 인물들이라는 게 사림파의 이유였다. 윤탕로도 명단에 올랐는데, 그는 중종의 외삼촌으로 중종이 건의하여 책봉한 인물이었다. 중종은 구차하게 윤탕로는 내가 아니라 박원종이 넣었다는 변명까지 했다.

이 시점에서 정광필 이하 대신들마저 사림의 의견에 동조하기 시작했다. 이것이 중종에게는 큰 충격이었다. 나중에 중종은 사림파 숙청의 이유를 묻는 대신들에게 "그대들이 조정을 잘못 다스렸기 때문이다"라고 쏘아붙였다. 대신들은 영문을 몰랐지만, 그 말에는 진실이 들어 있었다. 현량과 출신들을 등용하는 문제에 대해서는 대신과 남곤파가 조광조와 대립해 주었다. 그것이 중종이 바라는 구도였는데, 위훈삭제 논의에서는 대신들이 너무 쉽게 밀려 버린 것이다. 한 세력이 다른 두 세력과 연합할 수 있다는 사실은 중종에겐 커다란 위협이었다.

기묘사화

여기서 다시 운명의 11월 15일 밤으로 돌아가 보자. 지금까지의 이미지와는 전혀 다르게 중종은 단호하고 신속하게 일을 처리했다. 궁으로 소집한 관원들을 철야로 대기시키면서 당일로 왕은 내각을 새로 짜고, 조광조의 죄명을 적은 교지를 작성했다. 새벽 내지는 아침에 왕은 자신의 서재인 비현합으로 다시 고관들을 소집했다. 여기서 최종적으로 체포대상자의 명단을 작성하고 죄상을 기초했다. 체포대상자도 하나 하나 중종이 직접 호명했다.

즉석에서 만든 죄명은 서로 당을 만들어 저희에게 붙는 자는 천거하고 저희와 뜻이 다른 자는 배척하여, 권력 있는 자리를 차지하고, 임금을 속이고, 사정을 행사하고, 후진을 유혹하여 과격하게 만들고, 젊은 사람이 어른을 능멸하고 천한 사람이 귀한 사람을 방해하여 나라의 세력이 전도되고 조정이 날로 잘못되게 하였다는 것이었다. 이 중 무서운 말이 '임금을 속이고 사정을 썼다'는 문구였다. 그 벌은 사형에까지 이를 수 있는 죄상이기 때문이다. 다행히 정광필이 나서서 그 문구는 삭제하였다. 작업이 마무리되자 왕은 다음 날 바로 조광조를 재판하여 판결문을 가지고 오라는 명령을 내렸다.

한편 심야에 체포되어 의금부로 압송된 조광조는 충격에 사로잡혔다. 그는 이것은 틀림없이 누군가의 모함이거나 위조된 명령이라고 생각했다. 하긴 이 때 내정에 있던 정광필과 안당도 그렇게 생각하고 있었으니 무리도 아니다. 그만큼 평소의 중종 연기는 철저했던 것이다. 그러나 왕이 참소에 걸렸다는 것조차도 그에게는 엄청난 충격이었다. 그 동안 그가 왕에게 개혁의 시기에 소인배의 모함에 넘어가서는 안 된다고 그토록 열심히 가르치고 설득했는데 말이다.

그 날 밤 감옥에 갇힌 그들에게 술이 들어왔다. 이들은 울며불며 술을 마시다 만취해서 다 쓰러졌다. 그 중에서도 조광조가 제일 심하여 어린아이같이 울부짖었다. 끝내 쓰러진 그는 다음 날 국문장에 끌려나올 때까지도 깨지 않았다.

국문 담당관은 김전·이장곤·홍숙이었다. 조광조는 국문장에서 이장곤을 보고 "희강(이장곤의 자)아, 희강아"라고 부르며 반말을 하고 그를 향해 못난이라고 소리쳤다. 홍숙에게도 이름을 함부로 부르며 네 따위가 어찌 감히 우리를 심문하느냐고 소리쳤고, 자신의 진술서에도 서명을 하지 않으려고 버텼다.

국문관들은 국문관들대로 자신들의 처지가 꽤나 곤혹스러웠던 것 같다. 그들은 이 사건을 왕에게 숨기고 보고하지 않았으며, 이장곤은 어찌나 고민스러웠던지 12월 3일에 경연에서 나오다가 쓰러져 한동안 혼수상태에 빠지기까지 했다.

조광조의 소원은 중종을 한 번 만나보는 것이었다. 옥중에서 조광조가 술에 취해 통곡을 하자 동료들이 "조용히 의롭게 죽어야지 어찌 그리 우느냐"고 말렸으나 "우리 임금을 만나고 싶다. 우리 임금이 어찌 이렇게까지 하시랴"고 말하며 통곡을 했다고 한다. 이 날 옥중에서 쓴 상소에서 조광조는 이렇게 적었다.

> 임금께서 계신 데가 멀어서 생각을 아뢸 길이 없으나 잠자코 죽는 것도 참으로 견딜 수 없으니, 다행히 한 번만 친히 국문하셔서 물어주시면 만 번 죽더라도 한이 없겠습니다. 뜻은 넘치고 말은 막혀서 아뢸 바를 모르겠습니다. (『중종실록』 14년 11월 16일)

조광조는 중종을 한 번 만나기만 하면 모든 오해가 눈 녹듯이 풀릴 것이라고 믿었던 것 같다. 그렇게 생각하고 있었으니 조광조가 분노하고 서명을 하지 않으려 한 것도 당연한 일이었다.

그러나 조광조가 그토록 믿던 중종은 그 시간에 조광조를 제거할 방법만 궁리하고 있었다. 그를 살려 놓으면 이 날의 조치가 불법이었으니, 왕은 무엇 때문에 그를 그렇게 우대하였느냐는 등 온갖 이야기가 나돌 것이다. 사건의 진상과 중종의 참모습이 밝혀지는 것은 그로서는 유쾌한 일이 아니었다. 당일로 왕은 조광조·김정·김식·김구를 다 죽이려고 들었다.

사형을 언도하고 판결문을 쓰라고 하니 기사관 채세영이 붓과 종이를 들고 멀찍이 달아났다. 채세영은 머리를 조아리며 제발 대신들과 한 번 더 상의해 달라고 청원했다.

할 수 없이 왕은 대신들을 불렀다. 당연히 대신들은 절대 반대였다. 대신의 반대에 직면한 중종은 판결문서를 뚫어져라 쳐다보면서 장고에 잠겼다. 가까이 있던 사람이 보니 중종은 입술을 들썩이며 무슨 말을 할 듯 말듯 하면서 망설였다고 한다. 그렇게 한참을 고민하던 왕은 그렇다면 조광조와 김정만 죽이자고 하였다. 대신들은 그것도 안 된다고 다시 한 번 반대했다. 정광필은 노골적으로 김정은 자신의 친척이라고 말하며 선처를 요구했다.

겨우 조광조는 죽음을 면하고 유배로 결정되었다. 국문에서 판결까지 이틀도 걸리지 않아서 17일에 조광조 일행은 유배지로 떠났다. 이들 이외에도 윤자임·박훈·박세희·기준·한충 등이 유배되고, 정응·송호지·심달원·권전·권장 등이 파직되었다.

그러나 여기서도 중종의 끈기가 발휘되었다. 12월 9일 대간들이 국문장에서 있었던 조광조의 행동을 왕에게 고자질했다. 중종은 그것을 트집잡아 다시 조광조에게 사형을 선고했다. 15일 이 날 당일로 정승이던 정광필·김전을 교체해 버린 중종은 후임이라고 남곤과 심정을 불러 조광조의 처형을 거론했다. 남곤·심정 등이 다 어떻게든 살려보려고 노력을 했으나 중종의 결심은 확고부동했다.

이 때야 중종은 조광조에 대한 자신의 감정을 처음으로 솔직하게 털어놓았다.

조광조는 죽어도 아까울 것이 없다. 국문받을 때에 한 짓도 죽을 만하다. 조광조가 시종직에 오래 있었으므로 나도 그 사람을 조금 아는데 그는 마음이 곧지 않은 사람이다. (『중종실록』 14년 12월 15일)

필자가 몇 년 전에 이 기사를 처음 보았을 때는 무척 당혹스러웠다. 개인적으로 볼 때 조광조는 누가 뭐래도 순수하고 선량한 인물이다. 마음이 곧지 않다는 말은 그에게는 너무 잔인한 비난이다. 처음에는 중종이 조광조를 살해하기 위해 억지를 부렸나 보다라고 생각했다. 하지만 마음이 곧지 않다는 게 죽어야 할 이유가 되지는 않는다. 그를 죽이기 위한 핑계라면 좀더 그럴 듯한 말을 해야 했을 것이다. 중종이 내뱉은 한 마디는 그가 그 동안 조광조의 주장과 설법을 얼마나 고통스럽게 참아 왔는가의 고백이었다.

사형명령서는 16일에 작성되었다. 조광조가 귀양간 곳은 전라도 능주. 광주에서도 하룻길을 내려가야 하는 곳이다. 널찍한 벌판 가운데 자리잡은 능주는 아직도 고풍이 완연한 조용한 동네이다. 옛 능주의 관아터에는 지금은 경찰서가 서 있다. 경찰서 뒤쪽 동네로 좀 들어가면 나무가 울창한 작은 야산이 있다. 조광조가 머물렀던 집은 그 야산 기슭에 있었다.

12월 20일 이 집으로 금부도사 유엄이 조광조를 찾아왔다. 5일 만에 여기까지 왔으니 최고 속도로 온 셈이다. 금부도사가 사형명령을 전하자 조광조는 명령서를 보여달라고 했다. 도사는 명령을 적은 작은 쪽지를 내밀었다.

조광조는 "내가 일찍이 대부의 반열에 있다가 죽게 되었는데, 이제 죽음을 내리면서 어찌 종이 쪽지 하나를 주어 죽이게 하는가? 만일 도사의 말이 없었더라면 믿지 않을 뻔하였도다. 국가에서 대신을 대접하는 것이 이처럼 소홀할 수가 없으니 나중에 간악한 자가 저가 미워하는 자를 제 마음대로 죽일 수도 있겠구나"라고 중얼거렸다. 연산 때에도 많은 재상이 죽음을 당했지만, 이 때까지도 사형을 집행할 때는 특별한 명령서 없이 그냥 말로 통보하는 게 관례였다고 한다.

명령서를 보여달라고 한 조광조는 그 때까지도 중종의 진심을 믿었고 따라서 금부도사 일행이 가짜가 아닌가 의심했던 것 같다.

다시 조광조는 누가 정승이 되었으며, 심정은 지금 무슨 벼슬에 있느냐

전라남도 화순군 능주면 남정리에 있는 조광조 유배처.

고 물었다. 도사 유엄이 남곤이 좌의정이 되고, 심정은 이조판서가 되었다고 하자 조광조는 고개를 끄덕였다. "그렇다면 내가 죽는 게 틀림없도다."

이어 조광조는 처리할 일도 있고 집에 보낼 유언장도 쓰고 싶으니 시간을 좀 달라고 부탁하였다. 집안으로 들어간 조광조는 한참을 머물렀는데, 가끔씩 창가에 와서 밖을 내다보는 모습이 보였다. 아무래도 이 일행이 의심스러웠거나 사형을 중지하라고 먼지를 일으키며 달려오는 파발마를 기대했던 것 같다. 그러나 한참을 기다려도 능주의 평야 사이로 난 논두렁 길은 조용하기만 하였다.

더 기다리고 싶었지만 참다 못한 금부도사 일행이 불평을 늘어놓았다. 조광조는 명예를 소중히 했던 인물이다. 그런 소리를 듣자 그는 당장 밖으로 나왔다. 처형방법은 사약이었다. 약을 마셨으나 쉽게 숨이 끊어지지 않았다. 나졸들이 빨리 끝내기 위해 달려들어 목을 조르려고 하자 조광조는 "성상께서 이 미천한 신하의 머리를 보전하려 하시는데, 너희가 어찌 감히 이러느냐"고 소리를 질렀다. 그는 독한 술을 가져다가 잔뜩 마시더니 눈, 코, 입으로 피를 토하며 쓰러졌다.

　기묘사화의 진상은 오랫동안 감추어져 있었다. 그간에 보여 준 중종의 연기가 너무 철저했던데다가 11월 15일의 사건도 너무나 교묘하고 신속하게 처리되었기 때문이다. 위훈삭제의 교서를 내린 후에 숙청한 것도 절묘했다. 수많은 사람들이 중종은 조광조에 동조했으나 그 교서 때문에 반동세력들이 발호하여 조광조를 쳤다고 믿었다. 중종도 사화 직후 사건의 진상을 묻는 대신들에게 공신 자제들이 분개하여 조광조들을 학살하려고 하는 움직임이 있어서 자신이 조정의 평화와 안정을 위해 그들을 처벌했노라고 둘러댔다.

　당시의 정승과 왕의 측근들은 진상을 알았겠지만 이런 일을 밖에 나가 떠들 수도 없었다. 당일의 사정을 잘 모르는 사람들은 제멋대로 조광조의 라이벌이던 남곤과 심정을 의심했고, 귀동냥으로 들은 그 날의 움직임과 추측을 결합시켜 이야기를 만들어 냈다.

　그러나 기묘사화는 철저히 중종의 작품이었다. 중종은 교묘하게 일을 처리해서 모든 책임과 원망을 남곤과 심정에게로 돌려버렸다. 그간의 철저한 연극이 보답을 받은 셈이었다. 이런 게 죄값인지 이전에 남곤은 무오사화의 책임을 유자광과 이극돈에게 뒤집어씌웠었는데, 이번에는 자신이 거꾸로 당해 버렸다.

　남곤과 심정도 조광조파를 제거하고 싶었던 것은 틀림없다. 소문처럼 사전에 중종과 모의하고 신무문의 회합을 적극적으로 주도했을 가능성도 있다. 하지만 그렇다고 하여도 주동자는 중종이었다. 전날 왕이 남곤 등에게 내렸다는 밀지가 여기저기 전해져 오는데, 그것을 보아도 주동자는 왕이지 남곤 등이 아니다.

　세월이 흐른 후 중종은 이 날의 진상에 대해 다음과 같이 이야기하였다.

　　기묘년의 일은 사관이 자세히 모르겠다고 하는데, 그 때는 사실 오늘의 일 같지는 않았다. 대간과 시종, 그리고 유생들까지도 그들에게 속임을 당하였고, 재상들이 은밀하게 하지 아니하면 일이 실패하여 득될 일이 없을 것이라 하여, 홍경주·심정 등 5, 6명이 신무문을 통해 들어와 밀계하였던 것이다.

나는 그렇게 비밀리에 보고를 받아 처리하는 방법이 옳지 못하다고 여겼었다. 그래서 재상들에게 연추문을 열고 들어오게 하여 법에 따라 아뢰게 하려고 했다. 다만 입직한 승지(윤자임과 박훈)가 그들의 무리였다. 그래서 즉시 이들을 체임시키고 입직한 병조참지 성운을 임시 승지로 삼아서 공사를 담당하게 하여 마침내 공정하게 처리할 수 있었다. 대체적인 내용은 그러하였다. 이것은 비록 이미 지나간 일이나 마침 상소에서 거론하였으므로 말하는 것이다. (『중종실록』 39년 4월 7일)

이 고백도 완전한 진실은 아니다. 중종의 이야기를 자세히 읽어 보면 심정 등이 신무문을 통해 들어와 왕에게 보고하면서 기묘사화가 시작된 것인지, 사전에 자신과 그들이 모의를 해서 일을 처리한 것인지를 애매하게 얼버무리고 있음을 알 수 있다. 이것은 그가 숨기고 싶은 부분이 어떤 부분인가를 가르쳐 준다.

이런 저런 정황을 종합해 보면 사건의 진상은 이렇게 정리된다. 조선의 법에 의하면 왕이 대신, 승지들을 경유하지 않고 독단으로 이런 숙청을 결정할 수도 없으며, 집행해서도 안 된다. 명령서는 대신들과 의논해서 결정하고 승지를 통해 나가야 하며, 병력동원은 중추부사와 병조판서의 동의가 필요하다.

중종은 남곤·심정 등에게 밀지를 내려 조광조를 숙청하려는 뜻을 알리고, 사정상 이 일은 공개적으로 할 수 없으니 편법을 사용하자고 모의를 했거나, 아니면 구체적인 방법까지는 논의하지 않고 밀지를 통해 적당히 암시만 주었거나, 혹은 아예 그런 절차도 거치지 않고 열쇠를 훔쳐 밤에 불법으로 명패를 내어 신무문을 통해 그들을 불렀을 것이다.

중종은 관료를 부르는 시기, 입궐경로 등도 교묘하게 조작해서 정확하게 필요한 몇 사람만을 각기 다른 경로를 통해 다른 시간에 불렀다. 이

덕분에 사람들은 삼정승도 도착하기 전에 남곤과 심정, 홍경주가 미리 신무문으로 입궐하여 왕과 함께 있더라는 사실에 충격을 받았고, 이 날의 상황과 평소의 대립관계를 결합시켜 제멋대로 사건의 진상을 추리해 냈다. 물론 이상한 주문 같은 참언 이야기는 전혀 신빙성이 없다.

그런데 여기서 중요한 사실은, 남곤·심정 등이 사전에 중종의 밀지를 받아 혹 구체적인 방법까지 모의를 했다고 하더라도 그들은 이 사건이 대규모 숙청과 처형에까지 이르리라고는 전혀 생각하지 못했다는 점이다.

숙청에 동의했더라도 남곤과 심정은 겨우 몇몇 지도자급을 유배시키는 정도나 생각했을 것이다. 그것은 당시 기성 관료들의 조광조파에 대한 일반적인 생각이었다. 그것이 그들이 알고 있는 자기 세계의 규칙이었기 때문이다.

이사균은 기개가 높고 조그만 절차에 구애받지 않았다. 지난 무인년에 전주부윤으로 전출된 것은 조광조 등에게 소외되었기 때문이었다. (기묘사화 후) 승지로 임명되어 돌아오다가 갈원(葛院)에서 남쪽지방으로 귀양가는 박훈과 기준을 만났다. 서로 다정하게 대화를 나누다가 얘기가 시사 문제로 번졌다. 이사균이 "자네들이 조정에 있을 때 눈이 너무 높아 남을 매우 얕보고, 남을 이기려고만 하면서 남의 잘못을 용서해 주지 않았다. 이것이 화를 부른 것이다. 그러나 자네들에게는 진정 간사한 마음은 없었고, 그저 나이가 어려 경험이 부족했을 뿐이다. 오늘 자네들을 귀양보내 지혜와 능력을 키워 후일 크게 쓰려고 하는 것이라면 득이 되겠지만, 모조리 잡아들여 벌주고 내쫓고 해서 지나치게 미워하고 있으니 자네들이 비록 죄를 지었더라도 조정이 사대부를 대하는 도리가 이래서는 안 된다"고 말하였다.

박훈과 기준은 처음에는 평상시 생각이 그와 서로 맞지 않았고 벼슬길에 나아가고 물러남이 서로 다른데다가 이제 이사균이 요직에까지 앉게 되었으니 반드시 자신들을 용납해 주지 않을 줄 알았다가, 이 말을 듣고는 마음이 홀가분해져 "조정 대신들이 모두 공의 생각 같다면 우리가 살아날 수 있을지도 모르겠다"라고 했다. 이사균이 조정에 돌아온 뒤 기준과 박훈에 대한 처벌이 너무 무겁다고 자주 얘기하니, 당시 득세한 무리들이 이 때문에 그를 미워하여 세상에 드러나지 못했다. (『중종실록』 31년 8월 5일)

이 글에서 말한 득세한 무리란 남곤과 심정임에 틀림없다. 이 글을 쓴 사람도 기묘사화의 주범이 그들이라고 믿고 있었기 때문이다. 그러나 두 사람도 조광조를 살리려고 노력했다는 사실을 고려한다면, 조광조에 대한 그들의 생각도 이사균과 크게 다르지 않았을 것이다.

설사 마음으로는 죽이고 싶도록 미웠다고 해도 그럴 수는 없었다. 이사균의 대화 중에 "사대부를 대우하는 도리가 이래서는 안 된다"고 말한 부분을 주목하자. 이들을 죽이면 관료군은 극도로 분열될 것이다. 또한 정쟁으로 관료를 죽일 수 있다는 극히 좋지 못한 전례를 남기게 된다. 장기적으로 보면 그것은 자기들에게 더 큰 손해가 된다. 기성 관료들이 사림파에 비해 비리와 문제의식에 둔감하고 거시적인 안목이 떨어졌다고는 해도, 일을 처리하고 사람을 다루는 방법에서는 보다 대국적이었다.

이들에게는 아직 15세기가 만들어 낸 전체 집권층을 생각하는 공동체 의식과 규범이 남아 있었다. 그것이 폐쇄적이고 집단적·지역적 이기주의로 무장되어 있기는 했지만, 그래도 그 룰은 상당히 오랫동안 다듬어 온 것이었다. 최소한 소아병적이지는 않았다.

자객과 반란

중종 14년 12월에 마지막 해프닝이 일어났다. 선산에 유배된 김식이 유배지를 거제로 옮긴다고 하자 두 아들을 데리고 도망쳐 버린 것이다. 이전에 김정과 기준도 유배중에 한 번씩 도주했다가 체포되는 사건이 있었다. 김정은 군수의 허락을 받고 옆고을에 있던 모친을 뵈러 갔던 것이라고 하지만 하여간 평소에 선인을 자처하던 그들이라 이 사건은 기묘사림의 명예에 큰 손상을 입혔다.

『기묘록보유』에서 폐비 윤씨에 관한 드라마를 썼던 안로는 『기묘당적보』에서는 김식이 자진해서 도주한 것이 아니라 어떤 사람이 그를 살리기 위하여 술에 취한 그를 업고 달아난 것이라고 적었다. 하지만 실록 기록이나 다른 정황을 아울러 검토해 보면 김식이 주체적으로 도주한 것이 맞다.

김식은 사림파 중에서도 개성이 특별나게 강한 인물이었다. 조광조가 제일 신뢰하던 벗이었지만 성격은 사뭇 달랐다. 좋게 말하면 너무 강직해서 타협이라곤 모르는 사람이었다고 할까? 한 번 눈 밖에 난 사람은 다시는 쳐다보지도 않고, 옳다고 믿으면 이것저것 고려하지 않고 밀어붙였다. 그의 동료들조차 세상물정을 너무 모르고 사리에 어둡다고 비난할 정도였다. 자신도 그런 비판이 있는 줄 익히 알고 있었지만, 관직을 버리고 떠나면 떠났지 자신을 수정할 생각은 전혀 하지 않는 그런 인물이었다.

김식은 동료와 제자들의 도움을 받으며 잠적했다. 당시 김식은 기묘사화의 원인을 두 가지로 진단하고 있었다. 첫째는 물론 다른 사람들과 마찬가지로 남곤과 심정의 모략이었다. 왕은 벌써 사림파를 용서하려고 하나 그들이 압력을 넣어 차마 시행하지 못하고 있다는 소문도 있었다.

둘째는 중종의 어리석음이었다. 도피중에 그는 사람들에게 이런 이야기를 하고 크게 웃었다고 한다.

(지금 생각해 보면) 우리들은 경연에서 논설하면서도 주상께서 기질을 바꾸시는 것을 보지 못했다. 마음으로는 실로 미워하면서 겉으로만 받아들인 척하셨던 것인데, 우리는 그런 줄 깨닫지 못하고 헛된 말만 하였으니, 바로 "소코에 침향이란 말을 들을 만하다(牛鼻沈香可得聞)"는 말과 같다. 이 시는 내가 젊었을 때에 지은 것이다. (『중종실록』 15년 4월 26일)

"마음으로는 실로 미워하면서 겉으로만 받아들인 척한 것을 몰랐다"는 회고는 중종이 숙청의 주범임을 알아차렸다는 뜻이 아니다. 중종이 그들이 강론하는 도학에 감복하지 않았다는 뜻이다. 그래서 소에게 향내를 맡게 한 것이나 같다고 말한 것이다. 명분과 충성, 수양을 중시하는 그들이었지만 도학으로 인간을 판단하다 보니 왕도 이렇게 우습게 보는 아이러니가 발생한다. 어쩌면 왕 앞에서 강론을 할 때도 벌써 이런 생각이 보이지 않게 자리잡고 있었을 가능성도 있다. 중종이 조광조를 향해 "마음이 곧지 않은 사람이다"라고 말한 것도 이런 요인이 복합적으로 작용한 결과일 수 있다.

하여간 이런 생각을 하고 있던 김식은 잠행중에 두 가지 계획을 세웠다. 자객을 보내 남곤·심정·홍경주를 암살하거나 정의의 군사를 일으켜 간신배를 제거한다는 것이었다.

당시 김식은 세 사람의 용사를 거느리고 있었다. 둘째 아들 김덕순과 박연중, 그리고 이신이라는 도망노예였다. 박연중은 김덕순 아내의 유모의 양자이며, 김덕순의 장인이었던 숭선부정 이총의 여종의 남편이었는데, 무사로서 무용이 아주 뛰어났다고 한다.

이신은 낙안읍의 관노였는데, 도망쳐서 떠돌이중이 되었다. 명색만 중이지 실상은 무뢰한에 가까웠다. 사생활도 지극히 문란했다. 대신 이틀 길을 하루에 달렸고, 검객이 되는 게 소원이라고 할 정도로 싸움도 잘했다. 성리학의 사명감에 충실했던 김식은 중들에게 유학을 가르쳐 개종시키는 데도 상당한 열의를 보였던 모양이다. 떠돌이였던 이신은 북한산 중흥사에 왔다가 김식이 중들에게 잘해 준다는 소문을 듣고 김식을 찾아왔다. 그는 김식의 집 옆에 흙집을 짓고 살면서 『대학』을 배웠다. 김식은 그가 이단에서 정교로 개종한 산 증인인데다가 걸음도 빠르고 힘도 세서 쓸모가 많았으므로 무척 총애했다.

김식은 이 믿음직한 세 사람을 자객이나 선봉장으로 쓰려고 했다. 그러면 군사는? 김식은 전라도 영광에서 활약한다는 의적떼에 기대를 걸었다.

영광에 도둑떼가 매우 많은데(김식은 한 사오백 명 된다고 알고 있었다) 거의 때를 기다려서 일어난 자들이다. 도둑의 괴수는 성이 조(趙)인데, 유학자이고 지휘도 잘하니 이상한 일이다.

　이 도둑은 예닐곱 고을을 연결하여 무리가 크게 성하고, 서울에서는 녹
사·서리, 외방에서는 색리·졸례가 다 그 눈과 귀가 되므로 조정과 수령
의 동정을 낱낱이 미리 알고 있다. 또 그 도둑질하는 것이 겁탈만 하는 것이
아니라, 가난하고 빌어먹는 자는 구휼하고 의관한 자는 예절로 대우하며,
겁탈·살육을 함부로 하면 자기 무리라도 반드시 죽이고 용서하지 않는다.
전에 그 종적을 관에 고한 일이 있었는데 수백 집을 죽여 없앴다. 이 때문에
사람들이 다 그 위세를 두려워하고 의리를 사모하여 감히 어기지 못한다.
(이런 행적을 볼 때) 이들이 어찌 약탈하고 훔치는 걸 목적으로 모인 무리
겠는가? 그 뜻이 장차 크게 무언가를 하려는 데에 있으니 반드시 때를 기다
려서 움직일 자들이다. 내가 예전부터 아는 영광에 사는 선비가 있는데 도
둑의 괴수와 매우 친숙하므로, 내가 이 사람을 인연해서 들어가기는 어렵
지 않을 것이다. (『중종실록』 15년 4월 29일)

　유자가 도둑의 두목이 되고 지휘하는 걸 보니 뭔가를 배운 인물임에
틀림없고(다시 말하면 못 배운 사람은 그러한 지휘력을 갖출 수가 없고),
고발하거나 하면 수백 집을 살육하여 보복을 가하고 의관을 갖춘 사람에
게는 예의로 대접하는 도둑. 안타깝게도 이런 도둑을 기대하는 게 김식의
의식구조였다. 김식은 이 도둑의 소문을 사헌부 지평으로 있을 때 들었다
고 한다. 동료들이 함께 듣고 이야기도 했지만 다들 헛소문으로 넘긴 것을
김식 혼자서 마음에 새겨두고 그들을 설득하여 사림의 세상을 만들자는
구상까지 했던 것이다.

　나중에 중종이 이 이야기를 듣고 대신들에게 이 도둑들을 처치할 방안
을 물었다. 대신들의 대답은 한 마디로 그런 도둑은 없다였다. 좀도둑 무리
라면 좀 있으나 그것도 몇 년 전에 다 잡았다는 것이었다.

　김식의 행방은 오리무중이었다. 탈출 5개월이 지난 중종 15년 4월까지
도 정부는 김식의 종적을 전혀 발견하지 못했다. 그 때 한 사람이 궐문으로
뛰어들어와 김식이 있는 곳을 안다고 소리쳤다. 가짜 중 이신이었다.

이신이 김식과 결별하고 고발하게 된 동기는 분명치 않다. 꽤 긴 진술을 했지만 자주 말을 바꾸고 공을 탐내서 이야기를 지어낸 듯한 느낌이 든다. 그러나 배신의 본질은 김식의 계획이나 행동에 현실감이 없는데다가, 그가 상을 탐낸 데 있다고 할 수 있다. 이신은 김식 앞에서는 아주 달라진 사람인 척했지만, 말이나 생활을 보면 아주 간교했고 길가는 사람의 아내를 빼앗아 동거할 정도로 여전히 무뢰한이었다.

이신의 고발로 김식을 숨겨준 사람들이 들통났다. 무주의 오희안, 영산의 이중, 그리고 현직 칠원(지금의 함안)현감이던 하정이었다. 체포대가 급파되었다. 그러나 김식도 같이 다니다 보니 이신에 대해 신뢰감이 가지 않았던지 마지막에 최종 행선지를 밝히지 않은 게 다행이었다. 그 때 김식은 하정의 부친집에 있었다. 이 곳에서 김식은 금부도사가 칠원으로 갔다는 소문을 듣고 자신의 행적이 누설된 것을 알았다. 즉시 오희안의 집으로 떠났는데, 경남 산청에서 오희안도 체포되었다는 소식을 들었다.

갈 곳이 없어진 김식은 발걸음을 지리산으로 돌렸다. 그러나 탈출할 때부터 김식은 병이 났는지 잘 걷지도 못하는 상태였다. 지리산까지 가지 못하고 어느 산중에서 집처럼 생긴 바위굴을 발견하고 그 밑에 머물렀다. 쌀이 있었지만 연기 때문에 들킬까봐 불을 피울 수가 없었다. 김식은 이 곳에서 탈출 당시부터 자신의 뒷바라지를 해오던 움산[于音山]이란 종과 솔잎을 씹으면서 무려 19일을 머물렀다. 어느 날 그들은 지나가는 나그네로부터 김식의 제자가 배신하여 고발했으며 전국에 수배령이 내렸다는 소문을 들었다.

다시 이 곳을 떠난 두 사람은 거창의 어느 산(거창 수도산이란 설도 있다)에 도착했다. 5월 16일 김식은 움산에게 도꼬마리 나물[蒼菜]을 캐어 오라고 시켰다. 충실한 종이었던 움산은 이 나물을 캐러 사방을 뒤지다가 동구 밖까지 내려갔으나 찾을 수가 없었다. 지친 움산이 죄송한 마음으로 돌아와 보니 김식이 버드나무에 목을 매고 죽어 있었다. 그의 짐 속에서는 부친에게 보내는 유서와 최후의 상소가 나왔다.

심정이 사림의 논의를 용납하지 못하여 가슴에 원한을 쌓았는데, 성상께서 조광조를 후히 대우하여 학자들이 그에게 쏠리고 사람들이 찬미하자 모함으로 사림의 화를 꾸미고, 부끄러움을 모르는 무리를 거둬들여 조정을 채웠다 합니다. 그렇다면 이는 전하의 조정이 아니라 바로 심정의 조정이니, 전하의 형세 또한 외롭고 위태롭지 않겠습니까? 그러므로 신은 마음속으로 참고 도망하여 물러나 기다렸다가, 간흉의 위험이 임금에게 닥치면 몸을 일으켜 난에 앞장서 나아가 전하께서 세상에서 보기 드물게 저희를 대우해 주신 데에 보답하려 하였습니다. 이것이 신의 본디 뜻이었습니다. 또 신은 전하께서 조광조를 의심하신 것은 본심이 아니며 신 등을 죄주신 것도 본심이 아님을 잘 알므로 이 구구한 말을 합니다. (『중종실록』 15년 5월 27일)

『기묘당적보』에는 이 뒷부분이 좀더 자극적으로 되어 있다.

전하께서 다행히 소신의 진정을 깊이 살피시어 정세를 관찰하시면 간흉들의 실정을 가히 아실 것이요, 만약 끝내 깨닫지 못하신다면 조정을 어찌하실 것이며, 사직을 어찌하시렵니까? 명사를 다 죽이고도 나라가 유지되는 일은 없습니다.

김식의 자살로 이 소동은 끝났다. 그나마 다행이라면 미망인과 아들들이 다 살아남아 장수를 누렸다는 사실일 것이다. 김식의 큰아들 김덕수는 체포되었으나 죽음을 면했다. 김덕순과 박연중은 무예가 있어서 특별히 현상금까지 걸었지만 체포되지 않았다. 정확히는 알 수 없으나 사면되기까지는 근 20년 이상이 걸렸고, 박연중은 끝내 행방불명이 되었다. 사면된 후 두 형제는 조용히 후진을 양성하며 살았다. 그러나 김덕순이 도망할 때 10대였던 그의 아내는 충격과 근심으로 사망하고 말았다. 그 일이 마음에 걸려 김덕순은 평생 재혼도 하지 않고 홀로 살았다고 한다.

하정은 처형되었다. 이중은 전 가족이 국경도시 부령으로 유배되었다.

이중은 꽤 부자였는데, 매년 동생이 종 10여 명에게 포목을 짊어지워 영산에서 부령까지 가서 포목을 전달하고, 데리고 간 종들에게 1년 동안 그곳에 머물면서 농사를 짓도록 했다. 동생은 한 해도 거르지 않고 이렇게 14년을 했고, 15년째에 이중은 사면되어 고향으로 생환했다. 무주의 오희안은 전 가족이 벽동으로 유배되었는데 그도 살아서 돌아왔다.

이들 외에 김식의 여러 제자들도 죽거나 변방으로 유배되었다. 그 중 몇 명은 살아서 고향으로 돌아오지 못했다.

고발자 이신은 천인신분을 면하고, 집과 재산(아마 김식의 재산인 듯)을 얻고 또 상으로 포 100필과 쌀과 콩 10석씩을 받았다. 그 후 충청도에 내려가 살았다. 그러나 제 성질을 버리지 못해 말도둑과 거래하다가 장물아비로 체포되었는데, 신문을 받다가 곤장에 맞아 죽었다. 기록의 뉘앙스로 봐서는 군수가 그의 정체를 알고 고의로 때려 죽인 것 같기도 하다.

4. 영광의 나날들

숙청과 보복의 정치

기묘사화로 조광조파는 쫓겨나고 정광필·안당이 다 물러났다. 그들이 시행했던 개혁들은 다 이전 상태로 복구되었다. 정가의 주도권은 남곤파에게 넘어갔으나 이들도 마음이 편치는 않았다. 아마 '속았다'는 느낌이 이들도 누구 못지 않았을 것이다. 어쩌면 그들은 연산과 같은 왕이 다시 등장해서는 안 된다는 생각에 너무 깊이 빠져 있었던 것인지도 모른다. 죽은 연산의 잔영만을 감시하다 보니 전혀 새롭게 형성되고 있던 중종의 실체는 놓쳐 버린 것이다.

그들로서는 이 젊고 영악한 왕이 몹시도 얄미웠을 것이다. 그들은 기묘사화의 주범으로 몰렸고, 수많은 하급관료와 사족과 학생들의 비난의 대상이 되었다. 그러나 이미 늦었고, 변명조차 할 수 없게 되었다. 이 시대에 도대체 누가 이것은 국왕의 사기극이요 모략이라고 떠들고 다닐 수 있겠는가? 젊은이들은 그들의 말을 믿지도 않을 것이며, 자신들은 당장 국왕모독죄로 돌아올 수 없는 길을 떠나게 될 것이다. 지도력과 인망을 상실하고 소수파로 남게 된 그들은 이 얄미운 국왕에게 의지하며 충성할 수밖에 없었다.

이제 자신의 권력에 자신감을 가지게 된 중종은 두 가지 방법으로 자신의 권력을 확대해 나갔다. 하나는 주기적인 물갈이 즉 숙청이고, 또 하나는 이기적인 국왕의 전통적인 수법인 외척등용이었다.

중종 16년 관상감 판관 송사련과 정상이 안당의 아들 안처겸이 역모를 꾸민다고 고발해 왔다. 안처겸이 시산부정 이정숙, 권전과 함께 대신들을 살해하고, 귀양간 기묘사림들을 복귀시키려는 음모를 꾸몄다는 것이었다. 이정숙은 세종의 아홉째 아들인 영해군의 손자였다. 황진이와의 로맨스로 유명한 벽계수 이종숙이 그의 형제이다. 이정숙은 학문이 깊고 사림파와 매우 가까웠다. 사림파가 종친의 등용을 주장했기 때문에 종친 가운데 사림과 정치적 행동을 같이한 인물이 몇 있었는데, 이정숙도 그 중의 하나였다. 권전은 연산에게 죽은 권주의 아들로 기묘사화로 파직되어 있었다.

그와 안처겸이 사석에서 불만을 토로한 것은 사실인 듯하다. 그러나 문제는 이 사건의 처리과정이다. 안당의 집에서 무사들과 유생 40명, 양민 내지는 노비 60명의 이름을 적은 명단이 나왔다. 계를 만들려고 혹은 천거받은 자, 양민과 노비는 모친의 묘소 선산 주변에 사는 사람들의 이름을 적은 것이라고 했으나 왕은 반역의 확실한 증거로 몰아갔다.

연루자들을 잡아들여 무자비한 고문을 가했다. 사람들은 시키는 대로 자백을 하고 매를 맞다 죽어갔다. 안당의 막내아들 안처근과 권전은 다 매를 맞고 옥에서 죽었다. 이정숙·안처겸은 처형되었다. 한충도 이 일로 신문을 받다가 옥중에서 죽었다. 밤에 누군가가 몰래 목졸라 죽였다는 소문이 있지만 그럴 필요까지는 없었을 것이다. 어차피 사약이 내릴 판이었다. 중종은 이 기회에 전부터 죽이고 싶어했던 기준·김정에게 다 사약을 내렸다. 기묘년에 살아남았던 조광좌도 옥에서 죽었고, 안정은 유배되었다. 그 밖에 당시 학생으로 조광조 구명운동에 참여했던 인물들, 그들에게 동정적이었던 사람들, 유배되었던 사람들에게도 다시 가혹한 처벌이 내려졌다. 명단에 적혀 있던 애꿎은 사람들도 다 귀양을 갔는데, 살아서 돌아온 사람은 10여 명에 불과했다고 한다. 60명의 평민들도 모두 가족과 함께 변방으로 강제 이주되었다가 12년 후인 중종 28년에야 풀려났다.

사람들은 이 때도 남곤과 심정을 의심했다. 그러나 이것도 중종의 작품이다. 이 사건 때부터 그는 그의 잔인성을 유감없이 드러낸다. 재상이었고 음모에는 가담하지도 않은 안당까지 처형해 버린 것이다.

정광필·김전·남곤은 중종에게 안당의 선처를 부탁했다. 그들은 안당이 안처겸의 음모를 알고도 고발하지 않은 것은 잘못이지만, 부자 사이이고 건국 이래로 이런 일로 대신을 처형한 일은 없다고 말하였다. 이에 대한 중종의 대답은 그의 본모습을 여지없이 드러내는 냉혹한 것이었다.

대신들이 아뢰는 말은 매우 그르다. 보건대, 처겸 등이 조정의 인사들을 제거하려고 모의하되 모든 귀양간 사람들을 불러들여 그들의 음모를 성취하려고 하였으니, 안당으로서는 마땅히 그 자식들을 얽어다가 고발해야 했다. 한갓 부자지간이란 개인적 사정 때문에 그렇게 하지 않았으니, 이는 아녀자와 같은 짓이다. 비록 지금 삼공의 반열에 있는 사람이라 하더라도 만일 이러하였다면 용서하지 못할 것이다. 만약 지금 죄주지 않는다면 반드시 물의가 일게 될 것이다. 즉각 죄인 부자를 내다가 처형하라. (『중종실록』16년 10월 17일)

가까이 있는 사람들은 비로소 그의 실체를 알았겠지만 이미 깨어지고 분열된 관료들로서는 중종의 전횡을 저지할 힘이 없었다. 중종은 강력한 인사권을 가지고 재상급의 고위관직에서 하급관직까지 특지 임명(왕이 이조의 천거를 받지 않고 자신이 직접 임명하는 방식)을 마음껏 행사했다.

이 때까지 어떤 왕도 이런 권력을 누려본 적은 없었다.

이 시기에 중종은 또 하나의 새로운 테크닉을 개발했다. 신임관원의 등용을 최대한 억제하는 것이었다. 명목은 인재가 부족하다는 것이었지만, 그건 핑계였다. 과거에 급제하고도 관직을 받지 못하고, 자리가 없어 승진하지 못하는 사람은 늘 엄청나게 적체되어 있었다. 그러나 조선의 관료제는 그 내부가 상당히 정교하고 복잡했다. 승진하려면 임기를 채워야 하는건 기본이고, 어느 관직을 거쳐야 어디로 가고, 어느 관직에는 어느 어느부서를 역임한 사람만 가능하고 하는 식의 보이지 않는 관례도 상당히많았다. 그러니 한 번 구멍이 나기 시작하자 연쇄반응을 일으켰다.

중종 24년 이조판서 홍언필은 당시의 상황을 이렇게 말하였다.

> 근일 인사 때, 인물이 모자라서 다른 관직에서 옮겨 임명하기는 했습니다. 그러나 이는 마치 동쪽을 허물어 서쪽을 보수하는 격이니, 왕정에서인재를 등용하는 방법이 아닙니다. 신진을 승급시켜 등용하면 조정이 반드시 지나치다고 할 것입니다. 때문에 지금 비어 있는 문신 자리가 있어도충원하지 못한 곳이 또한 많습니다.
> 사학은 가르치는 곳인데도 빈자리가 다섯이나 되고, 봉상시는 제사하는곳인데도 주부가 없고, 승문원에는 교검 1원이 비었고 예조·병조·공조등에도 빈자리가 많습니다. 어제 정사에서도 형조좌랑 자리는 못 채웠습니다. 형조는 일이 많은 곳이므로 차임하지 않을 수 없어 임명하려 했으나, 합당한 인물이 없었습니다. 이같이 빈자리가 많지만 아무리 곰곰이 생각해봐도 충원할 방법이 없습니다. (『중종실록』 24년 9월 15일)

사람들이 한 자리에 오래 있지 못하고 빈자리가 많아짐에 따라 관직과관직을 매개로 정교하게 맺어지던 인간관계, 협력관계도 엉망이 되었다. 반면에 급하면 관례와 법규를 무시하고 임명할 수 있으므로 인사권을 쥔왕으로서는 사람들을 멋대로 움직이고 조정하기가 훨씬 쉬워진다. 거기에한 사람에게 여러 관직을 겸임시킴으로써 필요한 사람에게 권력을 몰아주기도 쉬워진다. 이 역시 이전의 어떤 국왕도 누려보지 못한 권력이었다.

중종은 이렇게 자기 세계를 넓혀 나갔다. 그럼에도 불구하고 관료들은 여기에 크게 저항할 수 없었다. 이 시기에는 대간은 물론이고, 남곤·심정과는 달리 기묘사화로 인해 약점을 잡히지 않았던 정광필마저도 전보다 훨씬 고분고분해졌다. 그래도 그들은 한 가지만은 어떻게 해서든 막아 보려고 했다. 바로 외척의 득세였다.

외척등용의 선두주자는 김안로였다. 중종의 처가는 파평 윤씨였지만 언제나 야금야금 일을 처리하는 중종은 당장 윤씨가를 중용하지는 않았다. 대신 그는 장원급제 출신으로 문명이 높고 정치력이 탁월했던 김안로에 주목했다. 중종 16년 중종은 맏딸이면서 세자의 유일한 친누나였던 효혜 공주를 김안로의 아들 김희와 결혼시켜 김안로를 외척으로 만들었다. 이후 김안로는 부쩍 성장해서 이조참판을 거쳐 19년에는 대사헌과 이조판서로 진출했다.

김안로를 이조판서로 임명한 후 중종은 인사제도를 아예 뜯어고쳐 4품 이상은 다 왕과 이조가 의논하여 바로 임명하자는 건의를 한다. 왕은 이런 방식을 친정이라고 이름 붙였다. 이렇게 함으로써 김안로를 수장으로 하여 기회주의자들이 대거 등용되었으며, 음서 출신들이 출세하는 속도와 비율도 크게 높아졌다.

위기를 느낀 삼정승(남곤·이유청·권균)은 굳은 결심을 하고 밀어붙여 김안로를 유배시키는 데 성공한다. 권력을 이용하여 붕당을 만들고 있다는 죄목이었다.

중종은 일단 한 발 물러섰으나 이번에도 절대 포기하지 않았다. 중종 25년에 김안로는 정계로 복귀하였다. 이 때는 남곤은 죽고 정광필이 영의정으로 복귀하고, 이행이 우의정, 심정이 좌의정이 되어 있었다. 김안로가 복귀하자마자 심정이 사헌부와 사간원에서 동시에 탄핵을 받았다. 3년 전에 세자를 저주하고 아들 복성군을 세우려 했다는 죄목으로 쫓아낸 경빈 박씨와 심정이 결탁했다는 건데, 죄상이야 억지였다.

누가 보아도 이건 음모였다. 문제는 주동자가 누구냐는 것인데 사람들은 다 김안로를 지목했다. 그러나 그가 모략을 꾸미고 세를 불려 나간 것은 사실이라 해도 절대로 그 혼자서는 할 수 없는 일이었다. 이제부터 김안로는 과거 남곤과 심정이 맡았던 악역을 떠맡게 된다.

1년 후인 26년 10월 종루에 김안로 일파를 비방하는 대자보가 나붙었다. 중종은 이 사건을 철저히 이용했다. 이 때도 꽤 많은 사람이 연루되어 죽었지만 목표는 심정의 아들 심사순이었다. 종루에 붙인 자보를 쓴 사람이 심사순이라고 몰아간 왕은 필적대조를 명령했다. 몇 번이고 필적이 다르다는 판정이 나왔지만, 중종은 심사순의 글씨란 글씨는 다 수집하여 조금이라도 비슷한 부분을 찾아내게 했다. 자신도 직접 심사를 했는데, 그 평은 다음과 같았다.

처음에 의금부가 필적이 같지 않은 듯하다고 했는데, 나 역시 그렇게 생각했다. 그런데 지금 다른 글씨로 고증해 보니 대개는 같지 않은 듯하지만, 한자 한자 비교해 보니 간간이 서로 같은 곳이 또한 많아 의심할 만하다. 이것으로 심문하라. (『중종실록』 26년 10월 28일)

결국은 동일필적이라고 판정이 났다. 이 때가 되면 중종은 대간도 마음대로 조정할 수 있게 되어, 아직 판정이 나기도 전에 필적이 같으니 심사순이 범인이며 처형해야 한다는 상소가 쉬지 않고 올라왔다.

자백하면 대숙청뿐이라는 사실을 잘 알았던 심사순은 스물일곱 차례나 고문을 당하면서도 끝내 자백하지 않다가 옥에서 죽었다. 그러나 이런 초인적 노력도 소용이 없었다. 왕은 종을 고문해서 자백을 얻어내고, 심사순이 자백한 거나 마찬가지라는 억지 판결을 내렸다. 심정과 호조판서 이항은 처형되고, 좌찬성 김극성, 홍문관 직제학 김섬, 공조판서 조계상 등 고관들이 대거 숙청되었다. 이행도 쫓겨났다.

중종 29년 김안로는 의정부 찬성과 이조판서를 겸임했다. 왕은 여전히 특지 임명을 남발하고 있었으므로 관원의 인사는 거의 왕과 김안로에 의해 좌우되었다. 중종 30년에는 이용가치를 상실한 정광필이 영의정 자리에서 쫓겨나고, 세자의 외삼촌인 윤임이 의정부 찬성과 병조판서를 오고 갔다.

김안로 체제의 성립은 조선의 정치사가 새로운 국면으로 접어들었음을 알려주는 것이었다. 이전에 조광조가 기성 정치세력의 비리를 심하게 공격했지만, 그 세대까지만 해도 자기들의 세계에 대한 공통된 의식과 행동 기준이 있었다. 그러나 중종은 20년 이상에 걸친 투자 끝에 조선 건국 후 150년을 지속해 온 이 끈끈한 세계를 완전히 갈라놓았다. 특히 심정을 처형한 중종 26년의 옥사는 조정에 남아 있는 마지막 구세대들, 아직도 15세기에 만들어 놓은 관료사회에 대한 환상에 빠져 있는 무리들에 대한 최후의 청소작업이었다고 할 수 있다.

교묘한 숙청이 반복되는 동안 관료들은 서로를 미워하고, 분노하고, 그리고 기회주의적이 되었다. 심사순 사건이 났을 때 심정을 죽일 죄목을 찾던 그들은 이런 이유까지 끄집어냈다.

> 허항이 아뢰었다. "신이 현재의 일들을 보니 번복이 심하여 알 수가 없습니다. 따라서 심정과 이항이 혹시 되돌아와서 난을 꾸미지 않을까 염려됩니다. 임금께 참소하는 자가 없으리라는 것을 어떻게 보장할 수 있겠습니까. 신이 듣기로는 성림이 용인현령으로 있을 때, 도적을 잡아 추문한 결과 그 가운데는 전일 심정이 살려준 자가 많았다 합니다. 그래서 성림이 놀라 '심정이 이런 도적들과 교통하는 것은 과연 무엇을 위해서인가?' 하였다고 합니다. 신은 심정이 이들 도적과 교통한 일을 보고서 진(晉)나라 난영(欒盈)의 화가 오늘날 다시 일어나지 않는다고 어떻게 보장할 수 있겠는가 하고 생각했습니다. …… (『중종실록』 26년 11월 24일)

이전까지만 해도 이런 식의 치졸한 모함과 억지는 볼 수 없었다. 하지만 이 때의 관료군은 그런 최소한의 단결력과 규칙마저 상실하고 있었다. 어떤 사람이 관료가 되고 승진해야 한다는 기준도 깨어지면서 권력자에 대한 사적인 충성이 제일의 여건이 되었다. 이렇게 해서 중종은 자신의 조정을 그의 친인척과 탐욕스럽고, 이기적이며, 기회주의적인 인물로 채워 나갔다. 사실 독재자로서는 정의로운 관료의 원론적인 충성보다는 비리와 탐욕으로 맺어두는 관계가 훨씬 믿음직한 것이다.

김안로는 선두에서 이 체제를 이끌었다. 그가 중종의 이러한 의도를 조금이라도 막아 보려고 했더라면 나중에 그렇게까지 비난을 받지는 않았을 것이다. 그러나 그는 자제력을 잃었다. 중종 30년 당시 우찬성이던 홍언필의 아들이며, 이조 좌랑이었던 홍섬이 허항의 집에 가 취중에서 정국운영을 비난했다. 김안로는 이를 꼬투리 잡아 홍섬을 구금하고, 거의 죽일 듯이 매를 쳐서 유배시켜 버렸다. 32년 봄에는 반은퇴 상태였던 정광필을 위시하여 이미 죽은 남곤까지 들먹이는 옥사를 열었다. 장경왕후의 능이던 희릉 공사가 잘못되었다는 것이었다.

이 사건으로 당시 능묘 조성공사를 담당했던 고관들이 다 도마 위에 올랐다. 정광필·황득정·성담기는 직첩을 빼앗기고 유배되었으며, 강혼·남곤·조윤 등도 관리의 자격을 박탈당하고 아들들의 관료 임명이 금지되었다.

그러나 이 숙청은 너무 지나친 것이었다. 대체로 정도를 벗어난 과두체제는 두 가지 위험을 안고 있다. 전체 관료군의 반발을 일으킬 수 있고, 집정자의 권력이 지나치게 강해질 위험이 그것이다. 김안로가 희릉사건을 들고나올 때 그는 이 두 가지 위험수위를 모두 넘었고, 중종은 벌써 그런 생각을 하고 있었던 것 같다. 숙청 요구를 고분고분 들어주던 중종은 가을이 되자 전격적으로 김안로를 숙청해 버렸다.

형식상으로는 어느 날 사헌부에서 김안로의 죄상을 고발하는 탄핵서가 올라온 것이 계기였다. 왕은 마치 그 상소를 보고 김안로의 불법행위를 처음 알게 된 것처럼 놀라며 정승과 대신을 소집하여 공개회의를 열었다. 분위기가 이미 익었음을 안 대신들은 김안로의 죄상을 줄줄이 열거했고,

왕은 "그 모든 것이 나의 잘못이다"라고 공개사과를 했다. 여기서도 또 드러나지만 중종이 이 모임을 연 목적은, 그간의 김안로의 전횡은 전적으로 그의 책임이고 자신은 미처 몰랐다는 사실을 공증하기 위해서였다.

그러나 그 동안 중종의 쇼에 늘 속아 넘어갔던 관료들도 이번에는 이 숙청을 주도한 것은 중종이라는 사실을 알고 있었다. 김안로의 가장 큰 죄상은 인사를 전횡하여 조정을 자기 것으로 만들었다는 것인데, 김안로의 시대에도 주요 관원은 상당수가 왕의 직접 임명으로 이루어지고 있었다. 일설에는 김안로가 동궁 보호를 구실로 겁 없이 중궁이던 문정왕후를 공격하려다가 당했다고도 하는데, 그런 일이 없었다고 해도 김안로는 오래 버틸 수 없었을 것이다.

김안로를 숙청함으로써 중종은 다시 위대한 군주로 떠올랐다. 정광필·홍섬 등 귀양갔던 인물들이 석방되고, 더하여 기묘사화로 유배되었던 자들까지 석방되었다. 사람들은 감격했다. 잠시 간사한 무리들이 설쳐 왕의 눈과 귀가 멀었었지만, 현명한 국왕은 역시 악인을 알아보고야 말았고 잘못된 세상을 다시 바로잡고 있지 않은가?

그러나 이럴 때를 대비해서 사림파의 중요 인물들은 이미 거의 살해한 상태였다. 게다가 오랜 유배생활로 대다수가 사망해서 사면령을 내렸지만 살아 돌아온 사람은 겨우 10여 명밖에 되지 않았다. 그리고 왕은 그들을 절대로 중요한 관직에 서용해서는 안 된다는 특명까지 내려놓았다.

정광필이 돌아올 때 도성의 사람들은 우리 정 정승이 돌아온다고 환호하며 몰려들었지만, 중종은 그를 정승으로 기용할 마음이 전혀 없었다. 거기다 노쇠한 정광필은 다음 해에 사망해 버렸다. 정광필의 복귀 못지않게 많은 사람들을 설레게 했던 것은 사림파의 스승 중의 한 사람인 김안국의 복귀였다. 그러나 김안국 형제를 복귀시킬 때도 중종이 주요 관직은 안 된다는 단서를 달았다는 사실을 아는 사람은 거의 없었을 것이다.

그래도 김안국 형제는 고관으로 진출했다. 김안국·홍섬 등이 고관으로 복귀하고, 명문가의 젊은 관원들이 좀더 활기차게 들어오자 정가의 겉모습은 상당히 좋아졌다. 그러나 이미 이전의 구도는 회복할 수 없는 타격을 입고 있었다. 조정에는 서너 차례의 숙청으로 서로 적이 되고, 상처입고 불만이 쌓인 관료들이 뒤섞여 반목하게 되었다.

공신이든 사림이든 이제 조정을 지배할 수 있는 단일세력도, 그런 세력을 만들어 낼 공감대도 존재하지 않았다. 성장 가능한 유일한 세력은 외척이었는데, 그것이야 중종이 오랫동안 공들여 양성한 세력이었다. 온 조정이 김안로를 미워할 때 두 외척, 장경왕후의 형제 윤임과 문정왕후의 형제 윤원로를 앞세워 그를 제거한 것도 절묘한 수였다. 외척의 득세는 원론적·구조적으로 좋지 않은 것이니 어쩌니 하다가도 막상 그들이 유용한 일을 하는 것을 보고, 자신이 은혜를 입게 되면 그들도 좋은 점이 있고 다 쓰기 나름이라고 생각하게 되는 것이다.

이것이 파란만장하던 중종대의 마지막 정치판 구도였다. 그도 이젠 50대로 접어들고 있었다. 조선을 건국한 이래 태조를 제외하고는 60을 넘긴 왕이 없다는 점을 고려하면 거의 노년에 해당하는 나이였는데, 중종으로서는 충분히 만족할 만한 상황이었다. 명예는 명예대로 회복하고 바라던 권력은 권력대로 획득했기 때문이다.

다만 한 가지 문제라면, 왕이 드디어 본래의 모습으로 돌아왔다고 착각한 관료들이 조광조의 신원을 열심히 탄원하기 시작한 것이다. 어쩌면 기묘사화 때는 태어나지도 않았을 젊은 관료와 유생들은 마치 그 때의 일을 보기라도 한 것처럼 그 때의 참언은 남곤과 심정의 술수였다는 등 어쩌고 하면서 상소를 올렸다.

중종도 속으로는 좀 멋적기도 했을 것이다. 몇 차례의 상소에 대한 중종의 대답은 "그 때 일은 내가 제일 잘 안다"였다. 그는 조광조·김식·기준 등은 끝까지 복권시켜 주지 않았다. 괜히 사림에게 엉뚱한 환상과 기대를 불어넣어 그들을 결집시킴으로써 기껏 만들어 놓은 자기 세계를 어지르고 싶지 않았기 때문일 것이다.

후회 없는 삶

기묘사화 후에도 중종은 25년간을 더 왕위에 있었다. 이 기간 동안에 그는 15년간의 고달팠던 투자를 충분히 보상받았다. 그는 강력한 권력을 행사했고, 바깥 행차도 늘려 군사사열, 사냥, 참배 등의 행사를 정기적으로 열었다.

쾌락이 늘어가는 만큼 경연에 나오는 횟수는 크게 줄었다. 나와도 한두 줄 읽고는 마치는 경우가 잦았다. 수십 년씩이나 왕노릇을 했으니 배우는 시간이 지겹기도 했겠지만, 더 중요한 기능인 신하들과의 대화도 가능한 한 줄였다. 경연에는 윤번으로 들어가므로 근신들도 왕을 한 달에 한 번 정도밖에 만날 수 없다고 할 정도였다. 정무도 한 달에 겨우 여섯 번만 보았다. 신임관료를 면담하는 시간도 한 달에 날을 셀 정도로 줄였다.

이젠 눈치볼 일도 없었으므로 중년 이후에는 씀씀이도 상당히 커지고, 왕실과 후궁들에 대한 단속도 느슨해졌다. 궁중에는 청탁하러 찾아오는 왕실 가족과 친지들로 북적댔고, 왕실은 풍요를 누렸다.

그럼에도 불구하고 하급관리와 밖의 사람들은 중종이 끝까지 누구에겐가 휘둘리며, 우물거리며, 불쌍하게 살고 있다고 생각했고, 정이 많은 사람은 불쌍한 전하가 가슴에 맺힌 한이 많을 것이라고 동정까지 했다.

이 놀라운 처신의 비법은 무엇이었을까?

우선적으로 들 수 있는 것은 역시 조광조와의 밀월이다. 중종은 근 5년간 대단한 고통을 참아냈다. 정의로운 행동은 아니었지만 본인으로서는 각고의 노력이었던 것은 사실이다. 이 때 굳어진 그의 이미지가 너무 강렬했기 때문에 사람들은 그 후의 행동도 다 이 때의 이미지에 맞추어 해석하는 경향이 생겼다. 아무튼 그는 노력의 대가를 받은 것이다.

그런데 한편으로 생각하면 이 때의 연극이 성공하고 그 이미지가 사람들에게 그토록 강력하게 작용할 수 있었던 것은, 조광조가 추구했던 세계에 대한 사람들의 소망이 그만큼 컸기 때문이라고도 볼 수 있다. 조선시대의 많은 선비들이 왕도정치는 먼 옛날의 이론이 아닌 현실성 있고 가능성 있는 이론이란 사실을 확인하고 싶어했다. 그랬기에 그들은 중종이 진심으로 조광조의 개혁에 동조했고, 그가 좀더 강하고, 좀더 권력이 있었더라면 그 개혁은 성공했을 것이라고 믿고 싶었을 것이다. 그 믿음을 유지하는 한 중종의 행동과 이미지는 그렇게 해석할 수밖에 없었을 것이다.

중종은 연산과 달리 쓸데없는 일에는 절대로 자존심을 걸지 않았다. 상소가 올라오고 왕의 잘못을 지적하면 늘 그대의 말이 맞다, 내가 고쳐야 한다는 식으로 맞받았다. 물론 대부분 실천하지 않고 추상적이고 공허한 결론을 내리기 일쑤였지만 그것을 지적하면 또 네 말이 맞다였다. 이것도 참 기막힌 방법이었다. 어쩔 것인가. 왕이 네 말이 맞다, 고치겠다고 하는데, 신하가 "거짓말하지 마옵소서"라고 할 수야 없지 않는가. 또 속더라도 기다릴 수밖에.

다음으로 중종의 놀라운 자제력과 테크닉에도 경의를 표하지 않을 수 없다. 그는 고달팠던 젊은 날에 배운 교훈과 기술의 가치를 만년이 되어서까지도 잊지 않았다. 이 점 하나만은 지극히 존경할 만한데, 감사의 절반은 그에게 산 교훈이 되어 준 연산에게 돌려야 할 것이다.

사실 중반 이후의 중종은 아주 힘있고 당당했다. 천재지변이 일어나면 "모든 것이 내 탓이오"라고 자책하던 그가 후반기에는 "상하가 같이 반성해야 한다"로 말을 바꾸었다. 이 정도면 이젠 자기 주장이 세지고 당당해질 법도 하다. 그러나 그러면서도 그의 최고의 테크닉, 늘 남의 주장을 앞세우고 희생양을 만드는 여우같은 태도도 끝내 버리지 않았다. 오히려 이때는 더 교묘해졌다. 어떤 사건이 발생하면 그는 처음에는 아주 합리적이고 온건한 생각을 피력한다. 그러면 사람들은 그것이 왕의 진심이라고 믿게 된다. 그리고는 조금씩 밀리고 밀리면서 결정을 번복하고 끝내는 가장 가혹한 상태로 일을 마무리한다. 그러면 사람들은 누가 왕을 뒤에서 위협하고 조정해 가는가, 이번 숙청의 진범은 누구인가에 관심이 쏠리게 되고, 결국은 누군가가 숙청의 죄악을 뒤집어쓰고야 만다.

다만 가끔 기묘사화 때처럼 누구도 그가 원하는 건의를 해 주지 않을 때가 있다. 그 때는 전격적으로 자기 의견을 내고 속전속결로 처리하였다.

결정이 느리고 자주 번복하는 태도도 변함이 없었다. 아침에 내린 명령이 점심 때 바뀌고 저녁 때 내린 명령은 다음 날 아침이면 번복되었다. 그러나 만년이 되면 이 때의 우물거림은 전과는 달라서 조심스럽고, 눈치를 보기 위한 우물거림이 아니라 가진 자의 변덕이란 느낌이 많이 든다.

중종은 사실 아랫사람의 입장에서는 매우 피곤한 임금이었다. 꼼꼼하다 못해 쫀쫀하고 자질구레한 일도 참견이 심했다. 병사를 모을 때도 여기에 모여라, 저기가 좋겠다, 아니 다시 저쪽에 서라고 하면서 제멋대로 변덕을 부렸다.

수십 년을 재위에 있다 보니 행사나 규칙, 절차 같은 것은 누구보다 잘 알고, 그런 것을 잡아내는 능력은 거의 경지에 달했다. 이번 행사에 뭐가 잘못됐다, 무슨 순서가 틀렸다, 그래 가지고 전쟁이 나면 제대로 하겠느냐 하면서 그는 쉴 새 없이 트집을 잡았다.

집을 지으면 현장에까지 가서 확인하고 잔소리를 했고, 바깥 행차를 할 때면 내구마(왕이 타도록 길들인 말)를 모조리 끌어내어 이놈 저놈 쉴 새 없이 갈아탔다. 그러면서 이놈은 길이 잘 안 들었느니, 마구가 짧으니 하며 잔소리를 하고, 담당자를 처벌했다. 말을 하도 자주 갈아타는 바람에 준비한 마구와 말의 사이즈가 맞지 않아 사고가 나기도 했는데, 그런 경우라도 중종은 용서가 없었다.

어쩌면 그의 우유부단하고 일관성이 부족한 태도는 처음부터 변덕과 조바심이 많고 남의 입장은 생각하지 않고 남을 믿지 못하는 성격의 소산이었을 가능성이 높다. 운 좋게도 즉위 초의 정치적 상황이 중종에게 매우 불리했으므로 사람들은 중종의 그런 태도가 공신들 때문인 줄로 알았고 어처구니없게 중종을 더욱 동정하게 되었는데, 그건 운이 좋았다고 말할 수밖에 없을 것 같다.

한편 국정운영에서도 중종은 뛰어난 자제력을 발휘하였다. 많이 게을러지고 이기적이 되기는 했지만, 그래도 중종은 기본적인 선은 지켰다.

사실 성종대부터 조금씩 눈에 드러나기 시작하던 변화는 중종의 시대에 들면서 그 양상이 더욱 두드러졌다. 왕실과 귀족들은 부유해 갔지만, 국가 재정은 더욱 말라 갔다. 왕부터 자기 것 챙기기에 바쁘니 그 아래 신하들은 말할 것이 없었다. 그나마 개혁을 외치던 젊은이들까지 쫓겨난 후로는 사람들이 더 뻔뻔해졌다. 간혹 이런 주제가 논란이 되면 관료들은 왕실이 먼저 모범을 보이면 된다는 상투적인 이야기나 하고, 왕은 "알았다. 고치마" 하고 대답하면 끝이었다.

대외적으로는 여진족과 왜구의 침범도 조금씩 대담해졌다. 중종 5년에 삼포에서 왜란이 일어났고, 23년에는 심정의 아들 심사손이 만포첨사로 있다가 야인에게 살해당하는 어처구니없는 사건도 일어났다. 그래도 국가는 이젠 전과 같은 여진정벌을 단행할 능력이 없었다. 재정이 고갈되니 흉년이 심하거나 대규모 유민이 발생하면 국가는 상투적인 정책만 잠깐 시행할 뿐 아예 손을 놓았다. 그러는 동안 빈민들은 세금과 역을 피하여 중이 되거나 부잣집의 고리대를 쓰고, 땅과 몸을 팔았다.

중종은 이런 현상을 개혁하지 못했고, 그런 시도도 하지 않았지만 그래도 최악의 사태는 방지하려고 노력했다. 대신 전과 달리 필요하다고 인정하면 이전의 규범과 법도 주저없이 바꾸었다. 다시 말하면 편법을 자주 사용하게 된 것이다. 성종 때까지만 해도 어떡하든 정식대로 법대로 하면서 나라를 유지하려고 했지만, 이 때가 되면 그런 배부른 자세는 통하지 않았다.

관서와 행정망이 제대로 돌아가지 않으므로 변방에 일이 생기면 유관부서들을 모아 관계기관 대책회의를 열었다. 그것이 조선후기에 최고 권력기관이 된 비변사의 시작이었다. 편법과 임시, 비상체제가 국정 운영의 중심에 놓이게 된 것이지만 당장의 효과는 괜찮았다.

이전에는 잘 사용하지 않던 암행어사 파견도 활성화해서 수령들의 비리를 단속했다. 수령들의 자질을 전체적으로 향상한다는 식의 정책은 생각도 하지 않았지만, 누가 큰 사고를 치거나 큰 문제가 발생한 고을이면 왕이 직접 나서서 적임자를 파견하여 문제가 더 이상 확산되지 않도록 막았다.

뇌물과 청탁이 늘어가다 보니 변방의 장수들도 자질이 많이 떨어졌다. 그러나 여진족에 대한 정보망까지 녹슬지는 않았다. 좀 이상한 징조가 보이면 정부는 재빨리 빽으로 나간 장수와 수령을 교체했다. 군사의 자질이 떨어지고 어쩌고 해도 왜구에 대한 해안경보와 방어시스템도 아직은 정상적으로 작동하고 있었다. 왜구가 출몰하면 해안 전역의 함대에 수색령이 떨어졌고, 웬만한 배는 이 수색망을 빠져나가지 못했다.

중종은 여전히 관사의 문서와 서류를 뒤졌다. 그의 서재인 비현합의 한 구석에는 자신이 직접 검토하기 위해 가져다 놓은 서류더미가 늘 수북이 쌓여 있었다. 잘못을 적발하는 눈도 훨씬 더 예리해져 있었다.

한 마디로 말하면 중고차처럼 삐꺽거리고 여기저기 잔고장을 호소하기는 해도 국가는 하여간 돌아가고 있었다. 만년의 중종은 그런 상태와 자신의 역할, 그리고 자신의 삶에 대단히 만족했던 것 같다.

그러나 이 정치의 천재도 만년에는 납득할 수 없는 일을 한 가지 저지른다. 이상할 정도로 세자의 배경을 약화시켰던 것이다. 김안로의 숙청은 어쩔 수 없는 일이었다고 하여도, 세자로서는 자신의 중요한 동맹세력을 잃어 버렸다. 그와 함께 세자의 외삼촌인 윤임이 실권이 없는 돈령부의 장으로 밀려났다. 반면에 문정왕후의 동생인 윤원형은 부쩍부쩍 힘을 키우고 있었다. 가뜩이나 세자는 생모가 사망한데다가 이상하게 처가도 그리 힘있는 가문이 아니었다. 장인은 사망했고, 장모는 살 집이 없어서 왕이 집을 구입해 주기까지 하였다.

중종 38년부터 그의 건강에 이상신호가 왔다. 감기가 오래 간다든가 치통이 심하고 이가 빠진다는 정도의 증세만 호소했지만 일년 내내 건강이 좋지 않은 상태가 계속되었다. 39년에 접어들면서 왕의 건강은 더욱 나빠졌다. 병명은 알 수 없지만 아랫배에 통증이 심해지고 변을 볼 수 없는 증세가 지속되었다. 아마 전부터 이런 증세가 있었고, 계속 악화되어 가고 있었던 것 같다. 물 밑에서 권력파동이 시작되었다. 벌써 정변을 예상하는 듯 누구는 윤임에게 붙고, 누구는 윤원형에게 줄을 섰다.

왕 자신도 죽음을 예감했을 9월에 이 소문이 왕에게 들어갔다. 왕은 대신들을 불러모아 이것은 대단히 우려할 만한 사태이므로 특단의 조치를 내리겠노라고 말한다. 그런데 그 조치라는 것이 윤임은 유배하고 윤원형은 파직하는 것이었다.

겉으로 봐서는 공정한 처사 같지만 한 사람은 지방으로 내쫓고, 한 사람은 서울에 두는 조치이다. 이건 누가 보아도 윤원형의 편을 든 것이었다. 대신들은 결사적으로 반대했는데, 실록을 기록한 사관은 왕의 숨은 뜻은 실제로는 윤임을 몰아내려는 것이었다고 기록했다.

이 조치는 정말 이해하기 힘들다. 중종은 도대체 무슨 생각을 한 것일까? 중종은 외척의 득세를 부정하는 임금이 아니었다. 관료군을 분열시키고, 외척을 조정의 최대 세력으로 키워 그와 결탁하여 국왕의 전제권력을 행사한다는 방식은 중종 자신이 만들어 놓은 구도였다. 그는 왜 갑자기 세자의 날개를 꺾고 가뜩이나 세력기반이 취약한 그를 고립무원의 상태로 만들려고 했을까?

왕의 배후에 있는 문정왕후를 의심할 수도 있다. 아직 정치의 표면에 나서지는 않았지만 문정왕후는 상당히 드센 여자였다. 그러나 아무리 문정왕후가 수를 썼다고 해도 중종이 세자를 폐하려는 생각이 없는 한 이렇게 할 수는 없는 것이었다. 외척이 너무 강해지는 것을 우려하여 세자에게는 좀더 건전하고 원칙에 가까운 조정을 물려주려는 의도였을까? 그렇다고 해도 왜 윤임에게만 더 가혹한 조치를 내리려고 했을까? 아니면 평생그래 왔듯이 이것도 문정왕후 측을 안심시킨 후 뒤통수를 치기 위해 포석을 깐 또 한 번의 반발 저지용 기만극이었을까?

이 대답은 알 수 없게 되었다. 왕의 병세가 극도로 악화되었기 때문이다. 중종 39년 11월 14일 왕은 세자와 조정 중신을 불러놓고 세자에게 전위할 것을 선언했다. 이 때는 벌써 위독한 증세가 나타나 제대로 앉아 있지도 못했으며, 숨이 당장이라도 끊어질 듯하여 말도 제대로 이어가지 못했다고 한다. 말하기도 힘들었지만 누릴 것을 누릴 만큼 누렸다고 생각한 때문인지 중종은 별다른 감상이나 부탁이 없었다. 그저 이전의 관례를 잘 지키라는 것이었다.

그러나 신하들에게는 무언가 부족하다는 느낌이 있었던 모양이다. 좌의정 홍언필이 왕에게 큰 소리로(중종은 나이가 들자 귀가 좀 어두워졌다) "전하의 증세는 가슴의 열인데 그것은 틀림없이 무언가 마음에 고민되는 일이 있기 때문입니다. 혹시 그런 일이 있으십니까? 우리가 꼭 알고자 합니다"라고 소리쳤다.

홍언필이 걱정했던 것이 무엇인지는 알 수 없다. 어떤 사관은 중종이 평생 하고 싶은 바를 못하고 간신들에게 눌려 살았기 때문에 그것이 마음의 병이 되었을 것이라고 적었고, 나중에 이언적은 중종이 조강지처와 헤어지고, 아들을 죽이고(경빈 박씨와 복성군 살해), 말년에는 대윤과 소윤의 다툼이 있어 재위 39년 동안 하루도 마음 편안한 날이 없었을 것이라고 하였다. 그러나 필자의 느낌으로는 홍언필로서는 아무래도 다음 세대의 정치구도가 불안했고, 어떤 조치를 기대했던 것이 아닌가 싶다. 그러나 중종은 아무런 후회도 미련도 없다는 듯 "내가 특별히 마음 쓰는 일은 없다. 작은 일이야 전에 없었겠는가? 그러나 지금은 마음에 걸리는 것이 전혀 없다"고 대답할 뿐이었다. 그 말은 진심이었을 것이다. 남 생각은 별로 안 하는 사람이었기 때문이다.

세자와 대신들이 물러나자 당장 그 날 오후부터 중종은 혼수상태에 빠졌고 다음 날 저녁 유시(5~7시)에 환경전(歡慶殿)에서 사망하였다. 왕이 된 지 39년, 나이는 57세였다.

그의 마지막 말에서도 드러나듯이 그 자신은 후회 없는 삶, 만족한 삶을 살았다고 마음속으로 결론을 내린 듯하다. 그러나 남은 사람들의 입장에서 볼 때 그는 상당히 골치 아픈 과제를 남겨놓았다. 그의 시대에 15세기의 정국구도는 파괴되었고 정가는 소수의 권력층이 독점하는 극히 좋지 않은 상태, 어찌 보면 15세기의 선조들이 제일 싫어하고 경계하던 형태로 구성되었다. 자신은 그런 구도에서 행복을 누렸는지 모르나 남아 있는 사람들의 입장에서 보면 그것은 정말 자신만을 생각하는 너무나 무책임한 행동이었다. 명종시대에 문정왕후와 윤원형이 많은 비난을 받았지만, 사실 그 시대의 비극은 다 중종의 이기적인 삶이 만들어 놓은 것이었다.

외로운 천재

1515(중종 10)~1545년(인종 1). 재위 1544~1545년. 조선의 제12대 왕. 이름은 호(岵). 중종의 맏아들. 어머니는 장경왕후. 비는 박용의 딸인 인성왕후이다. 1520년 세자로 책봉되었다. 어려서부터 총명하고, 우애가 깊고, 덕이 있어 많은 사람들의 기대를 모았다. 그러나 즉위 직후부터 병이 심하여 제대로 정사를 보지 못하고 왕위에 오른 지 8개월 만에 사망하였다. 사망하기 전에 조광조·김정 등 기묘사화의 희생자들을 신원하고, 현량과 합격자들을 복원시켰다. 자식이 없어 이복동생인 명종에게 양위하였다. 능은 효릉으로 경기도 고양시에 있다.

1. 억명이

　인종은 중종 10년(1515) 2월 25일 초경(저녁 7∼9시)에 태어났다. 중종이 두 번의 결혼 끝에 처음으로 얻은 아들이었다. 그러나 이 아기는 태어난지 나흘 만에 궁 밖으로 빠져나가야만 했다. 모친 장경왕후가 위중했기 때문이다. 장경왕후는 5년 전에 딸을 무사히 낳았는데, 이번 출산은 어쩌다 난산이 된 모양이었다. 결국 일주일을 앓던 왕후는 3월 2일 밤 삼경에 경복궁 동궁전 별전에서 사망하였다.

　사망 전 자신이 회복될 수 없음을 안 왕후는 불편한 몸을 무릅쓰고 일어나 중종에게 편지를 썼다. 전 해 여름 임신중에 한 노인이 꿈에 나타나 아이의 이름을 억명(億命)으로 지으라고 했다는 이야기였다. 왕후는 이 꿈을 아무에게도 이야기하지 않고 몰래 벽에 적어 놓았다고 했는데, 죽음의 순간에 그 꿈이 생각난 것이었다.

　조선의 정치구조에서 세자에게 모친이 없다는 것은 앞날을 보장할 수 없다는 뜻이다. 더욱이 이 때 중종의 나이는 겨우 스물여덟. 새 왕비를 얻으면 아들을 얻을 것이고, 이 아기를 세자로 책봉하기도 전에 새로운 왕자가 탄생할지도 모른다. 만약 다른 아이가 세자가 된다면 이 아이는 제 명대로 살기가 거의 불가능하다고 보아야 한다.

　필자가 결혼하기 전에 이 글을 썼다면, 이미 의식도 온전하지 않던 왕비가 말로 해도 될 이야기를 굳이 편지로까지 써서 왕에게 부탁한 까닭을 이해하지 못했을 것이다. 아이를 길러보지 않은 사람은 아기를 죽음의 땅에 내버려두고 떠나야 하는 부모의 심정을 모른다. 왕후가 억명이란 이름으로 지으라는 부탁을 굳지 편지로 써서 부탁한 것은, 그것이 아이의 장수를 보장하는 효과가 있다고 생각하기 이전에 젖 한 번 물려 보지 못한 아이에게 단 한 가지라도 무언가 해주고, 남겨주고 싶은 어머니의 절박한 심정의 표현이었을 것이다.

　중궁의 유언은 받아들여져 인종의 아명은 '억'이 되었다. 왕의 이름은 늘 외자로 짓기 때문에 '억명'이라고 지을 수는 없었던 듯하다. 그런데 아이의 만수무강을 특별히 걱정했기 때문인지, 아님 다른 어떤 이유 때문인지 이 아기는 궁에서 자라지 못하고 태어나서부터 궁 밖의 여러 집을 떠돌기 시작했다. 원래 조선에서는 왕자가 궁에서만 자라면 세상물정을 모르게 된다고 해서 어릴 때는 궁 밖에서 키우고, '이어'라고 해서 궁에 환자가 생기면 전염병을 우려하여 여기저기로 흩어지는 풍습이 있었다. 그러나 그래도 대개는 가는 집이 정해져 있었고—보통 왕족이나 아주 친근한 재상가가 대상이 되었다—장기적으로는 거주하지 않고 궁과 바깥을 왔다갔다 했던 것 같다. 더욱이 세조 이후로 민간에 오래 거주하는 것은 꺼리는 분위기였다.

그런데 인종은 출생 후 나흘 만에 궁 밖으로 나가더니 계속 이집 저집을 떠돌면서 어린 시절의 대부분을 보냈다. 덕분에 인종은 태어난 이후로 어머니와 아버지의 손길을 거의 타보지 못한 채, 불안정한 환경에서 성장해야 했다. 신하들도 몇 번이고 궁으로 들여야 한다고 건의를 했지만 중종은 이유도 말하지 않고 고집스럽게 이 방식을 지속했다. 주기적으로 입궁하여 할머니와 아버지를 만나기도 했고, 간혹 입궁하기로 방침이 바뀐 적이 있었지만, 또 병이니 어쩌니 하면서 금방 궁에서 떠나곤 하였다. 그 이유는 도저히 알 수가 없는데, 하여간 인종의 삶에는 쓸쓸하고, 외롭고, 늘 무언가를 피해 다니는 듯한 분위기가 드리워져 있다. 그것이 사실이었든 아니든 간에 말이다.

2. 신동

중종 12년에 왕은 새 장가를 갔다. 신하들은 벌써 걱정이 되었는지 식도 올리기 전에 새 중전은 원자를 친아들처럼 보살펴야 한다는 등의 상소를 써 올렸다. 왕의 대답은 "내가 알아서 하겠다"였다. 그 때 이 불쌍한 아이가 사람들을 놀라게 했다. 정확히 태어난 지 2년 2개월밖에 안 된 아이가 『천자문』을 완전히 떼고 『유합』을 절반이나 떼었던 것이다. 놀란 중종은 자신이 몸소 『천자문』을 들고 아이에게 물어보며, 혹시 그냥 순서대로 외운 게 아닌가 싶어 위아래를 가리고 물어도 보고, 다른 책에서 글자를 펴서 보여주어도 정확하게 맞추었다.

아무리 왕이라도 인간이고 아버지이긴 마찬가지다. 중종은 너무 신통해서 어쩔 줄을 몰랐다. 좀 나중에 왕과 신하들이 합석한 자리에서 이 어린 꼬마가 정식으로 실력발휘를 할 기회가 있었다. 신하들과 함께했으니 엄숙하고 정숙한 자리였지만, 중종은 입이 절로 찢어지고, 시종 좋아서 몸을 가만히 두지를 못했다. 그 따지기 좋아하는 신하들도 이 날의 아버지의 행동에 대해서는 비판하지 않고 흐뭇하게 서술해 놓았다.

왕은 만 두 살짜리 아이에게 손수 경계하고 교훈하는 글을 써 주어 내렸다. 색을 가까이 하지 말고, 재산을 불리려 하지 말고, 여자와 내시의 말에 현혹되지 말고 등등 아무리 신동이라도 전혀 알아듣지 못할 소리가 절반쯤 되는 글이었지만, 이 글에는 이 아이를 세자로 삼겠다는 명확한 의사표시가 있었다.

신동의 출현이 알려지자 궁에서는 작은 소동이 일어났다. 이 아이는 특별한 아이니 그에 걸맞은 특별한 교육을 실시해야 한다는 것이었다. 요즘 사람들 같으면 머리가 좀 좋았나 보다고 말하겠지만, 당시에는 그냥 머리가 좋은 정도가 아니었다. 인간의 자질은 이(理)와 기(氣)의 결합과정에 의해 결정된다고 이해하던 때다. 이걸 기질이라고 했는데, 문자에 빨리 익숙하다는 것은 타고난 기질이 총체적으로 탁월함을 드러내는 것이었다.

별도의 영재교육 프로그램이 없던 시절이었던 만큼 누가 어떻게 무엇으로 가르칠 것인가가 당장 논란이 되었다. 정상대로라면 어릴 때는 글자나 깨우치고, 13~15세가 되면 관례를 치르고, 성균관에 입학의식을 하고, 세자시강원과 서연을 구성해서 대신과 선별된 문신이 경연에서처럼 세자를 교육할 것이었다. 그러나 이런 신동을 어떻게 그 때까지 방치할 수가 있겠는가.

말은 그런데, 막상 일을 진행시키자 여기에도 파워게임이 개입했다. 중종은 처음에 삼정승 정광필, 김응기, 안당에 김전, 남곤, 이계맹을 보양관으로 삼아 교대로 가르치게 하였다. 이 조치에 사림은 흥분했다. 그들의 눈으로 보면 김응기 등은 제대로 된 문신이 아니었다. 그들이 아는 게 뭐 있어서 천재소년을 제대로 가르치겠는가? 오히려 그르칠 것이 뻔하다.

사림파의 자부심은 자신들이 저들보다 공부를 더 잘한다거나 더 많이 안다는 차원이 아니라 자신들은 정도에 서 있고, 저들은 그렇지 못하다는 차원이었다. 그러니 애가 타지 않을 수 없는 일이었다. 그리고 그들의 이론대로라면 성왕이 되기 위해서는 어려서부터 조금이라도 유해환경에 노출되어서는 안 되는 것이었다. 그들은 끈질기게 청원해서 끝내 이장곤과 조광조를 추가시켰다.

교재도 그들의 이론대로 『소학』이 채택되었다. 사림파는 또 김안국의 동생 김정국이 초등학교 교재로 편찬한 『동몽수지』를 정식 교재로 택하자고 건의했다. 늘 긍정적이던 중종은 그 앞에서는 네 말이 다 맞다고 대답했는데, 실제로 시행했는지는 알 수 없다.

주변에서 일어나는 소동을 알 리가 없었던 원자는 열심히 공부에 전념했다. 재상들은 3일에 한 번씩 가서 아이를 가르쳤다. 재상들이야 이미 손자까지 다 길러 보았을 사람들인데 그들도 신통하긴 신통했던 것 같다. 13년 1월에 남곤은 한 달간 원자를 가르쳐 본 소감을 이렇게 보고했다.

> 신이 12월부터 원자를 여러 번 뵈었습니다. 김응기가 초략한 『소학』 대문을 크게 써서 가르치는데, 하루 읽는 양이 거의 2, 3대문에 이르고 쓴 글씨도 자체를 이루니 비록 6, 7세 된 아이라 하더라도 이를 따를 수 없을 것입니다. (『중종실록』 13년 1월 6일)

3. 불길한 그림자

원자가 대단한 신동이란 사실은 원자의 세자책봉을 서두르게 했다. 이때까지 세자 책봉은 7, 8세에나 하는 게 보통이었으나 중종 13년 1월이 되자 네 살밖에 안 된 원자를 세자로 책봉하자는 건의가 등장한다. 중종의 반대로 막상 책봉은 여섯 살 때인 중종 15년 4월에야 이루어지지만 이것도 1, 2년 정도는 빠른 것이었다.

재상들은 재상들대로, 사림은 사림대로 그들의 지도자가 원자의 스승이 되어 있었다. '군사부 일체'라고 하지 않았던가? 이 관계의 정치적 의미는 상당히 크다. 그들은 무엇이든지 서둘렀다.

여기에는 보다 현실적인 원인도 있었다. 원자는 모친이 없다. 그 빈자리는 결국 처가와 그들의 후원자인 대신들의 몫이 될 것이다. 아마도 그들은 자신들이 이상으로 삼는 성종대의 정치구조를 기억했을 것이고, 성종 즉위 초에 원상들이 했던 그런 권력과 역할을 기대했을 것이다.

사림파는 정치적 구상이 좀 달랐지만 자신들이 원상과 같이 세자를 처음부터 끝까지 옹위하면서 새 세상을 만들어야 한다고 생각했을 것이다. 그런 점에서 볼 때 원자가 모친이 없다는 사실은 그들에게는 큰 장점이었다. 이 구상을 추진하기 위해서는 원자를 위협하는 요소를 미리 미리 제거해야 했다.

원자에게 제일 위협적인 존재는 당연히 중궁이었다. 아직은 아들이 없지만 언젠가는 아들을 낳을 것이다. 어느 어머니가 전처 아들을 왕으로 세우고 자기 아들은 비참한 삶 속으로 던져두려 하겠는가? 양녕대군, 단종과 금성대군, 월산대군, 제안대군, 가까이는 죄없이 죽은 견성군의 운명을 그들은 알고 있었다. 이건 파워게임이 아니라 생존의 문제였다.

다음으로 경빈 박씨가 있다. 중종은 그녀를 상당히 총애했는데, 그녀는 장경왕후보다도 먼저 아들을 낳았다. 그 아들이 복성군이다. 사실 중종이 처음 본 자식은 이 복성군이었다. 왕이 원자를 계속 밖에서 키우는 이유가 이들을 의식한 때문은 아닐까? 당시 사람들은 한 번쯤 그런 생각을 했을 것이다.

하여간 그들로서는 명분으로 보나 실리로 보나 원자를 세자로 삼아야 했다. 적어도 이 부분에서는 구세력과 신진세력 모두 이견이 없었다.

그러나 아무리 대신이라고 해도 궁 내부에서 일어나는 문제에 개입하기에는 정보망과 능력에 한계가 있었다. 물론 구중궁궐이라고 해서 바깥 세상과 완전히 단절된 금단의 비원이었던 것은 아니다. 후궁 중에는 대신가의 딸들이 있었고, 그들은 입궐할 때 유모와 시비를 대동하고 들어갔다. 상궁이나 궁녀, 궁중의 별감과 하인 중에는 서얼들, 자기 집 종의 남편이나 부인들, 또 그들의 친구, 인척들도 많았다. 상부 못지않게 하부도 친인척 관계로 얽혀 있는 게 이 사회의 중요한 특징이었다.

하지만 이 경우에는 원자의 적이 궁 내부의 최고 실력자라는 점이 문제였다. 밖에 있는 사람이 그들의 움직임과 동향을 모조리 파악하고 조절할 수는 없었다. 원자를 사랑했던 사람들의 입장에서 보면 원자는 너무나 불안했다. 그런데 정말로 불길한 일들이 동궁의 주변에서 일어나기 시작했다.

중종 20년 10월 서연이 끝나자 참석한 관원들에게 식사 대접이 있었다. 궁중의 음식은 사옹원에서 관리하는데, 왕에게 바치는 음식과 동궁에게 바치는 음식을 별도로 관리한다. 세자의 스승들에게는 당연히 동궁에게 배당한 음식으로 대접하였다. 그것이 끝나면 '퇴선'이라고 해서 먹다 남은 음식이 하급관원과 하인들에게 간다. 말은 그랬지만 궁중이나 되는 곳에서 반쯤 먹다 남긴 음식을 그대로 내린 것은 아니고 적당히 새로 차려서 나누어 먹었던 것 같다. 그런데 이 날 퇴선의 생선포를 먹고 사옹원 관원과 하인들이 구토와 설사 증세를 보였다.

제대로 건조시키지 않아 상한 포로 인한 식중독으로 판명이 났지만, 지금도 식중독으로 죽는 사람이 있을 정도로 식중독이란 만만치 않은 병이다. 게다가 당시는 식중독의 원인을 잘 모르던 때라, 포를 말릴 때 독충이

오줌을 싸면 포가 독에 감염된다고 생각하던 시절이다. 왕의 음식을 관리하는 관청에서 상한 음식을 사용했다는 자체가 수상쩍기 짝이 없는 일이었다. 적어도 39년의 재위 동안 중종에게는 그런 일이 한 번도 일어나지 않았기 때문이다.

그런데 동궁에게는 이런 일이 한 번도 아니고 두 번이나 일어났다. 3년 후인 23년 2월에 또 세자의 퇴선을 먹은 서연관과 하인들이 구토와 설사를 일으켰다. 이번의 범인은 꿩고기로 담근 젓과 식해(음료가 아니라 가자미식해 같은 생선요리)였는데, 나중에 식해가 변질된 것이라는 사실이 밝혀졌다. 식해는 전 달 16일에 경기도에서 진상한 것인데, 20일이나 지난 다음 달 6일에야 밥상에 올랐다는 것이다. 더욱이 왕과 동궁에 올라가는 음식은 반드시 사전에 맛을 보게 되어 있는데, 그것도 지키지 않았다. 더욱이 그 식해를 올린 처음에는 아무 탈이 없다가 3일째 되는 날 사고가 났다.

세상사가 다 그렇지만, 일단 시작하면 끝이 안 보이는 게 의심이다. 반대로 실수와 우연이란 따져보면 다 어처구니없는 것들이다. 이 사건으로 식해를 진상한 용인 수령과 사옹원 담당관리가 파면되었지만 그 이상의 진상은 밝혀지지 않았다.

동궁 주변에서 벌어졌던 일 중에서 제일 이상하고 파장도 컸던 사건은 중종 22년의 저주사건이었다. 이 해 2월 몰래 소변을 보러 동산 숲속으로 들어갔던 한 궁녀가 경악을 했다. 사지와 꼬리를 자르고 꼬리와 주둥이를 불로 지진 쥐 한 마리가 나뭇가지 위에 걸려 있었던 것이다. 하필 그 곳은 세자의 침실 바깥쪽이었다. 당시 일반인들은 액땜으로 이런 일을 했다고 하는데, 이것이 과연 액땜이냐 동궁에 대한 저주냐가 논란의 초점이 되었다. 특히 의문스러운 것은 이 날이 마침 세자의 생일날이었고, 쥐의 주둥이와 꼬리를 불로 지졌다는 점이었다. 불로 지진 이유는 쥐주둥이와 꼬리를 납작하게 눌러 돼지주둥이와 돼지꼬리로 만들기 위해서라고 해석했다. 세자가 돼지 띠였기 때문이다.

그리고 보니 같은 날 왕의 침실 밑에서도 똑같은 쥐가 발견되었다. 발견자는 다른 사람도 아닌 중종 자신이었다.

그 날 오후 점심 무렵에 왕은 중궁과 시녀들과 함께 『대학연의』를 공부했다. 공부를 끝내고 나오자 마침 경빈 박씨가 세숫물을 준비하고 마루에서 기다리고 있었다. 박씨는 부친이 아파서 전의를 보내 달라는 부탁을 하기 위해서 그 곳에 왔다고 한다. 세수를 하던 왕은 마루 밑에 쥐 한 마리가 죽어 널브러져 있는 것을 발견했다. 중종은 쥐를 내다버리라고 명령하고는 그 자리를 떠났다. 주변에 여자들밖에 없어서 누구는 소리를 지르고, 누군 도망가고 했는데, 한 용감한 여인이 치마로 쥐를 싸서 하수구에 버렸다. 막상 내던지고 보니 쥐의 모양이 좀 이상했다. 사람들이 몰려들었고, 다시 중종에게 보고가 들어갔다.

왕의 침실과 동궁전에서 동시에 이런 쥐가 발견되었다는 사실이 드러나자, 사람들은 세자에 대한 저주가 틀림없다고 단정했다. 그러나 범인은 고사하고 의심스러운 사람 하나 전혀 드러나지 않았다. 그런데도 관료들은 처음부터 이것은 궁중 내부의 사람이 동궁을 저주한 행위라고 몰아갔다. 틀림없이 그들은 처음부터 손톱 밑의 가시 같은 존재였던 경빈 박씨를 표적으로 정하고 있었던 것 같다. 마침내 대비가 그 때 왕의 침전 마루에 경빈 박씨가 있었고, 주변에는 온통 그의 시녀들뿐이었으니 박씨를 조사해야 하지 않겠느냐고 조심스럽게 의견을 개진했다. 물론 이 때 대비는 박씨가 범인일 가능성이 높다는 식의 말은 전혀 하지 않았다. 그러나 관료들은 대비의 한 마디가 경빈 박씨를 범인으로 볼 수 있는 명확한 증거라고 몰아나갔다. 나중에 대비는 난 전혀 그런 뜻으로 한 말이 아니라고 누차 말했지만, 자신의 말이 어떤 파장을 불러올지 정말로 전혀 생각하지 않고 한 말이었다고는 생각되지 않는다.

중종도 처음에는 박씨를 감쌌지만 그 역시 진심이었는지는 의심스럽다. 중종은 증거가 없다는 등 앞에서는 박씨를 비호하는 척하고, 박씨와 자녀들의 폐위와 유배는 자신의 뜻이 아닌 척했지만, 나중에 박씨와 친자식인 복성군에게 사약을 내린 것은 변명의 여지가 없다. 그 옥사는 철저히 자신이 주도한 것이었기 때문이다.

박씨는 이렇게 해서 제거했지만 문정왕후는 건재했고, 중종 29년에는 아들까지 낳았다. 게다가 세자는 부인에 후궁까지 두었지만 전혀 자식이 없었고 몸도 약했다. 그러니 문정왕후 쪽에서는 희망이 솟을 수밖에 없었다. 중종의 건강에 적신호가 울리기 시작하던 중종 38년 1월 7일 밤 자정을 전후해서 이번에는 동궁에 화재가 발생했다. 이유 없이 갑자기 발생한 이 화재는 불길이 대단해서 순식간에 동궁전을 태우고 옆의 자선당까지 태웠다. 불은 왕의 침전까지 옮겨 붙을 뻔했으나 그 연결 부분에 있는 승화당을 정신 없이 철거해서 겨우 화재의 확산을 막을 수 있었다.

이 사건은 그 후 오랫동안 문정왕후 측, 특히 왕후의 동생인 윤원형의 짓이라는 의심을 샀다. 물론 여기에도 증거는 없다. 사실 중종조에는 관원들의 기강이 많이 풀려서 뭐든지 나라 돌아가는 게 예전 같지 않았다. 중종 22년에 대전에도 한 번 불이 나서 지위 높은 상궁이 타 죽었고, 의정부가 실화로 불타고, 하나밖에 없는 성주사고에 불이 나 그 귀중한 소장본을 모조리 태워버리는 불상사가 있었다. 그럼에도 평소에 훈련이나 대비책이 전혀 안 되어 있어서, 동궁전에 화재가 났을 때도 궁 안에는 소방도구가 전혀 없었고, 군사들은 모이지 않고, 궐안 사람들은 우왕좌왕해서 동궁이 무사한지 어디로 피했는지조차 아는 사람이 없었다. 사람들은 닥치는 대로 물건을 끄집어내고 당황한 궁녀들은 여기저기 모여 서서 울었다. 화재가 나자 민간인들이 몰려들었는데, 그것도 통제하지 못해서 상당수의 물건까지 분실했다.

어쨌든 이런 정황 증거들은 진상을 파악하는 데는 전혀 도움이 되지 않는다. 하지만 세자의 주위에서 일어나는 일들은 정말로 이상하고 불길했다. 아무 일이 일어나지 않아도 마음을 놓을 수 없는 형편이었는데, 이런 일들이 자꾸만 생기고 세자는 세자대로 책봉되고 장가까지 간 후에도 여차하면 궁 밖으로 나돌았다. 문정왕후가 세자를 박대한다는 소문도 끝없이 나돌았다. 문정왕후의 성격을 보건대 결코 잘해 줬을 리는 없을 것 같지만, 정말로 무슨 짓을 했는지까지는 알 수가 없다.

어떻든 세자의 심정이 결코 편안하지 않았던 것은 분명하다. 이런 상황은 시간이 갈수록 더욱 악화되고 있었다. 그 과정에서 세자는 이복형 복성군이 죄없이 죽는 것을 보고, 수차례의 정변으로 자신의 스승들이 쫓겨나고, 죽고, 바뀌는 것을 경험하였다. 그리고 암살음모 소문이 끊임없이 감도는 가운데 계모와 이복동생 사이에서 생사의 결전장으로 밀려나고 있는 자신을 발견해야 했다.

4. 의문의 죽음

인종은 어려서부터 신동 소리를 들었지만, 주변의 기대가 너무 크다 보니 사실 교육이 과중했다. 열 살밖에 안 된 아이가 사서를 공부하는데, 문구만 외우고 묻고 토론하지 않으니 교육방법이 잘못된 것이다, 담당관원을 질책해야 한다며 주변에서 호들갑을 떨었다. 보다못한 남곤이 그 나이에 『대학』, 『논어』를 읽으면 그것만으로도 대단한 것이며, 토론은 무리라고 상서하여 겨우 진정시킬 정도였다.

그 후의 기록을 보면 세자는 다른 기예는 좋아하지 않고 오직 공부에만 몰두한 것 같다. 그러나 그것이 정말 학문을 사랑해서였는지, 고독하고 외로운 소년의 도피처였는지는 생각해 볼 일이다. 과중한 공부와 부담, 어린 소년으로서는 감당하기 힘든 인간세상의 냉혹함을 겪으면서 세자는 건강을 해쳤다. 선천적으로도 건강하지는 않았던 것 같아서, 어려서부터도 감기만 갖고도 한 달씩 앓았다.

이런 세자에게 더 큰 짐을 지운 사람은 다른 사람이 아닌 중종이었다. 중종편에서도 말했지만 세자에 대한 중종의 태도에는 이해할 수 없는 부분이 있었다. 정치적으로 세자는 정말 불리했다. 그의 외가인 파평 윤씨는 대단한 가문이었지만, 불행히도 문정왕후도 파평 윤씨였으므로 외가의 세력은 둘로 분열되어 있었다. 유일한 희망인 외삼촌 윤임은 원래 무과출신이었는데, 중종은 김안로를 숙청하자마자 윤임을 한직으로 빼돌리고 오히려 문정왕후의 인척들을 기용했다.

이런 판에 세자의 처가도 훈구대신가는 아니었다. 부인은 나주 박씨인데, 세자빈으로 책봉되자마자 장인이 사망했고, 본가가 가난해서 장모에게 집과 생활물자를 나라에서 대줄 정도였다.

세자의 지위를 안정시키는 좋은 방법은 조금씩 국정에 참여시키는 것이다. 그러나 중종은 마지막 2년 동안 건강이 극히 좋지 않았고, 세자가 이미 성년을 지나 서른이 다 되었음에도 조금도 임무를 맡기지 않았다. 중종이 그 전에 한 번 세자에게 양위하겠다는 이야기는 했지만, 그것은 지극히 정치적인 일과성 행동에 불과했다. 그 뒤로 세자에게 실무는 전혀 맡기지 않았기 때문이다.

도대체 중종은 왜 이토록 이상한 행동을 했을까? 자식과 부인 사이에서 누구의 편도 들어줄 수 없는 인간적인 갈등 때문이었을까? 노골적으로 세자의 편을 들어주는 것이 반대파들의 극단적인 행동을 야기할 수 있다는 생각 때문이었을까? 후자의 경우도 상당한 가능성이 있다. 아내와 자식도 믿을 수 없는 것이 권력의 자리이기 때문이다.

아니면 자식도 없고 건강도 좋지 않은 세자의 요절을 예상하고 이중의 장치를 마련해 놓은 것일까? 이유는 전혀 다른 것일 수도 있고, 이 모두일 수도 있다. 하여간 중종은 세상을 이렇게 만들어 놓고는 자신은 후회도 여한도 없다는 말을 남기고 세상을 떠났다. 나머지는 후계자의 몫이었다.

주변 사람들의 평에 의하면 인종은 조용하고, 점잖고, 후덕한 인물이었다. 행동거지가 늘 신중하고, 법도와 정식을 따랐으며, 효도와 우애가 깊었고, 인정이 많았다.

인종은 세자 시절에 중종에게 상소하여 죽은 복성군의 복권을 건의하여 관철시켰다. 그 상소는 구구절절 험악한 정치판을 살아가야 하는 양심적이고 선량한 젊은이의 육성을 들려준다. 즉위 후에는 바로 중종의 슬픈 미망인 신씨의 집을 궁으로 승격시키고, 그에 준하여 보호와 지원책을 마련하게 했다. 조광조·김정·기준 등 중종이 극도로 미워했던 사람의 지도자들에게도 인종은 동정적이었고, 언젠가는 그들을 사면하려는 마음을 가지고 있었다. 현량과도 복귀시켰다. 한 번은 제물로 쓰려고 잡아 놓은 새끼노루가 있었는데, 어쩌다 제사가 끝나도록 잡지 않았다. 이 소식을 들은 인종은 친히 명령을 내려 노루를 산으로 놓아주게 했다.

이상의 평과 행동들이 주는 인종의 이미지는 상당히 훌륭하다. 그러나 내외적으로 억압이 많은 사람들이 때로 이런 신사가 된다는 점도 기억할 필요가 있다.

어찌되었건 인종은 중종 39년 11월 30세의 나이로 즉위하였다. 어느 왕이나 그렇지만 즉위 후 처음 맞이하는 대사는 국장 즉 선왕의 장례이고, 상기중에는 식음을 전폐하고 나중에도 고기를 먹지 않는 게 예이다. 그러나 그런 예가 지나칠 것을 염려해서 벌써 세종이 유언으로 7일 후에는 고기를 먹으라는 명령을 내려놓았다. 다른 왕들은 사양도 하고, 시간을 더 끌기도 했지만 적당히 이 유언을 지켰다. 그런데 인종은 이상할 정도로 몸을 버려 가면서 원칙에 집착했다.

갑진년 가을에 중종께서 오랜 근심 걱정 끝에 자주 병환이 나셨는데, 왕[인종]이 약을 반드시 먼저 맛보았고 잠을 편히 주무시지 못하셨다. 병환이 오래 낫지 아니하여 위독하게 되어서는 옷을 벗은 적이 없고 음식을 들지 않으니, 그 수척한 형용이 보는 자를 울먹이게 하였다. 병환이 위독해지니, 조신을 나누어 보내어 종사·산천에 두루 빌고, 바야흐로 겨울철인데도 목욕하고 분향하며 한데 서서 저녁부터 새벽까지 하늘에 비셨다. (중종이) 홍서하시게 되어서는 미음도 전연 드시지 않은 것이 엿새이고, 울음소리를 그치지 않으신 것이 다섯 달이었으며, 죽만 마시고 소금과 간장조차도 드시지 않았다.

장사 지내고 나서는 늘 상차에 계셨는데, 궁인을 물리치시어 모시는 자는 다만 어린 내시 두어 사람뿐이었다. …… 왕이 초상 때부터 수척한 것이 이미 극도에 이르러 병환이 날로 더하여 갔는데, 대신이 예문대로 '병이 있으면 고기를 먹는다'는 제도를 따르도록 청하였으나 들어주지 않았고, 백관을 거느리고 청한 것이 여러 날이었으나 역시 들어주지 않으셨다. 모비[문정왕후]께서 친히 권하시니, 왕이 마지못하여 드실 듯하였으나 끝내 들지 않으셨다. (인종 행장)

중종의 초상 2개월 만에 인종은 외모상으로 벌써 수척하고, 기침이 심해지고 헛구역질까지 하기 시작했다. 신하들은 비위가 약해진 징조라며 제대로 된 식사를 권했으나 인종은 지금은 증세가 없어졌다, 이젠 먹기 시작하고 있다는 식으로 자꾸 거짓말을 했다. 의원의 진찰을 받아 보라고도 하고 약을 권해 보기도 했지만 아무 증세가 없으니 그럴 필요가 없다고 거부하였다.

마침내 그들은 문정왕후에게까지 가서 왕후가 나서줄 것을 청원하였다. 왕후는 대놓고 거부는 못했지만 형식적인 권장만 할 뿐 전혀 적극적이지 않았다. "나도 권했지만 말을 듣지 않는다" "졸곡 때(대략 3개월 정도)까지야 저대로 내버려둬야 하지 않겠느냐"는 식이었다. 그러나 의원의 진찰은 빨리 받아야 한다며 먼저 나서서 관료들을 닦달했다.

속보이는 행동이었지만, 효심이 지극했던 인종은 자전의 명을 거역하지 못했다. 의원이 진찰해 보니 벌써 심폐와 비위의 맥이 허약하고, 입술이 마르고, 기침이 심하였다.

한 달 후에는 "폐와 비위의 맥이 모두 허약하고 신장의 맥도 미약하며 얼굴에 혈색이 없고 수척하다. 혓바늘이 돋아서 찬선을 들지 못하였으며 기운이 쇠약하여 잠을 잘 자지 못하고 때때로 가슴이 답답하고 두근거린다"는 진찰 보고서가 나왔다. 만약 무리하면 심각한 결과를 초래할지도 모른다는 소견도 첨부되었다.

이 보고서는 한 쪽에게는 절망을, 다른 한 쪽에게는 샘솟는 희망을 던져

주었으나 정작 인종은 무슨 생각을 했는지 알 수 없다. 그는 여전히 나는 괜찮다, 조금 피로할 뿐이다라는 말을 반복했다. 그리고 당시는 1월이라 한창 추울 때였는데, 계속되는 제사를 자신이 몸소 집행하겠다고 우겼다.

이 때의 인종의 행동은 고집을 넘어서 거의 병적인 집착을 보인다. 약도 먹지 않고, 소금과 장을 입에 대지 않았다. 그것마저 결핍되면 큰일난다고 하여 내시들까지 나서서 옆에서 억지로 권하고 또 권하면 숟가락을 입에 대고 먹는 흉내만 내면서 "자 봐라, 내가 먹지 않았느냐" 하고는 도로 내려 놓았다고 한다.

인종이 이토록 약도 고깃국도 거부하자 신하들은 대안으로 우유를 내놓았다. 지금도 소화가 잘 안 될 때 식사대용으로 우유를 드시는 분들이 있는데, 언젠가 어느 약사분한테서 그럴 때 우유를 먹어서는 안 된다는 이야기를 들은 적이 있다. 필자는 의학에 대해서는 전혀 아는 바가 없으므로 이를 인종의 경우에 대입해도 되는지는 알 수 없지만, 아무튼 필자의 짧은 지식으로 판단한다면 우유는 인종의 건강에 전혀 도움이 되지 않았을 것이다.

그러나 인종은 다음 달이 되도록 음식도 우유도 거절하였다. 말로는 먹겠다고 했으나, 내시를 통해 정보를 수집해 보면 왕은 들여온 음식을 모두 거부하고 있었다.

아무리 효와 예절을 중시하는 사회였다고 해도 인간에 대한 기본적인 이해와 융통성마저 없던 시대는 아니다. 인종의 이런 행동은 정말 이해할 수가 없다. 그는 도대체 무엇을 이루려고 했던 것일까?

그러나 일단 우제, 졸곡제 등의 제사가 대강 끝나자 왕의 식사도 정상을 되찾았던 것으로 보인다. 3월 이후로 왕은 조금씩 정사를 보기 시작했다. 그러나 건강은 여전히 좋지 않았다. 4월에 다시 천식 증세가 심해졌고, 외모상으로도 병이 더 깊어지는 것이 보였다. 그러나 인종은 가벼운 기침이다, 눈이 부어서 그렇다, 내 기운은 건장하다고 늘 둘러댔다.

6월 25일 왕은 심한 설사를 하고, 기동을 정지했다. 이 때도 왕은 가벼운 이질증세다, 난 괜찮다는 말을 반복했다. 어쩌면 인종도 정말로 가벼운 설사로 여겼을 수 있다. 그러나 하룻밤 사이에 인종의 증세는 크게 악화되었다. 다음 날 검열 한지원이 환관 박한종에게 몰래 왕의 증세를 물어보니, 박한종은 한지원의 귀에 대고 임금의 눈동자가 술 취한 사람 같고, 손바닥이 매우 덥다고 속삭였다. 신하들은 면담을 청했으나 왕은 거부했다. 오후에 왕은 열이 오르고, 헛소리를 하고 정신이 혼미해졌다. 오늘밤을 넘기기 힘들 것이라는 소문이 돌고 궁중에 비상이 걸렸다. 대신들은 왕의 사망에 대비해서 숙직까지 하였는데, 밤을 넘기면서 다행히 열이 내리고 정신이 돌아왔다.

약을 올렸으나 인종은 먹지 않았다. 먹지 않는 정도가 아니라 권하면 화를 내고, 나인이 손가락에 약을 묻혀 입에 넣으면 기를 쓰고 손가락을 깨물고 내뱉었다. 내관조차도 믿지 않으므로 윤임이 와서 직접 약을 나르며 시중을 들었는데, 그래도 여간해서 약을 먹지 않았다.

이 행동은 인종이 지난 세월을 어떻게 살아 왔는가를 보여주는 귀중한 증언이다. 그의 조용하고 신중하며 새끼노루의 생명까지 걱정해 주는 다정함 속에는 암살에 대한 두려움과 불안, 모친도 자식도 없는 자신에 대한 비애가 담겨져 있었던 것이다.

27일 오후 더 이상 참을 수 없었던 영의정 윤인경이 중신들을 거느리고 알현을 청했다. 왕은 강경하게 거부했으나 윤인경이 억지로 밀고 들어가다시피 하여 허락을 받아냈다. 침전 문 밖에까지 가서 대기하고 있는데, 안에서 왕이 내관에게 대신들을 접견해야 하니 의관을 가져오라고 명령하는 소리가 들렸다. 밖으로 들려오는 목소리는 밝고 낭랑했다. 윤인경이 굳이 그러실 필요가 없다고 아뢰었으나 왕은 듣지 않았다. 조금 후 윤인경 등이 윤임의 안내를 받아 침전으로 들어갔다. 방문을 여니 후텁지근한 공기가 밀려왔다. 밀폐된 방안은 덥고 공기는 탁했다. 왕은 백립에 백포를 입고 베개에 기댄 채 앉아서 그들을 맞았다.

용안을 살피니 눈동자는 누렇고 붉으며, 얼굴은 수척하였다. 윤인경이 약을 드실 것을 권하자 인종은 꽤 여러 가지 이야기를 했다. 하지만 조금

전의 낭랑하던 목소리와는 달리 벌써 발음이 알아들을 수 없을 정도로 부정확했고, 자세는 의연했지만 눈은 초점을 잡지 못해 이리저리 빠르게 움직였다. 겨우 그들이 알아들은 말은 자신의 설사 증세는 달 초부터 있었다. 처음에는 괴로울 정도가 아니어서 음식을 조절하고 약을 먹으면 나을 것이라고 생각했는데, 20일 무렵에 다시 병이 나서 이렇게까지 악화되었다는 것이었다. 여기에 그가 필사적으로 약을 거부하는 이유가 은근히 암시되어 있다.

사실 6월 초 이질 증세가 처음 시작될 때부터 인종은 벌써 공포에 사로잡혀 있었다. 누구도 믿을 수 없었던 왕은 주방에서 올라오는 음식을 거절하기 시작했다. 다시 단식이 시작된 것이다. 할 수 없이 중궁이 내전으로 들어가 직접 식사를 만들어 올렸다. 그러나 중궁이 몸소 만들어 바친다 하여도 그 재료는 또 어디서 공급하겠는가? 겉으로는 인자하고 사리가 분명한 신사였지만 이미 그의 내면은 정상적인 생활이 불가능할 정도로 암살 공포증에 사로잡혀 있었다.

윤임이 작은 종지에 약을 따라 바치고, 윤인경 등도 힘써 권하니 왕이 마지못해 그들 앞에서 마셨다. 그 모습을 보고 주변에 있던 내시들이 오늘 전하가 약을 많이 드셨다고 기뻐하였다. 그러니 전에는 약을 하나도 먹지 않았던 것이 분명했다. 약을 먹은 후 왕은 더 이상 버티지 못하고 베개 위로 엎드려졌다.

윤인경 등은 더 이상 머물 수가 없어 황급히 물러나왔다. 그들의 마음은 착잡했다. 불쌍한 왕은 애처로울 정도로 필사적인 몸부림을 하고 있다. 그러나 이미 그의 육체는 짧은 연기조차 감당할 여력이 없었다.

다음 날 열이 내리고 상태가 조금 좋아졌다. 왕은 여전히 약을 먹지 않으면서 되려 의원이 밖에 나가 헛소리를 한다거나 입에 써서 먹지 못한다고 계속 변명을 늘어놓았다. 29일에는 정신을 잃지는 않았으나 맥이 거의 끊어졌고, 말을 잘 알아듣지 못했다. 슬픔에 겨운 중궁이 손가락을 끊어 피를 내려고 했다. 보통 민간인이 그러면 국가에서 정표를 하사하고 표창을 하고 그랬지만 중궁이 그런다고 하자 윤인경이 찾아가 그것은 아무 도움도 되지 않는다고 말려서 중지시켰다.

저녁이 되자 인종은 정신이 오락가락하는 중에 두 가지 묵은 과제를 풀어놓았다. 조광조 · 김정 등을 복권하고, 합격을 취소한 현량과 급제자도 복권하여 등용하라는 명령이었다. 자신은 이미 오래 전부터 이 생각을 했으나 선왕이 하신 일이므로 조급하게 고칠 수 없었다, 그러나 이제 살아날 가망이 없으니 이 일을 하고 가야겠다는 소감까지 피력하였다.

그러나 인종은 이렇게 유언을 남기면서도 정작 중요한 이야기, 자신의 후계자에 대해서는 끝내 침묵하였다. 이 밤에 왕의 옆에는 중궁과 환관들, 그리고 윤임만이 시중하였고, 영상 이하 관료들은 빈청에서 대기하고 있었다. 밤이 깊어 삼경(11~1시) 무렵에 왕은 드디어 의식을 잃었는데, 기적적으로 다시 의식이 돌아왔다. 남편의 심정을 모르는 바가 아니었겠지만, 옆에 있던 중궁이 후계자에 대해 왜 말씀이 없으시냐고 호소하였다.

선량한 사람은 한 번 악독해져 보고 싶어도 어쩔 수 없는 한계가 있다. 마침내 인종의 입에서 경원대군에게 양위한다는 선언이 새어 나왔다. 그 말을 할 때 그의 눈 앞에는 하늘을 쳐다보고 웃고 있을 미운 사람들의 모습, 어쩌면 자신의 죽음에 책임이 있고 좋아하다 못해 통쾌해하고 있을 사람들의 얼굴이 스쳐갔을 것이다. 또한 이 선언은 그와 가장 가까운 한 사람, 지금 그의 곁에서 시종하고 있는 윤임에게는 사형선고와도 같은 말이었다. 그러나 원칙과 양심에 충실했던 인종으로서는 하늘이 정해 준 대의와 운명에 굴복할 수밖에 없었던 것 같다.

환관을 통해 명령을 전하자 윤인경이 이렇게 중요한 일을 환관의 전언만으로 결정할 수 없다고 하여 좌의정 유관, 승지, 사관을 거느리고 침전으로 달려갔다. 윤임이 나와서 보고 왕에게 이들이 왔다고 전하자, 그 순간에도 인종은 관대와 의복 없이 면대할 수 없다고 거절하였다. 윤임은 윤임대로 애가 탔을 것이므로 혹시나 하는 심정으로 청하고 청하여 최후의 면담을 주선하였다.

윤인경 등이 방 안으로 들어오자 왕은 그 와중에도 관대도 차리지 않은 채 누워서 신하를 접견할 수 없다며 침상에서 내려오려고 하였다. 그러나 전혀 움직일 수가 없었다. 그래도 그는 억지로 사람을 시켜 부축하여 일으키게 하였다. 이 때 인종은 다시 한 번 이해하기 힘든 행동을 한다. 윤인경 등에게 자신을 몸을 만져보라고 명령한 것이다. 영상과 좌상이 손을 들어 만져보니 여윈 뼈가 앙상하였다. 두 노인은 왕의 처참한 몰골에 기가 막혀 눈물이 저절로 쏟아졌다. 잠시 후 인종은 숨이 가빠지면서 몸을 버티지 못하고 비틀거렸다. 죽어가는 왕의 몸을 붙잡고 윤인경은 내시를 시켜 경원대군에게 전위한다는 문서에 왕의 도장을 찍었다.

꺼져 가는 생명은 몇 시간을 조금 더 버티다가 묘시(5~7시)에 경복궁 청연루 아래 작은 침실에서 사망하였다. 즉위한 지 겨우 8개월, 향년 31세였다.

도승지로부터 인종이 경원대군에게 전위했다는 소식을 듣자 문정왕후는 겸손하게 어린것이 대사를 감당하겠느냐고 말하더니 바로, 그런데 경원대군을 창덕궁과 경복궁 어느 쪽으로 데려와야 하느냐고 물었다고 한다.

인종의 사망이 발표된 7월 1일 경원대군(명종)을 지지하던 소윤파 사람들은 궁으로 들어올 때부터 기쁨을 감추지 못했다. 그들은 출근길에 궁에서 서로 만나 손을 붙잡고 반가워하며, 궁 여기저기서 모여 웃음을 터뜨렸다. 문정왕후와 그들에게는 일생 최고의 좋은 아침이었다. 그들이 인종의 영혼에 조금이라도 감사하는 마음을 표시했는지, 아니면 착하디 착했던 그를 되려 비웃었는지는 모르겠다.

그의 사망을 두고 사람들은 독살을 의심하기도 했다. 불행하게도 남아 있는 기록만으로는 진위를 파악하기 불가능하다. 밖에서 기록한 이야기는 떠돌아다니는 소문을 기록한 것이라 신빙성이 없다. 실록에는 인종의 병증이 제법 자세하게 실렸지만, 옛날의 기록은 진단기록이 아니라 단지 증세만을 기록한 것이다. 필자는 의학에 완전한 문외한이지만 전문가라 할지라도 이런 기록만으로 독살 여부를 판단하기는 불가능할 것이라는 생각이 든다.

그러나 착한 인종이 한을 품고 떠나간 것은 틀림없는 사실이다. 독살이었든, 식중독과 음모와 주술로 몸이 허약해진 것이든 간에 인종은 끊임없이 어떤 두려움과 피해의식에 시달리며 살았다. 최소한 인종의 생각에는 자신의 죽음에 책임이 있는 사람들이 있었다. 최후의 밤에 인종이 갑자기 자신의 앙상한 몸을 만져보라고 했던 것은 자신의 억울함과 비참함을 호소하려는 행동이 아니었을까?

인종의 단명은 중종이 만들어 놓았던 새로운 정계구조를 최악의 상황, 즉 외척을 중심으로 한 소수집단의 전횡이라는 상태로 귀결시키는 결과를 낳았다. 기존 사회의 운영구조가 슬슬 변화하고, 대외적 위기가 높아지기 시작하는 때에 조선의 정가는 지금까지 보았던 어떤 정부보다도 가장 탐욕스럽고 무책임한 형태로 재편되었다. 그것은 16세기의 조선사회를 격동으로 이끌어 갔다. 이 내용은 다음 권에서 살펴보도록 하겠다.

임용한

마포고등학교 졸업
연세대학교 신과대학 신학과 졸업
연세대학교 문과대학 사학과 졸업
연세대학교 대학원 사학과 석사 졸업
경희대학교 대학원 사학과 문학박사
현재 경희대학교, 협성대학교 강사
경기도 문화재 전문위원
기독교 대한 감리회 산본신흥교회 담임 전도사
논저 : 「여말선초의 수령제 정비와 운용」
　　　「조선초기 수령의 권농업무」
　　　「조선초기 한성부의 기능강화와 주민재편 작업」
　　　「여말선초의 수령제 개혁론」
　　　『경제육전 집록』(공저)
　　　『한성판윤에서 서울시장까지』(공저)
　　　『조선국왕 이야기』

조선국왕 이야기 2

—

임용한 지음

초판 1쇄 인쇄 · 1999년 11월 12일
초판 1쇄 발행 · 1999년 11월 17일
발행처 · 도서출판 혜안
발행인 · 오일주
등록번호 · 제22 - 471호
등록일자 · 1993년 7월 30일
121 - 210 서울 마포구 서교동 326 - 26
전화 · 3141 - 3711, 3712
팩시밀리 · 3141 - 3710

값 10,000원

ISBN 89 - 85905 - 90 - 2 03910